J. Gerson da Cunha

The Sahyadri Khanda of the Skanda Purana

a Mythological, Historical and Geographical Account of Western India

J. Gerson da Cunha

The Sahyadri Khanda of the Skanda Purana
a Mythological, Historical and Geographical Account of Western India

ISBN/EAN: 9783337977016

Printed in Europe, USA, Canada, Australia, Japan

Cover: Foto ©Andreas Hilbeck / pixelio.de

More available books at **www.hansebooks.com**

To the Memory

OF

MY BROTHERS

JOAÕ INNOCENCIO AGOSTINHO DA CUNHA,

AND

VICTOR BERNARDO DA CUNHA,

AS A SLIGHT TRIBUTE OF AFFECTION,

This Volume is Dedicated.

ADVERTISEMENT.

The subjoined text of the Sahyâdri–Khaṇḍa, a part of the Skanda Purâṇa, has been drawn from fourteen MSS. from various parts of India, each MS. being marked with an initial syllable in Devanâgarî, indicative of the source from whence it has been derived; thus को stands for Cochin, सि for Sidhâpura, &c.

The following are the codices collated:—

को., from Cochin. This MS. was kindly lent by Svâmî Bhuvanendratîrtha, the Prelate of the Vaishṇava sect. It contains ninety chapters.

जु., from Junnar. This copy was borrowed from Mr. Raghunâtha Sharma. It consists of a hundred chapters.

सो., from the Bombay Branch of the Royal Asiatic Society, noted zz–b–14 in the catalogue of its library. It is divided into two sections, the first section containing eighty-eight chapters, and the second thirty-two.

सो.,२. Another copy belonging to the same Society, marked zz–e–31. It is incomplete, consisting of one section only. It is apparently written by a Gujarâthî Brâhmaṇ, who often subtitutes स for श, ब, for भ, and *vice-versa*.

को., २., from Kota, a village in the Karnâṭaca. It consists of hundred and eleven chapters, with several *lacunæ*.

सि.; from Sidhâpura, another village in the Karnâṭaca. It consists of one section, its chapters being left undivided in number.

चें., from Chempi, also a village in the same district. Several chapters are wanting about the middle of this copy.

गो., from Gomanta or Goa. It consists of two sections in hundred and eight chapters, and bears the date 1700 A. D.

का., from Kâs'i or Benares. This MS. contains a hundred chapters in all.

मुं., These are five MS. copies collected from several gentlemen in Bombay. Although possessing slight peculiarities of their own, their likeness is very striking, and they coincide to the extent of seeming rather to be copies of copies with errors heaped upon errors. Each of these copies is noted क, ख, ग, and thus in order.

With the exception of the MS. नै., which is written in the Kanarese character, all the others are in Devanâgarî. They are, also with one exception, undated.

To the text of the Sahyâdri-Khaṇḍa have been added almost all the *Mahâtmyas* or legends in connection with the foundation of temples along the Sahyâdri range, hitherto unedited, and which are considered to be its supplements.

Some of the copies betray the attempt to alter and interpolate, others, to mutilate rather than to circumvent, to which may be added miscopying. All these faults have, however, been controlled by the multiplicity of copies, and the variants *(variæ lectiones)* which they supply, given at the foot of the pages where they occur.

Beyond correcting clerical errors I am not conscious of having taken any liberty with the text. There may have escaped, in spite of the care taken, some incorrections in the MSS., whose copyists have committed numerous violations of orthography; but some allowance, I trust, will be made for me in the novelty and difficulty of the task.

Of the nature, character, and value of the work I reserve to write in the introductory essay to my translation of the text, which is in preparation.

I cannot refrain, ere I conclude, from expressing my best thanks to Messrs. Lakshuman Keni Shastri, Yeshvant Fondabâ Danâita, and Ganesh Ananta Shastri, all of them competent Sanskrit scholars, who in carrying the text through the press have given me their invaluable aid, and also from acknowledging the frank and amiable generosity of those who have assisted by the loan of their MSS. in the restoration of the text.

J. GERSON DA CUNHA.

Bombay, 2*nd February* 1877.

॥ ओं नमो भगवते वासुदेवाय ॥

स्कंदपुराणांतर्गतम् सह्याद्रिखण्डम्

अथ प्रथमोऽध्यायः

ब्रह्माण्डोत्पत्तिः ।

सनत्कुमार उवाच । पृथिव्याश्चांतरिक्षस्य दिशश्च विदिशस्तथा ।
समुद्राणां गिरीणां च अथ निष्क्रमसंख्यया[1] ॥ १ ॥
समुद्राणां च विस्तारं प्रमाणं च तथा पृथक् ।
स्थावराणां तरूणां च चराणां च दिवौकसाम् ॥ २ ॥
चतुष्पदां च द्विपदां नानाधार्मिकमोक्षिणाम्[2] ।
सहस्रं च समाख्यातं स्थावराणां प्रकीर्तितम् ॥ ३ ॥
सहस्रं पादहीनानामित्याह भगवाञ्छिवः ।
माहेश्वरं पदं तेषां सर्वेषां नृदिवौकसाम्[3] ॥ ४ ॥
एवं संख्यापि संख्याता सर्वज्ञेन स्वयंभुवा ।
येषां माहेश्वरं ज्ञानं भक्तिमच्च प्रकीर्तितम् ॥ ५ ॥
एवं ज्ञांस्ते[4] नमस्यंति ह्यभूतं भूतसंज्ञितम् ।
निर्गुणं निर्मलं ज्ञानं शंकरेण प्रचोदितम् ॥ ६ ॥
ऋषीणां श्रोतुकामानां भक्तानां निश्चलात्मनाम्[5] ।
श्रावितं ज्ञानसर्वस्वं पुराणेषूपपादितम्[6] ॥ ७ ॥

---

१ निःक्रम्य संख्ययेति सो. क. ख. ग. चिन्हितपुस्तकपाठः २ मोक्षकानिति जु. क. ख. ग. घ. चि० ३ देवमानुषानिति क्वचित्पाठः ४ एवं ज्ञानेन मनसी इति को. ग. घ. ङ. चि० ५ निश्चलात्मना; दृढव्रतांचेति मुं. ङ. ग. घ. चि० ६ गृह्यत इति सो. ख. ग. घ. ङ. चि०

ततो ज्ञानात्परं श्रेष्ठं प्रोक्तमीशेन धीमता ।
ब्राह्मणानां हितार्थाय सर्ववृत्तेष्वशेषतः ॥ ८ ॥
यथा संभवते ज्ञानं तथैवेशः[2] प्रवर्तते ।
अहमादौ च मध्ये च अहं चान्ते न संशयः ॥ ९ ॥
एवं कृता मतिर्व्यास[3] उत्पन्ना बुद्धिरव्यया ।
एक एव शिवस्तत्र तस्मात्कालो यथा महान् ॥ १० ॥
काल एवाहि तत्सर्वं तस्मात्कालेन[4] विद्यते ।
ततः स कालो भगवान्सोऽपि ध्यायन्सदाशिवम् ॥११॥
सृष्टिं प्रकर्तुमुद्युक्तः[5] प्रकृतिं नाम नामतः ।
ततो[6] ब्रह्मा प्रकृत्यास्तु ह्युत्पन्नो विष्णुना सह ॥ १२ ॥
ब्रह्मा बुद्ध्या प्रकुरुते सृष्टिं नैमित्तिकीं द्विज ।
ततः[7] स्वयंभुवो ब्रह्मा ब्राह्मणानामकल्पयत् ॥ १३ ॥
बाहुजातान्क्षत्रियांश्च तदधीनांश्च[8] वैश्यकान् ।
चतुर्थान्[9] वेदहीनांश्च आचारैश्च बहिष्कृतान् ॥ १४ ॥
बाह्यान्धर्माश्चोद्यमाना[10] परमार्थाच्छिवेन वै ।
पृथिवीं चांतरिक्षं च ज्योतिषां[11] पत्तनानि च ॥ १५ ॥
प्रोक्तं[12] यूकामक्षिकाणां मत्कुणानां सहस्रकम् ।
एवं[13] सर्वांस्तु सृष्ट्वा वै चोद्यमाना शिवेन तु ॥ १६ ॥

---

१ नोक्तमीशेनेति सो. क. ख. ग. घ. ङ. चि० २ तथावेशा इति सो. क. ख. ग. घ. चि० ३ एवंकृत्वामितिचासेति जु. ग. घ. चि० ४ कालान्नात इति. जु. घ. ङ. चि० ५ प्रवर्त्युं; कुर्वंतु-प्रकृतिमिति सो. जु. सो. को. चि० ६ तस्माद्ब्रह्माप्रकृत्याश्चउत्पन्न इति मुं. सो. ग. चि० ७ तस्मात्स्वयंभूर्ब्रह्मापि ब्राह्मणात्समकल्पयदिति जु. ख. ग. चि० ८ तस्याधीनांश्च वैश्यका इति सो. ड च. छ. चि० ९ चतुर्षु पादहीनाश्चेति मुं. सो. जु. को. चि० १० ब्राह्माश्चधर्म्यान्चोपमान इति सो. जु. ग. चि० ११ योतिषांपतनान्यपीति जु. सो. को. चि० १२ मयाप्रोक्तंसहस्रभो; सहस्रंत्यो; सहस्राणिः; युकमक्षिकमत्कुणानिति सो. जु. मुं. चि० १३ एवंसर्वासुदृष्ट्वावैचोदामाने शिवेनवै... इति सो. चि०

अति[1]स्वल्पपदे हेतुस्तत्र कालत्रयेऽभवत् ।

व्यास उवाच । कथं ब्रह्मा समुत्पन्नः कथं सृष्टिः प्रवर्तिता ॥१७॥

कथं भूतिधरो देवः कथं ब्रह्मत्वमागतः ।

सनत्कुमार उवाच । आसीत्तमोमयं सर्वं न प्रज्ञायत किंचन ॥१८॥

ततः शिवो महादेवो योगभृक् सनु सर्वतः ।

क्रीडार्थमभियुक्तश्च तेजोगुह्यमकल्पयत् ॥ १९ ॥

तत्तेजोऽग्नि[2]ः समाधत्त आत्मनात्मैव संस्थितः ।

तस्माद्भस्मत्वमापन्नं [3]ततो वायुस्तदाऽभवत् ॥ २० ॥

तस्मात्कमल[4]पत्रस्थं शिवं सर्वार्थमुच्यते ।

[5]तत्तमो जनितं पूर्वमापो भूत्वा च शंकरः ॥ २१ ॥

तेज[6]सा वायुना चैव तमो देवस्तदाक्षिपत् ।

तस्मादण्डं समुत्पन्नं ततो नारायणः स्वयम् ॥ २२ ॥

[7]आपश्चाग्नेस्तु संयोगात् समीरणसमुद्भवः ।

वायोरपि विकुर्वाणाच्चाकाशमभवत्तदा ॥ २३ ॥

तत्रस्था ह्यभवत् पृथ्वी एषा माहेश्वरी तनुः[8] ।

अनुप्रविश्य सकलं निमेषार्धप्रमाणतः ॥ २४ ॥

ततः सर्वं समुत्पन्नमद्भिर्नारायणः स्मृतः ।

तदण्डमभवद्धैमं सहस्रांशुसमप्रभम् ॥ २५ ॥

तस्मिन्नण्डे स भगवान्[9]उषित्वा परिवत्सरम् ।

ततो ब्रह्मा स्वयं तत्र बिभेदाण्ड[10]मथोत्थितः ॥ २६ ॥

---

१ अल्पस्वल्पपदेहेतुत्रयकालपीठयेदिति ख· सो· ग· घ. ङ. च. चि०

२ तत्तेजोसिराधत्तेति सो· जु. ग· चि० ३ तस्मादायुस्तत इति सो· जु. ग. घ· चि० ४ तस्मात्काम्यानिपत्रस्थेति सो· मुं· जु. ङ· चि० ५ तततमोपयामासेति सो. मुं· जु. ङ. च· चि० ६ तस्माच्चातेजश्चैव वायुनाचसदाक्षिपेदिति जु· सो. चि० ७ अपश्चागेश्चसंयोगादमितेजसमुद्भव इति सो· जु. ग. चि० ८ एषामाहेश्वरीतुहु:; विदु:; मत इति जु· को· सो. ग. घ. चि० ९ उषित्वान्निति जु· सो· पु· चि० १० मथादितेति जु. को· सो. पु· चि०

अथ व्योम दिशः सर्वा अपां स्थानं च शाश्वतं ।
ततः सकलमध्ये च सोऽथ सृष्टिमथाकरोत् ॥ २७ ॥
इति श्रीस्कंदपुराणे आदिरहस्ये सह्याद्रिखण्डे व्याससनत्कुमार
संवादे ब्रह्माण्डोत्पत्तिर्नाम प्रथमोऽध्यायः ॥ १ ॥

अथ द्वितीयोऽध्यायः ।

सृष्टिक्रमः

सनत्कुमार उवाच । अव्यक्तं महदुत्पन्नं ब्रह्माण्डमपि तैजसं ।
महतस्तु[1] ततो ब्रह्मा तस्माद्ब्रह्माण्डतां गतः ॥ १ ॥
समुद्रास्तस्य रुधिरमाकाशमुदरं तथा ।
पवनश्चैव[2] निश्वासस्तेजोऽग्निर्निम्नगाःशिरः ॥ २ ॥
आकाशनभसी श्रोत्रे चंद्रार्कौ नयने स्थितौ ।
उर्वी[3]श्चैवाऽभवन्मेघा जंघे तस्यापि मेदिनी ॥ ३ ॥
पृथि[4]व्यन्ते समुद्रास्तु समुद्रान्ते तमः स्मृतं ।
तमसो[5]ऽन्ते जलं प्राहुर्जलस्यान्तेऽग्निरेव च ॥ ४ ॥
रसातलान्ते सलिलं जलान्ते[6] पन्नगाऽधिपः ।
तदन्ते पुनराकाशमाकाशान्ते[7] पुनर्जलं ॥ ५ ॥
जलस्यान्ते तमः प्राहुस्तमसोऽन्तेऽग्निरेव च ।
तेजसोऽन्ते तथा पृथ्वी द्वीपैः सप्तभिरावृता ॥ ६ ॥

---

१ महतस्तुतत इति जु. चि० २ पवनश्चस्तनाभिश्चतेजोग्निनिम्नसागरा इति सो. जु. मुं. को. चि० ३ उरुश्चवमहान्मेया इति सो. जु. मुं. को. चि० ४ पृथिव्यने; पृथिव्यान्ये समुद्राश्च; समुद्रातेतम इति जु. सो. क. ख. ग. चि० ५ तःतमसोतेग्न्यतेजलमिति सो. ग. घ. ङ. चि० ६ तेनांतियनेधि; तेनातेयत्रमोधिपेति सो. जु. ग. घ. चि० ७ जैलं; जलमिति सो. ग. घ. ङ. चि०

अण्डस्य धारणमाहुर्महतश्च महात्मनः ।
एवं [1]ब्रह्माण्डमित्युक्तं महावरणमुच्यते [2] ॥ ७ ॥
यद्यथा यस्य ये नित्यं तत्प्रवक्ष्याम्यशेषतः ।
आपो नारा इति प्रोक्ता आपो वै नरसूनवः ॥ ८ ॥
ता यदस्यायनं पूर्वं तेन नारायणः स्मृतः ।
बृहत्त्वाच्च महत्त्वाच्च ततो ब्रह्मा विभाव्यते ॥ ९ ॥
कार्यत्वात्कारणत्वाच्च ततो विष्णुर्विभाव्यते ।
द्वावेतौ पुरुषौ लोके क्षरश्चाक्षर एव च ॥ १० ॥
[3]कल्पकल्पे तदातीते युगसाहस्रसंख्यया ।
तदा लोके[4] स्वयं जीवान्सृष्ट्वा पंचात्मकांस्तदा ॥ ११ ॥
मानुष्यं चैकविध्यं तु चातुर्वर्ण्यमनेकधा ।
[5]अष्टाविधा देवयोनिर्मानुषी त्वेकधा[6] स्मृता ॥ १२ ॥
जरायुजांडजोद्भिज्जस्वेदजाश्च चतुर्विधाः ।
पृथिवी चांतरिक्षं च दिव्यं त्रिभुवनं स्मृतम् ॥ १३ ॥
पृथिव्यास्तु परीमाणं भौमैस्[7]तुल्यविधि स्मृतम् ।
समुद्राः [8]सरितश्चैव सवनस्पतिवीरुधः ॥ १४ ॥
एवं दिव्यं त्रिभुवनं त्रिधा देवैर्निरू[9]पितम् ।
नैवं[10]कोटिप्रमाणेन विख्यातं भुवनत्रयम् ॥ १५ ॥
रुद्राणां कोटिरेका[11] तु पुरा चान्ते व्यवस्थिता ।
ब्रह्मा विष्णुश्च द्वावेताव[12]ुपास्येते महेश्वरम् ॥ १६ ॥

---

१ एवंब्रह्मणमित्युक्तमिति जु. ङ. चि० २ उच्यतेति सो. ग. घ. ङ. चि० ३ कल्पेकल्पेति सो. ग. चि० ४ लाकोन्स्वयंजीवा इति जु. सो. ग. घ. चि० ५ अष्टविधेति सो. ग. ङ. चि० ६ भिन्ना; भिन्नेति सो. ग. ङ. च. चि० ७ भूमैस्तुल्येति ज. सो. ङ. चि० ८ सचारितम इति सो. चि० ९ रुपा स्यतेति सो. ग. ड. घ. चि० १० नवकोटयस्तुविख्याताएवंत्रिभुवनंस्मृत इति सो. ख. घ. ङ. चि० ११ रेकस्यात्पुरेचान्येति सो. ग. घ. च. चि० १२ तौउपास्य-तेति सो. ख. घ. ङ. चि०

मया एवं[1] प्रविख्यातं यशस्तस्य उदाहृतम् ।
ततोऽहं[2] संप्रवक्ष्यामि पुरुषाँल्लोकविस्तरान् ॥ १७ ॥

जंबूद्वीपोऽथ गोमेदः शाल्मलिश्च कुशस्तथा ।
क्रौञ्चद्वीपस्तथा शाकः पुष्करः सप्तमः स्मृतः ॥ १८ ॥

अतःपरं तु ते सप्तद्वीपानां तु पृथक्पृथक् ।
परिमाणं तु संख्यातं द्वीपे पादपसंख्यया ॥ १९ ॥

जम्बुद्वीपे जम्बुवृक्षः कथयिष्यामि ते शृणु ।
सहस्रशतमेकं च योजनानां समुच्छ्रयः ॥ २० ॥

तत्र जंबूफलरसश्चामृतस्वादसन्निभः ।
प्रमाणादायतो द्वीपो द्विगुणात्परिणाहतः ॥ २१ ॥

द्विगुणेन समुद्रेण लवणेन समावृतः ।
सप्तगंगाः समायाताः सप्तैव कुलपर्वताः ॥ २२ ॥

मध्यमस्य च खण्डस्य[6] प्राक्प्रतीच्यां निबोधतः ।
द्वे वर्षे परिसंख्याते कालवर्षे प्रकीर्तिते ॥ २३ ॥

औत्तरं दाक्षिणं ज्ञेयमिंद्रधन्वाकृतिस्तथा ।
चतुर्भिरद्रिभिश्चैव वर्षाणां तत्प्रमाणकं ॥ २४ ॥

भारतस्य च वर्षस्य नव भेदाः प्रकीर्तिताः ।
कुरवो हिमवांश्चैव रम्यः क्रौञ्चगिरिस्तथा ॥ २५ ॥

इलावृतः किंपुरुषं भारतं दक्षिणेन तु ।
पूर्वेण माल्यवांश्चैव पश्चिमे गंधमादनः ॥ २६ ॥

---

१ यैचैवविख्याताविति मुं. ग. घ. ङ. चि० २ तदिदंसंप्रवक्ष्यामीति सो. क. ख. ङ. चि० ३ एवंचेति सो. ख. ग. ङ. चि० ४, योजनासमुच्छ्रयेति सो. घ. ङ. च. चि० ५ तस्यजंब्वेति सो. क. घ. ङ. चि० ६ वर्षस्येति सो. जु. ख. ग. चि० ७ चत्वारोद्रोणसंस्थानामिति सो. जु. ङ. चि० ८ रंगिर; रंगिरीति जु. सो. चि० ९ हरिवर्षाल्किंपुरुषेति सो. जु. घ. ङ. चि०

चतुरस्रं ततो द्वीपं[1] मध्यमं हरिमण्डलम् ।
नीलपर्वतराजश्च सितशुक्तिर्[2]महागिरिः ॥ २७ ॥
शृंगवानुत्तरे पार्श्वे समंतात्तु समुत्थिताः[3] ।
सहस्रं पर्वताः ख्याताः कालज्ञानविशारदैः[4] ॥ २८ ॥
तेषु जांबूनदं नाम कनकं देवभूषणम्[5] ।
तज्जम्बोत्तरपार्श्वे तु मेरुर्नाम महागिरिः ॥ २९ ॥
मेरुं प्रदक्षिणं कृत्वा जंबुमूले विशेषतः ।
तस्य द्वीपस्य मध्ये तु कर्णिकैका विराजते ॥ ३० ॥
योजनानां सहस्राणि चतुराशीति चोच्छ्रयः ।
अधस्ताच्च सहस्राणि षट्त्रिंशच्चैव पार्श्वतः ॥ ३१ ॥
चतुरस्रं प्रमाणं च गिरींद्रस्य महात्मनः ।
तत्र[6] तासु विचित्रासु कंदरीषु नदीषु च ॥ ३२ ॥
शतं शतसहस्राणि पर्वतानां समासतः ।
नीलश्च निषधश्चैव चित्रकूटश्च पर्वताः ॥ ३३ ॥
हिमवान्दक्षिणे पार्श्वे तावद्भिर्योजनैः समः ।
पंचविंशसहस्राणि विस्तरस्तस्य[7] चोच्यते ॥ ३४ ॥
सीता इक्षुश्च सिंधुश्च तिस्रस्ता वै प्रतीच्यगाः ।
शरयू ऱ्हादिनी चैव पार्वती चैव पूर्वगाः ॥ ३५ ॥
गंगायास्तु समायाता जंबुद्वीपे सरिद्वराः ।
तासां नद्यः समाख्याताः शतशोऽथ सहस्रशः ॥ ३६ ॥
गंगासमानरूपाश्च पुण्यशीलसमुच्चयाः ।
देवतीर्थाः सुपुण्याश्च ता मया ह्यनुकीर्तिताः[8] ॥ ३७ ॥

---

१ द्वारं; दारमिति सो. जु. चि० २ शुक्र इति ३ समुछिता इति सो. जु. घ. ङ. चि० ४ विशारदैरिति सो. जु. घ. चि० ५ ख्यातमिति सो. चि० ६ तस्य सातुरिति सो. घ. चि० ७ विस्तरेण सदोच्यतेति सो. जु. ख. चि० ८ मरुकीर्तितइति जु. घ. चि०

जंबुद्वीपः प्रसंख्यातो याथातथ्येन वै द्विज ।
पश्यैषामेवद्वीपानां शेषं प्राधान्यतः शृणु ॥ ३८ ॥
जंबुद्वीपं प्रमाणेन द्विगुणोत्तरतः स्मृतं ।
उत्तरेण स्मृताः सर्वे तत्र ते स्वर्गवासिनः ॥ ३९ ॥
जंबुद्वीपसमानानि नामधेयानि सर्वतः ।
क्षारइक्षुसुरासर्पिर्दध्योदा नाम नामतः ॥ ४० ॥
मंडोदश्च प्रथमतस्ततः स्वादूदकोत्तरं ।
द्वीपानां च सहस्राणि ह्यविज्ञातानि यानि तु ॥ ४१ ॥
सप्तैव तु समासेन द्वीपानि व्याहृतानि[3] ते ।
अपि वर्षशतैर्विप्र न शक्यं व्याहृतुं मया ॥ ४२ ॥
प्लक्षद्वीपे प्लक्षवृक्षः शाल्मले शाल्मलः स्मृतः ।
कुशद्वीपे कुशस्तंबः क्रौञ्चद्वीपे महागिरिः ॥ ४३ ॥
शाकद्वीपे शाकवृक्षः पुष्करे पुष्करः स्मृतः ।
सर्वेषामेव वृक्षाणां रसो ह्यमृ[4]तवत्स्मृतः ॥ ४४ ॥
तं पीत्वाथामृतरसं दीर्घायुष्यं भविष्यति ।
न तत्र रोगो न जरा न शोको न परिश्रमः ॥ ४५ ॥
समानमेव जायंते म्रियन्ते तत्समं सदा ।
नान्यां स्त्रियं विजानन्ति चक्रवाकसमधर्मिणः ॥ ४६ ॥
सर्वा मणिमयी भूमिः सूक्ष्मकाञ्चनवालुका ॥
सर्वपुष्पमया वृक्षाः सर्वगंधमयाः स्मृताः ॥ ४७ ॥
सर्वेषां चैव द्वीपानां सप्तैव कुलपर्वताः ।
सप्तैव नद्यस्तेषां च सप्तसप्तैव कल्पिताः ॥ ४८ ॥
एवं नद्युपनद्यश्च शतशोऽथ सहस्रशः
तेषां पर्वतराजानः परिवारशतावृताः ॥ ४९ ॥

---

१ ब्रुवतो मे; इति जु. ख. चि० २ अस्तरमिति जु. ख. चि० ३ व्यावृतं तुल याद्विजइति से. जु. ख. ग. चि० ४ अमृतस्वादुरुच्यत इति सो. ख. चि० ५ गच्छतीति सो. ग. चि०

शृङ्गवन्तश्च राजन्ते सानुभिर्विविधैस्तथा ।
तत्र सिद्धाश्च ऋषयो गंधर्वा मानवाः खगाः ॥ ५० ॥
राक्षसाश्चोरगाश्चैव वसन्ते यक्षकिन्नराः ।
न च वर्षति पर्जन्यो न च कालस्य पर्ययः ॥ ५१ ॥
महाकल्पे तु दह्यन्ते इत्याह भगवाञ्छिवः ।
तेषां पर्वतजालानां स्वयं दीपयति प्रभा ॥ ५२ ॥
वृद्धाः पर्वतराजानं परिवार्य समंततः ।
षष्टिवर्षसहस्राणि ह्येते तस्य समं तदा ॥ ५३ ॥
तेषां सहस्रशश्चान्ये परिसंख्या न विद्यते ।
तत्र ते पुरुषव्याघ्र समासेन मयोदिताः ॥ ५४ ॥

इति श्रीस्कंदपुराणे आदिरहस्ये सह्याद्रिखण्डे व्याससनत्कु-
मारसंवादे सृष्टिक्रमो नाम द्वितीयोऽध्यायः ॥ २ ॥

अथ तृतीयोऽध्यायः ।

भूमिविस्तारः

सनत्कुमार उवाच । चतुर्युगसहस्रं तु कल्पमेकं विधीयते ।
दिनैकं ब्रह्मणः प्रोक्तं निशा च तत्प्रमाणका ॥ १ ॥
अहोरात्रं च कल्पद्वयं एवं वर्षशतं द्विज ।
तदायुश्चाद्रिजेंद्रस्य हरस्य निमिषः स्मृतः ॥ २ ॥
ब्रह्मादिस्तंभपर्यंतं निमिषोत्पत्तिरुच्यते ।
निमेषजीविनः सर्वे चंद्रादित्यग्रहैः सह ॥ ३ ॥
महाकल्पश्च विख्यातः शिवस्य निमिषस्तथा ।
द्वीपानां चैव सर्वेषां कथयामि समासतः ॥ ४ ॥

---

१ श्चोरयक्षाविति सो. जु. ख. चि०. २ तथा निशिकलोच्यत इति सो. जु. क. ख. चि० ३ एवमादिचवर्षंचेति मुं. सो. जु. ग. चि०

अन्येषां चैव द्वीपानां विविधा विहिता गतिः ।
भारतस्य च वर्षस्य नव भेदाः प्रकीर्तिताः ॥ ५ ॥
इंद्रद्वीपः कशेरूमांस्ताम्रवर्णो गभस्तिमान् ।
नागद्वीपस्तथा सौम्यो गांधर्वो वारुणस्तथा ॥ ६ ॥
अयं तु नवमस्तेषां द्वीपः सागरसंवृतः ।
स्वादूदकेनोपतापः सागरोत्तरतो महान् ॥ ७ ॥
तस्य बाह्या परा पृथ्वी द्विगुणेन प्रमाणतः ।
तस्यापरे तु ये चैव लोकाः स्वर्गनिवासिनः ॥ ८ ॥
लोकान्विशंति तल्लोकाः प्रमाणं लोकविस्तरं ।
सर्वसिद्धिसमुत्पन्ना[1] नीरोगाश्चैव मानवाः ॥ ९ ॥
प्रकारस्थितयश्चैव वर्णस्यैव मनोरमाः ।
लोकेशाश्चैव चत्वारो लोकालोकस्थितास्तथा ॥ १० ॥
एवं च भूमिविस्तारं त्रिगुणेन प्रमाणतः ।
तथैव कथितं व्यास सुमहच्च महामुने ॥ ११ ॥

इति श्रीस्कंदपुराणे आदिरहस्ये सह्याद्रिखण्डे व्याससनत्कुमार
संवादे भूमिविस्तारो नाम तृतीयोऽध्यायः ॥ ३ ॥

अथ चतुर्थोऽध्यायः ।

नरकवर्णनम्

सनत्कुमार उवाच । पृथिव्यास्तु मया ख्यातं विस्तारादायतं तथा ।
अधस्तात्तु प्रवक्ष्यामि पातालतलवासिनाम् ॥ १ ॥
यत्र भोगवती रम्या नानारत्नोपशोभिता ।
तस्यां तु नागराजानो विश्रमन्ति मुदान्विताः ॥ २ ॥

---

१ मानसिसिद्धिसंपन्नेति सो. ज. ख. ग. घ. चि०

तत्र सिद्धा मुनिगणा भरताद्याः प्रकीर्तिताः ।
वासुकिस्तक्षकश्चैव कर्कोटश्चधनंजयः ॥ ३ ॥
कालियः पवनो नाम नागः पूरण एव च ।
मणिनामा सुभद्रश्च नागश्चैवाथकौशिकः[१] ॥ ४ ॥
रघुश्च डुण्डुभश्चैव कंबलाश्वतरावुभौ ।
तित्तिरिर्हरिभद्रश्च जंबुरुद्रो बलाहकः ॥ ५ ॥
करवीरः पित्तरीको ह्यसुबृच्च महोरगः ।
ये चान्ये नागपतयो ह्यनंताद्याः प्रकीर्तिताः ॥ ६ ॥
पुरी भोगवती रम्या मणिरत्नोपशोभिता ।
विचित्राभिः पताकाभिर्विमानैश्च सहस्रशः ॥ ७ ॥
दोलल्लंबितवासाश्च मौक्तिकाद्यैरलंकृताः ।
हास्यलास्यविचित्राभिर्गीतवादित्र[२]निःस्वनैः ॥ ८ ॥
सर्वोत्तमप्रसिद्धार्थाः स्त्रियश्चाप्सरसोपमाः ।
नैव तासां भवेद्ग्लानिर्न शोको न जरा तथा ॥ ९ ॥
ईर्ष्याया आस्पदं नास्ति इमां भोगावतीं पुरीम् ।
सर्वत्र च सुखस्पर्शा सर्वकामोचिता हि सा ॥ १० ॥
प्रभा दिव्यतरा ह्येषा सर्वकामेषु पूजिता ।
तत्र भोगवती रम्या प्रभा लोकाद्विशिष्यते ॥ ११ ॥
तत्र स्तंभसहस्राणि सौवर्णानि समंततः ।
सा च वैदूर्यकलशैर्महारत्नैश्च[३] शोभिता ॥ १२ ॥
इंद्रनीलैर्महानीलैः सर्वतश्चापि शोभिता ।
अनुपर्वतकूटाश्च शंखकुंदेंदुपांडुराः ॥ १३ ॥
कल्पिता ब्रह्मणा पूर्वं शिवाज्ञया महात्मना ।
सर्वकामफला नद्यः सदापायसकर्दमाः ॥ १४ ॥

---

१ तैवापुतसकौशिका इति सो. जु. ख. ग. चि० २ गितव्यदिन्ननिस्वबाइति जु. ग. घ. चि० ३ तत्र वैडूयकल्यानि महारत्नाभिशोभिता इति सो. जु. चि०

पायसैर्नित्यपूर्णानि भाजनानि समंततः ।
प्रियंवदास्तथा चान्या भार्या यौवनसंपदाः ॥ १५ ॥
भुक्त्वा मुक्त्वाऽपि यैस्तत्र योनिस्तासां तु मुख्यतः ।
प्रसूतायां तु कन्यायां यौवनं नापि हीयते ॥ १६ ॥
परस्त्रियोऽभिलाषो[1] न स्वदारनिरताः सदा ॥
हृष्टपुष्टजनाकीर्णा तपोलोकाः प्रकीर्तिताः ॥ १७ ॥
कुर्वन्तिर्यक्प्रशंसंतास्तेषां भेदा ह्यनेकशः ।
नागलोकस्य विस्तारं द्विगुणं परिकीर्तितम् ॥ १८ ॥
एकदेशे[2]प्रमाणेन मया ख्यातं तथा तव ।
योजनैः कोटिरेका तु नागलोकः प्रकीर्तितः ॥ १९ ॥
ऊर्ध्वं तिर्यक्समाख्यातं चतुरस्रं तथाण्डजम्[3] ।
अतःपरं प्रवक्ष्यामि हिरण्यपुरवासिनाम् ॥ २० ॥
तत्राऽपि कोटिसंख्याता योजनैः[4] परिमाणतः ।
तंत्र ते सफला वृक्षाः सुपुष्पाश्च सुगंधिनः ॥ २१ ॥
नानावादित्रनिर्घोषैर्निःस्वनैः पूर्वकल्पकैः ।
यौवनस्थाः स्त्रियस्तत्र सुकुमाराः प्रियंवदाः ॥ २२ ॥
पुरुषा रूपसंपन्नाः स्वदारनिरताः सदा ।
सौवर्णाश्च गृहास्तत्र मणिस्तंभैर्विभूषिताः ॥ २३ ॥
विमानचारिणः सर्वे सर्वे च स्थिरयौवनाः ।
अक्षराः प्रतिमास्तत्र स्त्रियश्चाप्सरसोपमाः ॥ २४ ॥
शुक्लदंताः स्वरधराश्चंद्रांशुविमलप्रभाः ।
मनोहराः सुसिद्धाश्च चक्रवाकसमधर्मिणः ॥ २५ ॥
नोद्वेगो न च कोपस्तु ईर्ष्यासूयाविवर्जिताः ।
तोरणैश्च सुसंतुष्टैर्मणिमौक्तिकमालिभिः ॥ २६ ॥

---

१ पूरस्त्रीनाभिलांषातीति सो. मुं. जु. ङ. चि० २ देशेति जु. ग. चि०
३ यथाण्डजा इति जु. ग. घ. ङ. चि० ४ यौवनैरिति जु. ग. चि०

सर्वरत्नमयैः सिद्धैर्मोदंते प्रमदैः प्रभो ।
वर्षैरनेकैः संख्याता गुणास्तस्मिन्पुरोत्तमे ॥ २७ ॥
दैत्यास्तत्र वसंत्येव प्रह्लादाद्याः प्रकीर्तिताः ।
तेषां प्रसादाज्जीवन्ति सर्वे लोका न संशयः ॥ २८ ॥
सर्वे ब्रह्मादयो देवाः सर्पन्ते[2] च समंततः ।
परावराणां लोकानां चारणैर्लोकधारणैः ॥ २९ ॥
सर्वांल्लोकान्धारयेत सूरभिर्नाम नामतः ।
सर्वांशश्च सुचार्वंशा सुनाभाचोत्तरां दिशं ॥ ३० ॥
दक्षिणां वशका नाम धारयन्ति दिशस्तथा ।
तासां प्रसादाज्जीवन्ति सर्वे लोका न संशयः ॥ ३१ ॥
तस्मिंन्दिव्यानि वेश्मानि विचित्राणि वसन्ति च ।
पताकाध्वजचित्राणि प्रासादानां च पंक्तयः ॥ ३२ ॥
पूर्णकामफला वृक्षा रम्या धीराश्च पादपाः ।
सुरभ्यश्च रसा रम्याः सुखस्पर्शजलाशयाः ॥ ३३ ॥
कन्या नाम पुरी रम्या सदा संपूर्णमानसा ।
ब्रह्मणा प्रहिता पूर्वं कन्या नाम गुणान्विता ॥ ३४ ॥
सर्वत्र च सुखस्पर्शा चारणस्याऽपि वेश्मनि ।
अरुणाचले विप्रेंद्र शोभितानि गृहाणि च ॥ ३५ ॥
प्रासादपंक्तयो भान्ति शरदि वोदिता ग्रहाः ।
अमृतानीव तोयानि[3] दिशो दिव्याः प्रकीर्तिताः ॥ ३६ ॥
पायसेन च पूर्णानि भाजनानि च सर्वतः[4] ।
तान्यन्यानीह दृश्यन्ते ह्यन्नं दिव्यामृतोपमम् ॥ ३७ ॥
भक्ताश्च विविधास्तत्र भूषणाः परिकल्पिताः ।
अपि वर्षशतैर्विप्र गुणास्तत्र पुरोत्तमे ॥ ३८ ॥

---

१ दैत्येति सो. जु. चि० २ सर्प्येत इति जु. ग. घ. चि० ३ वृषंडानीति सो. जु. ग. घ. ङ. चि० ४ सहस्रश इति जु. ग. घ. चि०

न शक्या वाक्यमात्रेण ह्याख्यातुं हि समासैतः[1] ।
उद्देशमात्रं कथितं पाताले ऽस्मिन्गुणा मया ॥ ३९ ॥
तेषां वक्ष्यामि वै विप्र नाम पातालवासिनाम् ।
चित्रा विचित्राः कुर्वाणाः सूक्ष्माश्चैव गृहास्तथा ॥ ४० ॥
दृश्यन्ते ते ह्यव्यक्ताश्च दृश्यन्ते व्यक्तसन्निभाः ।
पुरी गुह्या ह्यनंतस्य पाताले परिकीर्तिता ॥ ४१ ॥
न शक्यं वाक्यमात्रेण गुणांस्तस्मिन्पुरे यथा
यथा ब्रह्मा च विष्णुश्च पुरींद्रस्य च तत्वतः ॥ ४२ ॥
अनंतस्यापि मनसा सर्वकामसुपूजिताः ।
अतःपरं तु विप्रेंद्र शृणु चैकमतां कथां ॥ ४३ ॥
यमस्य विषमं दिव्यं महारत्नं खलु स्थितं ।
नरको रौरवो रोधः शूकरस्ताल एव च ॥ ४४ ॥
कुंभीपाकश्च नरकस्तथा चैव गलग्रहः ।
नरको ऽधोमुखश्चैव नदी वैतरणी यतः ॥ ४५ ॥
असिपत्रवनं चैव यमशूलो भयावहः ।
भैरवाणि च सर्वाणि तप्तपाषाणमेव च ॥ ४६ ॥
अलितालवनं विप्र ह्यसिपत्रवनं तथा ।
ऊर्ध्वकं च तथा मूलं तथा ताम्रारुणः नदी ॥ ४७ ॥
करंभवालुकं चैव शृंगारकवनं तथा ।
अंधतामिस्रघोरं च मक्षिकानरकं तथा ॥ ४८ ॥
नरका ह्यनेकधा प्रोक्ता यमस्य विषयाः स्मृताः ।
ताञ्च कर्मविपाकेन[2] प्राप्नुवन्ति पृथक्पृथक् ॥ ४९ ॥
एवं घोरैरनेकैश्च क्लिश्यन्ते च पुनःपुनः ।
वासुकिस्तक्षकश्चैव व्रणग्रश्चैव[3] पाटनम् ॥ ५० ॥

---

१ समाहितैरिति जु. ग. घ. ङ. चि० २ मकारेणति जु. ङ. चि०
३ वक्रश्चेति जु. ङ. चि०

वैतरण्याः सरः क्षारं शाल्मली कर्षणस्तथा ।
आदानमत्र शूद्रस्य कुंभीपाके च मर्दनम् ॥ ५१ ॥
रौरवे कूटसाक्षी च पतते नात्र संशयः ।
परहिंसनदोषेण रोधने पतनं भवेत् ॥ ५२ ॥
शूकरेऽस्थिविभेदेचं तामिस्रे पतनं स्मृतम् ।
ब्रह्मस्वहरणाच्चैव कुंभीपाकेषु पातनं ॥ ५३ ॥
परदत्तं स्वयं गृह्य गलग्रहविमर्दने ।
वर्षाणां च सहस्राणि पच्यन्ते ते नराधमाः ॥ ५४ ॥
वर्षाणां शतसाहस्रं पीड्यमानः पुनः पुनः ।
स्त्रीघ्नो नीयते शीघ्रं रौरवे पच्यते ध्रुवं ॥ ५५ ॥
धनधान्यसुवर्णानि हिरण्यानि विशेषतः ।
हृत्वा नरकमाप्नोति यमशूलीं भयावहाम् ॥ ५६ ॥
मातृघ्नः शूलिमुखे च वर्षाणां पीड्यते शतम् ।
पितृहाऽधोमुखे चैव पीड्यमानः सुदुःखितः ॥ ५७ ॥
सूर्यं वैतरणीं चैव हेमद्रव्यविनाशकः ।
पच्यते नरके घोरे वर्षाणामेकसप्ततिः ॥ ५८ ॥
असिपत्रवने घोरे पुरुषघ्नः पचेन्नरः ।
मलापहस्य मूलेच हिंसमानो हि मानवः ॥ ५९ ॥
भैरवाणि च रूपाणि घोरे परमदारुणे ।
अधोमुखे च पतति वर्षाणां च सहस्रशः ॥ ६० ॥
तप्तपाषाणचरके मित्रभार्याभिलाषिणः ।
तथास्य चाभयं दत्वा भयमुत्पाद्यते पुनः ॥ ६१ ॥
असितालवने घोरे पच्यंते नात्र संशयः ।
परस्त्रीगामिनश्चैव परद्रव्याभिलाषिणः ॥ ६२ ॥

---

१ परहिंसान्नभिष्टानामिति ङु. ख. ङ. चि० २ तामसेः सूकमेवचेति ङु. ख. ग. घ. चि० ३ पीडयतेइति ङु. ख. ग. चि० ४ मातृघ्नइति ङु. ख. ग. ग. ङ. चि०

असिपत्रवने घोरे पच्यंते नात्र संशयः ।
साक्षिभूतस्तु यः कश्चिन्मिथ्या भाषयंते नरः ॥ ६३ ॥
ऊर्ध्वपादमधोशीर्ष्यं पतते एकपत्तने ।
जिह्वा चोत्पाद्यते चास्य हलैस्तीक्ष्णैश्च पाद्यते ॥६४॥
ब्राह्मणानां तथा निंदां यः करोति च मंदधीः ।
वैतरण्यां च पचते स दुष्टो वै नराधमः ॥ ६५ ॥
करंभवालुके चैव घोरे परमदारुणे ।
गृहदाहं च कुर्वाणः पच्यते स नराधमः ॥ ६६ ॥
स रुदितं प्रकुरुते पच्यते स नराधमः ।
अंधकारतमे घोरे नरके माक्षिके तथा ॥ ६७ ॥
पच्यते स महापापी दुःखार्णवमहाजले ।
योजनानां सहस्राणि वसते कल्पकोटयः॥ ६८ ॥
एवं शुभप्रदं चास्य नानारूपमवस्थितम् ।
पापी नामातिदूरस्थं दुर्भेद्यमतिदारुणम् ॥ ६९ ॥
जनानां पुण्यकर्मीणां क्षमां च गमनं प्रति ।
सौम्याः पंथाश्च शोभाश्च गमनं ध्रुववर्णितं ॥ ७० ॥
संक्षेपान्नरकं प्रोक्तं तत्वभाजिन्महामुने ।
गर्भवासे च यत्क्लेशं म्रियमाणेऽपि वा तथा ॥ ७१ ॥
जायमानस्य यत्क्लेशमज्ञानत्वाच्च यद्भयम् ।
अविद्याराधने दुःखं ज्ञानन्देवेन वेदितम् ॥ ७२ ॥
यद्दुःखं याज्ञिकानां तु यत्सुखं सांख्ययोगिनां ।
यद्दुःखं मोक्षकांक्षीणां रागादीनां च निर्जयम् ॥७३ ॥
तस्मात्सर्वप्रयत्नेन दुःखमेव विवर्जयेत् ।
ज्ञानमेवाश्रयेद्विद्वाञ्ज्ञातिदोषविनाशनम् ॥ ७४ ॥
ज्ञानिदुःखविनाशेन सर्वदुःखविनाशनम् ।
रौरवे कृमिमिश्रे च पतनं नात्र संशयः ॥ ७५ ॥

आत्मघ्नश्चापि नीयते वैतरण्यां सुदीपिते ।
स्थितिभेदी शूकरं च ह्यसिपत्रवनं व्रजेत् ॥ ७६ ॥
सिद्धो न यजते यज्ञं सोऽपि दोषमवाप्नुयात् ।
हिंसां निंदामवाप्नोति महापाशुपते स्थितः ॥ ७७ ॥
अन्ये हि स्वरताः प्रोक्ता मोहिताः शिवमायया ।
यथा प्राणा हि गच्छन्ति नरकं स्वर्गमेव च ॥ ७८ ॥
प्रविशन्ति तमो घोरं ह्यविद्याकर्मसंभवाः ।
मोक्षधर्मविदोपायं विद्यायाश्च फलोदयम् ॥ ७९ ॥
सर्वे ब्रह्माण्डका देवाः स्थावराणां च कारकाः ।
बध्वा वेदयते धर्मं न सुखं प्राप्नुवन्ति हि ॥ ८० ॥
दुःखादुःखं विशंत्येते ह्यविद्यामहसाकुलाः ।
दुर्जयाः काममोक्षाणामविद्याकर्ममोहिताः ॥ ८१ ॥
मोक्षधर्मविदो विप्रा मन्यन्ते ब्रह्म केवलं ।
यमस्य विषये सर्वे दुःखं प्राप्य पुनःपुनः ॥ ८२ ॥
यथा येन हतो जंतुर्नरकं स्वर्गमेव च ।
कथं मनुष्यभावाय क्लेशं संसर्गवासिनां ॥ ८३ ॥

इति श्रीस्कंदपुराणे सह्याद्रिखण्डे आदिरहस्ये व्याससनत्कुमार-
संवादे नरकवर्णनं नाम चतुर्थोऽध्यायः ॥ ४ ॥

अथ पंचमोऽध्यायः ।

सप्तलोकाख्यानम्

सनत्कुमार उवाच । द्वितीयं भुवनं भूमिं व्याख्यास्यामि यथा भवेत् ।
महीतले सहस्राणां शतेनार्द्धं विभाव्यते ॥ १ ॥
तत्र भानुश्च सोमश्च ग्रहताराग्रणैः सह ।
उपर्युपरि संसृष्टं यथोक्तं भारते स्थितम् ॥ २ ॥

---

१ सत्यष्टमिति सो॰ जु॰ ग॰ घ॰ चि॰

एकं मन्वंतरं विप्र यस्य वै ग्रहतारका: ।
यथांतरिक्षे सिंचन्ति भासा भांति यथा ग्रहा: ॥ ३ ॥
भानोर्वंशग्रहा: सर्वे वंशा नानाविधा: स्मृता: ।
दशयोजनसाहस्रं दशयोजनमायतम्[1] ॥ ४ ॥
आग्नेयं न तु जानन्ति पर्यायश्च प्रकीर्तित: ।
वरुणस्य घना: प्रोक्ता आकाशे विचरन्ति ते ॥ ५ ॥
आवह: प्रवहश्चैव उद्हासो महांस्तथा ।
परीवह: पंचमश्च विनहश्च परावह: ॥ ६ ॥
सह स्कंधायता ह्येते विचरन्ति सदा पुरे ।
एते ह्यन्योपरिष्टात्तु भानोर्लोकं विभावसो: ॥ ७ ॥
तस्माद्भानोर्[2]महोत्साहाँल्लोकान्सुरनमस्कृतान् ।
तत्र दैवतनामानि सर्वे ते सूर्यवर्चस: ॥ ८ ॥
द्वाविंशति सहस्राणि ऋषीणां भावितात्मनाम् ।
उपासंते रथवरं भानोरक्लिष्टकर्मण: ॥ ९ ॥
तत्र तेषु महात्मानो गणगंधर्वपन्नगा: ।
षष्टिचैव सहस्राण्यप्सरसो गणसंख्यया ॥ १० ॥
वायव्यास्तत्र सततं सप्तस्कंधेषु वै स्थिता: ।
एवं गणयते भागमाकाशस्य तथैव च ॥ ११ ॥
स्वर्गपंथानमाश्रित्य चरन्ति विमलोदका: ।
देवै: सहाप्सरोभिश्च सिद्धैश्चाप्यथ सेवितै: ॥ १२ ॥
तत्र दिव्यानि वेश्मानि विचित्राणि बहूनि च ।
पुण्यकृद्भिरुपेतानि भास्वराणि सहस्रश: ॥ १३ ॥
तत्र देवा विमानस्था वसन्ते कालकारका: ।
दे[3]वस्य नियता: सर्वे अंतरिक्षे विराजते ॥ १४ ॥

---

१ मापतमिति ज़ु. ग. घ. चि० २ भानो इति ज़ु. ग. घ. ङ. चि०
३ वेदस्येति सो. ज़ु. घ. चि०

यद्द्वारं दिवि विख्यातमादित्यं तेजसार्द्धिमन् ।
येन गच्छन्ति सुकृतं स्वर्गं स्वर्गजिता नराः ॥ १५ ॥
एते लोका मया ख्याता आदित्यस्य महात्मनः ।
आदित्यस्योपरिष्टात्तु लोकाश्चैव महास्मृताः ॥ १६ ॥
तत्र दिव्याश्च सुमहद्विमानशतशोभिनाः ।
संचरन्ति स्वर्गं लोकं पुण्यवद्भिर्निषेवितम् ॥ १७ ॥
आकाशगंगा तत्रस्था सर्वे चैव ग्रहाः स्मृताः ।
तस्मादूर्ध्वमृषीणां[1] वै लोकं परमपूजितम् ॥ १८ ॥
यत्र शूरा रणे प्राणान्परित्यज्य महाहवे ।
त्रिविष्टपमितिख्यातं शक्रस्य ह्यमरावती ॥ १९ ॥
उपरिष्टादृषीणां[2] तु शक्रलोकं च तत्स्मृतम् ।
कोट्या शतसहस्रेण साध्यानां परिवारितम् ॥ २० ॥
तस्मादूर्ध्वं महर्लोकं वसन्ते कल्पवासिनः ।
तदेव द्विगुणं प्रोक्तं पुराणेषु च गीयते ॥ २१ ॥
वसन्ति तत्र सुखिनो देवा मानुषवर्जिताः ।
चतुर्वर्णेति विख्याता देवदेवप्रमाणतः ॥ २२ ॥
धाता सनत्कुमारश्च सनकश्च सनंदनः ।
एते वसन्ति सुखिनः सज्जावस्त्रहिरण्यदाः ॥ २३ ॥
तस्मादूर्ध्वं तपोलोकः षड्गुणश्च विभाव्यते ।
तारकश्चोपरि ब्रह्मन् ब्रह्मलोको हि तत्स्मृतः ॥ २४ ॥
तत्र सिद्धा मुनिगणा ब्रह्मा चैव चतुर्मुखः ।
सप्तर्षयो ध्रुवश्चैव विष्णुश्चैव महामतिः ॥ २५ ॥
ब्रह्मलोकात्परं सत्यं सत्यमेतद्ब्रवीम्यहम् ।
तस्योर्ध्वं विष्णुलोकश्च गोलोकः परिकीर्तितः ॥ २६ ॥
पृथिवीमण्डलादूर्ध्वं योजनाख्यापितं तथा ।
अथांडस्योर्ध्वभागे तु ब्रह्मलोकश्च विश्रुतः ॥ २७ ॥

---

१ दूर्ध्वभिति सो. घ. ङ. चि० २ उपविष्टारसीनांतु इति सो. जु. घ. चि०

ऊर्ध्वमेकं तु वै लोकं कोटीनां शतयोजनम् ।
एषोन्वगप्रचारो वै ज्ञाने ज्ञानं तथैव च ॥ २८ ॥
न एवं प्राप्यते गंतुं वर्जयित्वा शिवानुगाः ।
अनुग्रहाद्वा योगाद्वा नैष्ठिकाद्वा तथा द्विजाः ॥ २९ ॥
स्वधर्मवृत्त्या भगवान्ब्रह्मा भवति राजते ।
एतस्मिन्नंतरे देवाः सर्वे सेंद्रपुरोगमाः ॥ ३० ॥
पादयोः पतिताः सर्वे ब्राह्मणा ऋषयस्तदा ।
ब्रह्मणा चाप्यनुज्ञाताः सर्वे शुश्रूषवस्तथा ॥ ३१ ॥
ब्रह्मोवाच । स्वागतं वो महाभागा वरयध्वं किमिच्छथ ।
येन कार्येण च प्राप्तास्तत् ब्रुवंतः सुरोत्तमाः ॥ ३२ ॥
देवा ऊचुः । कृतं परेण पर्याप्तं यस्मात्त्वं परिपृच्छसे ।
वराणां च सहस्रं वै दर्शनं तेन मे[१] भवेत् ॥ ३३ ॥
महतः संशयोत्पन्नं भगवन् वक्तुमर्हसि ।
दुर्लभं परमं प्रश्नं प्रष्टव्यं प्रश्नमुत्तमं ॥ ३४ ॥
सनत्कुमार उवाच । य इदं पृष्टवान्पूर्वं रुद्रस्य च महात्मनः ।
तदिदं संप्रवक्ष्यामि इतिहासं पुरातनं ॥ ३५ ॥
नैमिषेयाश्च मुनयो जितक्रोधा जितेंद्रियाः ।
इच्छाद्वेषविनिर्मुक्ता ध्यानयोगपरायणाः ॥ ३६ ॥
ईश्वरज्ञानसंपन्ना गता ब्रह्मसभां परां ।
भृग्वंगिरसवृद्धौ च पुरस्तात्कृतवान्छुचिः ॥ ३७ ॥
तत्र कामगमा नाम सभा परमभामिनी ।
पुरुषास्तत्र पश्यन्ति ये च सालोकतां गताः ॥ ३८ ॥
न तत्र सूर्यस्तपति न चंद्रो नैव तारकाः ।
वर्जयित्वा विना देवं कः शक्रस्तमसः परः ॥ ३९ ॥

---

१ देवद्यस्यते इति सो. जु. घ. ङ. चि०

सर्वे च स्त्रीसमाचाराः सदाचारविवर्जिताः ।
तमसाऽपि हितं कृत्वा न नाशं पापपुण्ययोः ॥ ४० ॥
पुराणोक्तं महात्मानं सर्वं हरति दुष्कृतं ।
कल्पांतरगतस्यायं योगध्यानक्षयं भवेत् ॥ ४१ ॥

इति श्रीस्कंदपुराणे आदिरहस्ये सह्याद्रिखण्डे व्याससनत्कुमारसंवादे सप्तलोकाख्यानं नाम पंचमोऽध्यायः ॥ ५ ॥

अथ षष्ठोऽध्यायः ।

व्यास उवाच । विनयोपगते व्यासः सद्भावगतमानसः ।
सनत्कुमारं सर्वज्ञं संदेहं पृष्टवानथ ॥ १ ॥
श्रीभगवानुवाच । अहं ते प्रष्टुमिच्छामि त्वत्प्रसादात् द्विजोत्तम ।
एतन्मे संशयं ब्रह्मन्ब्रूहि मे तं महामते ॥ २ ॥
किं चित्रं त्रिषु लोकेषु पृष्टो वाप्येवमर्थतः ।
समर्थो वेदितुं लोके कः पुमान्कथयिष्यति ॥ ३ ॥
भगवन्भूतभव्येश भक्त्या श्रावयसे वचः ।
आख्यां हि रुद्रमाहात्म्यं शृणुध्वं तु समा[2]सतः ॥ ४ ॥
सनत्कुमार उवाच । इदं सर्वं द्रवीभूतं सर्वमासीन्महार्णवे ।
नाग्निर्न वायु[3]रादित्यो न भूमिर्न दिशो दश ॥ ५ ॥
न चंद्रो न च नक्षत्रं मुहूर्तं करणं तथा ।
न देवा न च गंधर्वा न पिशाचा न राक्षसाः ॥ ६ ॥
छादितास्तेजसा तस्य न किंचिद्वक्तुमुत्सहे ।
दृष्ट्वाहं मोहमापन्नो निश्चेष्टः स्थिरमास्थितः ॥ ७ ॥
लक्षकोटिसहस्रेण लोकानां हितकाम्यया ।
ईषत्करालदंष्ट्रं च मुखं कृत्वा सुशोभनम् ॥ ८ ॥

१ पुरणत्वमिति जु. ग. ङ. चि० २ शतितव्रता इति सो. जु. ग. ङ. चि०
३ वापुरिति जु. घ. ङ. चि०

दुंदुभिस्वनानिर्घोषं पर्जन्यनिनदोपमम् ।
प्रहस्य भगवान् रुद्र इदं वचनमब्रवीत् ॥ ९ ॥
श्रीरुद्र उवाच । अहमेकस्तु नान्यो वै मम सर्वं युगे युगे ।
समयायान्ति संमूढाः किमर्थं परित्यज्यथ ॥ १० ॥
लोकान्सृजेऽथ रुद्रं वै मायार्थं निर्मितं पुरा ।
एवमुक्त्वा तदा रुद्रस्तत्रैवांतरधीयत ॥ ११ ॥
श्रूयतां[1] वै महाभागा उपदेशो यथाक्रमम् ।
यथावस्थानि भूतानि स्थावराणि चराणि च ॥ १२ ॥
प्राजापत्यं भवेदन्नमन्ने प्राणाः प्रतिष्ठिताः ।
अन्नाद्भवन्ति भूतानि ह्यन्नाद्यज्ञस्य संभवः ॥ १३ ॥
यज्ञाद्भवति पर्जन्यो यज्ञः कर्मसमुद्भवः ।
तत्र सर्वमिदं यज्ञे ब्रह्मा यज्ञे प्रतिष्ठितः ॥ १४ ॥
ऋचो यजूंषि सामानि कल्पोपनिषदस्तथा[2] ।
मंत्राण्यपरकं चैव रहस्याथर्वणस्तथा ॥ १५ ॥
एकाक्षरं परं ब्रह्म ॐकारं परमुच्यते ।
षडंगसदृशं युक्तं सांख्ययोगविशारदं ॥ १६ ॥
सावित्रीसंभवो ह्येष ब्रह्मा कमलजो महान् ।
मया प्रोक्तेन ब्रह्मेण विष्णुसत्रेण ईज्यतां ॥ १७ ॥
यज्ञलोकविदां नाना परमोंकार उच्यते ।
उपदेशं ततः कृत्वा महादेवो महेश्वरः ॥ १८ ॥
उक्त्वा वचनमीशानस्तत्रैवांतरधीयत ।
तस्य तद्वचनं श्रुत्वा मुनिवर्याः सुविस्मिताः ॥ १९ ॥

इति श्रीस्कंदपुराणे आदिरहस्ये सह्याद्रिखण्डे ईश्वरसनत्कुमार-
संवादे षष्ठोऽध्यायः ॥ ६ ॥

---

१ क्रियतामिति सो॰ जु॰ ग॰ घ॰ ङ॰ चि॰ २ स्वल्पोपनिषद इति सो॰ जु॰ ङ॰ चि॰

अथ सप्तमोऽध्यायः

ब्रह्मगीताकथनम्

सनत्कुमार उवाच । स्वर्गादतिशया रम्याः सुखस्पर्शाशयाकुलाः ।
दिव्यायुधव्रतं तेषां विधत्ते कारवीरयाः ॥ १ ॥
शृणुध्वमस्य पर्यायं कथयिष्यामि वै द्विजाः ।
कृतं त्रेताथद्वापारं कलिश्चैव चतुर्युगं ॥ २ ॥
मनुष्याणां च सर्वेषां युगानां चैव संख्यया ।
कीर्तयिष्यामि ये विप्राः पुराणे यदि भाव्यते ॥ ३ ॥
लक्षाश्च अयुताः प्रोक्ता अयुते द्वे तथैव च ।
अष्टौ वर्षसहस्रांते कलेः कृतयुगस्य च ॥ ४ ॥
लक्षद्वादश वै प्रोक्ताः सहस्राख्रियुतायुताः ।
त्रेतायुगप्रमाणं च पुराणे परिकीर्तितम् ॥ ५ ॥
अपि षष्टिसहस्रेण लक्षैश्चाष्टप्रकीर्तितम् ।
द्वापारं त्रियुगं तत्र पुराणे परिकीर्तितम् ॥ ६ ॥
लक्षाष्टकं[२]समाख्यातमयुते द्वे तथैवच ।
अष्टवर्षसहस्रांते काले कलियुगाभिधे ॥ ७ ॥
भविष्यति युगस्यांते तत्रैव भगवानिति ।
महांश्च महतो यस्मान्महद्भिश्च महीयते ॥ ८ ॥
तस्मादेष महान्नित्यं महादेव इति स्मृतः ।
तस्मादेकं शिरःस्थित्वा तत्कपालमधारयत् ॥ ९ ॥
कपालीति ततः प्रोक्तो ब्रह्माद्यैर्ऋषिभिस्तथा ।
तस्मात् त्रिपुरत्रैलोक्यं शंकरायेति संक्षयम् ॥ १० ॥
तस्मात्सांवर्तको योगः शंकरेत्यभिधीयते[३] ।
तस्माद्विशंति संपन्ने पश्यन्नेत्राधिकं ततः ॥ ११ ॥

---

१ वृहिक्रएवस्येति सो. ज़ु. ग. घ. चि० २ लक्ष्या:षनृके॑ति सो. ज़ु. घ. ङ. चि० ३ श्रिधियतेइति सो. ज़ु. ख. चि०

सर्वं विश्वेश्वरं देवं तस्मादीशानतां वसन् ।
महद्भिर्महते यस्मान्महीयश्च महीपते ॥ १२ ॥
महदैश्वर्यमिच्छंति माहेश्वर इति स्मृतः ।
ब्रह्मा विज्ञापितो यस्मात् त्रैलोक्यं सचराचरं ॥ १३ ॥
बृहत्वात् बृंहणत्वाच्च तस्मात् ब्रह्मेति वै स्मृतः ।
एतद्ब्रह्मतमं ब्रह्म निर्देष्टुं नैव शक्यते ॥ १४ ॥
अक्षरं प्रतितं तस्मात् मे ब्रुवन्नीललोहितं ।
एतत्समावृतं ब्रह्मन् जीवप्राणमयोक्तयः ॥ १५ ॥
पदत्वादेवदेवेशमुपगच्छामि निर्वृतं ।
अक्षरादपरो रुद्र अक्षरश्च स्वयं पुरा ॥ १६ ॥
अस्माकं रुद्रदेवाद्या वयं देवेश देवताः ।
देवो देवद्विजातीनां द्विजाः शेषस्य देवताः ॥ १७ ॥
इत्येवं देवदेवस्य परमं वेदे दैवतं ।
ब्रह्मेति महतत्त्वेति नित्यं च परिकीर्तयेत् ॥ १८ ॥
आत्मज्ञाने[२]प्रपन्नास्तु मुच्यंते नात्र संशयः ।

इति श्रीस्कंदपुराणे सह्याद्रिखण्डे आदिरहस्ये ब्रह्मगीताकथनं नाम सप्तमोऽध्यायः ॥ ७ ॥

अथ अष्टमोऽध्यायः ।

शिव उवाच । क्षपणद्रुपदश्चैव या श्रेष्ठा लवणाश्रया ।
[३]कर्मकारादिसंजाता निश्चलं केवलं ध्रुवं ॥ १ ॥
सर्वमेतत् विरूपाक्षाज्जगत्सर्वं प्रवर्[४]तते ।
विष्णुपार्श्वे च संभूतो निर्मे त्वां च सुरासुरैः ॥ २ ॥

---

१ देवमिति· सो. जु. ग. घ. ङ. चि० २ स्नावइति जु. ग. ख. चि०
३ यर्ममिति ख. घ. ङ. चि० ४ मपद्यतेइति जु. ग. घ. चि०

लिंगात्प्रसवो यस्मिन्यो जगत्स्थावरजंगमे ।
कपर्दी चैव भगवाननादिनिधनः शिवः ॥ ३ ॥
बहुधा वाक्ययुक्तेन हेतुनानेन वै द्विज ।
अल्पाक्षरमयं गुह्यं ममैकांतं निशाम्यते ॥ ४ ॥
अहं विष्णुः पुरा शक्रो ह्यन्ये च सुरपुंगवाः ।
विरूपाक्षस्य नेत्राभ्यां निःश्रेयप्रेषणे स्थिताः ॥ ५ ॥
यत्र शक्यं मया कर्तुं यदेवं परमं ध्रुवम् ।
तद्वद्विप्रेंद्र वै ज्ञातुमीश्वरः संप्रचक्षते ॥ ६ ॥
इत्येतैर्नियमै रुद्रोऽप्यचिंत्यबलपौरुषः ।
अचिंत्यं तु तदा ज्ञातुं न शक्यं शक्तिवत्सलम् ॥ ७ ॥
रुद्रस्य स्मरणं नित्यं रुद्रे च परमं पदम् ।
रुद्रस्य सदृशं देवं नान्यं पश्यामहे वयम् ॥ ८ ॥
सर्वदा वर्तमानोऽपि यमाजितपरमेश्वरः ।
तद्धर्मवासिनां तुल्यं मुनीनां सर्वसात्वताम् ॥ ९ ॥
सर्वपातकसंयुक्ता ये प्रपन्ना महेश्वरे ।
सर्वपापं समुत्साद्य ते यान्ति परमां गतिम् ॥ १० ॥
अजस्रं चाश्वमेधेन ये यजन्ति द्विजोत्तमाः ।
याँल्लोकांस्ते न गच्छन्ति रुद्रभक्तस्तु तान्व्रजेत् ॥ ११ ॥
न देवा न पिशाचाश्च न नरा नच राक्षसाः ।
निःसंशयाः सर्वलोकाः संचरंतीह निष्पराः ॥ १२ ॥
विष्णुत्वं वासवत्वं च ह्यमरत्वं सुरैः सह ।
त्रैलोक्यं स्वाधिपत्यं वा सर्वं रुद्रे प्रपद्यते ॥ १३ ॥
अहं मर्त्यो गतिं तस्य रुद्रभक्तस्य सुव्रतः ।
रूपशक्त्या तु विप्रेन्द्र प्राप्नुवंत्यालयं सुराः ॥ १४ ॥

---

१ क्षुशाइति जु. घ. ङ. चि०

सर्वधर्मसमायोगैः कलुषीकृतमीश्वरम् ।
प्रतिपन्नैर्द्विजैश्चैव सदसद्विधि सेवितम्[1] ॥ १५ ॥
ये वै देवं महादेवं पशुं प्रशमतामपि ।
ये स्मरन्ति सदा रुद्रं भयं तेषां न विद्यते ॥ १६ ॥
कीर्तयन्ति महादेवं विश्वेशं च महेश्वरम् ।
तमेवमधिगच्छन्ति येऽपि स्युः पापयोनयः ॥ १७ ॥
कीर्तनाद्देवदेवस्य तेजस्वी ब्राह्मणो भवेत् ।
मुच्यते सर्वपापेभ्यो रुद्रलोकमवाप्नुयात् ॥ १८ ॥
रुद्रं च त्रयसंध्यायां जप्त्वा यान्ति परां गतिम् ।
कीर्तनात्पठनादेव सर्वपापैः प्रमुच्यते ॥ १९ ॥
सर्वलक्षणहीनो वा युक्तो वा सर्वपातकैः ।
नष्टं[2] भवति तत्पापं श्रावितं शिवमास्थितः ॥ २० ॥
संसारे क्लिश्यमानोऽपि पापयोनौ न स व्रजेत् ।
महादेवप्रसन्नानां दुःखं तेषां न विद्यते ॥ २१ ॥
मनसाऽपि महादेवं ये स्मरन्ति च मानवाः ।
ते मुक्ताः सर्वपापेभ्यो मोदन्ते ते सुरैः सह ॥ २२ ॥
अग्निहोत्रचरा नित्यं यज्ञाश्च बहुदक्षिणाः ।
रुद्रभक्ताश्च विप्रेन्द्र कलां नार्हन्ति षोडशीम् ॥ २३ ॥
सर्वे च ध्यानयोगाश्च ये चान्ये मोक्षकांक्षिणः ।
महादेवप्रसादेन प्राप्नुवंति परां गतिम् ॥ २४ ॥
सांख्ययोगप्रसादेन प्राप्यते पदमव्ययम् ।
ज्ञेयं नाम विरूपाक्षं मंगलानां च मंगलम् ॥ २५ ॥
पवित्रं यत्पवित्राणां प्रपद्यामि पदं वरम् ।
एष देवो विरूपाक्षः सर्वभूतपतिर्भवेत्[3] ॥ २६ ॥

---

१ शाविताविति जु. ख. ग. घ. चि० २ तकृशवितीति जु. घ. ङ. चि०
३ मुतइति ज. ङ. चि०

हृदिस्थः सर्वभूतानामोंकारश्चाव्ययः शिवः ।
न मोहमधिगच्छन्ति येऽपि स्युः पापयोनयः ॥ १७ ॥
मुच्यन्ते सर्वपापेभ्यो रुद्रलोकमवाप्नुयुः ।
यथावर्ते तथा ज्ञेयं तथा च सनकादयः ॥ २८ ॥
आध्यात्मिकैः सुरवैर्ब्रह्मणः स्वात्मसंभवैः ।
प्रकृत्यजातं तु तदेव लिंगं ततो ब्रवीम्यत्र महामहेश्वरम् ॥ २९ ॥
पुनस्तु तत्राऽपि ददर्श रूपं प्रशामयं लिंगमलिंगलक्षणम् ।
न तत्र गंधर्व न शूनसंगो न सिंहयक्षौ न च पन्नगाधिपः ॥३०॥
विभुं प्रपश्यन्ति महेश्वरं परं विद्याधराः किन्नरयक्षकाश्च ।
पितृमानवनागानां न भयं विद्यते क्वचित् ॥ ३१ ॥
वैवस्वतं न पश्यन्ति न भयं तस्करान्निशि ।
कामगेषु विमानेषु विचरंतीह मानवाः ॥ ३२ ॥
तथैव च पुरा शक्रो ह्यन्ये च सुरपुंगवाः ।
पूजयंति विरूपाक्षं लिंगमूर्तिमहेश्वरम् ॥ ३३ ॥
इति श्रीस्कंदपुराणे आदिरहस्ये सह्याद्रिखण्डे ब्रह्मगीता
नाम अष्टमोऽध्यायः ॥ ८ ॥

अथ नवमोऽध्यायः ।

शिवपुरवर्णनम्.

रुद्र उवाच । कथं प्रसाद्यते रुद्रः कथं वा संप्रसीदति ।
सर्वं कथय चास्माकमेतदिच्छामि वेदितुम् ॥ १ ॥
ब्रह्मोवाच । षष्टिवर्षसहस्राणि षष्टिवर्षशतानि च ।
हृषीकेशेन विप्रेंद्र वर्षकोटिप्रसादितः ॥ २ ॥
आराधितो महादेवः शूलपाणिर्वृषध्वजः ।
तुष्टेन च यथा विष्णुर्वरैः सर्वैस्तु[1] योजितः ॥ ३ ॥

१ श्रेष्ठेस्तुयोजित इति जु. मु. चि०

तन्नाम्ना दुंदुभीनामा महाचक्रधरो भुवि ।
ममतुल्यबलः शौर्यशक्त्या च बाहुजो हरिः ॥ ४ ॥
ईश्वर उवाच । ईश्वरस्य प्रसादेन विष्णोः परमतेजसा ।
रमते पृथिवीं सर्वामजेयश्च बलैर्युतैः ॥ ५ ॥
प्रसादितो विरूपाक्षः पुष्कराख्यो महेश्वरः ।
नानास्तुतिविधानेन विविधैः कर्मभिस्तथा ॥ ६ ॥
आराधितो महादेवः शूलपाणिर्वृषध्वजः ।
दाता हर्ता च गोप्ता च संहर्ता च युगे युगे ॥ ७ ॥
पिता स्वयं योऽपि सुरासुराणां ब्रह्माधिपत्यं परमव्ययं च ।
अनागतं चानरकं तु विश्वं सर्वेषु लोकेषु परं वरं च यत् ॥ ८ ॥
सर्वे च वेदाः सह षड्भिरंगैः सांख्यं च योगं च यथा विधाय ।
विप्रप्रसादेन च तेजयत्वं प्राप्तं मया ब्रह्मपदं च दिव्यम् ॥ ९ ॥
शक्रेणापि पुरा चीर्णं दिव्यं पाशुपतं महत् ।
वायुसूर्नुबुभुक्षुश्च दुर्वासा वर्मशांतिदः ॥ १० ॥
एवमादिविरूपाक्षो रुद्रः शृंगारहासतः।
कपर्दी तस्य तुष्टोभूत्कृत्तिवासाः पिनाकधृक् ॥ ११ ॥
गणेशाधिकृतः शक्रो मदाद्वज्रधरो बली ।
भूयश्च क्रतुराजेन देवदेवं त्रिविष्टपम् ॥ १२ ॥
ईश्वरस्य प्रसादेन स्वर्गे मोदति वृत्रहा ।
सनत्कुमारपुत्रो मे ह्याख्यातो मानसोत्सुकः ॥ १३ ॥

---

१ बलीति सो. जु. ग. घ. चि० २ रसतइति सो. मुं. घ. ङ. चि० ३ बलिः कृतइति जु. ख. घ. ङ. चि० ४ पुष्कराक्षइति मुं. सो. जु. ग. ङ. चि० ५ इत्यादिस्तुतिमज्यार्क्षाति सो. ज. ग. ङ. चि० ६ वद्धीति जु. गं. घ. ङ. चि० ७ पारिशायेति सो. जु. मुं. ङ. चि० ८ सुत इति मुं. ङ. चि० ९ बुसुक्षुश्च; बयूक्षश्चेति सो. जु. ख. ग. चि० १० सृंगादहासत इति क्वचित्पाठः ११ भृत इति मु. सो. ज. क. ग. चि० १२ मुयश्चेति सो. ज. ग. घ. ङ. चि०

सहस्रं च विमानानां सप्तसंख्याकृतं[1] पुरा ।
चंद्रसूर्यप्रकाशेषु विमानेषु प्रतिष्ठितः ॥ १४ ॥
कोटिसूर्यसमाकीर्णैर्दीप्यमानैश्च तेजसा ।
गायद्भिर्नृत्यमानैश्च वादयद्भिश्च सर्वशः[2] ॥ १५ ॥
क्रीडन्त्यप्सरसां मध्य ऐश्वर्यैश्च बलान्वितैः[3] ।
वज्रहाटकसर्वांगैरप्रमेयगृहोत्तमैः ॥ १६ ॥
पुरुषैः सूर्यसंकाशैर्दीप्यमानैश्च तेजसा ।
उपविष्टा स्थितास्तत्र गिरिपादेन पीडिताः[4] ॥ १७ ॥
याचमानाश्च[5] तत्सृष्टा लोकपालपराश्च ये ।
पार्थिवास्ते तमाश्रित्य सर्वशिष्येष्वधिश्रिताः ॥ १८ ॥
ऊर्जितं यद्योगिनां च भीरूणां च निवारणम् ।
पुष्पकाले प्रपुष्यन्ति फलकाले फलप्रदाः ॥ १९ ॥
पाककाले च पच्यन्ते चत्वरेषु समाश्रिताः ।
ऋषेर्वृद्धिकरा[6] ये च चरन्ति दिवि संस्थिताः ॥ २० ॥
ये च नक्षत्रराजेषु नक्षत्राणि समाश्रिताः ।
ऋषेर्वृद्धिकरा ये च चंद्रसूर्यौ श्रयंति ये ॥ २१ ॥
तत्स्थले प्रस्थिताश्चान्ये सांख्ययोगमनुव्रताः[7] ।
असंख्याता ह्यनेकाश्च जंगमा जंगमे स्थिताः ॥ २२ ॥
रुद्रस्य पार्श्वगाश्चान्ये देवा देवस्य धीमतः ।
क्षालनमुष्ण मुंचन्ति नार्प्सरास्तु[8] समाश्रिताः ॥ २३ ॥
दिव्याः पार्श्वगताः सर्वे ग्रहाः सूर्यादयस्तथा ।
कुंदेंदुकुमुदं प्रेक्ष्य[9] मालां पद्मसुगंधिनीम् ॥ २४ ॥

---

१ कृतमिति जु. ग. ङ. चि० २ सर्वसाविति क्वचित्पाठः ३ बलार्चिनिति सो. जु. मुं. ग. चि० ४ पिडयतीति मुं. ग. घ. चि० ५ याचमानप्य तगृष्टेति सो. जु. ग. घ. चि० ६ अंतरक्षिामिति सो. मुं. घ. चि० ७ साक्षयोगमिति जु. ख. ग. घ. ङ. चि० ८ नप्ससस्तुरिति मुं. सो. जु. चि० ९ पेक्षमिति सो. जु. ख. ङ. चि०

जिघ्रंति चैव तिष्ठन्ति रुद्रपार्श्वगता गणाः ।
तेषां वर्णविशेषोऽस्ति प्रमाणं चैव दृश्यते ॥ २५ ॥
एकैकस्य गणेशस्य[1] शरीरे च प्रतिष्ठिताः ।
मेरुमंदारशैलानां गणानां परिमाणतः ॥ २६ ॥
तेषामुपस्थितो देवो ग्रहाणां चैव भास्करः ।
सनत्कुमारो देवेशो-योगीशाय महात्मने ॥ २७ ॥
एवं दृष्टं[2] मया ख्यातं भीममामिततेजसम् ।
शृणुयाद्गणसंख्यां यो मनसापि सदा स्मरेत् ॥ २८ ॥
प्रयतमानसो[3] भूत्वा पठेत्पर्वणि पर्वणि ।
सर्वान्कामानवाप्नोति ह्यमृतत्वं च गच्छति ॥ २९ ॥
शतं शतसहस्राणि रुद्रलोके महीयते ।
ऋतुकाले च नारीणां तथैव समुदाहरेत्[4] ॥ ३० ॥
अमोघरेता भवति संगात्पुत्रमवाप्नुयात् ।
पूजाकाले[5] च पठते ब्राह्मणः शिवसन्निधौ ॥ ३१ ॥
नित्यमेवं पठति यः संग्रामे विजयी भवेत् ।
शतरुद्रफलं तस्य लभते नात्र संशयः ॥ ३२ ॥
यज्ञकोटिफलं तस्य लभते नात्र संशयः ।
अनंतपापयुक्तोऽपि स गच्छेत् रुद्रलोकताम् ॥ ३३ ॥
पठतां शृण्वतां चैव शिवसायुज्यमाप्नुयात् ।
शृणुयाच्छ्रावयेद्भक्त्या सर्वपापैः प्रमुच्यते ॥ ३४ ॥
यः प्रातःसमये विप्रः समुत्थाय महामतिः ।
ब्रह्माणं वेदकर्तारं सर्वशास्त्रविशारदम् ॥ ३५ ॥

---

१ गुणेशस्येति मुं. सो. ग. घ. चि० २ दुष्टमिति सो. ख. ग. व. चि० ३ प्रयत्यमानुष्मैश्रुत्वेति सो. ज़ु. ग. घ. ङ. चि० ४ पठेदिति सो. ज़ु. ख. ग. चि० ५ अहइति ज़ु. ग. घ. चि० ६ गृगयायोजितद्रिय इति ज़ु. ग. चि०

उवाच विनतो[1] देवो भगवान् ब्रह्मणो वचः ।
इमां सिद्धिं प्रपश्यंति सिद्धास्ते गर्विताः पुरा ॥ ३६ ॥
अहंकाराभिभूतेन तत्वं च नैव बुध्यते[2] ।
मूर्ध्नि च नयनं दृष्ट्वा देवतेजोमयास्थितम् ॥ ३७ ॥
पिता च पितरो मेऽद्य दृष्ट्वा यानमुपागताः ।
वासिता देवदेवेन न किंचिद्वक्तुमुत्सहे ॥ ३८ ॥
एवं दृष्ट्वा समायुक्तो[3] व्याजहार च सत्तमः ।
सनत्कुमार उवाच। निगृहीतोऽस्मि भद्रं ते बालेनाकृष्टकर्मणा ॥ ३९ ॥
विमलानि[4] च रत्नानि संजपश्चक्षुषस्कृतः[5] ।
तेनाहं दुःखसंतप्तो देहं त्यक्त्वा न संशयः ॥ ४० ॥
रुद्रस्य वचनं श्रुत्वा ब्रह्मा वचनमब्रवीत् ।
आत्मानं जनयामास न योगेन प्रदृष्टवान् ॥ ४१ ॥
परममिति तं ज्ञात्वा ततो दूरतरोऽ[6]भवत् ।
उत्थायासनतो ब्रह्मा प्रांजलिः प्रणतस्थितः ॥ ४२ ॥
नमस्कृत्वा महादेवमीश्वरं सर्वतोमुखम् ।
प्रभवं निधनं चैव भूतानां गतिमव्ययम् ॥ ४३ ॥
इति सर्वमहातेजा ब्रह्मा लोकपितामहः ।
आदिदेवो महादेवो प्रभुः प्रभवतामपि ॥ ४४ ॥
तस्मात्कृष्टतरं तस्य जगत्स्थावरजंगमम् ।
योऽन्येषामपि यो योगी देवानामपि कःपतिः ॥ ४५ ॥
दृष्टोसि पुनरानंदी देवदेवो महेश्वरः ।
पुत्रशोको न कर्त्तव्यो जातकस्त्वजरो भवेत् ॥ ४६ ॥
अनुग्रहं महादेवः कर्तुकामो महेश्वरः ।
एवं वै दर्शयामास आत्मनैव शुभाशुभम् ॥ ४७ ॥

---

१ वनिता इति जु. ख. ग. चि० २ वर्यां तत्वेनवेति जु. ग. चि० ३ पुत्रा इति सो. जु. ग. घ. चि० ४ विमानानीति सो. ग. घ. ङ. चि० ५ गुसंस्यता इति सो. जु. ग. घ. ङ. चि० ६ दुषतरा इति सो. जु. ङ. चि०

गाणपत्यं लभंत्वेते विष्णुना च प्रकीर्तितम् ।
न किंचिद्ब्रह्मचारी च पश्यते कृतबुद्धिकैः ॥ ४८ ॥
भक्तिमान्देवदेवस्य स्मृतिश्चापि न हीयते ।
एकांतवचनं सोऽथ तस्मिन्मंत्रविचारणे ॥ ४९ ॥
गच्छ प्रपद्यचेशानं स ते योगं प्रदास्यहम् ।
वृणीतात्मगाणपत्यं देवानां दुर्लभं गणः ॥ ५० ॥
गणानामाधिपत्ये च विष्णुना[2]राधितं पुरा ।
जपन्प्रत्ययवान्भूत्वा ततो रुद्राक्षशंकरं ॥ ५१ ॥
ब्रह्मणो वचनं श्रुत्वा प्रयतः शुद्ध[3]मानसः ।
प्रसन्नं च महादेवं शूलपाणिं वृषध्वजम् ॥ ५२ ॥
प्रसंगीतैश्चस्तुतिभिर्नरो वापि चतुष्टयम् ।
प्रसन्नो देवदेवेशः कामिभिश्चामितौजसः ॥ ५३ ॥
चराचरप्रतीचारो वरिष्ठो वरदोऽमरः ।
धारणः सर्वभूतानां धराधरपतिर्यमः ॥ ५४ ॥
भूतसंसारकरणो गोपतिस्त्रिदशेश्वरः ।
सांख्ययोगेश्वरः कर्मकु[4]र्वाणः कमलेश्वरान् ॥ ५५ ॥
त्वं हि सूर्याग्निनेत्रश्च चारुनेत्रविभूषणः[5] ।
चतुर्मुखश्चतुर्दंष्ट्र[6]श्चतुर्बाहुश्चतुर्युगः ॥ ५६ ॥
चतुर्मूर्तिश्चतुर्वक्रश्चतुर्वेत्रश्चतुर्थकः ।
वपुश्चैवाग्निवक्रश्च दिग्वासा मेषवाहनः ॥ ५७ ॥
फणिधरो ह्यष्टतनु[7]र्धर्माधर्मवृतेश्वरः[8] ।
कृत्तिवासाश्च कर्ता च श्रीकंठः कलिनाशनः ॥ ५८ ॥

---

१ मोभातिति जु. ग. घ. चि० २ ज्ञाधितमिति जु. ग. ङ. चि० ३ मयसो-मानसंजपेतिति सो. ज. ग. घ. चि० ४ कुमारइति जु. ग. घ. ङ. चि० ५ विभूषित इति सो. जु. ग. घ. चि० ६ द्वेष्टेति क्वचित्पाठः ७ ह्यतनुनश्चेति जु. क. ग. घ. चि० ८ वृतेश्वरइति जु. ग. ङ. चि०

विष्णुप्रसादितश्चैव समुद्रे वडवामुखः ।
दैत्यासुरं विनिर्जित्य देवासुरपरायणः ॥ ५९ ॥
कपर्दी शूलहस्तश्च शूलपाणिः परां[1] गतिः ।
तापसानां परं तत्त्वं तथा च परमं पदम् ॥ ६० ॥
परावरज्ञो भूतानां[2] सर्वदा हरिवाहनः ।
स्राविताङ्गः सुशीताङ्गः शशिशीतललोचनः[3] ॥ ६१ ॥
ब्रह्मणा निर्मितो[4] ब्रह्मा संस्थितो नाभिपंकजे ।
त्रिलिंगो जटिलः श्रीमाञ्छंखचक्रगदाधरः ॥ ६२ ॥
गृहस्थो ब्रह्मचारी च वानप्रस्थोऽथ भिक्षुकः ।
ऋचो यजूंषि सामानि छंदांस्याधारस्य पाति वः ॥ ६३ ॥
सर्वलोकेश्वरो देवो ह्यमूर्त्तित्वस्य संभवः ।
सहस्रराट् पशुपतिः सहस्रशतयोनिजः ॥ ६४ ॥
स्थित्युत्पत्तिलयोश्चैव[5] भगवानेष सर्वशः ।
तद्गात्रेभ्यः प्रसूयंते त्रयो लोकाः सनातनाः ॥ ६५ ॥
ते हि तं नैव जानंति पतिं तेषां च भैरवम् ।
सनत्कुमारोऽपि तदा देवेन कृतविग्रहः ॥ ६६ ॥
त्रीन्संचरते लोकान्ब्रह्मपुत्रोऽश्विकासुतः[6] ।
एष दाता च कर्ता च हर्ता[7] चैव युगे युगे ॥ ६७ ॥
एतस्य त्रिविधं सत्त्वमीशानस्य महात्मनः ।
एवं यज्ञपतिर्देवः कृत्तिवासा उमापतिः ॥ ६८ ॥
एते वै बहवो लोका इति यज्ञविदो[8] विदुः ।
देवर्षीणामिंद्रियार्थे[9] सर्व एव महेश्वरः ॥ ६९ ॥

---

१ सतामितिं क्वचित्पाठः २ देवानामिति मुं. सो. जु. ग. चि० ३ सप्तसीतललोचन इति मुं. ज. ग. घ. ङ. चि० ४ ब्राह्मणानियतेब्रह्मेति सो. जु. ग. ङ. चि० ५ स्थितिभविष्यमिति सो. जु. ङ. चि० ६ धिकासुत इति सो. जु. क. ग. घ. चि० ७ मास्व इति क्वचित्पाठः ८ विधाविड इति जु. ख. ग. ङ. ९ देवत्रियाणामिति सो. जु. क. चि०

एवं ज्ञात्वा परं ब्रह्म प्रशांतं निर्मलं फलम् ।
अव्यक्तं चैव व्यक्तं च तज्ज्ञानं ज्ञानमेव च ॥ ७० ॥
सांख्ययोगं परं मोक्षं यः पश्यति स पश्यति ।
ततो ज्ञानेन सिद्धास्तु प्रमाद्यंति जितेंद्रियाः ॥ ७१ ॥
ध्यायंते परमोंकारं योगिनां परमं पदम् ।
भवं मोक्षपतिं नित्यं योगधर्म[1]शतैरपि ॥ ७२ ॥
दुर्लभं परमं तत्त्वं चरितं परमं व्रतम् ।
येन विज्ञानमात्रेण गतं च विगतक्लमम् ॥ ७३ ॥
न क्रोधो न च मात्सर्यं न द्वेषो नाशुभा मतिः ।
तत्त्ववित्कारयेदेवमेवं सर्वत्र निर्णयः ॥ ७४ ॥
अहिंसा सत्यमस्तेयं शौचेंद्रिय[2]विनिग्रहौ ।
दानं दमो दया शां[3]तिः सर्वेषां धर्मसाधनम् ॥ ७५ ॥
तपसा हंति पापानि तस्माद्धरतपश्चरेत् ।
तेन प्रभावैः सर्वैश्च प्राप्यते पदमीश्वरम् ॥ ७६ ॥
एवं श्रुत्वा ततः सर्वे ऋषयो धर्मवत्सलाः ।
तत्पदं सेवितुं विप्र गभस्तिर्ब्राह्मणोऽभवत् ॥ ७७ ॥
एवं हि परमं धर्मं कथितं परमं पदम् ।
अभ्यनुक्तयसे देव कांक्षावशवर्तिषिणः ॥ ७८ ॥
जपैर्धूपोपवासैश्च प्रसूनैर्विविधैरपि ।
ॐकारैश्च नमस्कारैर्हसितैर्गीतवादिभिः ॥ ७९ ॥
फलैर्नानाविधैर्द्र[4]व्यैः पूजितो भक्तवत्सलः ।
यदा स्वयं शिवो वक्ता देवाधीशो जगद्गुरुः ॥ ८० ॥
तेषामपि यथाकामं मनोभिलषितं ददन् ।
सर्वकामवरो देवः सर्वलक्षणलक्षितः ॥ ८१ ॥

---

१ मयोगं; योगमेवचेति क्वचित्पाठः २ शौचेंद्र्यायेति सो. जु. ङ., चि०
३ क्षांतीति क्वचित्पाठः ४ दिव्यैरिति क्वचित्पाठः

सर्ववर्णानुकंपी च सर्वतीर्थमयोऽव्ययः ।
सर्वकृतापहर्ता च सर्वकामफलप्रदः ॥ ८२ ॥
त्रिरात्रमपि नक्तस्य मन्यते ध्रुवमीश्वरम् ।
भवेत् सर्वगतं भक्त्या भक्तानां भक्तिवत्सलः ॥ ८३ ॥
सर्वभूतोद्भवं शर्वं सर्वभूतपतिं शिवम् ।
अर्चयेत् सततं लिंगं यदिच्छेत्सिद्धिमात्मनः ॥ ८४ ॥
चिरपर्युषितं माल्यं भवेशाय नयेच्च यः ।
गोसहस्रफलं पुण्यं प्राप्नुयान्नात्र संशयः ॥ ८५ ॥
अपूर्वस्य च लिंगस्य शुचिः प्रयतमानसः ।
शतजप्योपहारेण तदेव फलमश्नुते ॥ ८६ ॥
स्त्रियो म्लेच्छाश्च शूद्राश्च ये चान्ये पापयोनयः ।
नमस्कारसहस्रेण तदेव फलमाप्नुयुः ॥ ८७ ॥
नमस्कारोऽप्यनुज्ञातो मंत्रप्रणववर्जितः ।
शूद्राणां देवभक्तानां महादेवेन धीमता ॥ ८८ ॥
पुण्याभिरद्भिः स्नानं च चंदनेनानुलेपनम् ।
मनोरमं च सततं गंधमाल्यविभूषणम् ॥ ८९ ॥
कुर्याद्वै सततं रुद्रे यदिच्छेच्छुभमात्मनः ।
धर्मलुब्धैश्च सततं गंधमाल्यविभूषितम् ॥ ९० ॥
देवं समर्चयेद्यस्तु पुष्पवासोपहारतः ।
तस्य प्रीतो महादेवः सर्वान्कामान्प्रयच्छति ॥ ९१ ॥
सौवर्णै राजतैः कुंभैर्मृन्मयोदुंबरैस्तथा ।
अष्टाशीति सहस्राणि योजनानां समंततः ॥ ९२ ॥
विष्कंभे च स्थितो ब्रह्मा स्थानेनैवोच्छ्रितः शुभः ।
पातालमपि संप्राप्य तिर्यक्सूर्यःसुखप्रदः ॥ ९३ ॥

---

१ अश्नुत इति सो. जु. ग. चि० २ अश्नयेति सो. जु. ख. ग. चि० ३ यदिच्छेत्सिद्धिमात्मन इति सो. जु. मुं. ग. ङ. चि० ४ सुरमद इति क्वचित्पाठः

सुरस्य स गिरिः श्रेष्ठश्चामीकरसमप्रभः ।
तस्य कुंभेषु चान्येषु कंदरीषु दरीषु च ॥ ९४ ॥
तै रुद्रैश्च स्वचंडैश्च सुस्वरै रुदितेषु च ।
आघ्राणशैवताख्यानां दशनाभत्वनेषु च ॥ ९५ ॥
दर्शस्तंभेषु कांतीषु सिद्धानां श्वाश्वतालिनाम् ।
शोभितं गिरिशारण्ये देवानां वासवस्थलम् ॥ ९६ ॥
तिष्ठेत तत्र पाशीभिर्यत्र सा तपते सदा ।
गंगा देवसमाकुला निवासक्षम्यतेजसाम् ॥ ९७ ॥
सुचात्मनि दिवा भांति शतशो वै समंततः ।
संप्राप्य सर्वभूतानां सौवर्णानि महानि वै ॥ ९८ ॥
वांछितानि प्रमेयस्य गिरिराजशतध्वनिः ।
यत्र पुण्यवदो वायुः प्रवाति मधुरान्वितः ॥ ९९ ॥
संगं परमकं तत्र दुष्प्राप्यं तं सुरैरपि ।
न योगभास्करो भाति न चंद्रो नैव तारकाः ॥ १०० ॥
तत्रापि सत्पथा वापि सत्यं वै मारुताः शुभाः ।
तत्र मेधाविनः सर्वे पतंति ये नराधमाः ॥ १ ॥
मनसा तत्र पश्यन्ति देवाश्चान्ये महर्षयः ।
तत्र देवाधिदेवस्य न्यस्तकर्ममहात्मनः ॥ २ ॥
भवनं कांचनं श्रीमन् द्विजयं द्विजया नदी ।
योजनानां सहस्राणि दश चाष्टौ प्रकीर्तिता ॥ ३ ॥
तापं हरन्ती महता प्राकारेण समन्विता ।
गृहास्तत्र सुरम्याश्च पताकाध्वजमालिकाः ॥ ४ ॥
दिवाकरकराभाश्च सुप्रभातामितौजसः ॥
तत्रैव द्वे सहस्रे वै ह्यावसंति द्विजोत्तमाः ॥ ५ ॥

---

१ स्वमिकेसनमम्यतेति ग. घ. ङ. चि०

सर्वाणि पुण्यरूपाणि तरुणार्कसमप्रभा ।
उच्चानि स्वस्तिकाद्यानि स्वस्थानकलिकानि च ॥ ६ ॥
विन्यस्तैः पुण्यकुंभैश्च शोभितानि यथा तथा ।
मुक्तादामैश्च भित्तैश्च भूषितानि समंततः ॥ ७ ॥
मणिरत्नविचित्रैश्च शोभितानि समंततः ।
पुष्पोपहारैर्विविधैर्धूपैश्चागुरुसंभवैः ॥ ८ ॥
रक्षिभिस्तु समाकीर्णैर्विभूत्यैश्वर्यशालिभिः ।
प्रकाशप्रविशच्छन्नप्रासादैर्गृहपंक्तिभिः ॥ ९ ॥
कैलासविवरप्रख्या विराजंते सहस्रशः ।
तत्र जांबूनदमयप्रस्तराणां च पंक्तयः ॥ १० ॥
पावका इव दीप्यंते शाला विपुलमालिनः ।
केचिन्मणिमयास्तत्र प्रासादाश्चैव तत्रतः ॥ ११ ॥
तत्र सुरवर श्रेष्ठ शिवस्य भवनं स्मृतम् ।
एवं क्षितितलस्यास्य सर्वं पश्यामहे वयम् ॥ १२ ॥
श्रेष्ठस्तंभसहस्राणां सहस्राणि समुच्छ्रितम् ।
काननैश्च समानत्वं सर्वमेव समाप्यते ॥ १३ ॥
गवाक्षमालाकालीनो मुक्तादामविभूषितः ।
विचित्रैश्च वनैर्वृद्धैः शिवेन मनसावृतः ॥ १४ ॥
द्वारैः सुविपुलैश्चित्रैः शोभितैः सुपरिच्छदैः ।
नानारत्नमयैर्दिव्यैः पताकांबरशोभितैः ॥ १५ ॥
वृक्षैः पुष्पफलाढ्यैश्च तथैव शुकसारणैः ।
तस्मिन्पुरे पुरा स्पृष्टः पुरश्रेष्ठे सुरोत्तमः ॥ १६ ॥
श्रीद्वारं प्रथमं तत्र यत्र विश्वं प्रतिष्ठितम् ।
पूर्वस्यां दिशि तैः सर्वैः पत्रमाल्यविभूषितैः ॥ १७ ॥

---

१ मनुसालुतेति सो. जु. घ. ङ. चि०

एवं मयोदितं रूपं केनापि तपसो निधिः ।
लक्ष्मीद्वारं ततस्तत्र यत्र तु दर्शनप्रभम् ॥ १८ ॥
महाकालो महावीर्यः स्थितः शूली महाबलः ।
शिव नाम पुरं द्वारं दक्षिणेन व्यवस्थितम् ॥ १९ ॥
शंकुकर्ण इति ख्यातो महावीर्यः शिवाज्ञया ।
सप्रधानास्तथा चान्ये तस्मान्मे वदसि द्विज ॥ २० ॥
शोभितं भीमनादेन गणेशेन महात्मना ।
पश्चिमं वारुणं द्वारं नंदीश्वरमिति श्रुतम् ॥ २१ ॥
पालितं हरिसिद्धेन गणनाथेन धीमता ।
कीर्तिद्वारे तथा चान्ये तस्यामेव दिशि द्विज ॥ २२ ॥
ये चार्कवरुणप्रख्याः द्वाराध्यक्षा महाबलाः ।
रुद्राणीसहितस्तत्र भगवाञ्छिव ईज्यते ॥ २३ ॥
वरदः सर्वभूतानां शक्रस्य च यशस्करः ।
तथा मातृगणैः सार्धं प्रमथैश्च सहस्रशः ॥ २४ ॥
उपक्रीडनकैश्चित्रैः क्रीडते भगवान् गुहाम् ।
यत्र येन जितः क्रोधो जितलोभो जितेंद्रियः ॥ २५ ॥
व्रते पाशुपते भक्त्या रुद्रभक्तिपरा द्विजाः ।
ये चाप्यागमने[2] युक्ताः साध्याश्चैव सुबुद्धयः ॥ २६ ॥
ये गृहस्थाः स्वधर्मस्था रुद्रभक्ता जितक्रमाः ।
ज्ञानतो युध्यमानश्च संग्रामाभिमुखे हतः ॥ २७ ॥
क्षत्रियो गोग्रहस्यार्थे मित्रार्थे राष्ट्रपातने[3] ।
यजंति विधिना यज्ञैः क्रतुभिश्च सुदक्षिणैः ॥ २८ ॥
ते तत्र गतहृष्टास्ते निवसन्ति यथासुखम् ।
कल्पायुतसहस्राणां सहस्राणि चतुर्दश ॥ २९ ॥

---

१ दप्सनमभेति सो. जु. ग. ङ. चि० २ गमसमिति सो. जु. घ. चि०
३ पातनदति सो. ग. घ. ङ. चि०

विचरंति सुरपुरे पुनर्जन्म महीतले ।
जायते श्रेष्ठवर्णेषु मुख्येषु परमेश्वरः ॥ ३० ॥
महतामभिनंदंति वीरप्रमुदिताः सुराः ।
तत्पुरं देवदेवस्य मम कामसमन्वितम् ॥ ३१ ॥
एतत्ते भुवनं चैव समासेन प्रकीर्तितम् ।
ततः परं प्रवक्ष्यामि रौप्यमृगनिवासिनाम् ॥ ३२ ॥
पद्मपत्रायताक्षस्य विगर्भवनमुत्तमम् ।
एतत्प्रभावमुदितं नानाकीर्णप्रभाक्षजम् ॥ ३३ ॥
ततोऽपि गिरिराजस्तु शिखरैः शोभते महत् ।
योजनानां सहस्राणि प्राप्य परं महद्वनम् ॥ ३४ ॥
गिरिराजश्च ते सर्वे सुखिनोऽपि समावृताः ।
अलंकृतेन सर्वेण[१] पताकाध्वजमालिनः ॥ ३५ ॥
एवं पुरविचित्रेण मणिरत्नवत्या सह ।
राघवश्रमिणोदारहस्तचित्रैर्विचित्रितः ॥ ३६ ॥
यत्र स्तंभसहस्राणि द्वाभ्यां प्रासादमुत्तमम् ।
पुरमध्ये स्थितं चैव राजतं धातुभूषितम् ॥ ३७ ॥
नाम्ना विष्णुपदं नाम तत्सुरैरपि कीर्तितम् ।
चतुर्द्वारं चतुःशृंगं कैलासशिखरप्रभम् ॥ ३८ ॥
नानारत्नसमाकीर्णं नानाद्रुमलतावृतम् ।
तस्य मूर्ध्नि स्थितो द्वारे कृष्णरुद्रः प्रतापवान् ॥ ३९ ॥
द्वाराध्यक्षकृतो विप्र कृष्णयज्ञकरोऽपि च ।
प्रतीहारो महाकायो हरिप्राणसमाक्षयः ॥ ४० ॥
पश्चिमे तु ततो द्वारं हरिभद्रमिति स्मृतम् ।
कांचनैः कमलैश्चापि नानापक्षिनिनादितम् ॥ ४१ ॥

---

१ दिव्येन इति सो. जु. ग. घ. चि०

ते वसंतीह तत्रस्थाः पुरमध्ये निवासिनः ।
अग्निहोत्ररता नित्यं दिवि देवैः प्रपूजिताः ॥ ४२ ॥
ततोऽन्ये सुचिरं कालमुपशोकविवर्जिताः ।
संप्राप्य मानुषे लोके व्रजंति न चिरादिव ॥ ४३ ॥
तेषां कर्मभिरादिष्टा ईशेन विदितास्तदा[1] ।
एतत्ते वैष्णवं शृंगं समासेन प्रकीर्तितम् ॥ ४४ ॥
प्राजापत्यं प्रवक्ष्यामि तन्मे निगदतः शृणु ।
तृतीयमुच्छ्रितं शृंगं मणिरत्नमयं शुभम् ॥ ४५ ॥
नगरं पद्मगर्भस्य पक्षाकारव्यवस्थितम् ।
योजनानां सहस्रे द्वे विशोकं मम नामतः ॥ ४६ ॥
प्राकारेण सुवर्णेन मणिरत्नमयेन च ।
चंद्रार्कसहसंकाशैः प्रभावैः समलंकृतम्[2] ॥ ४७ ॥
त्रिभिश्चित्रैः सुविमलैर्बहुभिश्चाप्यलंकृतम् ।
अस्मिन्पुरवरश्रेष्ठे मध्ये श्रीभुवनोत्तमम् ॥ ४८ ॥
स्थितस्तंभसहस्रेषु प्रासादपुरमालि च ।
हर्म्याट्टालकसंयुक्तं वडाभिर्व्यांजनेन च ॥ ४९ ॥
गवाक्षाणां च सर्वेषां शोभितं पंक्तिमालया ।
द्वारैश्चतुर्भिः संयुक्तं सुप्रमाणैः सुशोभितम् ॥ ५० ॥
अलंकारैर्विशेषाद्यैर्बहुभिः परिविश्रुतैः ।
तत्र द्वाराधिपः श्रीमान् वदो लीनो सुखान्वितः ॥ ५१ ॥
पश्चिमे तु शुभे द्वारे शामलस्वामिति स्मृतम् ।
द्वाराध्यक्षो द्विजश्रेष्ठ सजलांबुदसन्निभः ॥ ५२ ॥
उत्तरे तु शुभद्वारे ब्रह्मयोनिरिति स्मृता ।
नानापुरमया सा च स्थिता संध्यारुणप्रभा ॥ ५३ ॥

---

१ शवितास्ततः सदा इति सो. जु. ग. घ. चि० २ ममानसमरः कृता इति जु. ख. चि०

तस्मिन्पुरवरे श्रेष्ठे रराज भगवाञ्छिवः ।
प्रजापतिः सुरश्रेष्ठो वेदसांख्यविशारदः ॥ ५४ ॥
अमृता नाम विख्याता नदी तस्मिन्पुरोत्तमे ।
पद्मनीलोत्पलैर्युक्ता शुभा कांचनवालुका ॥ ५५ ॥
पिबंति तत्र संतुष्टास्तत्तोयं पुरवासिनः ।
तत्पीत्वा न जरा व्याधिर्न शोको न परिश्रमः ॥ ५६ ॥
तत्र संति महात्मानो वेदाध्ययनतत्पराः ।
सुपुत्राः शुभकर्माणः सत्यसंधा जितेंद्रियाः ॥ ५७ ॥
क्रतुदानप्रसक्तास्ते गुरूणां च प्रियव्रताः ।
एभिश्चैवमुपासंते तत्पत्तननिवासिनः ॥ ५८ ॥
स्वधर्मनिरता ये च कामक्रोधविवर्जिताः ।
कल्पायुत[1]सहस्राणि वर्त्तन्ते ते सुखान्विताः ॥ ५९ ॥
इमं लोकांतरं प्राप्य यजंते विधिपूर्वकम् ।
शीलाचारसमायुक्ता लभंते ते परस्परम्[2] ॥ ६० ॥
सुखं ज्ञानेन चैवैतत्स्थानं यांति परोच्छ्रितम् ।
सत्त्वयुक्ता महात्मानो जितक्रोधा जितेंद्रियाः ॥ ६१ ॥
प्राजापत्यमदृष्टानां कीर्तनं च सनातनम् ।
एवमेतानि विप्रर्षे भूधरेंद्रस्य धीमतः ॥ ६२ ॥
त्रीणि त्रिभिस्तु भुवने ह्यात्मस्थाने सनातने ।
ते चैव तत्र मुदिता यांति भांति सुरेश्वराः ॥ ६३ ॥
मेघा यत्रानुगजंति विद्युन्माला च दीप्यते ।
ग्रहनक्षत्रताराश्च ते भवंति महेश्वराः ॥ ६४ ॥
इदं स्वयंभुवा प्रोक्तं पठेत्पर्वणि पर्वणि ।
लभते शिवसायुज्यं मोहशोकविवर्जितम् ॥ ६५ ॥

---

१ कल्पाश्रुतेति सो· ज्ञु. ख· ग· घ. ङ. चि० २ परंपरामिति सो· ख· ङ. चि०

इदं पवित्रं परमं शुभं ते कथितं मया ।
न भवति विपत्तस्य गच्छेद्धरिपदं प्रति ॥ ६६ ॥

इति श्रीस्कंदपुराणे आदिरहस्ये सह्याद्रिखण्डे व्याससनत्कुमार-
संवादे शिवपुरवर्णनं नाम नवमोऽध्यायः ॥ ९ ॥

अथ दशमोऽध्यायः

व्यास उवाच । भगवञ्छ्रोतुमिच्छामि माहात्म्यं पुण्यकर्मणः ।
स्थानानि यानि रुद्रस्य यथा वद मम प्रभो ॥ १ ॥
सुरलोका ब्रह्मलोका ये लोकाश्च प्रकीर्तिताः ।
अंडस्य चांतरे सर्वमुत्पन्नं तद्ब्रूहि मे ॥ २ ॥
गणेश उवाच । एवं शतसहस्राणि योजनानां प्रमाणतः ।
तच्चित्रं ब्रह्मसदनं द्विधा विष्णुसदेवताः ॥ ३ ॥
वैष्णवं[1] कोटि विज्ञेयं योजनानां प्रमाणतः ।
माहेश्वरमिदं व्यास यत्र देव उमापतिः ॥ ४ ॥
ब्रह्मलोकं यथा षष्ठं विष्णुलोकं च सप्तमम् ।
अष्टमं रुद्रलोकं च यत्तदुक्तं त्रिविष्टपम् ॥ ५ ॥
एवं त्रिविष्टपं तत्र देवानाममितौजसाम् ।
ब्रह्मविष्णुमहेशानां मुनिभिश्च समन्वितम् ॥ ६ ॥
तस्मात् त्रिविष्टपस्यैव द्विजार्धेन प्रमाणतः ।
रुद्रलोक इति ख्यातो योगिनीगतिदायकः ॥ ७ ॥
शतं रुद्रसहस्राणि विष्णुकोटिशतानि च ।
शिवप्रसादात्क्रीडंति सर्वे वै गतकल्मषाः ॥ ८ ॥
सर्वे त्रिलोचनाः शूराः सर्वे कुसुमधारिणः ।
शृंगिणो दंष्ट्रिणश्चैव[2] सर्वे विगतमत्सराः ॥ ९ ॥

---

१ वैषगकमिति सो. जु. ग. ङ. । चि० २ द्रौंसु इति सो. जु. चि०

चंद्रार्द्धमौलिनः सर्वे सर्वे वृषभगामिनः ।
सर्वे ब्रह्मपुरस्थाश्च सर्वे विष्णुपुरस्य च ॥१० ॥
अमलास्ते महात्मानस्त्रैलोक्यस्य विशारदाः ।
सर्वा मणिमयी भूमिः सूक्ष्मकांचनवालुका ॥ ११ ॥
न तत्र वायुश्चंद्रार्कौ प्रकाशेते प्रवाति वा ।
देवा नागांकितास्तत्र चंद्रांकितविभूषणाः ॥ १२ ॥
सर्वं एवं प्रकाशन्ते प्रत्यक्षवरदाः स्वयं ।
प्रासादहर्म्यमालानि गोपुरालक्षणानि च ॥ १३ ॥
तत्रस्थैर्ब्राह्मणैः सार्द्धं गृहस्थाः सत्पथे स्थिताः ।
अर्चयन्ति महादेवं जपन्ति शतरुद्रियम् ॥ १४ ॥
गंधधूपादिभिश्चैव सदार्चंति पिनाकिनम् ।
सर्वपापविनिर्मुक्ता भवंति शुभवर्चसः ॥ १५ ।
महादेवमताश्चैव रुद्रलोकं व्रजन्ति वै ।
सर्वांल्लोकान् प्रयत्नेन द्विगुणेन प्रमाणतः ॥ १६ ॥
भवं नाम प्रभुस्थानं वियोगसमुपस्थितम् ।
तृतीयं तु महायोगी भवेत्परिवृतो वृषान् ॥ १७ ॥
सर्वस्थानात्परं स्थानं द्विगुणेन समावृतम्[1] ।
ईशं[2] नाम प्रभुस्थानं चतुर्थं समुदाहृतम् ॥ १८ ॥
अग्निस्थानं परं दिव्यं पंचमं समुदाहृतम् ॥
अतिविषं पयः कृत्वा स्थानात्तु तुष्यते शिवः ॥ १९ ॥
अग्निस्थानात्परं स्थानं द्विगुणेन समन्वितम् ।
उग्रस्य परमं स्थानं षष्ठं तत्समुदाहृतम् ॥ २० ॥
तत्र पाशुपतैः सार्धं योगिभिः परमेश्वरः ।
अनुग्रहार्थं लोकानां क्रीडते भस्मगुंठितः ॥ २१ ॥

---

१ समवृतमिति सो. जु. ग. घ. चि० २ ईशमिति ख. ग. ङ. चि०

दमःप्रशमसंयुक्तो भूतानामभयप्रदः ।
यथोक्तकारिणो दांता योगिनस्तत्परायणाः ॥ २२ ॥
भिक्षुचर्यारता नित्यं ध्यानतत्परपूजकाः ।
यांति पाशुपतं स्थानं पुनरावृत्तिदुर्लभम् ॥ २३ ॥
तस्मात्पाशुपताः सर्वे द्विगुणेन प्रमाणतः ।
माहेश्वरं परं स्थानं सत्यं मे समुदाहृतम् ॥ २४ ॥
तत्र देवो महादेवो महावीर्यो महेश्वरः ।
माहेश्वरैः परिवृतो वसते भूतभावनः ॥ २५ ॥
तत्र तु सर्वलोकेश ईश्वरः कामरूपधृक् ।
आविश्य सर्वभूतानि लोकानां नंदयंति च ॥ २६ ॥
न तेषां परिसंख्यातुं प्रमाणं च द्विजोत्तमे[२] ।
तेषु लोकसहस्राणि ब्रह्मलोकशतानि च ॥ २७ ॥
ईशस्तान्तुष्टयत्येषो[३] भूतानामीश्वरेश्वरः ।
अतःपरं द्विजश्रेष्ठ शिवस्थानमिति स्मृतम् ॥ २८ ॥

इति श्रीस्कंदपुराणे आदिरहस्ये सह्याद्रिखंडे व्याससनत्कुमार-
संवादे दशमोऽध्यायः ॥ १० ॥

अथ एकादशोऽध्यायः

व्यास उवाच । यत्परं तच्छिवस्थानं त्वया प्रोक्तं महामुने ।
तदहं श्रोतुमिच्छामि यदि गुह्यं[४]मतः प्रभो ॥ १ ॥
सनत्कुमार उवाच । इदं व्यास शृणु स्थानं शिवस्य परमात्मनः ।
यदि[५] शंससि दुर्बुध्या तज्ज्ञातुं द्विजसत्तम ॥ २ ॥

---

१ भूपकृतिति सो. जु. ग. घ. चि० २ अतिमेष्यत इति सो. ख. ग. ङ. चि० ३ इतामिति सो. ग. घ. चि० ४ गुह्यमिति सो. जु. चि० ५ यद्यत्संख्यासिदुर्बुध्न्या; यवपंल्यतिदुर्चुदचेति सो. जु. ग. घ. ङ. चि०

सांख्या वाप्यथर्वा योगा न विदुस्तद्विदो जनाः ।
न विंदंति ग्रहास्तत्र ह्युमा न च गणेश्वरः ॥ ३ ॥
न ब्रह्मा विष्णुरुद्रौ च न चान्ये द्विजसत्तम ।
तस्यैव च प्रसादेन यथा ज्ञातं तथा शृणु ॥ ४ ॥
शतकोटिसहस्राणां योजनानां प्रमाणतः ।
तस्योपपीठयुक्तस्य यत्र देवः शिवोऽव्ययः ॥ ५ ॥
तस्यानने शुभे चित्रे स्मिते लीने शुभप्रभे[२] ।
सद्भावप्रभवेल्पाशा ह्युमा चैव यशस्विनी[३] ॥ ६ ॥
वामतो वाहिनिः क्रांता ह्युमादेवी च सुव्रता[४] ।
पार्श्वोपविष्टा तालस्य तस्माद्देवांगलोचना ॥ ७ ॥
दक्षिणनयनान्मुक्ताजलबिंदुसितप्रभा ।
नेत्रं तृतीयं विज्ञेयं कपालं वदनं मया ॥ ८ ॥
विष्णुचक्रं चतुर्थं तु पंचमं दक्षसंभवम् ।
षष्ठं तु संपदा देवी हेतुवर्णं महामुने ॥ ९ ॥
वरुणादित्यसंकाशै[६] रुद्रैः परिवृतो वसन् ।
द्विगुणं परिवारं च द्विगुणं चैव विस्तरम् ॥ १० ॥
रुद्राणां हैमवर्णानां त्रिषट् कोट्यः प्रकीर्तिताः ।
अपरा कृष्णवर्णानां कोट्योशीति द्विजोत्तम ॥ ११ ॥
पंचमं तु परीवारं ततो द्विगुणविस्तरं ।
षष्ठं तु सप्तमं चैव नैकसंख्या शिवोत्तमे ॥ १२ ॥
मनःशीलाद्रौ विशीला कृष्णा निर्दिश्यते सदा ।
एवमतःपरीवारं मानसं तु महात्मनः ॥ १३ ॥

---

१ संख्यावाप्यथथोति सो. मुं. क. चि० २ शुभमदद्दति क्वचित्पाठः ३ यमूस्विनीति क्वचित्पाठः ४ सुब्रतेति सो. जु. क. ख. चि० ५ तस्मात्प्रभृतिविज्ञेयमिति सो. जु. ग. घ. ङ. चि० ६ तरुणेति सो. मुं. क. चि० ७ तरीवारचेति सो. जु. ग. घ. ङ. चि० ८ सस्ता इति सो. जु. ग. घ. चि० ९ मनाशिलेति क्वचित्पाठः

न शक्यं तस्य विज्ञानं तं दृष्ट्वा तद्विचारणम् ।
सर्वे ब्रह्मपुरोगाश्च सर्वे विष्णुपरास्तथा ॥ १४ ॥
समर्थास्ते महात्मानस्त्रैलोक्यस्येश्वरेश्वराः ।
एवं यो वदति स्थूलं शिवं शुद्धमनामयम् ॥ १५ ॥
सुरापो वा पितृघ्नो[1] वा मातृघ्नो गुरुतल्पगः ।
सोऽपि गच्छेत्परं स्थानं शुद्धं शिवमनामयम्[2] ॥ १६ ॥
किं पुनः शुचयो दांता महेश्वरपरायणाः ।
एवं ब्रह्मसहस्राणि विष्णुलोकशतानि च ॥ १७ ॥
शतानि ब्रह्मणा सार्द्धं यथा च प्रभुरव्ययः[3] ।
एवमेव क्रिया योगिलोकानां शुभभाविनाम् ॥ १८ ॥

इति श्रीस्कंदपुराणे आदिरहस्ये सह्याद्रिखण्डे व्याससनत्कुमारसंवादे एकादशोऽध्यायः ॥ ११ ॥

अथ द्वादशोऽध्यायः

व्यास उवाच ॥ माहात्म्यं सर्वभूतानां प्रभुत्वं वर्धते शिवे ।
विधिना केन तुष्येत कपर्दी वृषवाहनः ॥ १ ॥
तदहं श्रोतुमिच्छामि विस्मयेन[4] द्विजोत्तम +
सनत्कुमार उवाच । वाणीमिमां शृणु व्यास सर्वपापप्रमोचनीम् ॥ २ ॥
प्रवर्षति विधानाय लोकानां परमेश्वरः ।
ततोहं कीर्तयिष्यामि शृणु तत्त्वेन मे द्विज ॥ ३ ॥
मेरुपर्वतमासाद्य गंधर्वा यक्षराक्षसाः[5] ।
ईश्वरस्य[6] तु माहात्म्यं श्रोतुकामाः समागताः ॥ ४ ॥

---

१ पितृधेविति सो. जु. चि० २ अनावयमिति क्वचित्पाठः ३ पुंसिख्यइति सो. जु. मुं. ग. घ. चि० ४ विस्मरेणेति क्वचित्पाठः ५ यक्षगणानुगा इति सो. जु. चि० ६ इनवरस्येति सो. जु. क. चि०

नमस्कृत्वा प्रवक्ष्यामि पुरा विष्णोः सुनिर्मिताः ।
तस्मिन् विभीषणो यत्नात्पप्रच्छ च जितेंद्रियः ॥ ५ ॥
विनीतवेषाभरण ईशानं परिपृच्छति ।
एकेन तु कर्मणा वै तुष्येत्स परमेश्वरः ॥ ६ ॥
एवं मे संशयो देव ब्रूहि तत्त्वं वृषध्वज ।
ईश्वर उवाच।एवं शृणु महाबाहो यस्मात्त्वं परिपृच्छसि॥७॥
विभीषण महाराज सुखदुःखं परं मम ।
इत्थं गलाडं भादृर्णं गोकर्णं च विशेषतः ॥ ८ ॥
ॐकारमविमुक्तं च पंचायतनसंस्थितम् ।
एतान् दृष्ट्वा लभेन्मोक्षं मुख्यं च तद्वचो कृतम् ॥ ९ ॥
अविमुक्तो विशेषेण सदा संनिहितो ह्यहम् ।
ॐकारं चिंतयमानस्य तस्य तुष्याम्यहं सदा ॥ १० ॥
अश्वमेधफलं यागं लभते नात्र संशयः ।
तत्र साक्षात्स्थितो देवो रुद्रो वसति मुक्तिदः ॥ ११ ॥
मम चैव पुरं तत्र दुर्लभं वा कृतात्मभिः ।
अग्निप्राकारसंयुक्तं परिक्षिप्तं समंततः ॥ १२ ॥
गुह्यातिसुखकेदारे[1] तथा मध्यमकेशरे ।
देवदारुवने पुण्ये वासो यत्र सदा मम । १३ ॥
गुह्योन्यपि[2] पवित्राणि ममैतानि बिभीषण ।
तत्र व्रजंति[3] मच्चित्ता मद्भक्ता मत्परायणाः ॥ १४ ॥
ते श्रेष्ठाः सर्वभूतेषु भवंतीह बिभीषण ।
अयुतानि तथा कोटिध्रुवपद्मयुतानि च ॥ १५ ॥
किमस्य रुद्रलोकस्य न मे धर्मो त्वयोदितः ।
तेषां सततयुक्तानां पुरुषाणां बिभीषण ॥ १६ ॥

---

१ शुखकदार इति क्वचित्पाठः २ गुह्यस्थानपवित्राणीति सो. ज़ु. ग. घ. चि० ३ यतुव्रजन्सिमीश्वतान्मद्भक्तानातीति सो. ज़ु. ख. ग. घ. ङ. चि०

स्त्रियो म्लेच्छास्तथा शूद्राः पुरुषाः पापकर्मणः ।
यत्र तत्र मृतानां तु ध्रुवं माहेश्वरी गतिः ॥ १७ ॥
अष्टौ गुह्यपवित्राणि ये जानन्ति क्षितौ नराः ।
तेषां तुष्टिं प्रयच्छामि गाणपत्यं विभीषण ॥ १८ ॥
ये तु मां प्रतिपद्यन्ते मद्भक्ता मत्परायणाः ।
सर्वपापविनिर्मुक्ता लभंते परमां गतिम् ॥ १९ ॥
किं तेषामर्थदानेन क्रियाभिश्च विशेषतः ।
मां प्रपद्य लभंते हि यज्ञदानफलान्यपि ॥ २० ॥
कृत्वा तपो महाघोरं यत्फलं लभते नरः ।
एतन्ममार्चनादेव[1] लभते फलमुत्तमम् ॥ २१ ॥
प्रयागे माघमासस्य पुंसो यल्लभते फलम् ।
तत्फलं सकलं व्यास लभते नात्र संशयः ॥ २२ ॥
अहोरात्रशतं कृत्वा यत्फलं लभते नरः ।
पश्चिमं वक्रमासाद्य तत्फलं लभते नरः ॥ २३ ॥
वाजपेयशतं कृत्वा यत्फलं लभते नरः ।
तत्फलं लभते मर्त्यो मम लिंगस्य पूजने ॥ २४ ॥
हिरण्यानां सहस्रेण यत्फलं लभते नरः ।
गोमूत्रं सर्वदा हारं शाकभिक्षाशनं तथा ॥ २५ ॥
यत्फलं लभते कृत्वा प्राप्यते तन्ममार्चनात् ।
स्वर्णप्रस्थशतान्यष्टौ दत्वा विप्राय यत्फलम् ॥ २६ ॥
तत्फलं लभते मर्त्यो मम लिंगाभिपूजनात् ।
ब्रह्महा पितृहा गोघ्नः सुरापो गुरुतल्पगः ॥ २७ ॥
मम लिंगार्चनरतः प्राप्यते गतिमुत्तमाम् ।
पुण्यं तु लभते नित्यं लिंगपूजाद्विभीषण[2] ॥ २८ ॥

---

१ सतन्ममार्चनादेवेति सो. जु. क. ख. चि० २ लिंगार्चनादिति क्वचित्पाठः

तपसा मनसा चैव दानेनैव च यत्सदा ।
अभ्यासेन हि तत्त्वज्ञैर्भूत्यैर्योगपरायणैः ॥ २९ ॥
तत्सर्वं लभते प्राज्ञो मम लिंगार्चने रतः ।
अहं कर्ता च हर्ता च स्रष्टा चैव युगे युगे ॥ ३० ।
प्रभवः सर्वलोकानां महात्मा नात्र संशयः ।
अहं विष्णुश्च ब्रह्मा च सोमश्चाहं विभीषण ॥ ३१ ॥
यत्किंचिद् दृश्यते लोके सर्वं चाहं बिभीषण ।
कामश्चैव च वायुश्च नानाऋषय एव च ॥ ३२ ॥
पूज्यमाने प्रमाणं स ह्यहं भूतिर्न संशयः।
एवं धनददेवश्च भास्करः सोम एव च ॥ ३३ ॥
वृषो धर्मश्च स्कंदश्च सर्वे चाहं बिभीषण ।
पुष्कराद्दीनि तीर्थानि सर्वाण्येव बिभीषण ॥ ३४ ॥
गंगाद्याः सरितश्चैव क्षीरोदाश्चैव सागराः ।
स्थावरं जंगमं चैव ह्यहमेको न संशयः ॥ ३५ ॥
वर्षं मासार्द्धं मासाश्च ह्यहोरात्रं बिभीषण ।
युगकल्पविशेषाश्च तथा मन्वंतराण्यपि ॥ ३६ ॥
क्षणलेशमुहूर्ताश्च ऋतवश्च बिभीषण ।
दीपप्रदानं यो दद्याच्छुचिः प्रयतमानसः॥ ३७ ॥
तेन दीपप्रदानेन मत्पुरं याति मानवः ।
स्वर्णदानं तु यो दद्याद्गाणपत्यं लभेत्तु सः ॥ ३८ ॥
अर्घपुष्पप्रदानेन लभते स्वर्गमुत्तमम् ।
तस्मिन्स्थाने गतिं पुण्यां गाणपत्यं च सुप्रभम् ॥ ३९ ॥
यथाऽभिलषितं पुण्यं तोयदानादवाप्नुयात् ।
एवं प्रक्षाल्य दोषांस्तु नेष्यामि निजमंदिरे ॥ ४० ॥

---

१ सोमस्वाहंमिति सो. ज़ु. चि०

रिष्ट्वा बहुभिर्यज्ञैस्तु यत्फलं लभते द्विजः ।
तत्फलं लभते विप्रो मम लिंगाभिषेचनात्[1] ॥ ४१ ॥
मनसा कर्मणा वाचा देहेनापि च यत्कृतम् ।
ममार्चनरतानां तु तेषां पापं न विद्यते ॥ ४२ ॥
यस्तु संवत्सरं पुण्यं पूजयेदेकलिंगके ।
तस्मै तपः प्रयच्छामि गाणपत्यं न संशयः ॥ ४३ ॥
प्रभासे च प्रयागे च नैमिषे पुष्करे तथा ।
मनो यस्य प्रसज्जेत तस्य तीर्थं स्वके गृहे ॥ ४४ ॥
तीर्थकोटिसहस्रेषु ये प्रयान्ति नराधमाः ।
मनःशुद्ध्या गतिं पुण्यां लभंते ते बिभीषण॥ ४५ ॥
मायया मोहिताःसर्वे यस्मिँल्लोके बिभीषण ।
न मां पश्यंति ये मूढा[2] मनसा व्याकुलीकृताः ॥ ४६ ॥
गच्छंति नरकं विप्र महाघोरं भयावहम् ।
चंद्रार्कौ न प्रकाशेते यस्मिन्देशे स्वतेजसा ॥ ४७ ॥
महात्मिक सुरश्रेष्ठ सर्वभूत नमोस्तु ते ।
एवं मंत्रो हि जप्यश्च हव्यकव्ये बिभीषण ॥ ४८ ॥
माहात्म्यं मे तथा ख्यातं पुण्यं प्रविशति नरः ।
शौचाचारेऽपि पश्यंति ये चापि श्रद्धया सह ॥ ४९ ॥
न तेषां संशयो चित्ते मयि तुष्टे भविष्यति ।
बिभीषण उवाच । नमस्ते सर्वभूतेश सर्वतो विश्वतोमुख ॥५०॥
अध्येयश्चाप्रमेयश्च पुराणपुरुषो महान् ।
त्वं वायुरनलश्च त्वं त्वं शिवो दक्षिणामुखः ॥ ५१ ॥
त्वं पृथ्वी सागराश्चैव भक्तानां च सुरेश्वर ।
महामते सुरश्रेष्ठ सर्वभूत नमोस्तु ते ॥ ५२ ॥
अष्टौ स्थानानि वै श्रेष्ठ ह्यक्षयाणि महाद्युते ।
त्वं गतिः सर्वभूतानां शरणं त्वं न संशयः ॥ ५३ ॥

---

१ ममलिगाचनादिकादिति सो॰ जु॰ चि॰ २ वागधेति क्वचित्पाठः

ईश्वरश्चैव पूज्यश्च परमर्षिप्रपूजितः[1] ।
भवान्मोक्षो भवानिंद्रो[2] भवानग्निः सनातनः ॥ ५४ ॥
भवान्धर्मेषु पुण्येषु संकल्पश्च मनीषिणाम् ।
त्वं सृष्टिस्त्वं च दुर्मेधाः श्रद्धाकामोमनस्तथा ॥ ५५ ॥
शिवं पुण्या नमस्यन्ते देवा ह्यधिगणास्तथा ।
भवान्मोक्षश्च शांतिश्च भवान्प्रकृतिरात्मकः ॥ ५६ ॥
भवान् हि सर्वलोकानां नित्यं हर्षविवर्द्धनः ।
सर्वाञ्छत्रून् विनिर्जित्य सिद्धार्थी वै गमिष्यति ॥ ५७ ॥
नमस्ते भगवन् रुद्र नमस्ते भगवञ्छिव ।
नमस्ते लोकलोकेश नमस्ते परपूर्वतः ॥ ५८ ॥
नमस्तेस्तु शूलपाणे सर्वतोक्षिशिरोमुख ।
सर्वतः सर्वतोमूर्ते सर्वेश्वर नमोस्तु ते ॥ ५९ ॥
अनागतं न जानामि गतिं नैव च नैव च ।
योगेश्वर महादेव शूलपाणे नमोस्तु ते ॥ ६० ॥
महेश्वर उवाच । यश्चैतत्पठते नित्यं शिवप्रोक्तमनिंदितः ।
बिभीषण यथान्यायं तत्त्वं दैवतपूजितम् ॥ ६१ ॥
अश्वमेधस्य यज्ञस्य फलं प्राप्नोति मानवः ।
ब्रह्म ब्रह्मसमायुक्तो नियमेनार्चयेत्सदा । ॥ ६२ ॥
अर्चयेद्यो चतुर्दश्यामष्टम्यां च विशेषतः ।
यस्तु लिंगे भवेद्भक्तः श्रद्दधानश्च यो भवेत् ॥ ६३ ॥
तस्य देयमिदं शास्त्रमन्यथा न प्रकाशयेत् ।
माहेश्वरफलं श्रुत्वा स्वर्गं गच्छेन्न संशयः ॥ ६४ ॥

इति श्रीस्कंदपुराणे सह्याद्रिखण्डे व्याससनत्कुमारसंवादे
द्वादशोऽध्यायः ॥ १२ ॥

---

१ परमर्षिपूजित इति क्वचित्पाठः २ भवानिंद्रोविति क्वचित्पाठः

अथ त्रयोदशोऽध्यायः ।

प्रलयोत्पत्तिकथनम्

व्यास उवाच । देव यज्ञफलानीह दानतीर्थतपांसि च ।
उपवासफलं चैव दानानां तपसा फलम् ॥ १ ॥
अकृत्वा फलमेतेषां ब्राह्मणो विंदते तपः ।
एष मे संशयो देव तत्सर्वं वक्तुमर्हसि ॥ २ ॥
सनत्कुमार उवाच । यत्र या कौशिकी गंगा काशी वाप्यथवा गया।
कुरुक्षेत्रं प्रयागं च नैमिषं पुष्करं तथा ॥ ३ ॥
त्रिस्रोताश्च पयोदा च नर्मदा गंडकी तथा ।
ब्रह्मावर्तं तीर्थशुभमर्धगंगा च पावनी ॥ ४ ॥
गंगाद्वारं तथान्यानि भद्रकाली पुरी तथा ।
दृषद्वती करतोया लोहिता च महानदी ॥ ५ ॥
सरयू गंडकी चैव सागरः सरितां पतिः ॥
सरस्वती ह्यरुणा च ताम्रपर्णी महाभया ॥ ६ ॥
गोदावरी भीमरथा नदी वैतरणी शुभा ।
कावेरी कृष्णा वेण्या च फल्गुश्चैव महानदी ॥ ७ ॥
सारस्वतानि तीर्थानि कीर्तितानि मनीषिभिः ।
शिवलिंगस्य पूजायाः कलां नार्हंति षोडशीम् ॥ ८ ॥
षष्टिकोटिसहस्राणि षष्टिकोटिशतानि च ।
षष्टितीर्थसहस्राणि सहस्रं च प्रकीर्तितम् ॥ ९ ॥
विविधानि च तीर्थानि ब्राह्मणो योऽधिगच्छति ।
अक्रोधनः शुचिर्दक्षः सर्वतीर्थफलं लभेत् ॥ १० ॥
सर्वेषामपि तीर्थानां यत्फलं परिकीर्तितम् ।
तत्फलं लभते लिंगे कमलस्य प्रपूजनात् ॥ ११ ॥

---

१ मासेनतदा वाक्कोर्तिलिंगयोगगचनभुवेति सो. गु. ज़ु. चि०

पूज्यं तद्विधिना युक्तो मुहूर्तात्तदवाप्नुयात् ।
लिंगोद्भवमिदं सर्वं त्रैलोक्यं सचराचरम् ॥ १२ ॥
व्यास उवाच । कथं लिंगोद्भवं नाम त्रैलोक्यं सचराचरम् ।
कथं तत्प्रलयं चापि लिंगे तत्स्थितिर्नित्यशः ॥ १३ ॥
कथं स्याद्दक्षिणा मूर्तिरीश्वरस्यामितौजसः ।
ऋषयः पितरो देवा यजंते वृषभध्वजम् ॥ १४ ॥
लिंगार्चनविधिः को वा मतिर्वा कुत्र शाश्वती ।
कथं च तुष्यते देवो भगवान्[2] भक्तिवत्सलः ॥ १५ ॥
रुद्रलोकं तथा गत्वा पुनरावर्तते कथम् ।
कथं च पुनरावृत्तिं ज्ञातुमिच्छामि तत्त्वतः ॥ १६ ॥
सनत्कुमार उवाच । अहं ते कथयिष्यामि शृणु मे द्विजसत्तम ।
यथा लिंगोद्भवं व्यास त्रैलोक्यं सचराचरम् ॥ १७ ॥
लिंगं च यादृशं तस्य[3] देवदेवस्य धीमतः ।
प्रलयश्च यथा लिंगे तन्मे निगदतः शृणु ॥ १८ ॥
यथा च पुनरावृत्तिर्यथा नावर्तते द्विजः[4] ।
मया श्रुतं यथा पूर्वं वदतो ब्रह्मणः स्वयम् ॥ १९ ॥
महेश्वरेण ह्युक्तं तु यत्कृत्यं महदादिमम् ।
प्रादुर्भूतो महावायुस्तस्मादग्निरजायत ॥ २० ॥
रूपं सन्न्यासिनामेवं शृणु यो [6]गतमत्सरः ।
संचरेत्तत्क्षयत्याग: सूर्यराशिसमप्रभम् ॥ २१ ॥
तत्र संभवते लिंगं कांचनं रत्नभूषितम् ।
शतयोजनविस्तारं शतयोजनमुच्छ्रितम् ॥ २२ ॥

---

१ षंशितेवृषा इति सो. जु. गु. चि० २ भक्तिमानिति सो. जु. ग. घ. ङ. चि० ३ तत्रेति क्वचित्पाठः ४ पुनरिति क्वचित्पाठः ५ नाथेवेति सो. जु. ग. चि० ६ शुययोतमप्सरा इति सो. जु. ख. ग. घ. ङ. चि०

लिंगराजं सुविपुलं युगांतादित्यवर्चसम् ।
तत्र ब्रह्मा हविर्देवं यज्ञाश्च सह विष्णुना ॥ २३ ॥
तल्लिंगं समनुप्राप्य कृतसंज्ञाः सुदुःखिताः ।
उमापतिर्विरूपाक्षो नीलकंठो विलोहितः ॥ २४ ॥
स्थावरो जंगमश्चैव क्षेत्रज्ञः प्रकृतिस्तथा ।
सांख्ययोगस्तथा नद्यो हरस्तु सागरस्तथा ॥ २५ ॥
पृथिवी ह्यंतरिक्षं च दिशश्च विदिशस्तथा ।
नक्षत्राणि ग्रहाश्चैव कालेकंठो यथा तथा ॥ २६ ॥
लिप्यंते तत्र वै लिंगमीश्वरस्य महात्मनः ।
लिंगादुत्पादयेद्देवं त्रैलोक्यं सचराचरम् ॥ २७ ॥
ब्राह्मणो ह्यग्रजं पुत्रं प्राजापत्येन्यषेचयत् ।
कृत्वा प्रजापतिं देवो देवलोकाग्रमीश्वरम् ॥ २८ ॥
पुनर्विष्णुः स सृजते लीलया गर्भसंभवः ।
स्मृतिमाक्षिप्य सर्वेषां तत्रैवांतरधीयत ॥ २९ ॥
एवं लिंगोद्भवं सर्वं त्रैलोक्यं सचराचरम् ।
प्रलये च यथा लिंगे तन्मे निगदतः शृणु ॥ ३० ॥
पुरा ह्येकार्णवं व्यास हरस्यामिततेजसः ।
बृहत्त्वमध्ये निर्वृत्तं जले लिंगं च दृश्यते ॥ ३१ ॥
ज्वालामालादिभिर्व्याप्तं सर्वभूतभयंकरम् ।
योऽज्याग्निपूजितं लिंगमविक्षतमविच्युतम् ॥ ३२ ॥
दिवं भुवं च विष्टभ्य तिष्ठते ज्ञानमण्डले ।
ज्वालाभिस्तस्य लिंगस्य त्रैलोक्यं सचराचरम् ॥ ३३ ॥
करोति भैरवं शब्दमाकाशं पूरयन्निव ।
जीवमात्राण्यशेषाणि दहंति च ततोऽग्निना ॥ ३४ ॥

---

१ मामेति क्वचित्पाठः २ कर्णयोत्राकिति सो. जु. क. ख. चि० ३ ह्येकार्णवेति सो. मुं. ग. चि० ४ ज्ञालामाला दिव्याभीसेति सो. गु. मुं. चि० ५ जीवमात्राणिशेष्टानीति सो. जु. क. ख. चि०

संवृत्तानीह तिष्ठंति वात्यानीव कर्टुनीव[1] ।
ततो ब्रह्मा सुरश्रेष्ठो देवाश्च सहे[2] विष्णुना ॥ ३५ ॥
लिंगं ते समनुप्राप्य नष्टसंज्ञाः[3] सुदुःखिताः ।
स्थिताश्चैव निरीक्षंते शिवमायाविमोहिताः ॥ ३६ ॥
अवशास्तत्र ते सर्वे प्रतिष्ठा द्विजसत्तम ।
ततः प्रलयमासाद्य लिंगे तस्मिन्महात्मनः ॥ ३७ ॥
सुप्रसन्नाः प्रसुप्तास्ते हरस्यामिततेजसः[4] ।
निमेषाज्जीविनः सर्वे चंद्रादित्यग्रहैः सह ॥ ३८ ॥
दिवौकसश्च ब्रह्मा च रुद्रस्यामिततेजसः ।
ततः प्रसुप्ता देवाश्च चक्षुष्मंतो यशस्विनः ॥ ३९ ॥
उपलभ्य स्मृतिं देवा ह्यंतर्धीयंत तत्र वै ।
स्तुवंति च महादेवं सर्वभूतपतिं शिवम् ॥ ४० ॥
ब्रह्मा विष्णुश्च शंभुश्च[5] ह्यूर्ध्वं[6] तत्र उमापतिम् ।
त्वं कुमारः कुमारस्त्वं जातस्त्वं सर्वतोमुख ॥ ४१ ॥
ॐकारस्त्वं वषट्कारो दंडनीतिस्तथैव च ।
विशंतींद्रादयः सर्वे बृहस्पतिपुरोगमाः[7] ॥ ४२ ॥
ब्रह्मा वेदाश्च यज्ञाश्च शक्रश्च सह विष्णुना ।
त्वत्तः प्रसूता दिव्याश्च सर्वभूतसमुद्भवाः[8] ॥ ४३ ॥
एवं माया परा सूक्ष्मा यथायुक्त्या महेश्वरम् ।
योगिनस्तु महारूपा दानैश्वर्यसमन्विताः ॥ ४४ ॥
मत्प्रसादाद्भविष्यंति ह्यजरा अमरास्तथा ।
स्वच्छंदगतयो नित्यं सुरलोकमहेश्वराः ॥ ४५ ॥

---

१ वात्यानीवकुदुंविवामिति गु. जु. सो. चि० २ हविसहाविण्मुनेति सो. जु. जु. क चि० ३ मज्ञानष्ठसेयाःसुदुखिता इति गु. मुं. चि० ४ हस्यामिततोजप इति सो. जु. ख. ग. चि० ५ सुंभूश्चेति क्वचित्पाठः ६ कुरुस्तत्रेति सो. जु. चि० ७ महस्यतिर्महामतिश्चेति सो. जु. ग. घ. ड. चि० ८ महाभूतेति क्वचित्पाठः

एवमुक्त्वा स भगवान्तत्रैवांतरधीयत ।
एवमेकार्णवे लोके सर्वलोकविमोहिते ॥ ४६ ॥
अस्य माहात्म्ययुक्तानां सर्वेषां न च्युतिर्भुवि ।
सर्वानुप्रलये वृत्तिः पुनः सर्वं उपस्थिते ॥ ४७ ॥
पुनः सृष्टेषु लोकेषु ब्रह्मा तत्र प्रजापतिः ।
वाजपेयशतैरिष्ट्वा यल्लभेत द्विजोत्तमः ॥ ४८ ॥
विप्र विंशतिराजस्तु रुद्रभक्त्या तदश्नुते ।
अश्वमेधसहस्रस्य सम्यगिष्टस्य यत्फलम् ॥ ४९ ॥
नवमासान्प्रभावश्च ब्राह्मणो विजितेंद्रियः ।
सर्वमेतदवाप्नोति लिंगं योऽर्चयते भवम् ॥ ५० ॥
हिमवान्मंदरो मेरुः कैलासो गंधमादनः ।
विंध्यो वृंदपुरी चंद्रो महेंद्रो मलयस्तथा ॥ ५१ ॥
वालखिल्याश्च ऋषयो नैमिषेयास्तथैव च ।
याश्चैवाप्सरसो दिव्या एवं मातृगणास्तथा ॥ ५२ ॥
तारागणा ग्रहगणाः सर्वे पितृगणास्तथा ।
चारणाश्चैव गंधर्वा विद्यासिद्धास्तथैव च ॥ ५३ ॥
प्रमाणं परमं कृत्वा लिंगं योऽर्चयते नरः ।
तस्मिन्बहुगुणप्रीतिं करोति वृषभध्वजः ॥ ५४ ॥
यत्फलं पाकयज्ञेषु हविर्यज्ञेषु यत्फलम् ।
तत्फलं समवाप्नोति शिवलिंगार्चने रतः ॥ ५५ ॥
कुमारो ब्रह्मणा युक्तः पुलस्त्यः पुलहः क्रतुः ।
नंदीश्वरो नरश्रेष्ठो महाकालश्च वीर्यवान् ॥ ५६ ॥
भृग्वंगिरो मरीचिश्च दधीचेश्च सुतास्तथा ।
संवर्तसंजिगीषू च तथा शुक्रो बृहस्पतिः ॥ ५७ ॥

---

१ सर्वभूतविमोहनेति सो. जु. क. ख. ग. चि० २ यकान्द्रा इति सो. गु. चि०

च्यवनो जमदग्निश्च ह्युत्तंगोऽगस्त्य एव च ।
दक्षप्रजापतिः श्रेष्ठो दक्षपुत्रास्तु सप्त वै ॥ ५८ ॥
तथा जन्युश्च भगवान् प्रल्हादो मुनिभिस्तथा[1] ।
अत्रिर्वसिष्ठो दक्षश्च कश्यपश्च महायशाः ॥ ५९ ॥
गौतमश्च भरद्वाजो विश्वामित्रश्च कोविदः ।
आदित्या वसवो रुद्रा मरुतस्तु तथाश्विनौ ॥ ६० ॥
साध्या विद्याधरा नागा ऋषयो विश्वदेवताः ।
सत्यो धर्मोऽथ कामश्च वासुकिः पन्नगस्तथा ॥ ६१ ॥
कंबलाश्वतरौ नागौ व्याला यत्र तथैव च ।
एतत्ते कथितं व्यास संभवप्रलयं तथा ॥ ६२ ॥
एवं ते भगवान्ब्रूते बालक्रीडनकैरिव ।
एवं कारयते कर्म नचास्य व्याकुलीकृता[2] ॥ ६३ ॥
यज्ञामहेषु ते चैव तस्मादिच्छामि वेदितुम् ।
ब्रह्मादीनां सुरश्रेष्ठ ह्यभिगच्छामि शंकरम् ॥ ६४ ॥
महेश्वरसमः कश्चिन्न भूतो न भविष्यति ।
अर्चयंति महालिंगं सर्वभूतपतिं शिवम् ॥ ६५ ॥
ब्रह्माद्या ऋषयो ये वै तान्मे निगदतः शृणु ।
ब्रह्मा विष्णुश्च शक्रश्च चंद्रादित्यौ समीरणः ॥ ६६ ॥
यमः कालश्च मृत्युश्च वरुणो धनदोऽनलः ।
ऋग्यजुःसामवेदाश्च ह्यथर्वांगिर एव च ॥ ६७ ॥
इतिहासोऽथर्ववेदो गायत्री च ह्युमा तथा ।
संवत्सरं तु यो भक्त्या वल्मीकमृत्तिकासु च ॥ ६८ ॥
कुर्यात्प्रलेपनं भूमौ शिवलिंगस्य चाग्रतः ।
एतत्संमार्जनविधिः सहस्रमनुलेपनम् ॥ ६९ ॥

---

१ नमुचिस्तथेति सो. जु. मुं. क. ख. ग. चि० २ वाचाश्वव्याकुलिकृतेति सो. जु. ख. चि०

पुष्पोपहारैर्धूपैश्च तुल्यं फलमवाप्नुयात् ।
दशापराधात्मा यस्तु क्षीरेण वक्षणं क्षमेत् ॥ ७० ॥
क्षीरस्नानं घृताभ्यंगं सघृतं गुग्गुलं तथा ।
इच्छामि सकलं देयं शिवाय वरमिच्छता ॥ ७१ ॥
दशसौवर्णकं पुष्पं यः शिवाय प्रयच्छति ।
मालया दश साहस्रं जाप्यं दशगुणं स्मृतम् ॥ ७२ ॥
विधियज्ञाज्जपोयज्ञो विशिष्टो दशभिर्गुणैः ।
उपांशु स्याच्छतगुणः साहस्रो मानसस्तथा ॥ ७३ ॥
तृणान्यौषधिगुल्मानि लतावल्लिस्तथैव च ।
देवार्थे ये तु हिंसंति धार्मिका न तु हिंसकाः ॥ ७४ ॥
तथैव सर्ववृक्षाणां पत्रं पुष्पं फलं स्वकम् ।
कालजातिकपुष्पाणि बीजानि शतशस्तथा ॥ ७५ ॥
महादेवे प्रयुक्तानि स्वर्गं यान्ति न संशयः ।
श्रद्दधानस्तु यः कुर्याच्छुचिः प्रयतमानसः ॥ ७६ ॥
सर्वमेतदवाप्नोति लिंगार्चनपरो नरः ।
प्राप्यते च सुखं सर्वैः स्वर्गं यान्ति द्विजोत्तमाः ॥ ७७ ॥
वैश्वदेवस्य कार्यं च श्रुतपूर्वं यथा पुरा ।
पूजां च धारयेन्नित्यं भक्त्या तस्य शिवस्य वै ॥ ७८ ॥
कल्पकोटिसहस्राणि रुद्रलोके वसेत्सदा ।
अद्रौ च मूर्तिरग्नेयं सर्वभूतप्रमार्दिनी ॥ ७९ ॥
प्रशांता निष्कला मूर्तिः सर्वभूतसुखावहा ।
यतिभिः सेव्यते व्यास जरामरणभीरुभिः ॥ ८० ॥
अनेन विधिना व्यास यस्तु जानाति ईश्वरम् ।
तेन पाशुपतं चीर्णं निर्मलं व्रतमव्ययम् ॥ ८१ ॥

---

१ पवित्रायेति क्वचित्पाठः

शिवं सर्वगतं ज्ञात्वा सर्वदुःखैः प्रमुच्यते ।
एवं विज्ञाय मेधावी नैकमूर्तिं समाचरेत् ॥ ८२ ॥
मूर्तीनां प्रविभागश्च शिवलिंगार्चनं तथा ।
ऋषयो विविधाः श्रेष्ठा यश्च तुष्यति शंकरः ॥ ८३ ॥
सर्वासां चैव मूर्तीनां पूजार्हा दक्षिणाभिधा ।
भावः सृजति भूतानि तदा संहरते प्रजाः ॥ ८४ ॥
वृत्तिं श्रद्धां सुखं मेधां विद्यां चैव प्रयच्छति ।
विविर्धंति ततो लोका मूर्तिः सा दक्षिणा परा ॥ ८५ ॥
पाराशर्यः सदा युक्तो दक्षिणां मूर्तिमर्चयेत् ।
भावनमिति सर्वस्वं निष्कसज्जीकृतं ध्रुवम् ॥ ८६ ॥
एतत्ते कथितं व्यास शिवलिंगार्चनं परम् ।
सर्वव्याधिप्रशमनं सर्वदुःखविनाशनम् ॥ ८७ ॥
दर्शनाच्छ्रवणाद्वापि नामसंकीर्तनादपि ।
प्रणामं चैव लिंगस्य कृत्वा पापैः प्रमुच्यते ॥ ८८ ॥
स्त्रियः शूद्राश्च म्लेच्छाश्च ये चान्ये पापयोनयः ।
श्रद्धाकामसमायुक्ताः श्रीप्रियास्ते परां गतिम् ॥ ८९ ॥
शिवनामितिहासोयं ब्रह्मणा समुदाहृतः ।
क्रोधमोहाभ्यां सृष्टानां पातकानांच नाशनः ॥ ९० ॥
सकृदावर्तयेदेवं भवस्य भवनं शुचिः ।
अश्वमेधफलं सम्यक् लभते नात्र संशयः ॥ ९१ ॥
यश्चैनं पठते नित्यं यश्चैनं शृणुयान्नरः ।
मुच्यते सर्वपापेभ्यो रुद्रलोकमवाप्नुयात् ॥ ९२ ॥

इति श्रीस्कंदपुराणे आदिरहस्ये सह्याद्रिखण्डे व्याससनत्कुमारसंवादे प्रलयोत्पत्तिकथनं नाम त्रयोदशोऽध्यायः ॥ १३ ॥

अथ चतुर्दशोऽध्यायः ।

शिवमाहात्म्यम्.

व्यास उवाच । भगवन् श्रोतुमिच्छामि त्र्यंबकस्य महात्मनः ।
श्रवणानीह लोकेऽस्मिन् तेषु संनिहितः सदा ॥ १ ॥
प्राप्यते चैव सर्वेषां तेषां चानुग्रहो यदा ।
सुतरां भजते सम्यक् प्रेहृष्येच्च कथं च न ॥ २ ॥
सनत्कुमार उवाच । नमस्ते ह्यादिदेवाय पिंगलाय जगत्पते ।
भक्तानुकंपिने नित्यं सर्वदेवश्रुताय च ॥ ३ ॥
शृणु व्यास परां वाणीं सर्वलोकहितां शुभाम् ।
शुश्रूषयैष भगवान् सांनिध्यं कुरुते सदा ॥ ४ ॥
ब्रह्मा दिवाकरो विष्णुः स्कंदश्चास्मि सुरेश्वरः ।
अर्कसोमकुजाश्चैव कपर्दी चाप्युमापतिः ॥ ५ ॥
व्रतानां कापिलं चैव ह्यव्यक्तं शुद्धिरेव च ।
एतैर्नामभिराश्चर्यं तिर्यग्भावं सदा भवम् ॥ ६ ॥
यो हि यद्दैवतं ज्ञात्वा ह्याराधयति भावतः ।
तस्य तां मूर्तिमास्थाय महादेवः प्रसीदति ॥ ७ ॥
स्थानानां परिसंख्या ते वक्तुं शक्तो न कश्चन ।
अपि वर्षसहस्रैश्च समासेन तु मे शृणु ॥ ८ ॥
इह लोके जया स्पृष्टः स्थानानि शृणु तान्यपि ।
प्रमाणं चैव सर्वेषां तेषु यच्चाप्यनुग्रहम् ॥ ९ ॥
माहेश्वरीमिमांव्याष्टिं कथयामि निशामय ।
भद्रकर्णं च स्वर्णास्यमाकर्णं स्थानमुत्तमम् ॥ १० ॥

---

१ सुतांअनुभजतेसभ्यक् दप्यतेकथंतुतत्; ऋष्येत्कथंचनिति सो. जु. ग. घ. ङ. चि० २ सुतामिति क्वचित्पाठः १ श्रावभूय विशाभय श्रावभूय विशामवेति सो. जु. ग. घ. चि०

स्थानेषु तेषु सततं सांनिध्यं स गतो भवः ।
अनुग्रहं च कुरुते भक्तानां भक्तवत्सलः ॥ ११ ॥
देवैर्देवर्षिभिः सिद्धैः स्वस्थानैः परमर्षिभिः ।
यज्यते भगवान्नित्यं पूज्यते शंकरो हरः ॥ १२ ॥
द्वियोजनं तु तत्क्षेत्रं दक्षिणोत्तरतः स्मृतम् ।
रुद्रसायुज्यतां याति मरणांते न संशयः ॥ १३ ॥
देवदानवगंधर्वा ऋषयश्च तपोधनाः ।
संपूज्य सततं देवं सत्यमोदास्पदं भवम् ॥ १४ ॥
त्रियोजनं च तत्क्षेत्रं समंतात्सर्वतोदिशम् ।
रुद्रलोकमवाप्नोति मृतो रुद्रपदे नरः ॥ १५ ॥
मासैकं रुद्रमभ्यर्च्य भद्रकर्णे जितेंद्रियः ।
स च रुद्रपरो नित्यं रुद्रलोकमवाप्नुयात् ॥ १६ ॥
अर्धक्रोशयुतं क्षेत्रं समंतात् स्थानमुत्तमम्[२] ।
गाणपत्यं स लभते मृतः स्थाणुपदे नरः ॥ १७ ॥
त्रिसंध्यं तस्य भगवान् सान्निध्यं कुरुते सदा ।
विष्णुरुद्रौ च सोमश्च ह्यादित्यो मरुदाश्विनौ ॥ १८ ॥
अर्चयंति सुवर्णाद्यैर्नित्यमेव त्रिलोचनम् ।
अर्धयोजनविस्तारं सुवर्णाख्यं विदुर्बुधाः ॥ १९ ॥
वाराणस्यां तु ॐकारो षण्मुखेनोमया[३] सह ।
तिष्ठते भगवान् देवः परमात्मा सनातनः ॥ २० ॥
लिंगं तु देवदेवस्य सर्वतेजोमयं शुभम् ।
एवं सन्निहितो नित्यं दिवारात्रि[४]स्तथैव च ॥ २१ ॥
ध्यानिनो नित्ययोगाश्च पश्यन्मां विश्वतेजसः ।
वेदविद्याव्रतपराः सिद्धाश्च परमर्षयः ॥ २२ ॥

---

१ रुद्रस्य पूज्यतात्मा कसंत श्रीत्यत्यजेममिति सो. जु. मुं ग. घ. ङ चि०
२ उच्यते एवचेति सो. मुं. चि० ३ रुद्रयास्तेषुषण्मुखइति सो. जु. ग. घ. ङ
चि० ४ दिवाश्च ऋषयश्चैवये पसन्निहितो नरइति सो. जु. ग. घ. चि०

उपासंते सदा व्यास पंचायतनवासिनीम् ।
नासत्या नाम मंत्रस्था न तु देवस्य तिष्ठति ॥ २३ ॥
प्रविशंति महात्मानः परां माहेश्वरीं तनुम् ।
द्वियोजनं गृहं तत्तु समंतात् सर्वतोमुखम् ॥ २४ ॥
अशून्यमेतत्क्षेत्रं वै ह्यविमुक्तं तु तत्स्मृतम् ।
ब्रह्मा चाग्निर्हरिरिंद्रो वायुश्चैव बृहस्पतिः ॥ २५ ॥
समुद्राश्चैव सरितो द्विपाश्चैवायनस्तथा ।
उपासंति महात्मानं महदर्णे सदाशिवम् ॥ २६ ॥
कनखलं महापुण्यं कथितं पूर्वमेव च ।
तत्समं तु दिशां किंचित् स्थानमन्यत्र विद्यते ॥ २७ ॥
पुण्यत्वादथ रम्यत्वात्संयोगाच्छंकरस्य च ।
तत्राहं नियतो व्यास गंगाद्वारे भवप्रिये ॥ २८ ॥
ईशानैर्दैवतैस्तस्मिन्नित्यं सिंहगणैर्वृतः ।
अधर्ममानसो वापि नाधर्मे वसते क्वचित् ॥ २९ ॥
सिद्धास्तपस्यानुरता ब्रह्मावर्तस्य दक्षिणे ।
एतन्महीधरं नाम पुराणं पुण्यमुत्तमम् ॥ ३० ॥
तत्र ह्यध्ययनं पूर्वमृषयः सर्वमागताः ।
क्रोधो देवस्तु तत्क्षेत्रे सर्वतो दिशिमुत्तमम् ॥ ३१ ॥
दिव्या माहेश्वरा भागा मुक्तिर्यत्राक्षराक्षया ।
एतत्ते कथितं व्यास यन्मां त्वं परिपृष्टवान् ॥ ३२ ॥
स्थानमाहात्म्यमतुलं पुण्यं पापप्रणाशनम् ।
श्रुत्वा वा पठयित्वाऽपि रुद्रलोकमवाप्नुयात् ॥ ३३ ॥
अध्येतव्यं ब्राह्मणेन योऽयं भक्तो महेश्वरे ।
तथैव वेदाध्ययनं तथाचेदं प्रशस्यते ॥ ३४ ॥

इति श्रीस्कंदपुराणे आदिरहस्ये सह्याद्रिखण्डे व्याससनत्कुमार-
संवादे पंचायतनं नाम चतुर्दशोऽध्यायः ॥ १४ ॥

---

१ नासिसत्त्वा नानागंत्ररयेति सो. ज़ु. मु. ग. घ. चि० २ क्षतं; क्षतुमिति सो. ज़ु. मुं. ग. घ. चि० ३ ब्रह्माश्वाग्निश्वसोमश्च हरिद्रो ब्रहस्पति इति सो.ज़ु.चि०

अथ पंचदशोऽध्यायः ।

व्यास उवाच । श्रुतं मे भगवन् देव स्थानमाहात्म्यमुत्तमम् ।
सर्वाणि यानि तीर्थानि गुप्तान्यायतनानि च ॥ १ ॥
अनुग्रहं च यत्तेषां पुण्यं चैव हि संगमे[1] ।
नहि मे तृप्तिरस्तीह शृण्वतो वाक्यमुत्तमम् ॥ २ ॥
माहात्म्यं देवदेवस्य शंकरस्य महात्मनः ।
हृष्यामि ब्रह्मन् सततं परं कौतूहलं हि मे ॥ ३ ॥
एवमुक्तः स भगवान् व्यासेनामिततेजसा ।
सनत्कुमारो भगवानुवाच मधुरां गिरम् ॥ ४ ॥
सनत्कुमार उवाच । शृणु व्यास परां वाणीं तापत्रयप्रणाशिनीम् ।
मांगल्यां च पवित्रां च पठेत्पर्वसु पर्वसु ॥ ५ ॥
रुद्रलोकमवाप्नोति[2] नरो विगतकल्मषः ।
यान्यष्टौ च पवित्राणि सदा देवेन धीमता ॥ ६ ॥
तानि ते कथयिष्यामि तस्मादेकमनाः शृणु ।
एवमेकमनाश्चैव शंकुकर्णो महेश्वरः ॥ ७ ॥
एतेषु वै सदा व्यास भूतसंघैर्वृतः प्रभुः ।
वसते परया वृत्त्या पूज्यमानो दिवौकसैः ॥ ८ ॥
व्यास उवाच । चतुर्दशयोजनानां सर्वेषां हि परिग्रहः ।
ऋषिगंधर्वजुष्टानि चंद्रैराचरितानि च ॥ ९ ॥
स्थानान्यायतगुह्यानि देवदेवस्य धीमतः ।
इष्टत्वं च कथं तेषां यत्र तेषां परिग्रहः ॥ १० ॥
तदेव भगवन् ब्रूहि भक्त्या ते पृच्छतो मम ।
सनत्कुमार उवाच। गुह्यानां परमं गुह्यं सर्वं व्याससमोदितम् ॥ ११ ॥

---

१ शंसम इति क्वचित्पाठः २ इंद्रलोकसमागछेद्यरंतिसदाशु इति सो. जु. मुं. चि०

यथा च भगवान् देवः कृतस्तेषामनुग्रहः ॥
पुरा वै ऋषिभिर्व्यास पृष्टस्तेभ्य उवाच ह ॥ १२ ॥
वालखिल्याश्च मुनयोऽभवन् भागवताश्चते ।
तेषां संतोष्य भगवान् भक्तानां भक्तवत्सलः । १३ ॥
चकारानुग्रहं तेषां दर्शनेन महेश्वरः ।
तं प्रणम्य महात्मानं कृतानामीश्वरं प्रभुम् ॥ १४ ॥
ऊचुः प्रांजलयो भूत्वा वालखिल्यास्तपोधनाः ।
मनसा प्रार्थितं यच्च तत्कर्त्तास्मि न संशयः ॥ १५ ॥
एवं तं प्रीतमनसं दृष्ट्वा देवं पिनाकिनम् ।
देवं परं यथा पारं यस्तुष्टो भगवान् स्वयम् ॥ १६ ॥
वर्षैः शतसहस्रैर्वा दुर्लभं देवदर्शनम् ।
वयं ते चक्षुषा ग्राह्या यदि ग्राह्यो वरो मयि ॥ १७ ॥
इच्छामि भगवन् ज्ञातुं गुह्यान्यायतनानि च ।
महादेवो व्यक्तदेवो भक्तैर्भक्तजनप्रियः ॥ १८ ॥
एवं प्रमुदितैस्तैस्तु मुनिभिः पुण्यकांक्षिभिः ।
उवाच स मुनीन् सर्वान् वाक्यतो जीवयन्निव ॥१९ ॥
महेश्वर उवाच । श्रूयतां परमं गुह्यं येषु नित्यं वसाम्यहम् ।
प्रजानामि ह गुह्यानि भक्तानां परमः सखा ॥ २० ॥
तान्येव संप्रवक्ष्यामि तीर्थानि च महीतले ।
शृणुध्वमृषयः सर्वे शुचिर्भूत्वा समंततः ॥ २१ ॥
पुरे चंद्रपुरं गुह्यं पराणां चंडिकेश्वरम् ।
महाकालपुरं गुह्यं देवानामपि दुर्लभम् ॥ २२ ॥
देवदारुवनं गुह्यं महाभैरवमेव च ।
गुह्यान्येतानि विप्रेंद्रा यः कश्चिच्चैव गच्छति ॥ २३ ॥

---

१ खनौ तथेति सो. जु. क. चि० २ नाडिकेश्वरेति सो. जु. ग. घ. ङ. चि० ३ देवदानवमानदाइति सो. जु. मुं. चि०

भक्त्या परमया युक्ता सर्वे वै श्रद्धयान्विताः ।
बलिपुष्पोपहारैर्वा गंधपुष्पविलेपनैः ॥ २४ ॥
मानवश्चाथवान्यो वा यो मां समधिगच्छति ।
सकामो वाप्यकामो वा गुह्येष्वेतेषु यो नरः ॥ २५ ॥
ब्राह्मणाः क्षत्रियाश्चैव वैश्याः शूद्रास्तथैव च ।
म्लेच्छाश्च क्रूरकर्माणः स्त्रियो वापि न संशयः ॥ २६ ॥
गाणपत्यं ध्रुवं स्थानं रुद्रलोके महीयते ।
अक्षयास्तस्य लोका वै तथाप्यन्ये श्रयंति ये ॥ २७ ॥
अक्षयेषु च स्थानेषु पितॄणां चैव यो नरः ।
श्राद्धं दद्यान्महाभागस्तथा दायी तिलोदकम् ॥ २८ ॥
दर्भास्तरणविस्तीर्णे दद्यादपि तिलोदकम् ।
एवं पितृगणः सर्वः स्वर्गलोके महीयते ॥ २९ ॥
एतत्ते सर्वमाख्यातं दुर्लभं सर्वदेहिनाम् ।
य इदं च वदेत्किंचिदेवं सर्वेषु श्रावयेत् ॥ ३० ॥
श्रुत्वैवं गुह्यमाख्यानं ये नराः पुण्यवृत्तयः ।
स्त्रियः शूद्राश्च म्लेच्छाश्च प्राप्नुयुः परमां गतिम् ॥ ३१ ॥
तस्माद्विद्वानधीयीत श्रावयेच्च समाहितः ।
नाप्रशांताय दातव्यं न वाप्यहितकारिणे ॥ ३२ ॥
कर्कशायाविशुद्धाय पिशुनाय शठाय च ।
चपलाय नृशंसाय न देयं स्यात् कथं च न ॥ ३३ ॥
इदं तु श्रेष्ठपुत्राय शिष्याय च हिताय च ।
बलिने श्लाघ्यमानाय प्रशांताय तपस्विने ॥ ३४ ॥
सोमसूर्याग्निनेत्राय तथा पाशुपताय च ।
यतये च तथा देयं तथा ज्ञानविदे ह्यपि ॥ ३५ ॥
श्रावयेद्यस्तु विप्राय सदा पर्वसु पर्वसु ।
रुद्रलोकं स वै गच्छेद्धारयेच्च स्तुवेत्पुमान् ॥ ३६ ॥

संवृतो वेदशास्त्रेषु तस्माद्गुह्य इति स्मृतः ।
रहस्यं दुरवस्थानमिति गुह्यविदो विदुः ॥ ३७ ॥
रहस्यं देवदेवस्य गुह्यमित्यभिसंज्ञितम् ।
तस्माद्विप्रा ह्यहं गुह्यं स्तुत्वैतन्नित्यमुत्तमम् ॥ ३८ ॥
स्थानेष्वेतेषु सततमभिगम्य महेश्वरम् ।
गत्वा पश्यति तं नित्यं मानसं वैमलं शुचिः ॥ ३९ ॥
यथा हि नियतो विप्रो गंगाद्वारे च नित्यशः ।
अथ स्थानेषु यस्तेषां पूजयेच्च सदा भवम् ॥ ४० ॥
स गच्छेद्विमलः शुद्धः परं माहेश्वरं पदम् ।
न तस्य पुनरावृत्तिर्भवत्येव महात्मनः ॥ ४१ ॥
एष ईश्वरसद्भावः कथितस्ते महाफलः ।
यं श्रुत्वा कृतकर्माणः प्राप्नुवंति परां गतिम् ॥ ४२ ॥
य इदं श्रावयेच्चापि ब्राह्मणः सत्पथे स्थितः ।
स सार्वकामिकं कार्यं पितृसंस्थोऽपि तिष्ठते ॥ ४३ ॥
एतत्ते कथितं व्यास गुह्याद्गुह्यतरं परम् ।
तदहं कीर्तयिष्यामि तत्त्वेनैव महामुने ॥ ४४ ॥
य इदं श्रावयेद्विप्रान् सदा पर्वसु पर्वसु ।
न दुर्गतिमवाप्नोति रुद्रलोकं स गच्छति ॥ ४५ ॥

इति श्रीस्कंदपुराणे सह्याद्रिखण्डे आदिरहस्ये व्याससनत्कुमार
संवादे शिवमाहात्म्यं नाम
पंचदशोऽध्यायः ॥ १५ ॥

अथ षोडशोऽध्यायः ।

लिंगोद्भवः

व्यास उवाच । महादेवश्च विष्णुश्च ब्रह्मा चैव हि सुव्रतः ।
प्रभावं कर्मणां चैव कोऽधिको वद ईश्वर ॥ १ ॥

एतं मे संशयं ब्रूहि तदा बुद्धिमतां वर।
अनागतं व्यतिक्रांतं वर्तमानं च बुद्धसे ॥ २ ॥
सनत्कुमार उवाच। अत्राप्युदाहरन्तीत्यमितिहासं पुरातनम्।
पुरा त्रैलोक्यविजयिविष्णुना प्रभविष्णुना ॥ ३ ॥
बलिर्बद्धो महाराजस्त्रैलोक्यं प्राप्तवान् सदा।
समास्तेषु च दैत्येषु प्रन्हादप्रमुखेषु वै ॥ ४ ॥
अथ जग्मुः प्रभुं द्रष्टुं देवदेवं सनातनम्।
स्तुवंति वरदं देवं सहस्रेणांतरात्मना[१] ॥ ५ ॥
त्वं धाता त्वं च कर्त्ता त्वं कामः क्रोधः शमो दमः।
त्वं धारयसि लोकांस्त्रींस्त्वमेव सृजसि प्रभो ॥ ६ ॥
त्वत्प्रसादाच्च कल्याणं प्राप्तं त्रैलोक्यमव्ययम्।
असुराश्च हताः सर्वे भद्राश्च बलिनस्तथा ॥ ७ ॥
स्थापितं च त्वया सर्वं जगत्स्थावरजंगमम्।
त्वं गतिः सर्वदेवानां लोकानां प्रभुरव्ययः ॥ ८ ॥
एवमुक्तेश्वरो विष्णुः सिद्धैश्च परमर्षिभिः।
प्रत्युवाच ततो विष्णुः सर्वगः पुरुषोत्तमः ॥ ९ ॥
विष्णुरुवाच ॥ श्रूयतामभिधास्यामि कारणं सुरपुंगवाः।
यस्तुष्टः सर्वभूतानां भूतभव्यभवेश्वरः ॥ १० ॥
तेनाहं ब्रह्मणा चैव सृष्टा लोकाश्च मायया।
तस्यैव च प्रसादेन ह्यहं श्रेष्ठत्वमागतः ॥ ११ ॥
पुरा तमसि ह्यव्यक्ते त्रैलोक्यं ग्रसितं मया।
उदरस्थेषु लोकेषु भूतेषु शयितो ह्यहम् ॥ १२ ॥
सहस्रशीर्षो भूत्वाहं सहस्राक्षः शतोदरः।
शंखचक्रगदापाणिरर्णवे विमलांभसि[२] ॥ १३ ॥

---

१ सदृष्टेनांतरात्मेनेति सो. को. मुं. चि० २ आर्णयाचिमलाभज्ञीति सो. जु. मुं. चि०

एतस्मिन्नंतरे दूरात्पश्यामि विमलप्रभम् ।
कृष्णाजिनधरं देवं कमंडलुनिषेवितम् ॥ १४ ॥
निमेषांतरमात्रेण प्राप्तवान् पुरुषोत्तमः ।
ततो मामब्रवीद्ब्रह्मा सर्वलोकपितामहः ॥ १५ ॥
कस्त्वं कुतो वा किमिह तिष्ठसे वद किं चिरम् ।
अहं कर्त्तास्मि लोकानां स्वयंभूर्विश्वतोमुखः ॥ १६ ॥
मयाप्युदाहृतो ब्रह्मा ह्यहं नारायणः प्रभुः ।
धाता कर्त्ता च लोकानां संहर्त्ता च जगत्प्रभुः ॥ १७ ॥
एवं संभाषमाणस्तु परस्परमभिष्टुवान् ।[1]
उत्तरां दिशमास्थाय ज्वालां पश्यामि तिष्ठतीं ॥ १८ ॥
ततो ज्वलनमालोक्य विस्मयोद्गतमानसः ।
तेजसा जज्ञिरे तस्य सर्वज्योतिस्तु निर्मलम् ॥ १९ ॥
वर्तमाने महाज्वाले ह्यत्यंतपरमाद्भुते ।
सह्यमानस्तु तज्ज्वालां ब्रह्मा चैव स्वयं प्रभो ॥ २० ॥
दिवं भुवं चावष्टभ्य तिष्ठतो ज्वालमंडलम् ।
तस्य मध्ये तत्पश्यामि लिंगं च विमलप्रभम् ॥ २१ ॥
प्रादेशमात्रं दुःप्रेक्ष्यमंतरिक्षं च दुःसहम् ।
महाकायं महातेजो वर्द्धमानमिवौजसा ॥ २२ ॥
ज्वालामालादिभिर्व्याप्तं सर्वभूतभयंकरम् ।
घोरं दारुणमत्युग्रं निर्दहन्निव रोदसी ॥ २३ ॥
ततो मामब्रवीद्ब्रह्मा ह्यन्यां वाचं सुयंत्रितः ।
प्रत्यर्थं भुवि जानीहि लिंगस्यास्य महात्मनः ॥ २४ ॥
अहं मूर्ध्नि गमिष्यामि यावदंतोस्य विद्यते ।
त्वं चाधस्तात्संप्रयाहि ह्यंतं पश्य महात्मनः ॥ २५ ॥

---

१ एवंसभाममाणस्तु इति सो. जु. क. ख. ग. चि०

एवं च निश्चयं कृत्वा गतावूर्ध्वमथो भुवम् ।
मनोजवगती भूत्वा योगयुक्तौ महाद्युती ॥ २६ ॥
वर्षाणां च सहस्राणि विचेष्टंतौ परस्परम् ।
नैवाप्नुयामिति ह्यंतं ततः प्रशमगामहम् ॥ २७ ॥
तथैव ब्रह्मा श्रांतो वै ध्रुवमंभश्च पश्यति ।
समागतो मया सार्द्धं तत्रैव विमलांशुभिः ॥ २८ ॥
ततो विस्मयमापन्नौ महात्मानौ च तावुभौ ।
मायया मोहितौ देवौ तुष्टुवंतौ महेश्वरम् ॥ २९ ॥
सर्ववृद्धिमहादेवमीश्वरं सर्वतोमुखम् ॥
प्रभवं विभवं चैव भूतानां प्रभुरव्ययम् ॥ ३० ॥
ब्रह्मांजलिपुटो भूत्वा तस्मै शर्वाय शूलिने ॥
अव्यक्ताय ह्यनन्याय नमस्कारं प्रचक्रमे ॥ ३१ ॥
नमस्ते सर्वभूताय सुरेश्वर नमोस्तु ते ॥
भूभृतेच ह्यनंताय शाश्वताय कपर्दिने ॥ ३२ ॥
परमेष्ठी परब्रह्म परमात्मा परं पदम् ॥
स्वाहाकारः स्वधाकारः सर्वधर्मप्रयुक्तवान् ॥ ३३ ॥
वषट्[2]काराय महते व्रताय नियमाय च ॥
वेदे सांख्ये च योगे च भगवानेव सर्वतः ॥ ३४ ॥
कामक्रोधोद्भवं दुःखमिच्छा द्वेषो दमः शमः ॥
विविधा व्याधयश्चैव त्वं पश्चात्सुखदुःखयोः ॥ ३५ ॥
ऋतवश्चैव मासाश्च क्षेत्रज्ञः प्रकृतिस्तथा ॥
इंद्रियाणां च सर्वेषामिंद्रियार्था परा गतिः ॥ ३६ ॥
स्थवीयांश्चैव सूक्ष्मश्च भवानेव च सर्वशः ॥
विश्वरूपो महारूपः सर्वरूपस्तथैव च ॥ ३७ ॥

---

१ समय इति सो. जु. ग. चि०   २ स्वधाकारश्च जापश्चेति सो. जु. को. मुं. चि०

तेजसां च परं तेजः स्पर्शानां स्पर्श एव च ॥
धूपो गंधो रसः स्पर्शो विभुस्त्रिभुवनेश्वरः ॥ ३८ ॥
आकाश ऋषयस्थानं भूतानां प्रभुरव्ययः ।
त्वं कर्त्ता सर्वभूतानां लोकेषु प्रलयानुकृत् ॥ ३९ ॥
त्वं धारयसि लोकांस्त्रींस्त्वमेव सृजसि प्रभो ।
व्रजसे चैव पूर्वेण त्वमिंद्रस्त्वं प्रकाशसे ॥ ४० ॥
दक्षिणेन तु रौद्रेण वरुणस्त्वं प्रकाशसे ।
उत्तरेण तु सौम्यस्त्वं भूर्भुवस्त्वं प्रकाशसे ॥ ४१ ॥
रजसादिकयोगेन प्रजानां प्रकरो ह्यसि ।
आदित्या वसवो रुद्रा मरुतश्च तथाश्विनौ ॥ ४२ ॥
सिद्धा विद्याधरा नागा ह्यप्सरोयक्षराक्षसाः ।
वालखिल्याश्च ऋषयो तपस्तेपुः सहस्रशः ॥ ४३ ॥
त्वत्तः प्रसूता देवेश ह्यसुराश्च महाबलाः ।
सहस्रशीर्षाः शतशो वसुर्वासुकिरेव च ॥ ४४ ॥
अरुणाश्च महातेजा वरुणाश्च महाबलाः ।
अर्थः कर्म च कामश्च यमो मोहः समीरणः ॥ ४५ ॥
अग्निश्चैव मतो विश्वं तेजोभूतमहेश्वरः ।
सीता कमलजा देवी गायत्रीच ह्युमा तथा ॥ ४६ ॥
लक्ष्मीः कीर्तिर्धृतिः सिद्धिर्मेधा लज्जा तथा वपुः ।
तुष्टिःपुष्टिस्तथाऽनंता निजदेवी सरस्वती ॥ ४७ ॥
ततो माता महाभागा ह्यथवापि महाबला ।
ऋतुः संवत्सरा मासाः पक्षाहानि तथा क्षपा ॥ ४८ ॥
कला काष्ठा तथा मात्रा मुहूर्त्ताश्च क्षणास्तथा ।
नक्षत्राणि ग्रहाश्चैव ह्यश्वा गावः प्रजास्तथा ॥ ४९ ॥

---

१ प्रभाविधेरिति क्वचित्पाठः

यज्ञो हव्यं च यत्किंचित् त्वत्तो जाताः सुरासुराः ।
रजोमायाभ्यां संछन्ना न त्वां पश्यंति केवलम् ॥ ५० ॥
ध्यानिनो नित्ययुक्तास्ते पश्यंति त्वां दुरासदम् ।
मायया मोहिता लोके त्वया देवं सनातनम् ॥ ५१ ॥
न त्वां पश्यंति संमूढा मग्नास्तमसि दारुणे ।
ततो ब्रह्मा ह्यहं चैव प्रभूतः पुरुषोत्तमः ॥ ५२ ॥
आदौ मध्ये तथा चान्ते न विंदंति कदाचन ।
न वेदयति यः कश्चित् पुराणं च पुरातनं ॥ ५३ ॥
एतत्पुराणं परमं पवित्रं । पापक्षयं पुण्यविवर्द्धनं च ॥
वरं च सूक्ष्मं मुनिभिश्च गोपितं।परात्परार्द्धं परमं च शाश्वतं ॥५४॥
नमोस्तु ते नित्यसमानवर्त्तिने । नमोस्तु तेऽचिंत्य समानमौले ॥
नमोस्तु ते वज्रपिनाकधारिणे।नमो हितार्थं गदतोपि वीरान्॥५५॥
नमोस्तु ते भूषणवेषधारिन् । नमोस्तु ते भस्मविभूषितांग ॥
नमोस्तु ते कामशरीरनाश।नमोस्तु ते विश्वविधामरूपिणे ॥५६॥
नमोस्तु ते विश्वजनप्रकाश । नमोस्तु ते भूतभविष्यभव्य ॥
नमोस्तु ते पूर्वनिकेतवास । नमोस्तु ह्योंकारवियुक्तवास ॥५७॥
नमोस्तु ते मंदरमूर्धवास । नमोस्तु ते सर्वसरोधिवास ॥
नमोस्तु ते देव हिरण्यगर्भ । नमोस्तु ते देव हिरण्यरेतः ॥ ५८ ॥
नमोस्तु ते देव हिरण्यनाभ । नमोस्तु ते देव हिरण्यगर्भ ॥
नमोस्तु ते देव हिरण्ययान । नमोस्तु ते देव हिरण्यरेतः॥ ५९ ॥
नमोस्तु ते देव हिरण्यनेत्र । नमोस्तु ते देव हिरण्यपाणे ॥
नमोस्तु ते देव हिरण्यवर्ण । नमोस्तु ते त्र्यंबक देव नित्यम् ॥६०॥
नमोस्तु ते शंकर नीलकंठ । नमोस्तु ते नेत्रसहस्रधारिन् ॥
नमोस्तु ते पिंगललोललोचन । नमोस्तु ते सर्वजगद्भवोद्भव॥६१॥
नमोस्तु ते भूतगणाधिवासिन् । नमोस्तु ते भूतविशालगर्भ ॥
नमोस्तु ते देव सहस्रमौलिन् । नमोस्तु ते चारणसिद्धसेविन्॥६२॥

नमोस्तु ते सिद्धजनावकाश । नमोस्तु ते यज्ञसहस्रभूषितं ॥
नमोस्तु ते कल्पसहस्रधारिन् । नमोस्तु ते कल्पसहस्रभूषित॥६३॥
नमोस्तु ते देव ह्यनंतमूर्ते । नमोस्तु ते कल्पभुजंगमोत्तम ॥
नमोस्तु ते भैरव श्यामकण्ठ । नमोस्तु ते त्र्यंबक भूतनाथ ॥ ६४ ॥

एवं संस्तूयमानो हि कं न पश्येन्महेश्वरः ॥
बभाषे च तथेशानो देवश्च वरदः प्रभुः ॥ ६५ ॥
ब्रह्मकोटिसहस्रेण ग्रसमानमिवापरम् ॥
आदिदेवो महायोगी सूर्यकोटिसमप्रभः ॥ ६६ ॥
नीलग्रीवस्तु वरदो नानाभरणभूषितः ॥
नानामणिविचित्रश्च नानागंधानुलेपनः ॥ ६७ ॥
पिनाकदीप्तोग्रकरः पट्टिशी च त्रिशूलधृक् ॥
व्यालयज्ञोपवीती च कृत्तिवासा भयंकरः ॥ ६८ ॥
दुंदुभिस्वननिर्घोषः पर्जन्यनिनदोपमः ॥
मुक्तहासस्तदा तान्वै लोकात्मा ह्यप्रकंपितः ॥ ६९ ॥
तेन शब्देन महता भयत्रस्तान्महात्मनः ॥
ततः प्रोवाच भगवान् प्रीतोथ स तयोः स्तवैः ॥ ७० ॥
पश्यध्वं वै महाभागा भयं सर्वं विमुंचत ॥
अयं मे दक्षिणो बाहुर्ब्रह्मा त्वं हि सदा यज ॥ ७१ ॥
वामबाहुश्च मे विष्णुः संयुगे त्वपराजितः ॥
युवयोः सदृशं सम्यक् वरं वृणुत सत्तमौ ॥ ७२ ॥
ततः प्रहृष्टमनसौ पादयोः पतितावुभौ ॥
यदि प्रीतोसि भगवन् तर्हि देयो वरश्च नौ ॥ ७३ ॥
भक्तिर्भवतु नौ नित्यं सदा देवेश्वरेश्वरे ॥
एवमुक्तः सुरश्रेष्ठस्तथास्त्वित्यनुमन्यताम् ॥ ७४ ॥
इत्युक्त्वा भगवान्देवस्तत्रैवांतरधीयत ॥
एष संक्षेपतः प्रोक्तः प्रभावस्तत्र योगिनः ॥ ७५ ॥

तेन सृष्टमिदं सर्वं हेतुर्भूत्वा ददर्शह ।
स्वर्गापवर्गमायुष्यमेतच्छांतिकरं तथा ॥ ७६ ॥
तस्य विघ्नं न कुर्वंति दानवा यक्षराक्षसाः ।
पिशाचा ह्यविभाव्याश्च तृष्टाश्च भुजगास्तथा ॥ ७७-॥
यः पठेच्च शुचिः प्रातर्ब्रह्मचारी जितेंद्रियः ।
अभग्नयोगयुक्तस्य ह्यश्वमेधफलं लभेत् ॥ ७८ ॥
इति श्रीस्कंदपुराणे आदिरहस्ये सह्याद्रिखंडे व्याससनत्कुमार-
संवादे लिंगोद्भवो नाम षोडशोऽध्यायः ॥१६॥

अथ सप्तदशोऽध्यायः ।

पुष्पादिदानमाहात्म्यम्

व्यास उवाच । भगवन् श्रोतुमिच्छामि पूजामाहात्म्यमुत्तमम् ।
पुष्पदानस्य च फलं कृपया कथय प्रभो ॥ १ ॥
सनत्कुमार उवाच । सत्यानां सोमसंस्थानां यत्फलं समुदाहृतम् ।
फलं वै सर्वकामानां फलं बहुसुवर्णके ॥ २ ॥
तत्फलं देवदेवस्य लिंगसंस्थापनाद्भवेत् ।
पुंश्चतुर्दशकोटीनां तेषामप्ययुतानि च ॥ ३ ॥
क्रीडंते रुद्रपार्श्वे तु रुद्रवत्परिपाणिना ।
पुमान्वाप्यथवा स्त्री च यदि वापि नपुंसकः ॥ ४ ॥
स्थापयेन्नित्यमभ्यर्चेत् स्तुयाद्वापि दिने दिने ।
मासे मासे विशेषेण यावज्जीवं धृतं शुचिः ॥ ५ ॥
गंधदानेन यत्पुण्यं प्राप्नुयान्नात्र संशयः ।
भूमिदानेन यत्पुण्यं कनकं च प्रयच्छति ॥ ६ ॥
चतुर्गुणसहस्रस्य गंधदानस्य यत्फलम् ।
षष्टिवर्षसहस्राणि षष्टिकोट्यस्तथैव च ॥ ७ ॥

---

१ वियोजननकजासितेति सो. जु. क. ख. चि०

एतद्वै गुणितं व्यास ह्यव्यक्तं शिवसंज्ञितम् ।
सूक्ष्ममव्यक्तलिंगं च पश्यति ज्ञानचक्षुषा ॥ ८ ॥
तस्य देवस्य वै ज्ञात्वा नित्यमेव महत्फलम् ।
ऋषय ऊचुः । नमस्तेस्तु महादेव नमस्ते सुरसत्तम ॥ ९॥
नमस्तेस्तु सुरश्रेष्ठ नमस्ते सर्वतोमुख ।
एवं स्तुत्वा ततः सर्वे गताः स्वस्थानमालयम् ॥ १०॥
नमस्कारं च कुर्वन्ति शंकराय पुनः पुनः ।
एतत्सर्वे तदा तात विष्णुना प्रभविष्णुना ॥ ११ ॥
महादेवप्रसादेन भक्तो देवः पुरातनः ।
अंबिकापतये नित्यमुपपास हिताय च ॥ १२ ॥
सर्वकामसमृद्धाय नमस्करोति शंकरम् ।
रुद्रलोके वसेत्सो वै वृताभ्यंगेन मानवः ॥ १३ ॥
चतुःषष्टिसहस्राणि गवां वै हेममालिनाम् ।
यो दद्याद्वृषिमानं तु क्षीरान्नं चास्य यत्फलम् ॥ १४ ॥
मासे मासे च यः स्नायात् त्रिरात्रं मुनिपुंगवः ।
यावदद्भिस्तु तत्कुर्वे देवदेवस्य तत्फलम् ॥ १५ ॥
पक्षे पक्षे च यः स्नायात् यावज्जीवं द्विजः शुचिः ।
उदकस्नापनं कुर्यान्मुखस्तस्थे तथैव च ॥ १६ ॥
अपराधशतं देव क्षम्यते नात्र संशयः ।
गवां शतसहस्रस्य सम्यग्दत्तस्य यत्फलम् ॥ १७ ॥
तत्फलं पुष्पदानेन प्राप्नुयान्नात्र संशयः ।
तगरं करवीरं च ह्यर्कपुष्पं तथैव च ॥ १८ ॥
उत्पलं जातिकुसुमं बकुलं पारिजातकम् ।
फलं तेषां च यत्प्रोक्तं तन्मे निगदतः शृणु ॥ १९ ॥

---

१. अर्चनादिति क्वचित्पाठः

श्रावणे प्रथमे पक्षे ह्युत्पलं चोच्यते बुधैः ।
बकस्य करवीरस्य ह्यर्कस्योन्मत्तकस्य च ॥ २० ॥
चतुर्णां पुष्पजातीनां गंधमाघ्राति शंकरः ।
बकपुष्पं च षण्मासं निर्माल्यं नाधिगच्छति ॥ २१ ॥
करवीरसहस्रात्तु ह्युत्पलं च विशिष्यते ।
उत्पलानां सहस्रेण बकमेकं विशिष्यते ॥ २२ ॥
पद्मपुष्पसहस्रेण बकमेकं विशिष्यते ।
बकात्परतरं नास्ति प्राहेति भगवाञ्छिवः ॥ २३ ॥
जातीनां तु सहस्रेण चंपकं तु विशिष्यते ।
चंपकानां सहस्रेण ह्युत्पलं तु विशिष्यते ॥ २४ ॥
सिंधुपुष्पसहस्रेण पुन्नागं तु विशिष्यते ।
पुन्नागानां सहस्रेण कर्णिकारं विशिष्यते ॥ २५ ॥
बृहतीनां सहस्रेण बिल्वपत्रं विशिष्यते ।
बिल्वपत्रात्परं नास्ति यावत्तुष्यति शंकरः ॥ २६ ॥
सर्वेभ्यः शुभ्रपुष्पेभ्यः कृष्णं चैव निवेदयेत् ।
अभावे चैव पुष्पाणां पत्राण्यपि निवेदयेत् ॥ २७ ॥
विशेषेण तु यो भक्तस्तस्य ह्येकफलं शृणु ।
न दुर्गतिमवाप्नोति सर्वलोकं च गच्छति ॥ २८ ॥
ईश्वरं येन भावेन पूजयति च यत्फलम् ।
यस्तं सर्वगतं ज्ञात्वा यत्र तत्र वरं शिवम् ॥ २९ ॥
स विंदति महापुण्यं रुद्रसायुज्यमाप्नुयात् ।
सर्वपापविनिर्मुक्तो दीर्घमायुरवाप्नुयात् ॥ ३० ॥

इति श्रीस्कंदपुराणे आदिरहस्ये सह्याद्रिखण्डे व्याससनत्कुमार-
संवादे पुष्पादिदानमाहात्म्यं नाम सप्तदशोऽध्यायः ॥ १७ ॥

अथ अष्टादशोऽध्यायः ।

व्यास उवाच । इच्छामि भूय एवाहमीश्वरस्य व्रतं कथम् ।
कथं च तुष्यते देवः कर्मणा केन भक्तिमान् ॥ १ ॥
एतं तु संशयं तात ब्रवीहि भगवन् मम ।
सनत्कुमार उवाच । नंदिना चैव मे ब्रह्मन् कथितश्चाप्यनुग्रहः॥२॥
गणेश्वरपतिर्नंदी सूर्यतुल्यसमप्रभः ।
ईश्वरस्य तु माहात्म्यं पृच्छंश्च नंदिकेश्वरः ॥ ३ ॥
यथोक्तं पृच्छयते देवि हीश्वरेण महात्मना ।
तत्सर्वं शिवमाहात्म्यं भगवन् वक्तुमर्हसि ॥ ४ ॥
नंदिकेश्वर उवाच । श्रूयतामभिधास्यामि तव स्नेहान्महामुने ।
महेश्वरेण पार्वत्या पुरस्ताद्विदितं पुरा ॥ ५ ॥
तद्भक्त्या स्थापितं लिंगं यथोक्तं वरवर्णितम् ।
अर्चयेत्परमं रम्यं शुद्धं कैलाससन्निभम् ॥ ६ ॥
यः स्तुपाद्य फलं देवि कुर्याग्मे कुसुमे क्षणे ।
यत्राहं तत्र मे नित्यं भवेदष्टगुणान्वितम् ॥ ७ ॥
यो मे प्रयच्छते देवि त्रुटिमात्रं च कांचनम् ।
तस्य हैमवते शृंगे गृहं चैवार्कसन्निभम् ॥ ८ ॥
वृषभं संप्रयच्छेत कृसरान्नं च मे धिया ।
रथेन वृषयुक्तेन न तस्य प्रलयो भवेत् ॥ ९ ॥
उपहारैश्च जाप्यैश्च भावैश्चापि च नित्यशः ।
व्रतोपवासनियमैर्बलिभिश्च पुरःसरम् ॥ १० ॥
गीतवादित्रशब्देन यो मामर्चयते सदा ।
ब्रह्मलोकमवाप्नोति पूजयेद्ब्रह्मवादिभिः ॥ ११ ॥

---

१ चैवेति क्वचित्पाठः

अग्निष्टोमादिभिर्मंत्रैर्यो मामर्चयते शुचिः ।
शक्रादिदर्शनं प्राप्य स्वर्गलोके महीयते ॥ १२ ॥
पूर्वसंध्याश्रितो यो वै कैवल्यं नाम गच्छति ।
स यक्षाणां गुरुर्भूत्वा पूज्यते दैवतैः सह ॥ १३ ॥
संध्यामध्यंदिने चैव योऽधिगच्छति शंकरम् ।
लोकपालगुरुर्भूत्वा यक्षो भवति वीर्यवान् ॥ १४ ॥
स्नपनाभ्यर्चनैर्माल्यैर्धूपगंधानुलेपनैः ।
यो मामर्चयते देवि सदा पार्श्वे च वर्तते ॥ १५ ॥
संमार्जने पंचशतं सहस्रमनुलेपने ।
जातरूपेण रूप्येण ह्यर्चयंति सुरेश्वरम् ॥ १६ ॥
लिंगे पूजां तु यो देवि करोति मम शोभने ।
गाणपत्यमवाप्नोति रुद्रलोकं स गच्छति ॥ १७ ॥
अभ्यंजने पंचशते स्नापने द्विगुणं भवेत् ।
गंगोदके पंचगव्ये कर्पूरे च चतुर्गुणम् ॥ १८ ॥
माल्ये पंचशतं देवि गीतवाद्यमनेकधा ।
रुद्रलोकमवाप्नोति गाणपत्यं च यो जपेत् ॥ १९ ॥
इति श्रीस्कंदपुराणे आदिरहस्ये सह्याद्रिखण्डे व्याससनत्कुमार
संवादेऽष्टादशोऽध्यायः ॥ १८ ॥

अथ एकोनविंशतितमोऽध्यायः ।

व्यास उवाच । अगुरुं गंधधूपौ च चंदनं च विलेपनम् ।
एतद्विंशद्वर्णं च मया ते कीर्तितं महत् ॥ १ ॥
यथा आदिमहाकालो गणैः सह वृषध्वजः ।
त्रिलोचनो भवो देवो यस्त्विदं विधिना चरेत् ॥ २ ॥

---

१ दमतिसोभत इति सो. जु. ग. चि०

सनत्कुमार उवाच । एष पुष्पविधिः प्रोक्तः स्वयमीशेन वै द्विज ।
लोकानां हितकामाय किमन्यच्छ्रोतुमिच्छसि ॥ ३ ॥
इति श्रीस्कंदपुराणे आदिरहस्ये सह्याद्रिखण्डे व्याससनत्कुमार-
संवादे एकोनविंशतितमोऽध्यायः ॥ १९ ॥

अथ विंशतितमोऽध्यायः

उपवासविधिः

व्यास उवाच ॥ भगवन् श्रोतुमिच्छामि ह्युपवासस्य वै विधिम् ॥
तीर्थानां चैव मासानां विधीनां परमं विधिम् ॥ १ ॥
एवं संशयमापृष्टमुपवासात्परो विधिः ।
हैमवत्याश्रिते शैले सिद्धगंधर्वसेविते ॥ २ ॥
उपविष्टस्तु देवानां त्र्यक्षस्त्रिपुरनाशनः ।
देवगंधर्वसंहितो मुनिसंघसमाकुलः ॥ ३ ॥
ईड्यस्तु परईड्यश्च परमर्षिप्रपूजितः ।
यक्षेंद्रो भगवानग्निर्भवानिंद्रः समाहितः ॥ ४ ॥
भवान् धर्मश्च कामश्च संघश्चैव मनीषिणाम् ।
त्वं तुष्टिस्त्वं धृतिर्मेधा त्वं श्रद्धा शांतिरेव च ॥ ५ ॥
न गच्छेन्नरकं विद्वान् महाघोरं भयावहम् ।
चंद्रार्कौ न प्रकाशेते यस्मिन्देशे गतामये ॥ ६ ॥
प्रकाशंते च मद्भक्तास्तस्मिन्देशे स्वतेजसा ।
एवं मंत्रो हि जाप्यश्च हव्यकव्यमनीषिणः ॥ ७ ॥
महर्षिस्तु मुनिश्रेष्ठो यः पठेन्नियतो नरः ।
धारयिष्यंति ये चान्ये श्रद्धावंतश्च मानवाः ॥ ८ ॥
न तेषां कलुषं किंचिन्मयि तुष्टे भविष्यति ।
नमस्ते सर्वभूतेश नमस्ते विश्वतोमुख ॥ ९ ॥

अक्षयश्चाप्रमेयश्च पुराणपुरुषोत्तमः ।
त्वं वायुः पवनश्चैव त्वं व्यासस्त्वं महीपतिः ॥ १० ॥
पूजितो मल्लिकापुष्पैर्ये च सौवर्णिकाः स्मृताः ।
दश सौवर्णिका ज्ञेयाश्चत्वारो वा इति स्मृताः ॥ ११ ॥
एकादशसुवर्णानां नागं पुन्नागकेशरम् ।
वृक्षोपमं च विज्ञेयं सुवर्णानि च द्वादश ॥१२ ॥
द्वात्रिंशच्च सुवर्णानि कुशपुष्पं प्रकीर्तितम् ।
द्विसहस्रसुवर्णानि करवीरं निगद्यते ॥ १३ ॥
द्विसहस्रसुवर्णानि ह्यर्कपुष्पं निगद्यते ।
द्विसहस्रसुवर्णानि कुशपुष्पं प्रकीर्तितम् ॥ १४ ॥
सहस्राण्यशीति ज्ञेयं बकपुष्पं प्रकीर्तितम् ।
शतसाहस्रको ज्ञेयः पद्माकर इति स्मृतः ॥ १५ ॥
अर्कस्य करवीरस्य कुशोन्मत्तवकस्य च ।
यो मे प्रयच्छेद्वै देवि लभते गणनाथताम् ॥ १६ ॥
एतासां पुष्पजातीनां गंधमाघ्राम्यहं सदा ।
अष्टम्यां च चतुर्दश्यामपराण्हे तथैव च ॥ १७ ॥
एतैः पुष्पविशेषैश्च कुर्यादभ्यर्चनं मम ।
तस्य पुण्येन त्रैलोक्यं मम लोकनिवासिनाम् ॥ १८ ॥
यथेष्टं गच्छते सोपि यत्र देवः शिवोऽव्ययः ।
अर्धमार्गमिहारूढो वंचितो व्यापितुः पिता ॥ १९ ॥
संवत्सरस्त्वेकमनाः पूजयामास शंकरम् ।
न तस्य देवता किंचित् विघ्नन्कुर्वीत सर्वदा ॥ २० ॥
इह लोके सुखं तस्य न पुनस्तस्य जन्म च ।
किं मुने च तपोवीर्यैर्महायज्ञैः पृथग्विधैः ॥ २१
कथ्यते तु महात्मानो नरैरात्मपरायणैः ।
आकाशे नैव पाशेन बध्यते ब्रह्मचोदिना ॥ २२ ॥

धारोष्णेन तु क्षीरेण पूजयित्वा सदाशिवम् ।
निवेदयेद्यथाकामं तस्य पुण्यफलं शृणु ॥ २३ ॥
कोटिवर्षसहस्राणि वसंते तु हिमालये ।
कृष्णाष्टम्यामर्चयित्वा यत्र तत्र यथा तथा ॥ २४ ॥
सर्वेषां चैव पुष्पाणां विशेषो नैव विद्यते ।
भस्मनाभरतो यस्तु लिंगमर्चयते सदा ॥ २५ ॥
एकाहमपि यो देवि युगकोटी ममाग्रतः ।
वसते मानवे लोके मदीये नात्र संशयः ॥ २६ ॥
शरणं देवदाराणां भक्त्या रूपं प्रदापयेत् ।
सदृशं देवलिंगानां तस्य पुण्यफलं शृणु ॥ २७ ॥
द्वाविंशतिसुवर्णानि सार्द्धाशीति तथा पुनः ।
षष्टिवर्षसहस्राणि मोदते च ममालये ॥ २८ ॥
सघृतं गुग्गुलं चैव लिंगाग्रे चैव यो दहेत् ।
युगकोटिसहस्राणि मम लोके महीयते ॥ २९ ॥
घृतदीपं तु यो दद्यात्संवत्सरमथोपि वा ।
सार्धकोटिसहस्राणि मम लोके महीयते ॥ ३०
हृदयं शिरसा चैव भक्तानां तु सुरेश्वर ।
जयस्ते सुरलोकेषु सर्वलोकनमस्कृत ॥ ३१ ॥
अष्टौ कामान्प्रयच्छेत ह्यष्टधा च महामुने ।
कृतांजलिपुटो भूत्वा भक्त्या मां प्रार्थयेदिति ॥ ३२ ॥
त्वं गतिः सर्वभूतानां शरणं त्वं न संशयः ।
इत्येवं तोषयेद्यो मां लभते महतीं श्रियम् ॥ ३३ ॥
उपवासं परं धर्मं स्पृहयंते तु ते बुधाः ।
देव्युवाच । सर्वलोकपतिर्देव सर्वलोक नमोस्तु ते ॥ ३४ ॥
सर्वलोकहितो वाक्यं त्वं समर्थो विभाषितुम् ।
सर्वेषामेव वर्णानां भगवन्ननुपूर्वशः ॥ ३५ ॥

उपवासफलं देव श्रोतुमिच्छामि तत्त्वतः ।
तीर्थानां चैव मासानां किं फलं लभते नरः ॥ ३६ ॥
एतत्कथय मे देव श्रोतुमिच्छामि तत्त्वतः ।
महेश्वर उवाच । शृणु देवि यथान्यायमुपवासस्य यत्फलम् ॥३७॥
तथा च वालखिल्यानां नैमिषारण्यवासिनाम् ।
उपवासफलं दिव्यं कथितं भावितात्मनाम् ॥ ३८ ॥
समृद्धानां दरिद्राणां जनानां दुःखजीविनाम् ।
यथा श्रुतं मया देवि तथा ह्याख्यानमुच्यते ॥ ३९॥
शृणु वक्ष्यामि तत्त्वेन मम वक्राद्विशेषतः ।
उपवासफलं स्वर्ग्यं मोक्ष्यं चापि न संशयः ॥ ४० ॥
सर्वमेतदशेषेण प्रवक्ष्याम्यनुपूर्वशः ।
यथा स्याद्विरला प्रोक्ता तथा त्वेकमनाः शृणु ॥ ४१ ॥
पंचमी चैव षष्ठी च पौर्णमासी तथैव च ।
उपोषिता मद्भक्तेन शृणु तस्यापि यत्फलम् ॥ ४२ ॥
सुभगो दर्शनीयश्च ज्ञानभागी भविष्यति ।
कृष्णायां च चतुर्दश्यां तथा चैवाष्टमी भवेत् ॥ ४३ ॥
उपोष्य चैकरात्रं च शृणु तस्यापि यत्फलम् ।
धनाढ्यो बहुपुत्रश्च विद्याभागी च जायते ॥ ४४ ॥
शुक्लां चतुर्दशीं चैव यावच्छुक्लाष्टमी भवेत् ।
उपोष्य चैकरात्रं च शृणु तस्यापि यत्फलम् ॥ ४५ ॥
सुभगो दर्शनीयश्च ज्ञानभागी भवेन्नरः ।
नवमीं तु नरो व्यास ह्येकभक्तेन यः क्षपेत् ॥४६॥
दर्शनीयो धनाढ्यश्च विद्याभागी भवेन्नरः ।
द्वादशीं तु यदा व्यास ह्येकभक्तेन पूजयेत् ॥ ४७ ॥
दर्शनीयो धनाढ्यश्च ज्ञानभागी च जायते ।
अमावास्यां च रात्र्या वै यस्तु संवत्सरं क्षपेत् ॥ ४८ ॥

शतवर्षसहस्रेण स्वर्गलोके महीयते ।
यदि कालक्षयं गत्वा जायते विपुले कुले ॥ ४९ ॥
मासे मासे त्रिरात्रेण यस्तु संवत्सरं क्षपेत् ।
अप्सरोगणसंसृष्टो विमानादेव जायते ॥ ५० ॥
यदि कालक्षयं प्राप्य जायते विपुले कुले ।
एतत्ते कथितं व्यास ह्युपवासस्य यत्फलम् ॥ ५१ ॥
यदि ते दीयमाने तु श्रूयतां द्विजसत्तम ।
मासे तु प्रदीपो देयः कार्तिके तु विचक्षणैः ॥ ५२ ॥
समये ह्युपवासस्य त्वेकभक्ते च यः क्षपेत् ।
पयश्चैव पिबेन्मासं निवृत्तं भोजनोत्तरम् ॥ ५३ ॥
तस्मिन्मासे समाप्ते तु पूजयित्वा च मां प्रिये ।
विविधेनान्नपानेन तर्पयित्वा तु ब्राह्मणान् ॥ ५४ ॥
स्वशक्त्या दक्षिणां दद्याच्छृणु तस्यापि यत्फलम् ।
मृगमातंगमहिषैः सशुक्लैः कामरूपिभिः ॥ ५५ ॥
विमानशतसंकीर्णैः स्त्रीसहस्रसमावृतैः ।
कामचारी जितात्मा च सर्वदुःखविवर्जितः ॥ ५६ ॥
दिव्यवर्षसहस्राणि स्वर्गलोके महीयते ।
यदि मानुष्यसंप्राप्तिर्जायते विपुले कुले ॥ ५७ ॥
मार्गशीर्षे शुभे मासि ह्येकभक्तेन यः क्षपेत् ।
तस्मिन्मासे समाप्ते तु पूजयित्वा तु मां प्रिये ॥ ५८ ॥
विविधेनान्नपानेन तर्पयित्वा तु तच्छृणु ।
शक्त्या तु दाक्षिणां दद्याच्छृणु तस्य च यत्फलम् ॥ ५९ ।
हंसयुक्तविमानेन ब्रह्मलोकं स गच्छति ।
महात्मा च समाँल्लोकान् सर्वदैवतनंदितः ॥ ६० ॥
शतवर्षसहस्राणि त्रिंशद्वर्षशतानि च ।
ततश्चापि च्युतो भूयो जायते विपुले कुले ॥ ६१ ॥

जातिस्मृतिमवाप्नोति धर्माय कुरुते सदा ।
मासे मासे तथा युक्तश्चिन्नयानश्च मां प्रिये ॥ ६२ ॥
त्रिरात्रं जपते यस्तु माघमासे तु वै नरः ।
तस्मिन्मासे समाप्ते तु पूजयित्वा तु मां प्रिये ॥ ६३ ॥
विविधेनान्नपानेन पूजयित्वा तु ब्राह्मणान् ।
स्वशक्त्या दक्षिणां दद्याच्छृणु तस्यापि यत्फलम् ॥ ६४ ॥
नियोगादादरं प्राप्य यजमानश्च मां प्रिये ।
भोगी च कामचारी च कामरूपी च शैलजे ॥ ६५ ॥
तिष्ठते त्वग्निलोकस्थं स्थानं चरति नित्यशः ।
तत्रस्थो ह्यच्युतो भूयो ब्रह्मत्वं लभते नरः ॥ ६६ ॥
सर्वेषां यक्षकर्मणां राजराजाभिपूजितः ।
फाल्गुने तु यदा मास एकभक्तेन यः क्षयेत् ॥ ६७ ॥
तस्मिन्मासे समाप्ते तु पूजयित्वा तु मां प्रिये ।
विविधेनान्नपानेन तर्पयित्वा तु ब्राह्मणान् ॥ ६८ ॥
शक्तितो दक्षिणां दद्याच्छृणु तस्यापि यत्फलम् ।
द्विजेनाग्निसवर्णेन विस्तीर्णे शतयोजने ॥ ६९ ॥
तस्य ते चारविंदाक्षि ब्रह्मलोके गतो नरः ।
ततश्चापि च्युतो भूयः सुखितस्तत्र जायते ॥ ७० ॥
ब्रह्मत्वं लभते चापि चतुर्वेदी च जायते ।
ज्ञानविज्ञानसंपन्ना विनीताश्च भवंति ते ॥ ७१ ॥
धर्मज्ञाश्च कृतज्ञाश्च ह्यनेकक्रतुयाजकाः ।
चैत्रे मासे महाभागे ह्येकभक्तेन यः क्षयेत् ॥ ७२ ॥
तस्मिन्मासे समाप्ते तु पूजयित्वा तु मां प्रिये ।
विविधेनान्नपानेन तर्पयित्वा तु ब्राह्मणान् ॥ ७३ ॥
शक्त्या तु दक्षिणां दद्याच्छृणु तस्यापि यत्फलम् ।
अशीतिस्तु सहस्राणि शतवर्षाणि पंच च ॥ ७४ ॥

वारुणं लोकमाप्नोति कामचारी भवेन्नरः ।
ततश्चापि च्युतो भूयः प्रार्थितं लभते नरः ॥ ७५ ॥
अधिष्ठानसहस्रं तु संपूर्णं लभते नरः ।
न गच्छेत्स्ववक्षं देवि शत्रूणां मम तेजसा ॥ ७६ ॥
वैशाखे तु यदा मासे ह्येकभक्तेन यः क्षपेत् ।
तस्मिन्मासे समाप्ते तु पूजयित्वा तु मां प्रिये ॥ ७७ ॥
विविधेनान्नपानेन तर्पयित्वा तु ब्राह्मणान् ।
शक्त्या तु दक्षिणां दद्याच्छृणु तस्यापि यत्फलम् ॥ ७८ ॥
त्रिंशद्वर्षसहस्राणि स्वर्गलोके महीयते ।
ततश्चापि च्युतो भूयो गवां कोटिप्रदो भवेत् ॥ ७९ ॥
ज्येष्ठे मासे त्वेकभक्तं यथोक्तेनांतरात्मना ।
एकाहं चैव कुर्वाणो मुच्यते सर्वकल्मषैः ॥ ८० ॥
भ्रूणहा ब्रह्महा चैव तथैव गुरुतल्पगः ।
तस्मिन्मासे समाप्ते तु पूजयित्वा तु मां प्रिये ॥ ८१ ॥
विविधेनान्नपानेन तर्पयित्वा तु ब्राह्मणान् ।
स्वशक्त्या दक्षिणां दद्याच्छृणु तस्यापि यत्फलम् ॥ ८२ ॥
न तेषां पुनरावृत्तिर्विद्यते तु महात्मनाम् ।
एवं तेषां च सद्भावः कथितस्ते समासतः ॥ ८३ ॥
उपवासस्य यत्पुण्यं संवत्सरमथार्जितम् ।
यच्छ्रुत्वा धर्मकर्माणि प्राप्नुयुर्धर्ममुत्तमम् ॥ ८४ ॥
य इदं भावयेच्चापि ब्राह्मणं मन्यते स्थितम् ।
सर्वकामिकमक्षय्यं पितॄंस्तस्योपतिष्ठति ॥ ८५ ॥
धेनुं च कपिलां दद्यादेकस्य ब्राह्मणस्य च ।
तत्र सूर्यप्रतीकाशमप्सरोगणसेवितम् ॥ ८६ ॥
विमानं लभते शुद्धं स नरो नात्र संशयः ।
दशवर्षसहस्राणि स्वर्गलोके महीयते ॥ ८७ ॥

सुखं वसति धर्मज्ञः सर्वदुःखविवर्जितः ।
ततश्चापि च्युतो भूयो जायते विपुले कुले ॥ ८८ ॥
राज्यं च लभते मर्त्यः संवत्सरशतैरपि ।
सर्वदुःखविनिर्मुक्तः सर्वदुःखविवर्जितः ॥ ८९ ॥
इदं च परमं देवि गुह्यं धर्मसनातनम् ।
एकाविंशतिकल्पानि जातिस्मृतिमवाप्नुयात् ॥ ९० ॥
न जहाति च धर्मोस्य राजधर्मसनातनः ।
आषाढ्यामेकभक्तस्तु यथोक्तेन ह्युपासितः ॥ ९१ ॥
शृंगाटकतडागांश्च दक्षिणामूर्तिमास्थितः ।
लभते बहुशो धर्मं यद्युपोष्यति चाष्टमीम् ॥ ९२ ॥
श्रावणे तु मुदा व्यास त्वेकभक्तेन यः क्षपेत् ।
तस्मिन्मासे समाप्ते तु पूजयित्वा तु मां प्रिये ॥ ९३ ॥
विविधेनान्नपानेन तर्पयित्वा तु ब्राह्मणान् ।
स्वशक्त्या दक्षिणां दद्याच्छृणु तस्यापि यत्फलम् ॥ ९४ ॥
दशवर्षसहस्राणि सोमलोके महीयते ।
हंससारसयुक्तेन विमानेन स गच्छति ॥ ९५ ॥
पितरस्तस्य तुष्यंति दशवर्षशतानि च ।
ततश्चापि च्युतो भूयो जायते विपुले कुले ॥ ९६ ॥
गांधर्वदेवमास्थाय सर्वलोकसमन्वितम् ।
ब्रह्मत्वं चैव ब्राह्मण्ये विज्ञानं चैव ब्राह्मणे ॥ ९७ ॥
मासि भाद्रपदे व्यास ह्येकभक्तेन यः क्षपेत् ।
तस्मिन्मासे समाप्ते तु पूजयित्वा तु मां प्रिये ॥ ९८ ॥
विविधेनान्नपानेन भोजयित्वा तु ब्राह्मणान् ।
स्वशक्त्या दक्षिणां दद्याच्छृणु तस्यापि यत्फलम् ॥ ९९ ॥
शतवर्षसहस्राणि स्वर्गलोके महीयते ।
ततश्चापि च्युतो भूयो जायते विपुले कुले ॥ १०० ॥

गाधर्ववेदमखिलं सर्वतेजःसमन्वितम् ।
प्रयाणकाले ब्रह्मत्वं वेदाध्यायी च यो भवेत् ॥ १ ॥
आश्विने तु मुदा व्यास ह्येकभक्तेन यः क्षपेत् ।
तस्मिन्मासे समाप्ते तु पूजयित्वा तु मां प्रिये ॥ २ ॥
विविधेनान्नपानेन तर्पयित्वा तु ब्राह्मणान् ।
स्वशक्त्या दक्षिणां दद्याच्छृणु तस्यापि यत्फलम् ॥ ३ ॥
श्रद्धया राजसूये च द्विगुणं लभते फलम् ।
षष्टिवर्षसहस्राणि स्वर्गलोके महीयते ॥ ४ ॥
ततश्चापि च्युतो भूयो जायते विपुले कुले ।
मेधावी वीर्यसंपन्नो धनी भवति मानवः ॥ ५ ॥
मासे मासे सदा व्यास महादेवेन[1] कीर्तितम् ।
अर्धषष्ठस्य कालस्य पंचधा तु भवेन्नरः ॥ ६ ॥
ममभक्तिरतानां च ह्यंते तु वासिनां तथा ।
पक्षोपवासनिरता मासपक्षेण संयुताः ॥ ७ ॥
[2]अन्नभक्षा शाकभक्षास्तथैव जलशायिनः ।
[3]पंचाग्निनिरताश्चैव हिमवातसहास्तथा ॥ ८ ॥
ब्रह्मचारित्रनिरताः फलमूलाशिनस्तथा ।
एवं विधं प्रवक्ष्यामि शृणु तस्यापि यत्फलम् ॥ ९ ॥
पक्षोपवासं कुरुते नरो यो मत्परायणः ।
चतुर्थेनच भक्तेन संवत्सरमुपोषितः ॥ १० ॥
अहिंसानिरतो व्यास शृणु तस्यापि यत्फलम् ।
अग्निष्टोमसहस्रस्य फलं प्राप्नोत्यसंशयम् ॥ ११ ॥
अश्वमेधसहस्रस्य फलं प्राप्नोत्यसंशयम् ।
यस्तु चत्वारि मासानि नियतात्मा जितेंद्रियः ॥ १२ ॥

---

१ अनुदेवेनेति कचित्पाठः २ अंबुरिति कचित्पाठः ३ पंचाहशपचतपाहि ममते जलशायिन इति कचित्पाठः

भवेन्ममार्चनरतः शृणु तस्यापि यत्फलम् ।
आसनं शयनं यानं गृहाणि लभते नरः ॥ १३ ॥
यस्तु चत्वारि मासानि शाकपर्णानि भक्षयेत् ।
अहिंसानिरतश्चैव शृणु तस्यापि यत्फलम् ॥ १४ ॥
दशवर्षसहस्राणि स्वर्गलोके महीयते ।
अथ भोगे भयं कृत्वा जायते विपुले कुले ॥ १५ ॥
ग्रीष्मे पंचतपा यस्तु वर्षास्वभ्रनिषेवकः ।
अहिंसानिरतो नित्यं शृणु तस्यापि यत्फलम् ॥ १६ ॥
दशवर्षसहस्राणि स्वर्गलोके महीयते ।
यदि कालक्षयं कृत्वा जायते विपुले कुले ॥ १७ ॥
अव्याधिश्च निरोगी च दीर्घायुश्चापि जायते ।
यस्तु द्वादशवर्षाणि ह्येकाहाररतो भवेत् ॥ १८ ॥
ममार्चनरतो नित्यं शृणु तस्यापि यत्फलम् ।
सर्वयज्ञफलं सोपि लभते नात्र संशयः ॥ १९ ॥
हंससारसयुक्तेन विमानेन स गच्छति ।
शतवर्षसहस्राणि षष्टिवर्षशतानि च ॥ २० ॥
इह लोके सुखं प्राप्य स्वर्गलोके महीयते ।
यदि कालक्षयं कृत्वा जायते विपुले कुले ॥ २१॥
अव्याधिश्च निरोगी च दीर्घायुश्चैव जायते ।
इहलोके सुखं प्राप्य स्वर्गलोके महीयते ॥ २२ ॥
सर्वक्लेशव्याधिरहितः सुखभाविन्भवेत्तु सः ।
पदे पदे यज्ञफलं लभते नात्र संशयः ॥ २३ ॥
तावद्वर्षसहस्राणि स्वर्गलोके महीयते ।
पुष्करेण विमानेन देवलोकं जुषन् क्रमेत् ॥ २४ ॥

---

१ शुभ्रासुकाशिक इति कचित्पाठः २ पीठलोक इति सो. जु. ग. घ. ङ. चि०

स्त्रीसहस्रयुतस्तत्र रमते नात्र संशयः ।
कांचने शयने दिव्ये प्रसुप्तः प्रतिबुध्यते ॥ २५ ॥
मृदंगवेणुशब्देन वीणामर्मरनादितः ।
तपसश्च कृतस्यापि फलमस्यास्यमुत्तमम् ॥ २६ ॥
व्याधींश्च सर्वान्निर्जित्य ह्यास्ते शोकविवर्जितः ।
दिने पंचविंशमिते रात्रौ साहसिकं जपेत् ॥ २७ ॥
वज्रवैदूर्ययुक्तेन विमानेन स गच्छति ।
यदि कालक्षयं कृत्वा जायते विपुले कुले ॥ २८ ॥
बलवान् रूपसंपन्नो लभते विपुलां श्रियम् ।
दीपदानं च यो दद्याद्दैवते ब्राह्मणेषु च ॥ २९ ॥
तेन दीपप्रदानेन ह्यक्षयां लभते गतिम् ।
तथा धूपप्रदानेन लभते गतिमुत्तमाम् ॥ ३० ॥
अत ऊर्ध्वं प्रवक्ष्यामि यत्त्वं पृच्छसि सत्तम ।
तपः स्वस्त्ययनं तत्ते रुद्रभक्तोऽसि यन्मुने ॥ ३१ ॥
व्यास उवाच । ब्राह्मणेभ्यो ददातीह यदि वा रुद्रभावितः ।
तेन दानेन देवर्षे किं फलं तद्वदस्व मे ॥ ३२ ॥
सनत्कुमार उवाच । ब्राह्मणेभ्यो ददन्नेह यदि ते ह्यर्थयाचितः ।
हतपुण्यश्च निर्भाग्यो निंदितश्च प्रजायते ॥ ३३ ॥
पुष्पदानं च यो दद्याद्ब्राह्मणेभ्यो विशेषतः[1] ।
तेन वस्तुप्रदानेन ह्यक्षयं लभते फलम् ॥ ३४ ॥
शतवर्षसहस्राणि स्वर्गे मोदति नित्यशः ।
यदि कालक्षयं कृत्वा जायते विपुले कुले ॥ ३५ ॥
कन्यादानं तु यो दद्याद्ब्राह्मणेभ्यो विशेषतः ।
ब्राह्मण्येन विवाहेन विधिवद् द्विजसत्तम ॥ ३६ ॥

---

१ नेह पूर्णोदकानामवदिते त्वा प्रजायते इति सो. जु. चि०

तस्य स्वर्गे भवेद्वासो देवलोके महीयते ।
यदि कालक्षयं कृत्वा जायते विपुले कुले ॥ ३७ ॥
शय्याप्रदानं यो दद्याद्ब्राह्मणेभ्यो विशेषतः ।
षष्टिवर्षसहस्राणि स्वर्गलोके महीयते ॥ ३८ ॥
एतद्दानं मया व्यास तव स्नेहात्प्रकीर्तितम् ।
अभ्यासाय तु यत्पुण्यं सारं चैव सनातनम् ॥ ३९ ॥
एतत्पुण्यमवाप्नोति पठेत्पर्वसु पर्वसु ।
धर्मं च लभते नित्यं मुच्यते सर्वकर्मभिः ॥ ४० ॥
श्रद्धया नियतो धर्मं सत्यवादी त्वहिंसकः ।
स च स्वर्गमवाप्नोति देवलोके महीयते ॥ ४१ ॥
यः पठेत्तु सदा सम्यक्कल्पमुत्थाय मानवः ।
धर्मं च लभते नित्यं सर्वकामसमन्वितम् ॥ ४२ ॥

इति श्रीस्कंदपुराणे आदिरहस्ये सह्याद्रिखण्डे व्याससनत्कुमार-
संवादे ह्युपवासविधिर्नाम विंशतितमोऽध्यायः ॥ २० ॥

अथ एकविंशतितमोऽध्यायः ।

देव्युवाच । त्र्यक्ष त्रिभुवनश्रेष्ठ त्र्यंबक त्रिदशेश्वर ।
त्रिपुरघ्न कामहंतो हर त्रिपथगाधर ॥ १ ॥
दक्षरक्षप्रशमन शूलपाणे रिपुंजय ।
प्रमथेश्वर भो देव नीलकंठाऽरिसूदन ॥ २ ॥
कपर्दिन् भूतभव्येश व्याघ्रचर्मप्रिय प्रभो ।
वरदस्तुष्यसे केन भक्तानां भक्तवत्सलः ॥ ३ ॥

---

१ मथमास्वंयतेदेवेति सो. जु. मुं. चि० २ निवासिनेति सो. जु. ख. ग. घ. ङ. च. चि० ३ कोवाविधिःकर्तव्यःकिंफळंलभतेनरइति सो. जु. चि०

को वा विधिर्व्रतं[3] व्रा किं किं फलं चास्य सुव्रत ।
परिचर्या च का गंधपुष्पं चापि ततः परम् ॥ ४ ॥
पुष्पं वाप्यथवा धूपं किं फलं लभते नरः ।
किं क्रियासु विशेषेण सर्वस्यापि च किं भवेत् ॥ ५ ॥
गृण्हासि पूजाम्यतसौम्यचित्त मेध्यांश्च गंधांश्च फलानि किंचित् ।
कस्यां तिथौ वा तव पूजनं स्यादेतत्परं सर्वमिहासि तत्त्वम् ॥ ६ ॥
भक्तौ परो वापि कथं नरः स्यात्तवाभिपूजानियमेन ब्रूहि ।
तस्मात्परोसि निपुणो शिव शूलपाणे गंगाधरो पर्वतमूर्धिवास ॥७॥
तस्य त्वमेवार्हसि वक्तुमेतत्कृपामयत्वादिपरप्रसिद्धः ।
आत्मैक्यतां स्वप्रकृतिं कदाचिदीक्षच्छिवः संपदि यं ममेति ॥ ८ ॥
महेश्वर उवाच । चतुर्दश्यष्टमी चैव सद्भक्तो ह्यभिपेक्षते ।
नैवेद्यैर्विविधैश्चैव जप्यस्य च विधायकः ॥ ९ ॥
आचारयुक्तशीलश्च सत्यवादी दृढव्रतः ।
स्नापयेत्तु निराहारः प्रसन्नात्मा जितेंद्रियः ॥ १० ॥
दिवसोपोषणं कृत्वा ह्यात्मनो विधिवत् क्रियाम् ।
गंधं माल्यमथ स्नानं जाप्यं वाप्यथ चिंतनम् ॥ ११ ॥
वैदिकनाथमंत्रेण त्वीश्वराय निवेदयेत् ।
चतुस्त्रिधायां सूक्ते च स्थंडिले वाथ चिंतयेत् ॥ १२ ॥
सिद्धमंत्रजपं कृत्वा प्रणमेद्विधिवत्सदा ।
जानुभ्यां जानुना वापि महीं गत्वा ममाग्रतः ॥ १३ ॥
गीतवाद्येन नृत्येन प्रकुर्याद्भक्तिभावतः ।
एवं पूजां तु गृण्हामि भक्तानां भक्तवत्सल ॥ १४ ॥
खंडखाद्यविचित्राणि दिव्यान्नानि च यानि च ।
भक्तिहीनेन दत्तानि संदधे ह्युत्तमानि च ॥ १५ ॥
तस्याहं नैव तुष्यामि विमुखोऽहं वरानने ।
मंत्रं चैव प्रवक्ष्यामि शृणु चायतलोचने ॥ १६ ॥

---

१ सद्योदुतरमानिचेति सो. जु. क. ख. चि०

व्याघ्रासने स्थितो यश्च तथा भस्मावगुंठितः ।
तमहं पुंडरीकाक्षमोंकारं च ददामि वै ॥ १७ ॥
सा पातु देवी सगणा ह्युमा देवी महेश्वरः ।
कपर्दिन ईश्वराय शाश्वताय नमो नमः ॥ १८ ॥
स्वाहाश्रमलकं शुष्कममलस्नानं पुनर्भुजम् ।
तरगर्भे स्वर्गताय शाश्वताय नमो नमः ॥ १९ ॥
इमा आपः शिवतमाः पुण्यास्ता वै सुशोभनाः ।
अमृता नामृततमास्तत आपः पुनंतु माम् ॥ २० ॥
पूता ब्रह्मपवित्रेण पूताः सूर्यस्य रश्मयः ।
आहारः सर्वभूतानामप्ययं प्रतिगृह्यताम् ॥ २१ ॥
इमं गंधं मया दत्तं प्रतिगृण्ह नमोस्तु ते ।
नमः प्रजानां प्रभव नमो भक्तगणार्चित ॥ २२ ॥
प्रतिगृण्ह धूपमिमं शिवलिंग नमोस्तु ते ।
नैवेद्यं मनसा युक्तं देवानां हविरुत्तमम् ॥ २३ ॥
पूतं ब्रह्मपवित्रेण पूतं सूर्यस्य रश्मिभिः ।
आहारं सर्वभूतानां नैवेद्यं प्रतिगृह्यताम् ॥ २४ ॥
आपोऽज्योतिश्च तेजश्च देवानां प्रभवः स्मृतः ।
पूतं ब्रह्मपवित्रेण पूतं सूर्यस्य रश्मिभिः ॥ २५ ॥
प्रतिगृह्य दीपमिमं शिवलिंग नमोस्तु ते ।
अर्चितः पूजितश्चैव मया भक्त्या निवेदितः ॥ २६ ॥
गंधपुष्पोपहारेण तत्क्षमां कर्तुमर्हसि ।
चतुर्दश्यां प्रवक्ष्यामि नैवेद्यस्य विधिं शृणु ॥ २७ ॥
रक्तचंदनगंधैश्च हरितालानुलेपनैः ।
मम मूर्तिसमारोहे मद्भक्तश्च समालभेत् ॥ २८ ॥
अर्चयेत्करवीरेण सुगंधैः कुसुमैस्तथा ।
अशोकैः काद्रवैश्चैव गंधपुष्पकमौक्तिकैः ॥ २९ ॥

यत्रैषामपि सान्निध्यं फलैः पुष्पैः शुभैस्तथा ।
आपद्भावेन नैवेद्यमद्भिः पूर्णं भविष्यति ॥ ३० ॥
यत्रैषामपि सान्निध्यं मंत्रेणानेन पूजयेत् ।
दद्याद्धूपं शिवस्याग्रे घृतेन सह गुग्गुलम् ॥ ३१ ॥
नमस्ते देवदेवेश भक्तानां भक्तवत्सल ।
एवं पूजयते देवं त्रैलोक्याधिपतिं प्रभुम् ॥ ३२ ॥
ब्राह्मणैः क्षत्रियैर्वैश्यैः श्रुतिमंत्रेण पूजयेत् ।
नमो हरिहराभ्यां च नमः श्रीवत्सधारिणे ॥ ३३ ॥
नमः पिनाकभृतये नमश्चक्रगदाभृते ।
अर्धमाहेश्वरं रूपं हरेरर्धकरं तथा ॥ ३४ ॥
द्वावेतौ देवसंघातौ प्रसीदेतां यदैकदा ।
योगेश्वरं नमस्यामि तथा च नृपतिं पतिम् ॥ ३५ ॥
गंगाधरं नमस्यामि देवं त्रिपुरनाशनम् ।
उमापतिं नमस्यामि देवं त्रिभुवनेश्वरम् ॥ ३६ ॥
यश्चेदं पठते भक्त्या ह्युभे संध्ये मनस्विनि ।
यदह्ना कुरुते पापं तद्रात्रौ प्रतिहन्यते ॥ ३७ ॥
नचेदं तु प्रवक्तव्यं यत्र नारी रजस्वला ।
शृणुयात्कुत्सितो वापि यत्रासाध्वी च सूचकः ॥ ३८ ॥
स्वगृहे वा प्रवासे वा यत्र तत्र पठेत्कुतः ।
तस्याहं सततं प्रीतो भविष्यामि यशस्विनि ॥ ३९ ॥
नहि तस्याशुभं किंचिद्भुवि स्वर्गे स विंदति ।
एतत्ते कथितं व्यास चतुर्दश्यष्टमीषु च ॥ ४० ॥
तद्ब्रूहि च विशालाक्षि किमन्यच्छ्रोतुमिच्छसि ।

व्यास उवाच । भगवन् श्रोतुमिच्छामि देवदेवस्य मासतः ॥ ४१ ॥
उपवासः कथं चैव कथं देवस्य पूजनम् ।
नामाष्टमी कथं चैव कर्तव्यं चाप्यनुष्ठितम् ॥ ४२ ॥

तदहं श्रोतुमिच्छामि त्वत्प्रसादान्महामुने ।
सनत्कुमार उवाच । श्रुतं पूर्वं मया व्यास रुद्रस्य तु महात्मनः ॥ ४३ ॥
देव्याः संशयमापन्नो हिमवंतं नगोत्तमम् ।
यथा श्रुतं मया देव्याः कथयामि त्वनुव्रतः ॥ ४४ ॥
नामाष्टमीं प्रवक्ष्यामि देवस्य विधिमुत्तमम् ।
तच्छ्रुत्वा लोकमायाति रुद्रस्य च महात्मनः ॥ ४५ ॥
मार्गशीर्षस्य मासस्य ह्यष्टम्यां शंकरस्य च ।
पूजयित्वा तु विविधैर्गंधपुष्पोपशोभितैः ॥ ४६ ॥
गोमूत्रप्राशनं कृत्वा सर्वपापैः प्रमुच्यते ।
लभते चाक्षयं पुण्यमुपोष्य च तथाष्टमीम् ॥ ४७ ॥
पौषमासे तथाष्टम्यां देवदेवं प्रपूजयेत् ।
ब्राह्मणः क्षत्रियो वैश्यः श्रुतिमंत्रेण पूजयेत् ॥ ४८ ॥
अक्षयं लभते पुण्यं यद्युपोष्यति चाष्टमीम् ।
माघमासे तु ह्यष्टम्यां पूजयेच्च महेश्वरम् ॥ ४९ ॥
क्षीरं च प्राशयेच्चैव दक्षिणामूर्तिमाश्रितः ।
लभते सत्सुखं पुंसो यद्युपोष्यति चाष्टमीम् ॥ ५० ॥
वैशाखमासे चाष्टम्यां पिंगाक्षं तु प्रपूजयेत् ।
एवं चोपासयेत्तत्र दक्षिणामूर्तिमाश्रितः ॥ ५१ ॥
फाल्गुने च तथाष्टम्यां त्र्यंबकं तु प्रपूजयेत् ।
तिलस्य प्राशनं कृत्वा दक्षिणामूर्तिमाश्रितः ॥ ५२ ॥
लभते बहुशो धर्मं यद्युपोष्यति साष्टमीम् ।
मधुमासे तु चाष्टम्यां सनातनमपूजयेत् ॥ ५३ ॥
प्राश्य दर्भोदकं देवि दक्षिणामूर्तिमाश्रितः ।
लभते बहुशो धर्मं शिवलोके महीयते ॥ ५४ ॥
ज्येष्ठे मासे तथाष्टम्यां भगवानिति पूजयेत् ।
गोमयप्राशनं कृत्वा दक्षिणामूर्तिमाश्रितः ॥ ५५ ॥

लभते बहुशो धर्मं यत्रुपोष्यति चाष्टमीम् ।
आषाढे तु यदाष्टम्यां नीलकंठं च पूजयेत् ॥ ५६ ॥
शृंगाटकप्राशनं च दक्षिणामूर्तिमाश्रितः ।
लभते बहुशो धर्मं यत्रुपोष्यति चाष्टमीम् ॥ ५७ ॥
श्रावणे तु यदा मासे यत्रुपोष्यति चाष्टमीम् ।
पूजां च महतीं कृत्वा प्राश्नीयाल्लवणोदकम् ॥ ५८ ॥
दक्षिणामूर्तिमास्थाय प्राशनेन्न विचक्षणः ।
लभते बहुशो धर्मं रुद्रलोकं स गच्छति ॥ ५९ ॥
भाद्रे मासि तथाष्टम्यां पूर्वोक्तविधिनाचरेत् ।
आश्विने तु यदा मासे ह्यष्टम्यामीश्वरेऽपि च ॥ ६० ॥
तंदुलोदकमश्नीयाद्दक्षिणामूर्तिमाश्रितः ।
लभते बहुशो धर्मं यत्रुपोष्यति चाष्टमीम् ॥ ६१ ॥
कार्तिके तु यदा व्यास ह्यष्टम्यां रुद्रमर्चयेत् ।
दधि चैव तु प्राश्नीयाद्दक्षिणामूर्तिमाश्रितः ॥ ६२ ॥
लभते बहुशो धर्मं यद्युपोष्यति चाष्टमीम् ।
अहन्यहनि यद्भक्त्या देवदेवमुमापतिम् ॥ ६३ ॥
अर्चयेत्सततं रुद्रं प्रयतात्मा समाहितः—
गंधैर्माल्यैश्च धूपैश्च पुष्पैश्चैव विशेषतः ॥ ६४ ॥
समाप्ते भोजयेद्विप्रान् दद्यात्सौवर्णदक्षिणाम् ।
भुंजते च स्वयं पश्चाच्छिवयोगे विशेषतः ॥ ६५ ॥
ततो मृत्युवशं प्राप्य शिवलोकं स गच्छति ।
चंद्रार्धमौलिस्तत्रस्थमवते वृषभध्वजः ॥ ६६ ॥
गच्छति शिवलोकं च स्वर्गं गच्छति सत्तमः ।
रुद्रैश्च सहिताः सर्वे गच्छंति परमं पदम् ॥ ६७ ॥
दिव्यवर्षसहस्राणि क्रीडंते च महात्मनः ।
वृद्धयुक्तेन वासेन स्वस्थलं चैव वर्णितम् ॥ ६८ ॥

सदा सौख्यं च लभते जायते विमले कुले ।
सर्वभोगान्समुत्पत्य शिवलोकं परायणम् ॥ ६९ ॥
वांछितं लभते यस्तु प्रज्ञाबुद्ध्या बहुश्रुतः ।
शूरश्च भूयो धर्मज्ञो मिथ्याभेदविवर्जितः ॥ ७० ॥
पूजां च स्मरते नित्यं देवं पूजयते पुनः ।
गच्छते च पुनः स्वर्गं रुद्रलोके महीयते ॥ ७१ ॥

इति श्रीस्कंदपुराणे आदिरहस्ये सह्याद्रिखंडे व्याससनत्कुमार-
संवादे एकविंशतितमोऽध्यायः ॥ २१ ॥

अथ द्वाविंशतितमोऽध्यायः ।

व्यास उवाच । रहस्यं श्रोतुमिच्छामि रहस्यं वक्तुमर्हसि ।
कुष्ठादिरोगिणो रौद्रा जायन्ते येन मानवाः ॥ १ ॥
सर्वलक्षणसंपन्नाः केन वा प्रियदर्शनाः ।
केन वा कर्मणा तेन पूज्यते पूर्वलक्षणः ॥ २ ॥
ब्रूहि तत्त्वेन भगवन् प्रमाणं तु क्षणादपि ।
सनत्कुमार उवाच । शृणु देवि परं दिव्यमुपवासपरं मम ॥ ३ ॥
मलाष्टमीं प्रवक्ष्यामि शृणु चायतलोचने ।
कार्तिक्यां चैव ह्यष्टम्यामुपोष्य मम भक्तिमान् ॥ ४ ॥
अहोरात्रोषितो भूत्वा शिवेति च प्रपूजयेत् ।
गंधमाल्यैश्च विविधैः पूजयेद्भक्तिमान् हरम् ॥ ५ ॥
देव्युवाच । कृतं कर्म च सद्भक्त्या देवस्यैव निवेदयेत् ।
गच्छते तु पदे देवि रुद्रस्य भुवनोत्तमे ॥ ६ ॥
एतदाभरणं दिव्यं मत्प्रसादाद्भविष्यति ।
एवं सर्वांगयुक्तस्य मनोवाक्कायकर्मणः ॥ ७ ॥
सर्वांगेषु च कर्तव्यो यावच्च शिव उच्यते ।
एतद्योगेन मां देवि मम भक्तश्च सुव्रतः ॥ ८ ॥

सर्वलक्षणसंयुक्तो जायते मानवोत्तमः ।
यत्त्वयोक्तं च देवेश संक्षेपेण तथैव च ॥ ९ ॥
नैव तुष्यामि शूलांग निखिलं प्रब्रवीमि ते ।
मलामलपयोरम्यां विस्तरेण ब्रवीहि तम् ॥ १० ॥
महेश्वर उवाच । विस्तरेण प्रवक्ष्यामि शृणु देवि नगात्मजे ।
भद्रैः शिरसि मे देवि या देवी शंकराऽऽख्यते ॥ ११ ॥
तिष्ठती रुद्र मे देवि त्वीशानकटिरुच्यते ।
चूचुकेति च मे देवि यथोक्तेन विधानतः ॥ १२ ॥
अंबकं च ह्युमादेवि कपर्दी स्वांगमेव च ।
शूलपाणिस्तु मे देवि वृषध्वजकुचे स्थितः ॥ १३ ॥
त्र्यक्षेति स्कंद मे देवि यथोक्तेन विधानतः ।
भुजौ च त्विद्ररूपेण ग्रीवा त्र्यंबक उच्यते ॥ १४ ॥
उमापतिश्च मे देवि त्रिपुरघ्नश्च चक्षुषी ।
स्मशानव्यापी भ्रूमध्ये भूतेशेति कपोलके ॥ १५ ॥
हरिश्मश्रुस्तु चुबुके तुर्ये तु चोर्ध्वलिंगकः ।
दक्षयज्ञविनाशी तु दंतपंक्तिषु भामिनि ॥ १६ ॥
जटिला जिव्हया देवि शिरःपाशुपतीति च ।
शशांकेति च मूर्द्धा च ललाटे तु ह्युमाप्रियः ॥ १७ ॥
गंगाधरोपि केशेषु कपोले शिव उच्यते ।
अहन्यहनि यो भक्त्या ह्युपोष्य विधिनाष्टमीम् ॥ १८ ॥
अर्चयेत्सततं रुद्रं प्रयतात्मा समाहितः ।
दक्षिणां च यथाशक्ति सुवर्णमथ भामिनीम् ॥ १९ ॥
मृन्मयं भाजितं पूर्वं तैलं चापि विशेषतः ।
ततः स्वर्गसमारूढो वसते शिवमंदिरम् ॥ २० ॥
दिव्यवर्षसहस्राणि वसतेऽस्य सदाग्रतः ।
स्वर्गलोक उपोषित्वादिव्यैश्चापि सुरोत्तमैः ॥ २१ ॥

ततः कालक्षयं प्राप्य जायते विपुले कुले ।
महाभाग्यकुले चैव मम लोके विधीयते ॥ २२ ॥
सर्वलक्षणसंपन्नो जायते मानवोत्तमः ।
न कश्चिल्लभते हीनो भुवने पुरुषोत्तमः ॥ २३ ॥

इति श्रीस्कंदपुराणे आदिरहस्ये सह्याद्रिखंडे व्याससनत्कुमार-
संवादे द्वाविंशतितमोऽध्यायः ॥ २२ ॥

अथ त्रयोविंशतितमोऽध्यायः ।

दानमहिमकथनम्.

महेश्वर उवाच । शश्वच्चैव हितार्थाय लोकानां चैव सुव्रते ।
कथं द्रव्यापदं भद्रे यथा दानं तु पूर्वशः ॥ १ ॥
अन्नदानात्परं दानं नैव किंचिद्विशिष्यते ।
अन्नाद्भवंति भूतानि नाधिकं ह्यन्नतः स्मृतम् ॥ २ ॥
अन्नदानमलंकृत्य प्रयच्छति द्विजाय वै ।
सर्वान्कामानवाप्नोति पूज्यते च त्रिविष्टपे ॥ ३ ॥
मधुरं रससंयुक्तं सर्वकामसमृद्धिमत् ।
विमानं सूर्यसंकाशं महत्तु लभते सुखम् ॥ ४ ॥
यदि मानुष्यमाप्नोति कदाचित्पुरुषोत्तमः ।
धनधान्यसमाकीर्णो यादृशं तादृशं परात् ॥ ५ ॥
यथाशक्त्या तु संदद्यात्प्रत्यहं तु न [1]संशयः ।
स कर्मणा ह्यवाप्नोति प्रजापतिसलोकताम् ॥ ६ ॥
कदाचिदपि यो दद्यादन्नं विप्राय संस्कृतम् ।
तस्मादणुतरं तच्च सहस्रगुणमेव च ॥ ७ ॥
उपविष्टो विलोकेषु त्विहापि च सुखी भवेत् ।
अधूतं तमवज्ञायोलसत्कृत्यमथापिवा ॥ ८ ॥

---

१ दिवसेदिवसेनर इति.

धनधान्यसमाकीर्णो यादृशं तादृशं शुभम् ।
देहान्ते नरके घोरे प्राप्नोति हि न संशयः ॥ ९ ॥
उपविष्टो भवेदेव तृप्तिर्येनास्य जायते ।
यदि ह्यावृत्यमाप्नोति कदाचित्तु पुनः पुमान् ॥ १० ॥
म्लेच्छभागी च भवति रमते च यथा नरः ।
अन्नमेव विशिष्टं वै तत्तस्मात्परमं शुभम् ॥ ११ ॥
अन्नात्प्रजापतिर्भूतो ह्यन्ने सर्वं प्रतिष्ठितम् ।
संवत्सरं च यज्ञोसौ यज्ञे सर्वं प्रतिष्ठितम् ॥ १२ ॥
अन्नाद्भवंति भूतानि स्थावराणि चराणि च ।
तस्मादन्नं विशिष्टं वै सर्वत्र चेति विश्रुतिः ॥ १३ ॥
अन्नदानान्न वै किंचिद् दृश्यते न च श्रूयते ।
अन्नाद्भवंति भूतानि तस्मात्तद्वै प्रशस्यते ॥ १४ ॥
सुगंधाः शीतलाश्चापि रसदिव्यैः समन्विताः ।
यः प्रयच्छति विप्रर्षे तस्य दानफलं शृणु ॥ १५ ॥
विमानं सूर्यसंकाशमप्सरोगणसेवितम् ।
सोऽपि रुद्रत्वमाप्नोति वरुणस्य सलोकताम् ॥ १६ ॥
पुत्रपौत्रसमायुक्तो ह्युषित्वा देववत्सुखी ।
कुले महति संकीर्णे जायते धनधान्यवान् ॥ १७ ॥
सुरान्नपूर्णं यो भांडं ब्राह्मणाय प्रयच्छति ।
रसातलपतिर्भूत्वा पूज्यते च दिवंगतः ॥ १८ ॥
भाजनानि च यो दद्यादन्नपूर्णानि शोभने ।
शोभनेनान्नदानेन तारयत्यधिकं ततः ॥ १९ ॥
तडागं यत्र कुर्वीत ह्यपां देवि समृद्धिमत् ।
गच्छन्वै श्रीपतिर्यत्र स सर्वं सुखमाप्नुयात् ॥ २० ॥
तारकत्वाच्च स पितृंस्तत्रैव च पितामहान् ।
प्रपितामहांश्च तत्रैव लोकेषु च विहंगमान् ॥ २१ ॥

चरते देवचरितं दिव्यवर्षशतानि च ।
पुनश्च मानुषे लोके सर्वलोकविवर्जिते ॥ २२ ॥
भोगी भवति देहिनां राजमान्यश्च जायते ।
देवाज्ञया च बलवान् सुप्रभाप्रियदर्शनः ॥ २३ ॥
भवटं यो वरं कुर्यादद्भिः पूर्णं शुचिस्मिते ।
दद्याच्चेद्ब्राह्मणेभ्यस्तु भोजयित्वा यथात्मवान् ॥ २४ ॥
अष्टभिः सुविचित्राणि यथाकुसिरलंकृतः ।
व्रजते स यथा पुष्पैः पूजितं समलंकृतम् ॥ २५ ॥
तर्पयित्वा तु तान्पितॄन्विमानेन नरोत्तमः ।
अप्सरोगणगीतेन वरुणस्य सलोकताम् ॥ २६ ॥
हिरण्यं हेमभूमिं च तिलान्गाश्च सुशोभिताः ।
प्रदद्यात्सर्वभूतेभ्यस्तस्य पुण्यफलं शृणु ॥ २७ ॥
स विमानेन महता सर्वलोकसमन्वितः ।
काले महति लोकेशो जायते सुखभाजनः ॥ २८ ॥
यस्तु वृक्षं प्रकुरुते छायापुष्पफलोपमम् ।
पथि देवि नरैः सौख्यं प्राप्यते च नरोत्तमे ॥ २९ ॥
तथैव दत्वा विप्रेभ्यो निष्कुटीं च पुनः पुनः ।
यत्फलं समवाप्नोति तच्छृणुष्व महामुने ॥ ३० ॥
यावद्वृक्षस्य पत्राणि ह्युपयुंजंति देहिनः ।
फलानि चैव भक्ष्यन्ते जंतुभिः फलितस्य च ॥ ३१ ॥
तावद्वर्षसहस्राणि पितॄनपि च तारयेत् ।
सोमलोकं समागच्छन् स नूनं फलमाप्नुयात् ॥ ३२ ॥
फलानि यः प्रयच्छेत ब्राह्मणेभ्यः सदा शुचिः ।
स जनो यत्र यत्रेच्छेद्धेमरत्नविभूषितः ॥ ३३ ॥
सोऽप्सरःशतसंकीर्णे विमाने देवि मोदते ।
राजतं यः प्रयच्छेत विप्रेभ्यो भोजनं शुभम् ॥ ३४ ॥

स गंधर्वपदं प्राप्य ह्युर्वश्या सह मोदते ।
ताम्रं यो भाजनं दद्याद्ब्राह्मणेभ्यो विशेषतः ॥ ३५ ॥
लभते यक्षराजस्य पदं बलसमन्वितः ।
गृहं यस्तु प्रयच्छेत सर्वकामसमृद्धिमत् ॥ ३६ ॥
स लोकं ब्रह्म तत्प्राप्य सर्वकामाभिसंवृतम् ।
वर्षकोटिषु तत्रोष्य चतस्रस्तेनकर्मणा ॥ ३७ ॥
गृहमेधी सदायुक्तो भोगवांश्च प्रजायते ।
औषधीन्यः प्रयच्छेत ब्राह्मणाय महात्मने ॥ ३८ ॥
सर्वकामसमृद्धं तु स्वर्गलोकं समश्नुते ।
तत्र वर्षसहस्राणि चरते कामरूपवान् ॥ ३९ ॥
यदि मानुष्यमाप्नोति स नरः कालपर्ययात् ।
सर्वकामसमृद्धार्थो गृही भवति सर्वशः ॥ ४० ॥
पानीयं तु प्रयच्छेत ब्राह्मणाय समाहितः ।
स सोमलोकमाप्नोति क्रीडते कालमक्षयम् ॥ ४१ ॥
आयस्तु ह्युपयच्छेत संस्कृतं ब्राह्मणाय च ।
राजस्थानमवाप्नोति स्वर्गमाप्नोति विज्वरः ॥ ४२ ॥
यस्तु शय्यां प्रयच्छेत ब्राह्मणाय स्वलंकृताम् ।
स गत्वा पितृलोकं वै वर्षाणामयुतं वसेत् ॥ ४३ ॥
इह चापि पुनर्जन्म सर्वकामसमंततः ।
भार्यामाप्नोति भद्रांगीं प्रजावांश्चोपजायते ॥ ४४ ॥
अश्वं यस्तु प्रयच्छेत हेमचित्रं सुलक्षणम् ।
स तेन कर्मणा देवि गारुडं लोकमश्नुते ॥ ४५ ॥
रथमश्वयुतं दासीं कन्याग्रहमथापि वा ।
भूमिं यस्तु प्रयच्छेत स राजा भुवि जायते ॥ ४६ ॥
विधिना मंत्रयुक्तेन तस्य कर्मफलं लभेत् ।
सर्वकामदुघा तस्य तस्य सर्वं प्रतिष्ठितम् ॥ ४७ ॥

जलं धेनुं च यो दद्यात्तस्य दानफलं लभेत् ।
वापीकूपतडागं च कृतं येनापि पुष्कलम् ॥ ४८ ॥
कृत्वा कुंभांस्तु संपूर्णान्माल्यैश्च समलंकृतान् ।
पुष्पैश्च विविधाकारैरभ्यर्च्य द्विजसत्तमान् ॥ ४९ ॥
भक्ष्यभोज्यैश्च पूर्णानि तिलपात्राणि दापयेत् ।
दक्षिणां पुष्कलां दद्यात्तेभ्यस्तद्दर्शयन् मुदा ॥ ५० ॥
आपः शिवाश्च सौम्याश्च तर्पयंति च पितरम् ।
कामदाः कामदातारो भवंति च पदे पदे ॥ ५१ ॥
एवं दद्यात्तु तां धेनुं पुरस्कृत्य च वै तदा ।
वाहयेत प्रपां देवि ब्रह्मलोकसमर्पिणीम् ॥ ५२ ॥
तृणपात्राणि यो दद्यात्तथा वस्त्रयुगं परम् ।
सुवर्णस्य स्वसान्निध्यं फलानि विविधानि च ॥५३ ॥
ततो दद्याच्छुचिस्नातो ब्राह्मणेभ्यो यथाविधि ।
घृतं गोभ्यः प्रवृत्तं तु तत्तु दद्याद्द्विजातये ॥ ५४ ॥
तेन दानेन देवाश्च प्रयच्छन्ति शुभां गतिम् ।
ब्राह्मणांस्तर्पयित्वा तु गंधमाल्यैश्च पूजयेत् ॥ ५५ ॥
दानकाले ततो भूम्यां पूजयित्वा तु मां प्रति ।
पादयोर्लोकपालाश्च सर्वे चैव तु पन्नगाः ॥ ५६ ॥
समुद्राश्चैव जठरे ग्रीवायां वसवः स्मृताः ।
स्तने गंगा सरित्सर्वास्तस्यां तिष्ठंति नित्यशः ॥ ५७ ॥
उपस्थं च गुदं चैव प्रजापतिमुपाश्रितः ।
पुरीषे श्रीपतिश्चास्यां नागाःश्वासानिलाःस्मृताः ॥५८ ॥
गंधा यज्ञाश्च दानानि नियमाश्च यमास्तथा ।
नक्षत्राणि ग्रहाश्चैव तारारूपाणि यानि च ॥ ५९ ॥
गायत्री चैव शिवा जगतिपंक्तिरेवच ।
अदुष्टु चैव यज्ञे च साम ह्याथर्वणश्च वै ॥ ६० ॥

लोकाश्च मातरश्चैव मेघवर्षमथापि वा ।
धर्मो नारायणश्चैव भूतानि सरितस्तथा ॥ ६१ ॥
रोमकूपानि ह्याश्रित्य ह्यंगे तस्यात्व्यवस्थित: ।
यक्षाश्च राक्षसाश्चैव पिशाचाश्चैव पक्षिणः ॥ ६२ ॥
वृक्षाश्च दक्षिणाश्चैव ह्याचारश्च तथाशुभे ।
गंधर्वाश्च महात्मानो ये चान्ये च दमादयः ॥ ६३ ॥
तस्या विषाणयोर्देवि वेदाः सांगपदक्रमाः ।
फलानि यानि दानानां यतो यश्च पृथग्विधः ॥ ६४ ॥
सर्वे रंभामाश्रिताश्च सर्वदेवमयीं शुभाम् ।
देवैरभ्युषितां तां तु सर्वे हस्तद्वयेन तु ॥ ६५ ॥
विप्रेभ्यो मंत्रधेनूनां प्रदद्यात्तु समाहितः ।
कुशान् सुवर्णबीजानि तिलान्सिद्धार्थकांस्तथा ॥ ६६ ॥
प्रदद्यात्तां ततोद्भिस्तु मंत्रेणानेन सुव्रते ।
सर्वदेवमयीं देवीं सर्वलोकमयीं तथा ॥ ६७ ॥
सर्वलोकनिमित्ताय सर्वलोकनमस्कृताम् ।
प्रयच्छामि महाभागामभयाय शुभाशुभम् ॥ ६८ ॥
एवं स दत्वा तां गां तु सर्वकामदुघां प्रिये ।
यत्र तत्र गता सा तु तारयेच्च भयात्तथा ॥ ६९ ॥
तथा कामदुघा चैव सर्वयज्ञफलप्रदा ।
सर्वांल्लोकान्स वृणुते गोदानेन यथा नरः ॥ ७० ॥
इह जातस्तु तामेव कामगां प्रतिपद्यते ।
मनसा मानवो भूत्वा गोसहस्रमहाबलः ॥ ७१ ॥
रूपवान् बलवांश्चैव त्विह लोकेषु जायते ।
प्रसूयमानां यो गां तु दद्यादुभयतोमुखीम् ॥ ७२ ॥
हेमशृंगीं रौप्यखुरां भाजनेन समन्विताम् ।
वस्त्रयुक्तां च गां दद्याद्ब्राह्मणेभ्यो यथाविधि ॥ ७३ ॥

उद्धरेत्सप्त गोत्राणि त्रायते नरकादपि ।
कृष्णाजिनं च यो दद्याद्व्रतिने ब्रह्मचारिणे ॥ ७४ ॥
पृथिवीफलमाप्नोति योगश्चास्य प्रवर्तते ।
योगिभ्यो ब्रह्मचारिभ्यो ब्राह्मणेभ्यो यथा तथा ॥ ७५ ॥
यः प्रयच्छति ह्यावासमश्वमेधफलं लभेत् ।
पुंडरीकफलं प्राप्य गोसहस्रं च विन्यसेत् ॥ ७६ ॥
स्मृतिं च परमां यत्र योगमाप्नोति सुव्रते ।
कमंडलुं च यो दद्याद्ब्राह्मणाय नरोत्तमः ॥ ७७ ॥
स तेन कर्मणा देवि नित्यं धर्ममवाप्नुयात् ।
व्याधितं यस्तु विप्रर्षे दीनं मूढमचेतनम् ॥ ७८ ॥
उद्धरेच्च यथाशक्त्या मुच्यते ब्रह्महत्यया ।
यः सुवर्णं प्रयच्छेत दरिद्राय द्विजातये ॥ ७९ ॥
दशानामश्वमेधानां फलमाप्नोति मानवः ।
एतानि चैव रम्याणि दानान्युक्तानि नित्यशः ॥ ८० ॥
सर्वाणि युगपच्चैव पृथिव्यामेकदा भवेत् ।
य इदं शृणुयान्नित्यं दद्याच्चैव स्वशक्तितः ॥ ८१ ॥
पश्यते च महाभाग सोपि गच्छेत् त्रिविष्टपम् ।

इति श्रीस्कंदपुराणे सह्याद्रिखण्डे आदिरहस्ये व्याससनत्कुमारसंवादे दानमहिमकथनं नाम त्रयोविंशतितमोऽध्यायः ॥ २३ ॥

अथ चतुर्विंशतितमोऽध्यायः ।

धर्मोपदेशकथनम्.

महेश्वर उवाच । शृणु देवि च भूयोपि दद्याद्दानं शुभाशुभम् ।
स्तोकमेवोपदानेन यथाधर्मोऽपि लभ्यते ॥ १ ॥
एकभक्तेन यो देवि मासपूर्णं च यो क्षपेत् ।
स तेन कर्मणा देवि भजते मां च नित्यशः ॥ २ ॥

पौषमासे च यो दद्याद्ब्रह्मशब्दोभिधीयते ।
माघमासे तु कुर्वाणस्त्रिधा प्राप्नोति वै प्रियम् ॥ ३ ॥
एकभक्तं च कुर्वाणः फाल्गुने मासि नित्यशः ।
स्त्रियं सौभाग्यमाप्नोति नरश्च परमं पदम् ॥ ४ ॥
पक्षेपक्षैकभक्तेन मानवो याति श्रेष्ठताम् ।
लोकेषु पूजितो यावत्तावत्सर्वं प्रयच्छति ॥ ५ ॥
वैशाखमासे यो भक्त्या ह्येकभक्तं समाचरेत् ।
ज्येष्ठो भवति ब्राह्मण्ये भोगानाप्नोति पुष्कलान् ॥ ६ ॥
आषाढे वापि यो मासे ह्येकभक्तं समाचरेत् ।
स राज्ञो मान्यतां प्राप्य कामानाप्नोति पुष्कलान् ॥ ७ ॥
श्रावणे देवि यो मासे ह्येकभक्तं समाचरेत् ।
सेनापत्यं च संप्राप्य बलवानपि जायते ॥ ८ ॥
यस्तु भाद्रपदे मासे ह्येकभक्तं समाचरेत् ।
स तेन कर्मणा देवि बलवानभिजायते ॥ ९ ॥
योपि चाश्वयुजं मासमेकभक्तेन तिष्ठति ।
वाणिज्यं लभते तस्य कृषिः पशुगणास्तथा ॥ १० ॥
कार्तिके चापि यो मासे ह्येकभक्तेन तिष्ठति ।
सोऽश्वमेधफलं प्राप्य ह्यग्निलोके महीयते ॥ ११ ॥
यः क्षिपेदेकभक्तेन यावज्जीवं नरोत्तमः ।
विमानेन सुवर्णेन स गच्छेद्रुद्रलोकताम् ॥ १२ ॥
संवत्सरं तु पूर्णं यो ह्येकभक्तेन तिष्ठति ।
स पार्थिवसमो भूत्वा महीपतिमहेंद्रवत् ॥ १३ ॥
अहोरात्रत्रयं देवि कुर्यादेवं नरोत्तमः ।
स तेन कर्मणा शुद्धो विद्वान् भवति धार्मिकः ॥ १४ ॥
मासे मासे ह्यहोरात्रं यः करोति नरोत्तमः ।
दशानां स सुवर्णानां फलमाप्नोति मानवः ॥ १५ ॥

चतुर्दशीमष्टमीं च ह्युभयोः पक्षयोरपि ।
अहोरात्रं जपेद्यस्तु संवत्सरमशेषतः ॥ १६ ॥
स तेन कर्मणा युक्तः सर्वपापविवर्जितः ।
न याति नरके घोरे यमं चैव न पश्यति ॥ १७ ॥
मासमासेषु यः कुर्यादेकभक्तं तु यो नरः ।
कैवल्यलोकमाप्नोति स विंदेत्परमं पदम् ॥ १८ ॥
चतुर्थेऽहनि यो भुंक्ते श्रद्धाभक्तिसमन्वितः ।
शिवदेवप्रियो भूत्वा चरते वसुभिः सह ॥ १९ ॥
दशमेऽहनि यो भुंक्ते दशाश्वानां फलं लभेत् ।
अश्विभ्यां स सयो भूत्वा सूर्यवज्ज्वलते सदा ॥ २० ॥
मानुष्यं च पुनः प्राप्य दश भार्या लभेच्च सः ।
सुवर्णमक्षयं चैव न चाकाले म्रियेत सः ॥ २१ ॥
एकादश्याः फलं प्राप्य स रुद्रगणतां लभेत् ।
त्रयोदशे तु यो नित्यमश्नाति दिवसे नरः ॥ २२ ॥
विशेषं भार्गवस्थानं प्राप्य दिव्यसुखान्वितः ।
लोकेह मानुषो भूयः स नरो जायते शुचिः ॥ २३ ॥
धनधान्यसमायुक्तो जायते स्वकुलोचितः ।
चतुर्दश्यां च यो नित्यं दिवसं च क्षयेन्नरः ॥ २४ ॥
नैमिषं लोकमासाद्य भवेद्दलपतिर्नरः ।
अर्धमासं क्षयेद्यस्तु नित्यमेव ह्यतंद्रितः ॥ २५ ॥
देवराजश्च तुष्टोसौ भूत्वा स्वर्गे च तिष्ठति ।
इह राजा भवेद्भूमौ भूयएवाभिजायते ॥ २६ ॥
यस्तु मासं क्षयेद्वीरो जितक्रोधो जितेंद्रियः ।
विमानेन स दिव्येन ह्यप्सरोभिः समावृतः ॥ २७ ॥
पूज्यमानो महादेवं श्रूयमाणं च सर्वशः ।
ज्वलदादित्यसंकाशो ह्यनिशं सुखमेधते ॥ २८ ॥

एवं लोकेषु वसते यथा ब्रह्मा नरोत्तमः ।
अथवा पुनरायाति ब्राह्मणो भवदीश्वरः ॥ २९ ॥
योगं च तत्र लभते धनैश्वर्यं समश्नुते ।
योगीशः स तदा भूत्वा शंभोर्गणपतिर्भवेत् ॥ ३० ॥
सर्वेषां चोपवासानां विधिः परमपुण्यदः ।
देवि शृणुष्व वक्ष्यामि यथा च ह्यनुपूर्वशः ॥ ३१ ॥
स्नातः शुचिरथोदारो शुचिष्मान् सुसमाहितः ।
दंभयित्वापि चात्मानमुपवासं चरेद्वशः ॥ ३२ ॥
स्नायाद्रीषवणी चैव जुहुयादग्निमेव च ।
शुचिरक्रोधनो दांतो धार्मिकः सत्यवादनः ॥ ३३ ॥
जपन्सदैव गायत्रीं पवित्रां चैव सर्वशः ।
रुद्रमाथर्वणं चापि रात्रौ च स्थंडिलेशयः ॥ ३४ ॥
कुशानास्तीर्य विधिवत् स्त्रीशूद्रपरिवर्जितः ।
समश्नीयात्ततो रात्रौ वीतरागो विमत्सरः ॥ ३५ ॥
यावद्दिनानि तिष्ठेत तावद्विप्रांश्च भोजयेत् ।
ततः पूर्णेषु कालेषु ब्राह्मणाय शतं वरेत् ॥ ३६ ॥
सहस्रमधिकं शक्त्या लेपयित्वा तु सर्वशः ।
हविष्यभोजनं देयं गावो वासांसि भूरिशः ॥ ३७ ॥
सुवर्णं तिलपात्रं च ह्येकैकं कल्पयेत्तदा ।
ततः स फलमाप्नोति यदन्यैर्दुर्लभं लभेत् ॥ ३८ ॥
वृषभं यस्तु नीलांगमुत्सृजेत्तु नरोत्तमः ।
अंत्यं वापि महाभागे स पितॄंस्तारयेन्नरः ॥ ३९ ॥
यावंति तस्य रोमाणि वृषभस्य महात्मनः ।
तावंत्येव सहस्राणि वर्षाणि दिवि मोदते ॥ ४० ॥
तिलपात्राणि यो दद्याद्विप्रेभ्यः शुद्धमानसः ।
अमावास्यां समासाद्य कृष्णां च सुसमाहितः ॥ ४१ ॥

स पितॄंस्तारयित्वा तु ह्यक्षयं नरपुंगव: ।
पितृलोकमवाप्नोति देववत्सुखमोदते ॥ ४२ ॥
उपवासविधिस्तेऽद्य कथितो मे शुभानने ।
पवित्राणां विधिं भूय: शृणुध्वं सुसमाहित: ॥ ४३ ॥
यस्तु चांद्रायणं कुर्याद्यथोक्तं सुसमाहित: ।
स सोमलोकमासाद्य सोमस्य समतां व्रजेत् ॥ ४४ ॥
प्राजापत्येन य: कश्चिदेकशो दानतोऽपि वा ।
प्रजापतिसमो भूत्वा स्वर्गलोके महीयते ॥ ४५ ॥
यस्तु सांतपनं कृच्छ्रं करोति नृपसत्तम: ।
आत्मानमुद्धरेत्कृच्छ्रादग्निलोकं च गच्छति ॥ ४६ ॥
महासांतपनं यस्तु करोति सुमहामना: ।
सर्वज्ञानमवाप्नोति ब्रह्मलोकं स गच्छति ॥ ४७ ॥
अतिकृच्छ्रेण तु नर: सर्वस्य भुवनं व्रजेत् ।
स मुक्तो सर्वपापैस्तु स्वच्छंदो दिवि पूजित: ॥ ४८ ॥
कृच्छ्रातिकृच्छ्रं य: कुर्याद्गाणपत्यमवाप्नुयात् ।
यस्तु सर्वाणि कृच्छ्राणि कुरुते नरसत्तम: ॥ ४९ ॥
यं यं प्रार्थयते कामं तं तमेवं समश्नुते ।
यस्य कस्यचिदेवेह कृच्छ्रस्य सुसमाहित: ॥ ५० ॥
स तेन सिद्धो भवति देवत्वं चापि विंदति ।
पक्षात्पक्षं तु यो नित्यं नर: संवत्सरं वसेत् ॥ ५१ ॥
यावकं चोपयुंजानो गोमूत्रेणापि संस्कृतम् ।
पिण्याकमपि भुक्तो वा ह्यक्षारलवणोपि वा ॥ ५२॥
अश्वमेधफलं भुक्त्वा ब्रह्मलोकं स गच्छति ।
विमानेनार्कवर्णेन ब्रह्मवर्चसमानवै: ॥ ५३ ॥
महात्मा नष्टदारिद्र्यो सर्ववेत्ता भवेन्नर: ।
सलोकताबलं प्राप्य लभते मोक्षमेव च ॥ ५४ ॥

ऐश्वर्यं वा महत्प्राप्य दीप्यमानश्च तिष्ठति ।
भोगान्प्राप्य च सर्वांस्तान्दारांश्चैव यथेप्सितान् ॥ ५५ ॥
विना मंत्रेण सततं शूद्राणामिह सर्वशः ।
विधीयते न संदेहमेवमाह प्रजापतिः ॥ ५६ ॥
अमंत्रास्ते मृताः सर्वे क्षुद्रा विगतकल्मषाः ।
स्त्रीणां तु दैवतं भर्ता न ततोऽन्यद्विधीयते ॥ ५७ ॥
सा गतिः परमा धर्म्या स धर्मः परमः स्मृतः ।
तेन यावदनुज्ञाता त्विमं धर्मं समाचरेत् ॥ ५८ ॥
सा फलं तस्य धर्मस्य प्राप्नोति तु समाहिता ।
या तु तेनाननुज्ञाता धर्मं कुर्यात्सविस्मिता ॥ ५९ ॥
या तु भर्त्राभ्यनुज्ञातं धर्मं चरति सा प्रिया ।
दद्याच्च पतये नारी तस्यानंतं हि तत्फलम् ॥ ६० ॥
यच्च प्रार्थयते किंचिदिह लोके परत्र च ।
तत्सर्वं प्राप्यते चैव सुभगा चापि जायते ॥ ६१ ॥
वशश्चास्या भवेद्भर्ता स्त्री च तस्य वशा तथा ।
पुत्रप्रजा च भवति न च दुःखं समश्नुते ॥ ६२ ॥
एष धर्मो मया ख्यातो तव स्नेहाद्वरानने ।

इति श्रीस्कंदपुराणे आदिरहस्ये सह्याद्रिखंडे व्याससनत्कुमार-
संवादे धर्मोपदेशो नाम चतुर्विंशतितमोऽध्यायः ॥ २४ ॥

अथ पंचविंशतितमोऽध्यायः ।

नियमोपदेशकथनम्.

देव्युवाच । लोकभर्तासि मे त्वीश सर्वज्ञेनापराजित ।
प्रणमामि त्रिनयनं भवंतं शूलपाणिनम् ॥ १ ॥
त्वतुर्विभो भूतसंघो प्रभूतो ब्रह्मणा त्वया ।
भूतं भव्यं भविष्यं च भूतवृंदं चतुर्विधम् ॥ २ ॥

विदितं तव ते सर्वं तेन सर्वंगतो ह्यसि ।
यदि तेऽहमनुग्राह्यो यदि मे ह्यधिसौहृदम् ॥ ३ ॥
यत्पृच्छामि महादेव तन्मे ब्रूहि यथातथम् ।
याश्चैव नियमाश्चैव ब्राह्मणाः क्षत्रियाधिपाः ॥ ४ ॥
ये चान्ये नियमाः केचित्तेषां ब्रूहि च यत्फलम् ।
येषु चीर्णेषु सर्वेषां स इहाफलसिद्धये ॥ ५ ॥
दृश्यंते नयमानां तु यो राध्यो यं तपोधनम् ।
एतन्मे संशयं देव चित्तव्याकुलकारकम् ॥ ६ ॥
छेदयस्व महाबुद्धे नीहारमिव भास्करः ।
महादेव उवाच । एक एवैष नियमो प्रायशोऽमोघदर्शनैः ॥ ७ ॥
बहुधा दृश्यते लोके नियमो नियमाद्भवेत् ।
नियमं तु वरं कृत्वा नियमान्नियतेंद्रियः ॥ ८ ॥
दुष्करं देवि कुरुते स तस्य फलमश्नुते ।
अनित्यं सुखमित्येतन्नाप्नुमद्यच्छदोपमम् ॥ ९ ॥
दुष्करं नियमं कर्त्तुं मनुजेन विशेषतः ।
नरा लोभाभिभूता हि न धर्मरुचये भृशम् ॥ १० ॥
वर्तमानसुखासक्ता न धर्मरुचये नराः ।
उच्यमानं च नियमं करोत्यभिमतं नरः ॥ ११ ॥
शतवर्षसहस्राणि वृद्धिं निष्फलमश्नुते ।
असिधाराव्रतं यद्वत्तद्वन्नियमशीलतः ॥ १२ ॥
तेन घोरणतुल्येन नियमस्यापि पालनम् ।
देवत्वं देवताभक्ता नियमं नियमान्विताः ॥ १३ ॥
तारारूपं ज्वलंत्येते नियमेन तपोधनाः ।
नियमेन वरारोहे वेलां वा क्रमते नरः ॥ १४ ॥
नियमाज्जायते ते वा निःस्नातो नियमाद्रविः ।
नियमात्प्रभवो वायुर्नियमाज्जायते मही ॥ १५ ॥

निःकल्मषं तपः कृत्वा नियमं च यथातथम् ।
मत्पत्नीत्वं मया त्वं तु शोभनेऽत्र न संशयः ॥ १६ ॥
वृषस्तु नियमं यस्तु कुरुते विधिसंयुतः ।
स ब्रह्मा ह्येषु लोकेषु चरते देववत्सुखम् ॥ १७ ॥
नियमस्य फलं प्राप्य यथा तु नियमान्विते ।
द्विजातीनां प्रियं तन्मे निशम्य हरिणेक्षणे ॥ १८ ॥
वाराणस्यामभूद्विप्रः केवलनामधारकः ।
अशीलः कर्कशश्चंडो गरदो भिल्लवेषकः ॥ १९ ॥
निष्ठुरो प्राणिघातो च जातिकर्मविवर्जितः ।
सूचको ह्यमृदुः पापोऽविशुद्धो जातमत्सरः ॥ २० ॥
विकल्पनोऽधर्मरुचिर्नास्तिको वेदनिंदकः ।
परव्यसनसंतुष्टः परबुद्धिविमोहकः ॥ २१ ॥
विद्वेषणीयः सर्वस्य दुष्टोहिरिव सर्पति ।
निस्तंबो निर्नमस्कारो निरोंकारवषट्क्रियः ॥ २२ ॥
मिथ्याविनीतो दुर्मेधा वेदवादबहिष्कृतः ।
दुष्टदंष्ट्रो यथा सर्पः शृंगहीनो यथा वृषः ॥ २३ ॥
न्यूनपक्षो यथा पक्षी विपुष्प इव पादपः ।
वाराणस्यां स वै विप्रो विप्रकोटिशतार्दनः ॥ २४ ॥
आस्ते तु शतपुत्रैश्च मनुष्यस्वार्थहारकः ।
तस्यां पुर्यां नसोस्तीह पुरुषः प्रमदोत्तमे ॥ २५ ॥
श्रेष्ठः समभवद्भीरु कालो न स्वसुखस्तदा ।
सिद्धानामधिपः सोथ न्यपतद्रुचिरानने ॥ २६ ॥
अकथ्यं कथयेद्देवि ह्यबद्धमसमंजसम् ।
तस्य वर्षशतं चैवं वणिगापणवस्य वै ॥ २७ ॥
अतिक्रांतं निविष्टश्च निराशी तस्य ब्राह्मणः ।
अयस्वर्गपदः सिद्धः सिद्धगंधर्वपूजितः ॥ २८ ॥

वाराणसीं गतो द्रष्टुमोंकारे सिद्धवेदितुम् ।
वेषं विकृतमास्थाय काणकूट इवासकृत् ॥ २९ ॥
आगच्छति यथा तस्मिन्नधावदनुदर्शने ।
अंतर्भूताः कलौ व्यास प्रणमंति स्तुवंति च ॥ ३० ॥
मत्स्योदर्यास्तटे देवं पंचायतनसंस्थितम् ।
प्रदक्षिणं प्रकुर्वंति जन्मपापक्षयावहम् ॥ ३१ ॥
रुद्रावासे तु ये नित्यं पिबंति च रमंति च ।
वाराणस्यां शिवः क्षिप्रमादत्ते त्रिदिवालयम् ॥ ३२ ॥
स तत्र भ्रममाणस्तु सिद्धो विकृतिरूपधृक् ।
भ्रममाणस्तु संप्राप्तो यत्रास्ते सिद्धजाश्रमः ॥ ३३ ॥
स तु विकृतवेषेण दृष्ट्वा सिद्धं सुखागतम् ।
सादरं प्राह सत्वेन मत्स्तुत्याचाभिवाद्य च ॥ ३४ ॥
त्वमागतो न ददृशे रूपेण चतुरेण च ।
दृश्यते नान्यतः शंके स्वर्गभ्रष्टो भवानिति ॥ ३५ ॥
सिद्ध उवाच । साधुभिः स्वर्ग विज्ञात महाज्ञानमयो ह्यसि ।
स्वर्गादहमनुप्राप्तः सत्यं सत्यं न संशयः ॥ ३६ ॥
प्रयत्ने कथयिष्यामि यत्ते सर्वं तथेक्षितम् ।
ब्राह्मण उवाच । यदि स्वर्गे निवससि सिद्धोऽसि द्विजसत्तम ॥ ३७ ॥
रंभामप्सरसां श्रेष्ठा यदि जानासि कथ्यताम् ।
सिद्ध उवाच । यां प्रेक्ष्य देवाः कंपंते तपंतीत्येव सागराः ॥ ३८ ॥
का हि स्वर्गालये रंभा सर्वासामप्सरोत्तमाम् ।
पृष्टास्मि वचनात्तुभ्यं सा ते बुद्धीरितानघ ॥ ३९ ॥
इत्युक्त्वा ब्राह्मणं शैवं सिद्धं सिद्धगणाश्रितम् ।
अपक्रांतो दिविक्रांतो वासुरव्यहतो यथा ॥ ४० ॥
स शक्रगृहनिष्क्रांतां चंद्ररेखां तथा पुरा ।
अपश्यत्सुकृतां रंभां भ्रष्टपद्मामिव श्रियम् ॥ ४१ ॥

पूर्णचंद्राभवदनां मदनप्रियकामिनीम् ।
गजकुंभनिभां चैव स्तनाभ्यामुपशोभिताम् ॥ ४२ ॥
बृहद्वक्षस्थलयुतां कृशांगीं गजगामिनीम् ।
स्वर्गे रत्नभूतां तां तु ताम्रतामरसेक्षणाम् ॥ ४३ ॥
फुल्लताम्रारविंदाभ्यां पदाभ्यां सुप्रतिष्ठिताम् ।
वीणाध्वनिनिभां चैव सुरासुरप्रतारिणीम् ॥ ४४ ॥
सिद्धो दृष्ट्वाऽनवद्यांगीं शीघ्रं वचनमब्रवीत् ।
वाराणस्यां निवसति ब्राह्मणो हि वरानने ॥ ४५ ॥
स त्वां पृच्छति सुश्रोणि यदि जानासि पश्यताम् ।
रंभोवाच । न तं जानाम्यहं विप्र चिंतयित्वापि यत्नतः ॥ ४६ ॥
इत्येवमुक्त्वा सरसं सिद्धासिद्धैश्च वंदिते ।
तमेवावसथं पूर्णमाविवेशाब्जलोचनः ॥ ४७ ॥
अथ भूयः स सिद्धो वा सिद्धासिद्धशतैर्वृतः ।
वाराणसीमनुप्राप्त अंबायतनकारकः ॥ ४८ ॥
नैव तं ददृशे तस्यां पुर्यां पुरवरालये ।
द्विजातीनां च विदुषां चिरेण पुनरागतः ॥ ४९ ॥
स तं प्रहस्य प्रोवाच वाराणस्यां निकेतनः ।
कथं ब्राह्मण दृष्टा सा त्वया रंभा वराप्सरा ॥ ५० ॥
का त्वया ददृशा स्पृष्टा पृच्छते वा वरांगना ।
सिद्ध उवाच । रंभा दृष्टा च पृष्टा च तुभ्यं सा वचनान्मम ॥ ५१ ॥
चिरं विचिंत्य मां ह्याह नैव जानामि कोऽप्यसौ ।
ब्राह्मण उवाच । ब्राह्मणोसि पुनस्त्वं हि यदि नाम मास्तुते ॥ ५२ ॥
गच्छसि ब्रूहि मे तात विश्वसेत्तेन वै तु सा ।
एवं भवत्वित्युक्त्वा स सिद्धस्तु द्विजोत्तम ॥ ५३ ॥
स्वर्गं तु कृतिनां वासमागतो गतसाध्वसः ।
पुनस्तां पृथुसुश्रोणीं राजराजालयं गताम् ॥ ५४ ॥

अपश्यत्पश्यतां चित्तं हरंति विमनुद्रवम् ।
सतां पद्मपलाशाक्षीमुत्तुंगस्तनशालिनीम् ॥ ५५ ॥
वाचा प्रसिद्धं प्रहसन् रंभाभावमसूचयत् ।
गच्छति त्वप्सरोवर्यां ब्राह्मणो ब्राह्मणप्रिये ॥ ५६ ॥
वाराणस्यां पुनश्चाहं जानीषैनं पुनः कथम् ।
स्मितं व्यवसितं कृत्वा ततः सर्वाप्सरोवरा ॥ ५७ ॥
इमां सिद्धसहस्राणामवोचद्वनितावरा ।
सिद्धत्वं ब्राह्मणत्वं हि यदि ज्ञातुं किलेच्छसि ॥ ५८ ॥
नियमं कुरु विज्ञानं रामः सिद्धो भविष्यसि ।
चंदनेन समागम्य संगते भूश्चचार सा ॥ ५९ ॥
स वै सिद्धः पुनर्देवीदेवगंधर्वसेवितम् ।
रुद्रावासमनुप्राप्य तं ब्राह्मणमपश्यच्च ॥ ६० ॥
स चैनं ब्राह्मणः प्राह प्रपित्वा मूर्खसंमतः ।
किमिदानीं महाब्रह्मन्नसौ वदति शोभनः ॥ ६१ ॥
सिद्ध उवाच । यदीच्छसि परिज्ञातुमात्मानं किं वचस्तदा ॥
देवैश्च नियमं कृत्वा सत्यं सत्यं न संशयः ॥ ६२ ॥
ब्राह्मण उवाच । यदि देवैरनियमान्तरेषु न प्रशस्यते ।
पश्यते यदि तां चापि रंभामप्सरसं दिवि ॥ ६३ ॥
परत्र खादयति यः स त्वां पृच्छति ब्राह्मणः ।
इतीदं वचनं श्रुत्वा सिद्धस्तस्य द्विजन्मनः ॥ ६४ ॥
दिवसे वाऽऽगतस्तूर्णं वासुरव्याहतो यथा ।
पुनस्तामब्रवीद्देवी स त्वां पृच्छति ब्राह्मणः ॥ ६५ ॥
रंभैतद्वै विजानाति पाषाणास्योन खादति ।
यमेव दिवसं तेन पाषाणे विकृता मतिः ॥ ६६ ॥
तमेव दिवसाद्रंभा तां पुरीमभ्यचिंतयत् ।
तस्याथ प्रकृतेनापि नियमेन द्विजन्मनः ॥ ६७ ॥

प्रकाशादि भवंत्यस्य प्रदीपेनं यथा निशि ।
यस्य यस्याप्रियो ह्यासीत्तस्यां पुर्यां स वै द्विजः ॥ ६८ ॥
तस्य तस्य प्रियं जज्ञे नियमेनाभिभाषितः ।
स यस्य नाश्नाति गृहे यश्च नाश्नाति तस्य वै ॥ ६९ ॥
कथं जीवामि कोवाहमिति तस्याभवन्मतिः ।
नियतस्तु स तं विप्रो ह्यवार्यमनुपाल्य च ॥ ७० ॥
सिद्धिं परमिकां प्राप्य ब्रह्मलोकं स गच्छति ।
नियमो वा यमो वापि स्तोको वाप्यथवा बहुः ॥ ७१ ॥
स एव फलितः स्वर्गं नियमेन तमंबिके ।
नियमे बद्धलोके वा प्राप्यते नियमोप्यतः ॥ ७२ ॥
कमलपूरगृहं गतो रतो वा वसति शचीदयितो दिवि ।
इति तपनेंदुसन्निभो नियमो गदितः समया फले कुरूणाम् ॥ ७३ ॥
सदा हि नियमः कार्यो ह्यनिशं भाववर्द्धनः ॥ ७४ ॥

इति श्रीस्कंदपुराणे आदिरहस्ये सह्याद्रिखण्डे व्याससनत्कुमार-
संवादे नियमोपदेशकथनं नाम पंचविंशतितमोऽध्यायः ॥२५॥

अथ षड्विंशतितमोऽध्यायः ।

संकरजातिवर्णनम्

गणेश उवाच । देवदेव जगन्नाथ भक्ताभीष्टप्रदायक ।
पर्वताधिपते चैव ह्युमाकांत जगद्गुरो ॥ १ ॥
करुणार्णव योगीश वृषभध्वजवाहन ।
भूतभव्यसविज्ञेय सर्गस्थित्यंतकारक ॥ २ ॥
इतिहासपुराणानि श्रुतानि त्वत्प्रसादतः ।
वर्णाश्रमाश्रिता धर्माः श्रुतास्त्वन्मुखपद्मतः ॥ ३ ॥

नहि तृप्यामि भूतेश त्वद्वाक्यामृतसेवया ।
इदानीं श्रोतुमिच्छामि वर्णोत्पत्तिं समासतः ॥ ४ ॥
तां मे कथय धर्मज्ञ सर्वभूतहिते रतः ।
इति वाक्यं समाकर्ण्य जगाद वृषभध्वजः ॥ ५ ॥
पुत्राय प्रीतियुक्ताय गजवक्त्राय साधवे ।
उवाच स महादेवो भगवान् गिरिजापतिः ॥ ६ ॥
महादेव उवाच । साधु पुत्र त्वया पृष्टं सर्वसत्त्वात्मकारक ।
वर्णोत्पत्तिं प्रवक्ष्यामि समासात्पृच्छतस्तव ॥ ७ ॥
एकार्णवे पुरा जाते जले स्थावरजंगमे ।
ईश्वरस्य च हीच्छाभूद्बहुधा सुषुवे प्रजाः ॥ ८ ॥
जलशायी ततो जातो विष्णुर्नारायणः स्वयम् ।
नाभौ तस्याभवत्पद्मं सहस्रदलसंयुतम् ॥ ९ ॥
तत्र चतुर्मुखो ब्रह्मा ह्याविरासीत्तदा किल ।
विष्णुना प्रेरितः सो वै सृष्टिं कुरु ममाज्ञया ॥ १० ॥
विष्णुरुवाच । विष्णोर्वचः समाकर्ण्य सृष्टिं कर्तुं प्रचक्रमे ।
मुखाद्ब्राह्मणवर्णोभूत्क्षत्रियः किल बाहुतः ॥ ११ ॥
ऊर्वोः सकाशाद्वैश्योऽभूच्छूद्रश्चरणतः किल ।
एवं वर्णाः समुद्भूता ब्राह्मणादय एव च ॥ १२ ॥
स्वे स्वे कर्मणि निष्णाताः श्रुतिमार्गप्रवर्तिनः ।
पुराणश्रवणे दक्षाः शांता दांता जितेंद्रियाः ॥ १३ ॥
तेभ्यः संकरवर्णाश्च प्रतिलोमानुलोमकाः ।
तेषां धर्माः समाख्याताः श्रुतिमार्गप्रवर्तिनः ॥ १४ ॥
तव संक्षेपतः प्रोक्ताः समासाद्विदिता मया ।
एतेषां श्रवणान्नूनं महापापात्प्रमुच्यते ॥ १५ ॥
अत्र ते कथयिष्यामि कथामेतां पुरातनीम् ।
द्विजबंधुः पुरा कश्चिद्बंधको नाम नामतः ॥ १६ ॥

सर्वकर्मरतश्चासीत्सर्वधर्मबहिष्कृतः ।
चौर्यवृत्तिर्नैष्कृतिको निष्ठुरो निर्घृणः खलः ॥ १७ ॥
वेश्याजनरतिर्दुष्टो मत्स्यमांसाशने रतः ।
रसविक्रयकारी च कंवलोपहितस्तथा ॥ १८ ॥
कदाचिद्दैवयोगेन गतो यात्राविलोकने ।
व्यवहारप्रसंगार्थं कस्मिंश्चिच्छिवमंदिरे ॥ १९ ॥
रसविक्रीणितस्तेन द्रव्यं संपादितं बहु ।
देवस्य दर्शनार्थाय जगाम शिवमंदिरम् ॥ ॥ २०
तत्र पौराणिकः कश्चिद्वाचयामास वै कथाम् ।
सृष्टिक्रमादिकां तां च श्रुत्वा सो विश्वपापभाक् ॥ २१ ॥
तदा निरर्थको विप्रो निष्पापः समजायत ।
बुद्धौ बुद्धिः समुत्पन्ना कर्म त्यक्तुं जुगुप्सितम् ॥ २२ ॥
नैवं कर्म करिष्यामि यद्भाव्यं तद्भविष्यतु ।
अद्यप्रभृति चात्रस्थ एतस्माद् द्विजसत्तमात् ॥ २३ ॥
पुराणश्रवणं कुर्वे नान्यत्कर्म करोमि वै ।
द्रव्यं समर्पितं तस्मै पुराणकथकाय वै ॥ २४ ॥
पुराणश्रवणं तेन साधुभावेन पुत्रक ।
वैराग्यं च समुत्पन्नं भवपाशविमोचनम् ॥ २५ ॥
सृष्टिकर्तृमाहात्म्यं च श्रुत्वा पापयुतो नरः ।
मुच्यते पातकात्सर्वात्सत्यं सत्यं न संशयः ॥ २६ ॥
गणेश उवाच । महादेव विरूपाक्ष भक्तानुग्रहकारक ।
संकरीणां च जातीनामुत्पत्तिं वद सांप्रतम् ॥ २७ ॥
कस्मिन्कुले समुत्पन्नाः किंशीलाः किमुलक्षणाः ।
एवं वदति गौरीजे व्याजहार वृषध्वजः ॥ २८ ॥
महादेव उवाच । शृणु तात महाप्राज्ञ लोकानुग्रहकारक ।
संकरीणां च जातीनां वंशं निगदतः शृणु ॥ २९ ॥

विप्रान्मूर्द्धावसिक्तो हि क्षत्रियायां विशः स्त्रियाम् ।
अंबष्ठः शूद्र्या जातो निषादो पार्शवो पि वा ॥ ३० ॥
वैश्याशूद्र्योस्तु राजन्यामाहिष्योग्रौ सुतौ स्मृतौ ।
शूद्राणां कारणो वैश्याविना तेषां विधिः स्मृतः ॥ ३१ ॥
अनुलोमवर्णषट्कं कथितं तव नंदन ।
ब्राह्मण्यां क्षत्रियात्सूतो वैश्याद्वैदेहकस्तथा ॥ ३२ ॥
शूद्राज्जातस्तु चांडालः सर्वधर्मबहिष्कृतः ।
क्षत्रिया मागधं वैश्याः शूद्रात्क्षत्तारमेव च ॥ ३३ ॥
शूद्रादायोगवं वैश्या जनयामास वै सुतम् ।
प्रतिलोमं वर्णषट्कं कथितं तव नंदन ॥ ३४ ॥
एषां कर्माणि सर्वाणि कथयामि समासतः ।
श्रोतव्यानि च तान्येव व्यवहारस्य सिद्धये ॥ ३५ ॥
क्षत्रियाविप्रसंयोगाज्जातो मूर्द्धावसिक्तकः ।
राजन्यः क्षत्रधर्मेभ्योभ्यधिकः संप्रकीर्तितः ॥ ३६ ॥
अथर्वणक्रियां कुर्वन्नित्यनैमित्तिकीं क्रियाम् ।
अश्वं रथं हस्तिनं वा वाहयेद्वै नृपाज्ञया ॥ ३७ ॥
सेनापत्यं च भैषज्यं कुर्याज्जीवेच्च वृत्तिषु ।
आयुर्वेदमथाष्टांगं तंत्रोक्तं धर्मतश्चरेत् ॥ ३८ ॥
ज्योतिषं गणितं वापि कायिकीं वृत्तिमाचरेत् ।
वैश्यायां विधिना विप्राज्जातो ह्यंबष्ठ उच्यते ॥ ३९ ॥
कृष्याजीवो भवेत्तस्य तथैवाग्रे प्रनर्तकः ।
अन्येभ्यो वैश्यजातिभ्यो षट्कर्मादधिकं स्मृतम् ॥ ४० ॥
षट्कर्म ह्यपि तस्यैव कर्मत्रितयमेव च ।
नरवाजिगजादीनां चिकित्सा तस्य जीविका ॥ ४१ ॥
शूद्रां शयनमारोप्य ब्राह्मणश्चेत्कथंचन ।
जनयेद्ग्राम्यधर्मेण तस्यां पारशवं सुतम् ॥ ४२ ॥

महाशूद्र इतिख्यातो शूद्रेभ्यः किंचिदुत्तमः ।
स्वर्णकारस्य तस्येह स्नानं धौत्रं पवित्रकम् ॥ ४३ ॥
सर्वं शूद्रस्य धर्मेण वर्तनं तस्य जीविका ।
वैश्यायां क्षत्रियाज्जातो माहिष्यस्त्वनुलोमजः ॥ ४४ ॥
अष्टाधिकारनिरतश्चतुःषष्ट्यंगकोविदः ।
व्रतबंधादिकास्तस्य क्रियाः स्युः सकला विशः ॥ ४५ ॥
ज्योतिषं शाकुनं शास्त्रं स्वरशास्त्रं च जीविका ।
सुगंधं वनिता वस्त्रं गीतं तांबूलभोजनम् ॥ ४६ ॥
शय्या विभूषा सुरतं भोगाष्टकमुदाहृतम् ।
शूद्रायां क्षत्रियादुग्रः क्रूरकर्मा प्रजायते ॥ ४७ ॥
शस्त्रविद्यासु कुशलः संग्रामकुशलो भवेत् ।
तया वृत्त्या स जीवेद्यो शूद्रधर्मा प्रजायते ॥ ४८ ॥
रजपूत इति ख्यातो युद्धकर्मविशारदः ।
वैश्यधर्मेण शूद्रायां जातो वैतालिकाभिधः ॥ ४९ ॥
चारणोऽसावपि भवेन्न्यूनो वृषलधर्मतः ।
राज्ञां च ब्राह्मणानां च गुणवर्णनतत्परः ॥ ५० ॥
संगीतं कामशास्त्रं च जीविका तस्य वै स्मृता ।
अनुलोमस्य षट्कं तु भाषितं तव पुत्रक ॥ ५१ ॥
प्रतिलोमस्य कर्माणि कथयामि समासतः ।
ब्राह्मण्यां क्षत्रियात्सूतो प्रतिलोमेन जायते ॥ ५२ ॥
क्षत्रियाणामसौ कर्म कर्तुमर्हत्यशेषतः ।
किंचित्क्षत्रियजातिभ्यो न्यूनं तस्य विधीयते ॥ ५३ ॥
गजबंधनमश्वानां वाहनं कर्म सारथेः ।
ब्राह्मण्यां जायते वैश्याद्वैश्यो वैदेहिकाभिधः ॥ ५४ ॥
शुद्धांतरक्षणं राज्ञां कुर्यादनुपमं हि सः ।
सामान्यवनिताः पोष्यास्तासां मेधा च जीविका ॥ ५५ ॥

तस्योक्तः शूद्रधर्माणां नाधिकारोस्ति कर्हिचित् ।
पण्यांगनानां राज्ञां च कुर्यात्संगं तदिच्छया ॥ ५६ ॥
रूपाजीवाः सुताश्चैव विशिण्यां संगतो विटः ।
ब्राह्मण्यां शूद्रवर्णोक्तो जातश्चांडालसंज्ञकः ॥ ५७ ॥
सर्वेषामेव स्पर्शैश्च सचैलं स्नानमाचरेत् ।
स वसेन्नगराद्बाह्ये सर्वधर्मविवर्जितः ॥ ५८ ॥
एवं चास्ते न बहुधा विविधैर्योसिताक्षितैः ।
तेषां वस्त्राद्यलंकारा जीविका तस्य वै स्मृता॥ ५९ ॥
क्षत्रिया मागधं वैश्याज्जनयामास वै सुतम् ।
स बंदीजन इत्युक्तो व्रतबंधविवर्जितः ॥ ६० ॥
शूद्रेभ्योप्यधिकः किंचित्तस्य जीवनमुच्यते ।
कन्यालंकारगद्यादिषड्भाषासुकलाक्षमः ॥ ६१ ॥
गद्यपद्यादिचित्राणि विरुद्धानि महीभृताम् ।
कालिकायाश्च भक्तश्च ह्यागमे च विचक्षणः ॥ ६२ ॥
क्षत्रिया शूद्रसंयोगात्क्षत्तारं जनयेत्सुतम् ।
निषाद इति विख्यातः सर्ववर्णबहिष्कृतः ॥ ६३ ॥
शूद्राचारविहीनश्च पापधीनिरतः सदा ।
वागुरापाशपाणिस्तु मृगबंधनकोविदः ॥ ६४ ॥
अरण्यपशुजातीनामंतकश्च वनेचरः ।
क्रोधान्वितो मांसवृत्त्या तथा जीवेत्सदैव हि ॥ ६५ ॥
घंटां च ताडनं कुर्याद्रात्रौ विस्मृतिकारणात् ।
द्विधा च मृगया प्रोक्ता व्योमभूचारिणामिह ॥ ६६ ॥
विक्रयं मधुनः कुर्याद्धर्ममिच्छन्समृद्धये ।
वैश्यस्त्रीशूद्रसंयोगात्सादयो गवसंज्ञकः ॥ ६७ ॥
शूद्रादिजातिधर्मेण पाषाणादिष्टकर्मकृत् ।
स कुर्यात्कुट्टनं भूरि चूर्णेनास्येह जीविका ॥ ६८ ॥

भिक्ष्यादि कर्म कुर्वीत ऋजु वृत्त्या कथंचन ।
एवं ज्ञातीयधर्माश्च समासात्कथिता मया ॥ ६९ ॥
अप्यन्येषु पुराणेषु विस्तारः कथितः किल ।
एवं संकरजातीयं माहात्म्यं शृणुयान्नरः ॥ ७० ॥
मुच्यते सर्वपापेभ्यो भुक्तिं मुक्तिं च विंदति ।
इति श्रीस्कंदपुराणे आदिरहस्ये सह्याद्रिखंडे व्याससनत्कुमार-
संवादे संकरजातिवर्णनं नाम षड्विंशतितमोऽध्यायः ॥ २६ ॥

अथ सप्तविंशतितमोऽध्यायः ।

पाठारीयजातिकथनम्

महादेव उवाच । अतःपरं प्रवक्ष्यामि माहात्म्यं श्रुतिसंमतम् ।
पाठारीयप्रभूणां वै ह्युत्पत्तिं कथयामि ते ॥ १ ॥
ब्रह्मणो मानसाः पुत्राः कश्यपादिमुनीश्वराः ।
कश्यपस्य सुतः श्रीमान्सूर्यो भास्वान्जगत्प्रभुः ॥ २ ॥
जगच्चक्षुर्जगद्धाम विश्वसाक्षी सहस्रपात् ।
वैवस्वतो मनुस्तस्मात्सूर्यात्समभवत् किल ॥ ३ ॥
तस्मिन्कुले समुत्पन्नो दिलीप इति विश्रुतः ।
मान्यो वदान्यः शूरश्च सत्यवादी जितेंद्रियः ॥ ४ ॥
दिलीपात्तु रघुर्जज्ञे तस्मादजसमुद्भवः ।
अजाद्दशरथो जातस्तत्पुत्रो राम इत्यभून् ॥ ५ ॥
रामात्कुशः कुशाज्जज्ञे ह्यतिथिर्नाम भूपतिः ।
अतिथेर्निषधो जातो नभशब्दस्ततो ह्यभूत् ॥ ६ ॥
पुंडरीकस्ततो जज्ञे क्षेमधन्वा ततः स्मृतः ।
देवानीकस्ततो ह्यासीद्रामी नाम च तत्सुतः ॥ ७ ॥

दलो राजा ततो जातः शीलस्तत्सुत इत्यभूत् ।
उमाभस्तत्सुतो जज्ञे वज्रनाभस्ततः परम् ॥ ८ ॥
खंडनस्तत्सुतो ह्यासीद्युषितश्च ततः परम् ।
तस्माद्विश्वसमश्चासीद्ब्राह्मण्यो धार्मिकः शुचिः ॥ ९ ॥
हिरण्यनाभ इति वै तत्सुतः संप्रकीर्तितः ।
कौशल्यस्तत्सुतो जज्ञे तस्मात्सोमसुनः प्रभुः ॥ १० ॥
ब्रह्मिष्ठश्चात्मजस्तस्य पुष्यस्तत्सुत इत्यभूत् ।
तस्मात्सुदर्शनो नाम ह्यग्निवर्णस्ततः स्मृतः ॥ ११ ॥
तस्य वक्षो नृपो जज्ञे ह्यश्वपातिरितीरितः ।
अपुत्रः सोभवद्राजा पुत्रार्थं यत्नवानभूत् ॥ १२ ॥
ऋषीणां संमतिं कृत्वा पुत्रेष्टिं कृतवानिति ।
सर्वस्वं दक्षिणां तत्र ब्राह्मणेभ्यः प्रदत्तवान् ॥ १३ ॥
नारायणः प्रसन्नोऽभूद्वाक्यमेतदुवाच ह ।
भृगुः प्रसन्नः कर्तव्यः स ते पुत्रं प्रदास्यति ॥ १४ ॥
भृगुः प्रसादितस्तेन विचारं कृतवानिति ।
समीपस्थान्मुनीन्सर्वान्द्वादशादित्यसन्निभान् ॥ १५ ॥
उल्लंघ्य यदि दास्यामि तेषां कोपो भवेदतः ॥
तावद्भिर्मुनिभिस्तावद्दापयामास वै मनून् ॥ १६ ॥
संख्याकान्द्वादश मंत्रान् दापयामास वै मुनीन् ॥
ते मंत्रा ऋषिवक्त्रोत्थाः सर्वकामफलप्रदाः ॥१७॥
ऋषयस्तपसा श्रेष्ठान् तानृषीन् प्रब्रवीमि ते ।
भारद्वाजः पूतमाक्षो वसिष्ठः कश्यपस्तथा ॥ १८ ॥
हारीतो वृद्धविष्णुश्च तथा ब्रह्मा जनार्दनः ।
सौवेलः[२] कौटिभश्चैव[३] मांडव्यः कौशिकस्तथा ॥ १९ ॥

---

१ स्मृत इति क्वचित्पाठः २ सौतल्य इति सो. मुं. क. ख. चि० ३ कौडिन इति सो. मुं. क. ख. चि०

विश्वामित्रऋषिः श्रेष्ठो द्वादशैते प्रकीर्तिता: ।
मुनिप्रणीता मंत्रास्ते तेषां वै देवता: शृणु ॥ २० ॥
प्रभावती कालिका च चंडिका च तत: स्मृता ।
महालक्ष्मी इति प्रोक्ता तथा योगीश्वरीति च ॥ २१ ॥
इंद्राणी चैव कामाक्षी ह्येकवीरांबिका तथा ।
माहेश्वरी तथा दुर्गा त्वरिता ह्यनुपूर्वश: ॥ २२ ॥
अनुजो देवकश्चैव पृथुर्वै ऋतुपर्णक: ।
जय: सुशिभ्रु: सौवाम: सुमंतु: कौंडिनस्तथा ॥२३॥
मंडूक: कुचिकश्चैव मार्तंडश्च तत: स्मृत: ।
भारद्वाज: कुलीनश्च युक्तियुक्तश्च धीमताम् ॥ २४ ॥
प्रभादेव्याश्च भक्तस्य धार्मिकस्य दमस्य च ।
ऋषेरनुजवंशस्य विस्तारं च ब्रवीमि ते ॥ २५ ॥
अनुजस्य जय: पुत्रा: कृपायस्तत्सुतो ह्यभूत् ।
वरुणार्णस्तत: प्रोक्त: सिद्धिमाध्वस्तत: परम् ॥ २६ ॥
तस्मात्सुधर्षि: संजात: कंकणश्च तत: परम् ।
मांगल्यश्च कुणश्चैव घृतबीजश्च तत्सुत: ॥ २७ ॥
भाषितश्च ततो ज्ञेय इत्येते ह्यनुजा: सुता: ।
कालिकायास्तु भक्तस्य पूतमाक्षमुने: कुले ॥ २८ ॥
जातस्य देवकस्यापि विस्तारं प्रब्रवीम्यहम् ।
देवकस्य सुत: प्रोक्तो हिरण्य इति नामत: ॥ २९ ॥
तस्मात्सुतंतुनामा च रैवतश्च तत: परम् ।
जयवंतस्तत: प्रोक्तस्तस्माद्दुर्जयो नृप: ॥ ३० ॥
सुरथश्च ततो ज्ञेय: सुतंतुश्च तत: परम् ।
सारंगस्तत्सुतो ज्ञेय: सारंगाल्लाललालन: ॥ ३१ ॥

---

१ कैरिण इति शो- जु. मुं. क. ख. ग. चि० २ मुदक इति क्वचित्पाठ:
३ हटिरितिक्वचित्पाठ:

धनदस्तत्सुतः प्रोक्तो युधाजिच्च ततः परम् ।
पूतमाक्षकुले चैते जाताः परमधार्मिकाः ॥ ३२ ॥
चंडिकायाश्च भक्तस्य वसिष्ठस्य महामुनेः ।
गोत्रवंशस्य च पृथोर्वंशं सम्यग्वदाम्यहम् ॥ ३३ ॥
पृथोर्भूषणभूपालो रंतिजिच्च ततः परम् ।
रंतिनाथस्ततो ज्ञेयो रंतिकालस्ततः परम् ॥ ३४ ॥
किर्मिरी तत्सुतः प्रोक्तो गूढनाभिश्च तत्सुतः ।
दृढिश्च तत्सुतः प्रोक्तः केतुमाली ततः परम् ॥ ३५ ॥
वासिष्ठाः पार्थिवा ज्ञेयाश्चंडिकाः कुलदेवताः ।
कश्यपस्य मुनेर्गोत्रे ऋतुपर्णनृपस्य च ॥ ३६ ॥
महालक्ष्म्याः पादपद्मसेवकस्य महात्मनः ।
ब्रवीमि वंशविस्तारं गुणगौरवमादरात् ॥ ३७ ॥
ऋतुपर्णोद्वारुणको वारुणिश्च ततः परम् ।
तस्माच्च गोपतिर्ज्ञेयो धृतधन्वा ततः परम् ॥ ३८ ॥
शिलीरंध्रस्ततो ज्ञेयस्तत्सुतः पुत्रवानिति ।
सिद्धपूर्णस्ततो ज्ञेयो ह्यपांगश्च ततः परम् ॥ ३९ ॥
शंखभेरी ततो ज्ञेयश्चिक्षुरश्च ततः परम् ।
रुचिरश्च ततो ज्ञेयो भद्रपाणिस्तथा परम् ॥ ४० ॥
मंथरश्च ततः प्रोक्तो ब्रह्मविश्वस्ततः परम् ।
काश्यपा ऋतुपर्णाश्च महालक्ष्मीप्रसेवकाः ॥ ४१ ॥
हारीतस्य ऋषेर्वंशे जयनाज्जातभूपतिः ।
योगेश्वरीसेवकस्य वंशव्यूहं ब्रवीमि ते ॥ ४२ ॥
जयातुः पौंड्रको राजा तस्माद्दंड इतीरितः ।
दंडाच्च दमनो ज्ञेयो दीर्घबुद्धिस्ततः परम् ॥ ४३ ॥
पांचजन्यस्ततो ज्ञेयो भासुरिश्च ततः परम् ।
लिपिंजयस्तत्सुतोऽभूल्लगलश्च ततः परम् ॥ ४४ ॥

शार्दूलश्च ततो ज्ञेयो गोपालश्च ततः स्मृतः ।
योगेश्वर्याः प्रसादज्ञो हरितो जयनामकः ॥ ४५ ॥
कथितास्ते मया तात कामशास्त्रविशारदाः ।
वृद्धविष्णुमुनिः प्रोक्त इंद्राणी नाम देवता ॥ ४६ ॥
सुषिभ्रूर्नृपतिर्ज्ञेयस्तस्य वंशं वदामि ते ।
सुषिभ्रूर्यातुधानश्च युधामन्युस्ततः परम् ॥ ४७ ॥
ढिंढिराजस्ततो ज्ञेयो वैराजश्च ततः स्मृतः ।
देवराजस्ततो ज्ञेयः प्रोढपादस्ततः परम् ॥ ४८ ॥
दृढबुद्धिस्ततो ज्ञेयो मितबुद्धिस्ततः परम् ।
कटुकश्च ततः प्रोक्तः सारंगश्च ततः स्मृतः ॥ ४९ ॥
वृद्धिविष्णुश्च त्विंद्राण्या सुशिभ्रुर्नामका नृपाः ।
कथितास्ते महाबुद्धे ह्यन्यं निगदतः शृणु ॥ ५० ॥
कामाभिदेवता यत्र मुनिर्ब्रह्मा जनार्दनः ।
सौदामनामको राजा तस्य वंशं वदामि ते ॥ ५१ ॥
सौदामाद्भद्रपीठश्च हरिदत्तस्ततः परम् ।
गुणविष्णुस्ततो ज्ञेयः काममाली ततः परम् ॥ ५२ ॥
वनायुजस्ततो ज्ञेयो योगमाली ततः परम् ।
एवं गदितवंशा वै भूपा ब्रह्मजनार्दनाः ॥ ५३ ॥
सौबल्यऋषिवर्यश्च त्वेकवीराश्च देवताः ।
तस्माज्जांगलिको राजा तस्य वंशं ब्रवीमि ते ॥ ५४ ॥
सुमंतस्तु[1] भयो राजा मातंगश्च ततः परम् ।
मातंगान्मलयोषश्च मलयोषाद्धनंदमः ॥ ५५ ॥
धनंदमान्मार्गणश्च मार्गणाच्छिवदेवता ।
तस्माज्जांगलिको राजा कुंभयोगी ततः परम् ॥ ५६ ॥

---

१ सुतपंतुसुभय इति सो. जु. गं. ग. घ. ङ. चि०

भद्रहर्षस्ततो जज्ञे वत्सनाभस्ततः परम् ।
वत्सनाभाद्विवर्णश्च नैगमश्च महाबलः ॥ ५७ ॥
मेनाको नाम भूपालो रामाजीवश्च तत्सुतः ।
सौबल्यास्त्वेकवीराया भक्ताः सौमंतवः स्मृताः ॥ ५८ ॥
कौंडिन्यानंबिकायाश्च कौंडिनान् प्रब्रवीमि ते ।
कौंडिनाद्भद्रपाणिश्च सागरश्च ततः स्मृतः ॥ ५९ ॥
एवं परंपराप्राप्ता राजानः शुभलक्षणाः ।
मांडव्या मुनिकर्षश्च माहेश्वर्याश्च सेवकाः ॥ ६० ॥
मंडूकवंश[illegible]ा एव त[illegible] वाच्मि सांप्रतम् ।
मंडूकाज्जाठरिर्जज्ञे जाठेरर्विषजांगलः ॥ ६१ ॥
तत्पुत्रपौत्रा विज्ञेयाः शांत्यादिगुणसंयुताः ।
कौशिकश्च मुनिः प्रोक्तो दुर्गा देवी तथैव च ॥ ६२ ॥
कुशिको राजवर्यश्च तस्य वंशं वदामि ते ।
कुशिकान्नहुषो राजा नहुषाज्जांगलिस्तथा ॥ ६३ ॥
जांगलेश्च सुतः सोऽभूत् कुंडिनश्च ततः परम् ।
कथिताः कौशिका दौर्गा ब्राह्मण्या राजसत्तमाः ॥ ६४ ॥
विश्वामित्रस्य गोत्रत्वं त्वरिता देवता तथा ।
मार्तंडनामकं भूपं वर्णयामि समासतः ॥ ६५ ॥
मार्तंडाच्चंडपरशुस्तस्म[illegible]द्भीमरथस्तथा ।
वर्णितास्तव राजानः [illegible]नृपाश्च सदेवताः ॥ ६६ ॥
तेषां च वंशविस्तारस्त्वनंतत्वान्न वर्ण्यते ।
तेषां पुत्राश्च पौत्राश्च प्रसृता वै महीतले ॥ ६७ ॥
कथितं ते मया तात माहात्म्यं वंशसंभवम् ।

तस्य स्मरणमात्रेण सर्वपापैः प्रमुच्यते ।
अपुत्रः पुत्रमाप्नोति निर्धनो धनवान्भवेत् ॥ १८ ॥

इति श्रीस्कंदपुराणे आदिरहस्ये सह्याद्रिखंडे ईश्वरगणेशसंवादे पाठारीयजातिकथनं नाम सप्तविंशतितमोऽध्यायः ॥ २७ ॥

अथ अष्टाविंशतितमोऽध्यायः ।

पाठारीयजातिकथनम्

गणेश उवाच । विश्वेश्वर जगन्नाथ भक्तानुग्रहकारक ।
पाठारीय इति प्रोक्तं कारण[illegible]द सांप्रत[illegible] ॥ १ ॥
गणेशस्य वचः श्रुत्वा जगाद वृषभध्वजः ।
महादेव उवाच । गजवक्त्र महाप्राज्ञ कारणं शृणु सांप्रतम् ॥ २ ॥
कदाचित्तीर्थयात्राया निमित्तेन समाययौ ।
सान्वयोऽश्वपती राजा पत्तनं पाठनं ययौ ॥ ३ ॥
तीर्थयात्राविधिस्तेन यथाशास्त्रमनुष्ठितः ।
तुलापुरुषदानादि कृतं तेन महात्मना ॥ ४ ॥
भृगुस्तद्दर्शनार्थाय तत्रस्थं समुपाययौ ।
मुनिमागतमालोक्य नोत्थितो राजसत्तमः ॥ ५ ॥
अर्घ्यपाद्यादिका पूजा न कृता दैवयोगतः ।
भृगुस्तच्चेष्टितं दृष्ट्वा कोपपात्रं बभूव ह ॥ ६ ॥
राजश्रिया मदोन्मत्तं राजानं [illegible] शशाप ह ।
पूर्वोपकारिणं मां त्वं दुष्ट न [illegible]रसि प्रभो ॥ ७ ॥
तस्मात्त्वं राज्यहीनो वा वंशनाशो भविष्यसि ।
एवं शप्तस्तदा तेन मुनिना राजसत्तमः ॥ ८ ॥
आत्मानमपराधं च ज्ञात्वा तं [illegible] ययौ ।
ऋषे न त्वां विस्मरामि [illegible]र्धन ॥ ९ ॥

दानादिकर्मकाण्डे अप्रमानश्च [illegible] ।
अनस्त्वमपराधं मे क्षंतुमर्हसि मां प्रभो ॥ १० ॥
क्षिपत्रक्षोपि संशर्प्यः स्वयं छेतुं न सांप्रतम् ।
इति वाक्यं समाकर्ण्य मुनिः संतुष्टमानसः ॥ ११ ॥
उवाच स मुनिश्रेष्ठो राजानं [illegible] ।
राजन् मे न वृथा शापं [illegible] न संशयः ॥ १२ ॥
त्वं म्लेच्छशरणमापन्नो वंशवृद्धिर्भविष्यति ।
त्वद्वंशजाताश्च राजानो निःशौर्या राज्यहीनाः [illegible] ॥
अद्यप्रभृति तेषां वै लीपिकाजीवनं भवेत् [illegible]
पैठणे पत्तने शप्ता मया कोपवशात्किल ॥ [illegible] ॥
पाठारीयाः प्रसिद्धास्ते पत्तनाख्या भवंतु [illegible] ।
प्रभूत्तरपदं तेषां पत्तनप्रभवाश्च ये ॥ १५ ॥
इत्युक्त्वा मुनिवर्योसौ जगाम निजमाश्रमम् ।
इति ते कथितं तात गजानन महामते ॥ १६ ॥
अकथ्यमपि ते ख्यातं किमन्यच्छ्रोतुमिच्छसि [illegible]

श्रीस्कंदपुराणे आदिरहस्ये सह्याद्रि[illegible] संवादे पाठारीयजातिकथनं नाम [illegible]विंश[illegible] २८ ॥

अथ एकोनत्रिं[illegible]

क्षत्रियोत्पत्तिकथनम्

[illegible]श उवाच । शिव शंभो महादेव भक्तानुग्रह[illegible]
पूर्वं श्रुतं मया तात भार्गवेण पुराकृतम् ॥
कृता निःक्षत्रियो पृथ्वी [illegible] तेषां पुनर्ज[illegible]
एवं मे संशयं नाथ छेत्तुमर्हस्यशेषतः ॥ [illegible]

[illegible] । [illegible] नात्र दैवनामपि दुष्करम् ।

[illegible] नमस्कृत्य स्वयंभुवे ॥ ३ ॥

[illegible] पृथिवी कृता निःक्षत्रिया पुरा ।

[illegible] ॥ ४ ॥

[illegible] भार्गवेण [illegible] सति ।

[illegible] गर्भा[illegible]भिचक्रमुः ॥ ५ ॥

[illegible] ऋतु[illegible]संशितव्रताः ।

[illegible] कामान्नानृतौ तथा ॥ ६ ॥

[illegible]भिरे गर्भान्क्षत्रियस्ताः सहस्रशः ।

ततः सुषुविरे तान क्षत्रियान्वीरसंमतान् ॥ ७ ॥

कुमारां[illegible] कुमारीश्च पुनः क्षत्राभिवृद्धये ।

एवं तद्ब्राह्मणैः क्षत्रं क्षत्रियासु तपस्विभिः ॥ ८ ॥

जातं वृद्धं च धर्मेण सुदीर्घेण समन्वितम् ।

चत्वारोऽपि ततो वर्णा बभूवुर्ब्राह्मणोत्तराः ॥ ९ ॥

[illegible]न्नरो नारीं न कामान्नानृतौ तथा ।

[illegible]तानि तिर्यग्योनिगतानि च ॥ १० ॥

[illegible]ति तदा [illegible]चतुरानन ।

[illegible]श[illegible]जीविनः ॥ ११ ॥

[illegible]ताश्च [illegible]धर्म्यपरायणाः ।

[illegible]गाः सर्वतो नराः ॥ १२ ॥

... धर्मपरे क्षेत्रे सहस्राक्षः शतक्रतुः ।
तत्र देशे च काले च पर्जन्यो वर्षयत्तदा ॥ १६ ॥
न बालो म्रियते तस्मात्कश्चिद्राजानन ।
न च विधवा भवन्ति कश्चिद्रामपौरनार्यम् ॥ १७ ॥
... मायुर्भवतीभिश्च प्रजाभिश्च ... ।
एवं सागरपर्यन्ता समापूर्यत मेदिनी ॥
ईजिरे च महायज्ञैः क्षत्रिया ... ॥
सांगोपनिषदो वेदाश्चिप्राश्चाधीयते तदा ॥ १९ ॥
न च विक्रीयते ब्रह्म ब्राह्मणैश्च तदा ... ।
न च शूद्रसमभ्यासो वेदानुच्चारयेद् द्विजः ॥ ... ॥
... कृषिं गोभिस्तदा ... क्षीरमाधुरि ।

इति श्रीस्कन्दपुराणे भादिरहस्ये सह्याद्रिखण्डे ... क्षत्रियोत्पत्तिकथनं नाम एकोनत्रिंशत्तमोऽध्यायः ॥

अथ त्रिंशत्तमोऽध्यायः ।

गणेश उवाच । देवदेव जगन्नाथ भक्तानुग्रहकारक ।
... तु महादेव वक्तुमर्हस्यशेषतः ॥ १ ॥
त्वयोक्तः सूर्यवंशो मे आदित्यस्य ... ।
अतःपरं महादेव चंद्रवंशविनिर्णयम् ॥ २ ॥
वक्तुमर्हस्यशेषेण भक्तानुग्रहकारक ।
त्वमेव जगतां नाथो ह्यज्ञानां प्रतिबोधकः ॥ ३ ॥
यत्कर्ता हि प्रजानां च संहर्ता रक्षकस्तथा ।
पुराणपुरुषो नित्यं ... ॥ ४ ॥
कश्यपस्य ... महाप्रभो ।
ईश्वर उवाच । शृणु वत्स प्रवक्ष्यामि चंद्रवंशप्रविस्तरम् ॥ ५ ॥

यं श्रुत्वा वंशवर्धीति विस्मयो जायते नृणाम् ।
चंद्रवंशे महावीरा हस्तिनापुरगो नृपाः ॥ ६ ॥
तं वंशं च वदिष्यामि तवार्थे च गजानन ।
न कस्यापि मया प्रोक्तं कारणं वंशनिर्णयम् ॥ ७ ॥
यदि मे श्रवणे [illegible]वंशकुमिच्छामि ह्यादितः ।
[illegible] [illegible]आदौ तस्मादत्रिरभूत्पुरा ॥ ८ ॥
[illegible] [illegible]दे जातो ऽत्रिस्तपसा पुरा ।
[illegible] [illegible]स्तेजसा पतिरीश्वरः ॥ ९ ॥
[illegible] [illegible] लोकानामौषधीनां च पोषकः ।
[illegible] बलात्सोपि चंद्रनामेति विश्रुतः ॥ १० ॥
[illegible]नी रूपसौभाग्या नाम्ना रूपांगना शुभा ।
तस्यां च निर्मितः पुत्रो रूपलावण्यसंयुतः ॥ ११ ॥
वदान्यो वीरजिद्वीरो वरकर्मा वराननः ।
नाम्ना बुध इति ख्यातो बुधानां बोधकारकः ॥ १२ ॥
पुराणेषु च सर्वेषु विश्रुतो वरदो विभुः ।
तत्पुत्रः श्रीमतां श्रेष्ठः पुरूरवा महामतिः ॥ १३ ॥
पुरूरवास्मपुः पुत्रो ह्यनुजो ह्यायुरित्यभूत् ।
नहुषोऽम इति ख्यातो [illegible]समुद्भवः ॥ १४ ॥
कुशा[illegible] [illegible] सोमश्च वै नृपः ।
सोमा[illegible] [illegible]तु धनंजयः ॥ १५ ॥
धनंजया[illegible] [illegible] ततः परम् ।
कामात्तु [illegible] [illegible]मंडकः ॥ १६ ॥
तद्वंशे नृप[illegible] [illegible]नाननः ।
धर्मिष्ठो [illegible] [illegible]राक्रमः ॥ १७ ॥
सर्वजित[illegible] [illegible]पतिः ।
मायात्तु [illegible] [illegible]दुर्मना: ॥ [illegible]

दुष्टदुर्मनशो धर्मो धर्मात्काम इति श्रुतः ।
कामात्तु कौशिको राजा तत्पुत्रो रणमंडनः ॥ १९ ॥
तद्वंशे सिमिभूपालस्तत्पुत्रो वागलालनः ।
तद्वंशे वज्रनामाभूत्तत्पुत्रस्त्विदुमंडनः ॥ २० ॥
तत्सुतः कामपालोभूत्तद्वंशे सलिलः परम् ।
सलिलादमधो जज्ञे तत्पुत्रः काशिईश्वरः ॥ २१ ॥
तस्य भूषणभूपालः कांतिराजा तु तत्सुतः ।
कांतिराजकुले चैव जातश्च पृथुभूपतिः ॥ २२ ॥
तस्य वंशे नृपो जज्ञे कामपतिरितीरितः ।
अपुत्रः सोभवद्राजा पुत्रार्थं यत्नवानभूत् ॥ २३ ॥
ऋषीणां संमतिं कृत्वा ह्यश्वमेधं चकार सः ।
पुत्रेष्टिं च ततः कृत्वा सवस्त्रदक्षिणां ददौ ॥ २४ ॥
नारायणः प्रसन्नोभूद्वाक्यमेतदुवाच ह ।
नारायणः स्वमुखेन मंत्राष्टाक्षरदैशिकः ॥ २५ ॥
ते मंत्रा ऋषिसंयुक्ता मंत्रबीजस्य देवताः ।
महाऋषिसमस्तस्य मंत्रश्रुतिसमायुतम् ॥ २६ ॥
ते मंत्रा ऋषिवक्त्रोत्थास्तानृषीन्प्रब्रवीमि ते ।
पद्माक्षश्च नवश्चैव गौतमः कौंडिनस्तथा ॥ २७ ॥
सौनलपश्चंपकश्चैव वसिष्ठः कश्यपस्तथा ।
विश्वामित्रो भृगुश्चैव भारद्वाजोऽत्रिरेव च ॥ २८ ॥
हिरण्यो हारितश्चैव देवराजऋषिस्तथा ।
मृकंडुरंगिरा गर्गो मांडव्यः शौनकस्तथा ॥ २९ ॥
भद्रऋषिः कृपायुश्च शुलकः शीलचामरः ।
मार्तंडो हि ऋषिश्रेष्ठो विश्वावसू ऋषीश्वरः ॥ ३० ॥
दाल्भश्च पूतिमाषश्च जांबीलगणको ऋषिः ।
वैरक्षो वैतसश्चैव जमदग्निश्च तापसः ॥ ३१ ॥

भावनः सौमनश्चैव ऋषिर्नामाभिदुंदुभिः ।
द्राविणो गोपकुमरो मैत्रेयश्चैव मंदनः ॥ ३२ ॥
वक्रदालभ्यरोमाणः कुमारो भावानिस्तथा ।
मालिवंमऋरिश्चैव ह्यग्निक्षो ऋषिसत्तमः ॥ ३३ ॥
मुद्गलः पारिजातश्च ऋषिर्वामोदरस्तथा ।
सा[illegible]श्रेष्ठः पार्थगश्च महाऋषिः ॥ ३४
चार[illegible]वत्सऋषिभावनः ।
सोम[illegible]दधिश्चमकः मात् शृणु ॥ ३५ ।
मुनिप्रणीता मंत्रास्ते तेषां वै देवताः शृणु ।
योगेश्वरी महालक्ष्मी ह्येकवीरा च कालिका ॥ ३६
कुमारी चैव कामाक्षी शांबिका च सरस्वती ।
उमा वागीश्वरी चैव ललिता हरिणाक्षिका ॥ ३७
चंडिका रेणुका चैव महाकाली च [illegible] ।
इंद्राणी वज्रिणी चैव ब्राह्मी पद्मावती तथा ॥ ३८
नीलांबा चैव कोलांबा [illegible] तथा ।
रक्ताक्षी विजया [illegible] च तपस्वी ॥ ३९
सुनंदा पूर्णमाक्ष[illegible] ।
मातृका मातृ[illegible] चैव [illegible] ॥ ४०
अरुणा चारु[illegible] मानमालिनी ।
चंपावती न[illegible] विरहे[illegible] ॥ ४१ ॥
शार्ङ्गी च पाटला [illegible] मालमालिनी ।
मुंजा माहेश्वरी चित्रा कात्याकापि च [illegible] ॥ ४
दाक्षिण्या भद्रिका देवी वैष्णवी च तथोत्तरिणी ।
मोहिनी च सुवर्णाक्षी भैरवी भामिनी तथा ॥ ४३
ज्ञातिका सौम्यनी देवी दलिनी दैत्यनाशिनी ।
प्रभावती च शीलांबा बगिला भामिनी तथा ॥ ४

ार्वती चैव शक्तिः सोमेश्वरी तथा ।
री तुलादेवी बालणा पन्नगेश्वरी ॥ ४५ ॥
ुरा चैव कामाक्षी चित्रज्वाला त्रिशेश्वरी ।
सर्प्पा च बिजुली नाम्नी बालांधा ह्यनुपूर्वशः ॥ ४६ ॥

श्रीस्कंदपुराणे आदिरहस्ये सह्याद्रिखण्डे व्याससनत्कुमार-
वादे क्षत्रियोत्पत्तिकथनं नाम त्रिंशत्तमोऽध्यायः ॥ ३० ॥

अथ एकत्रिंशत्तमोऽध्यायः ।

व उवाच । योगेश्वर्याश्च भक्तस्य पद्माक्षस्य मुनेः कुले ॥
जातः प्रथमभूपालः पद्मराज इति स्मृतः ॥ १ ॥
पद्माद्गुण इति ख्यातस्तत्सुनो गोपतिस्तथा ।
गोपतेः श्रीपतिर्जज्ञे तत्पुत्रो नाग इत्यभून् ॥ २ ॥
स्य वंशे सुपर्णोभूत्तत्पुत्रस्त्रिदुभैरवः ।
भैरवात्तामसश्चैव तत्पुत्रः सगुण इति ॥ ३ ॥
सुबाहुस्तत्सुनो नाम रत्नजातस्ततः परम् ।
पार्थिवस्तत्सुनो जज्ञे महीपालस्तु तत्सुतः ॥ ४ ॥
चंद्रमौलिस्तत्सुतस्तु सुभूल्लोकपलस्ततः ।
दिवानीकसुतस्तस्य रत्नमौलिस्तु तत्सुतः ॥ ५ ॥
रत्नात्सुमंतो राजाभूत्तत्पुत्रः सोमदत्तकः ।
सोमदत्तात्सोमपालस्तत्सुतो जयधार्मिकः ॥ ६ ॥
तद्वंशे मान्धाता च तत्सुतो रोचनो ह्यपि ।
रोचनात्सुतपालोभूत्तत्सुतो लोकपालकः ॥ ७ ॥
तद्वंशे गुणराशिश्च पुण्यशीलश्च वीर्यवान् ।
व्यवहारे सुकुशलो दक्षः सर्वजितेंद्रियः ॥ ८ ॥

महालक्ष्म्याश्च भक्तस्य च्यवनस्य मुनेः कुले
प्रथमः शामराजाभूत्तत्पुत्रः पारणाक्षकः ॥
तत्सुतः सिंहभूपालस्तद्वंशो हरिभूपतिः ।
हरेश्चायातिनामाभूत्तत्सुतो गांग ईरितः ॥ १० ॥
शौनराजा ततो जज्ञे पार्थिवश्च ततः परम् ।
पार्थिवस्य ततश्चैव ह्युपांगो नाम भूपतिः ॥ ११ ॥
उपांगात्कर्णिराजाभूत्तत्पुत्रो भीमभूपतिः ।
सोमश्च वै ततो जज्ञे धुंडिराजा ततः परम् ॥ १२ ॥
तस्य वंशो नृपो जातः शागलेति च नामभृत् ।
ऐरावणस्ततो जज्ञ इंद्रनामा च तत्सुतः ॥ १३ ॥
ऐंद्रस्तु तत्सुतो नाम सर्वजिच्च ततः परम् ।
देवानीकस्ततो जज्ञे नाममालीति तत्सुतः ॥ १४ ॥
एकवीरासुभक्तस्य गौतमस्य मुनेः कुले ।
पृथुस्तु प्रथमो राजा तत्पुत्रो मदनेति च ॥ १५ ॥
तद्वंशे भोजराजाभूत्तत्पुत्रश्चंद्रभूपतिः ।
चंद्रात्सुदर्शनश्चैव तत्पुत्रो हयपालकः ॥ १६ ॥
तस्य वंशे नृपो जज्ञे कामपाल इतीरितः ।
ततो हेमेति नामाभूत्तत्पुत्रः शरभो नृपः ॥ १७ ॥
विंबराजा ततो जज्ञे तत्पुत्रो वाक्पतिर्नृपः ।
ततो वै विभवो जज्ञे तत्तमाल्य इतीरितः ॥ १८ ॥
वज्रपंजरनामाभूत्तत्सुतः सर्वजित्स्मृतः ।
तस्य वंशे नृपो जज्ञे चिरायुरिति नामकः ॥ १९ ॥
पद्महस्तस्ततो जज्ञे तत्सुतः कमलाकरः ।
तस्य वंशे महाराजा नाम्ना पार्थिवभूपतिः ॥ २०
पार्श्वस्तु तत्सुतो जज्ञे तत्पुत्रो भूमिपालकः ।
तस्य वंशे महाधीरो नृपतिः काल इत्यभूत् ॥ २१॥

महाकाल इति ख्यातस्तत्सुतः पद्मभूपतिः ।
कालिकायाश्च भक्तस्य कौंडिन्यस्य मुनेः कुले ॥ २२ ॥
प्रथमः श्रीधरो भूपस्तत्सुतस्तारणाक्षकः ।
तद्वंशे नृपतिर्जज्ञे सुतंतुरिति च स्थितः ॥ २३ ॥
तस्य वंशे महाराजा क्षेमपाल इतीरितः ।
सुभानुस्तत्सुतो जज्ञे तत्पुत्रः कार्मुकेति च ॥ २४ ॥
तस्य वंशे नृपो जातः पिंडिराजो महामतिः ।
तस्य वंशे नृपो जज्ञे त्र्यंबको नाम चेत्यभूत् ॥ २५ ॥
त्र्यंबकात्तु रघुर्जज्ञे तस्माच्छालन इत्यपि ।
शालनाद्धूंपको राजा तत्पुत्रः श्रीधरेति च ॥ २६ ॥
श्रीधरात्कामराजाभूत्तत्पुत्रो मातुलो नृपः ।
मातुलाच्चैव मार्तंडो मार्तंडात्कालिनः प्रभुः ॥ २७ ॥
कालिनाच्छुभ्रपो राजा तत्पुत्रो भासनामकः ।
भासात्तु माक्षिको भूपस्तत्र शांतिकलामलः ॥ २८ ॥
तद्वं[illegible] नृपतिर्जज्ञे हिमवंतो नृपोत्तमः ।
[illegible]त्तु भोजश्च भोजाद्वेडनृपोभवत् ॥ २९ ॥
तस्य वंशे महाधीरः सात्विकीति च नामतः ।
पद्मावत्याश्च भक्तस्य सौनलस्य मुनेः कुले ॥ ३० ॥
जातः प्रथमभूपालो नाम्ना ब्रह्म इतीरितः ।
तत्पुत्रो विश्वकर्मा च तत्सुतो वीरभूपतिः ॥ ३१ ॥
वीरात्सुकर्णराजाभूत्तत्सुतो मारुतः प्रभुः ।
मारुतात्तिमिरिर्जज्ञे तत्सुतो भूमिमंडनः ॥ ३२ ॥
ततो वै शंतनुर्जज्ञे तत्सुतः पार्थिवो नृपः ।
पार्थिवाद्रणमाली च तस्मात्सोम इतीरितः ॥ ३३ ॥
सोमाद्भृगुरितिख्यातो वीरबाहुस्तु तत्सुतः ।
वीरबाहोर्जुनो राजा लोकवीरश्च तत्सुतः ॥ ३४ ॥

एकवीरात्कर्णपालस्तत्सुतो भ्रामभूपतिः ।
भ्रामाश्च मंडनो राजा मंडनात्सिंहको नृपः ॥ ३५ ॥
तद्वंशे धार्मिको राजा श्रेष्ठः सद्बुद्धिवीर्यवान् ।
त[illegible]वंशे नृपो जज्ञे भैरवो नाम भूपतिः ॥ [illegible]६ ॥
[illegible]राजन्योभूत्तत्सुतो मागधेति च ।
[illegible]स्ततो जज्ञे वाममाली ततः परम् ॥ ३७ ॥
[illegible]स्तत्सुतो जातस्तत्पुत्रः पांतिभूपतिः ।
कुमारिकाया भक्तस्य चंपकस्य मुनेः कुले ॥ ३८ ॥
[illegible]श्चंपको राजा तत्सुतो धामभूपतिः ।
[illegible] सुरभो राजा तत्सुतः प्राग इत्यभूत् ॥ ३९ ॥
[illegible]राघणो भूपस्तत्सुतो नागमण्डनः ।
[illegible]सिंहभूपालस्तत्सुतो गौढभाषणः ॥ ४० ॥
[illegible]पस्तत्सुतो जज्ञे तत्सुतो भालनामकः ।
[illegible]नो भालात्तत्पुत्रो जीवनेति च ॥ ४[illegible] ॥
[illegible]स्तत्सुतो भूप[illegible]पुत्रः मौढपालकः ।
[illegible]ज्ञो भूपराजा च तत्सुतः [illegible]
भृगोर्भोजेति राजाभूत्तद्वंशे [illegible]भूपतिः ।
तद्वंशे च नृपो जज्ञे शार्ङ्गनामेति विश्रुतः [illegible]
शार्ङ्गनाम्नः सुतः श्रीमांस्तत्पुत्रः सुधीति [illegible]
शिव[illegible] ततो जज्ञे सामर्थ्य इति तत्सुतः ॥ ४४ ॥
सामर्थ्याच्छृंगिराजाभूच्छृंगार इति तत्सुतः ।
तस्य वंशे नृपो जज्ञे कामाख्य इति भूपतिः ॥ ४५ ॥
तस्य वंशे महाराजा परिक्षितिरितीरितः ।
काम[illegible]रिज्ञातश्च तत्पुत्रो दलसंज्ञकः ॥ ४६ ॥
तस्य [illegible]वीरो भूपतिः कामपालकः ।
कामा[illegible] जज्ञे तत्पुत्रो हिरणाते च ॥ ४७ ॥

जाभूत्तत्सुतो मीनकेतनः ।
भक्तःकश्यपस्य मुनेः कुले ॥ ४८ ॥
भूपालस्तत्सुतो रूपसेनि च ।
नाम्ना तत्सुतो मालिवंनकः ॥ ४९ ॥
लोभूत्तत्सुतश्च घनेंद्रियः ।
सुनोभूत्तत्पुत्रश्चाश्वनेति च ॥ ५० ॥
तद्वंशे तत्पुत्रो रणभूषणः ।
धी च तद्वंशे पार्थिवो नृपः ॥ ५१ ॥
नाम तत्पुत्रो गौलिनीपतिः ।
र्गोऽभूत्तत्पुत्रो गाधिभूपतिः ॥ ५२ ॥
जज्ञ ऐरावत इतीरितः ।
जज्ञे क्षेमराजेति विश्रुतः ॥ ५३ ॥
जज्ञे तत्पुत्रः पुरमण्डनः ।
स्य वसिष्ठस्य मुनेः कुले ॥ ५४ ॥
ज्ञे नीलराजा महीपतिः ।
जातो निरंनक इतीरितः ॥ ५५॥
ो तत्सुतो भूमभूपतिः ।
राजा ततो नारायणाभिधः ॥ ५६ ॥
ाणिस्तत्सुतो व्राहिको नृपः ।
जज्ञे धर्मिष्ठो नागभूपतिः ॥ ५७ ॥
यो जातस्तत्सुतो धीरमंडनः ।
ाकांतस्तत्सुतः पाणिपद्मकः ॥ ५८ ॥
ः प्राप्य नष्टोऽयं वंशविस्तरः ।
तिलोम्यादनुलोम्यात्तथैव च ॥ ५९ ॥
वंशविस्तारो येन व्याप्तं महीतलम् ।
ाणे आदिरहस्ये सह्याद्रिखंडे ईश्वरगणेशसंवादे
पत्तिकथनं नाम ह्येकत्रिंशत्तमोऽध्यायः ॥ ३१ ॥

मालिनादृतुपर्णोऽभूत्तत्सुतः कामभूपतिः ।
कामाच्च काश्यपो राजा तत्सुतो हरितेति च ॥ १२ ॥
अत्रेर्वागीश्वरी देवी तत्कुले रघुभूपतिः ।
रघोस्तु गाधिभूपालः क्षेमधारी च तत्सुतः ॥ १३ ॥
तद्वंशे द्रविणो राजा तत्सुतो हेमपालकः ।
तत्पुत्रो मित्रराजाभूत्तत्सुतो ह्यमदेति च ॥ १४ ॥
अमदात्कार्मुको राजा कार्मुकात्तृणभूषणः ।
तद्वंशे नकुलो जज्ञे विश्वरथो ह्यभूत्ततः ॥ १५ ॥
तस्मात्प्रमाथिभूपालस्तत्सुतो गांग एव च ।
तद्वंशे वेणुवंशेति तत्पुत्रः पार्थिवो नृपः ॥ १६ ॥
अत्रेर्वागीश्वरी देवी तद्वंशे मागधो नृपः ।
मागधात्सुमना राजा तत्पुत्रः श्वेतमंडनः ॥ १७ ॥
तस्य वंशे नृपो जज्ञ ऐरावत इतीरितः ।
ऐरावताच्छ्यामराजा तत्पुत्रः प्रमणेतिच ॥ १८ ॥
प्रमणाद्धरिराजाभूत्तत्सुतः पांशुभूपतिः ।
तस्य वंशे नृपो जज्ञे धात्रीराजा च वीर्यवान् ॥ १९ ॥
तस्य वंशे नृपो जज्ञे कौंडिन्यो नाम भूपतिः ।
कौंडिन्यात्पार्श्वधो राजा पवित्रस्तत्सुतः स्मृतः ॥ २० ॥
पवित्राद्धल्लराजाभूत्तत्सुतः पालकेति च ।
पालकात्सिंहराजाभूत्तत्सुतः काश्य इत्यभूत् ॥ २१ ॥
तस्मात्तु भार्गवो राजा तत्पुत्रः शैलनामकः ।
शैलात्सुदर्शनो नाम तत्सुतो गर्भभूपतिः ॥ २२ ॥
तस्मात्तु भूरिराजाभूत्तद्वंशे कमलाकरः ।
तस्य वंशे नृपो जज्ञे मेरुर्नाम महानृपः ॥ २३ ॥
तस्मात्तु चपलो नाम तत्सुतस्ताम्रनामकः ।
ताम्राच्छिछिस्तु भूपालस्तद्वंशे द्विजपालकः ॥ २४ ॥

द्विजपालाच्च गोपालो गोपालाद्यदुभूपतिः ।
यदोश्च माहिषो राजा तत्सुतो ग्रामभूपतिः ॥ २५ ॥
ग्रामात्तु चारणो नाम धर्मराजस्ततः परम् ।
तस्मात्तु ह्यंगिनो राजा तत्पुत्रः पंगुनामकः ॥ २६ ॥
अत्र ते कथयिष्यामि चेतिहासं पुरातनम् ।
पंगुराजानमुद्दिश्य कौतूहलसमन्वितम् ॥ २७ ॥
पुरा मैदिन्नगरे ह्याश्विनो नामको नृपः ।
एकोत्तरशतं तस्य पत्नीनामभवत्सुखम् ॥ २८ ॥
अपुत्रः सोऽभवद्राजा चिंताव्याकुलमानसः ।
पुरोहितं समाहूय पुत्रेष्टिं च चकार ह ॥ २९ ॥
हविर्भागं ज्येष्ठपत्न्यै ददौ मंत्रेण पावितम् ।
ऋषिवाक्यान्मंत्रलिंगात्पुत्रः समभवत्किल ॥ ३० ॥
पूर्वकर्मविपाकेन पुत्रेषु यत्नमागतः ।
राज्यानर्हं सुतं ज्ञात्वा पुनश्चिंतापरायणः ॥ ३१ ॥
मत्पूर्वैः पालितं राज्यमतः को वा भविष्यति ।
इति चिंतापरो भूपस्तत्र कश्चिद्द्विजोत्तमः ॥ ३२ ॥
समाययौ महातेजा ज्ञानविज्ञानसंयुतः ।
उपचारैः पूजयित्वा तं राजा भक्तिसंयुतः ॥ ३३ ॥
चिंतातुरं नृपं दृष्ट्वा पुत्रं दृष्ट्वा च तादृशम् ।
उपायं कथयामास ह्यागमोक्तं हि पुत्रदम् ॥ ३४ ॥
राजन्ते कथयाम्यद्य ह्युपायं बहुपुत्रदम् ।
पंगुपुत्रं विधित्वा तु तन्मांसं मंत्रसंयुतम् ॥ ३५ ॥
सर्वस्त्रीभ्यः प्रयच्छस्व ह्येकोत्तरशतं सुताः ।
भविष्यंति न संदेहः सुखदा राज्यपालकाः ॥ ३६ ॥
राजा हृष्टमना भूत्वा विप्रवाक्यानुसारतः ।
चकार पुत्राः संजाताः पूर्वकर्मानुरोधतः ॥ ३७ ॥

पुत्रज्येष्ठोंगहीनोभूदन्ये सांगा बभूविरे ।
ज्येष्ठं पुत्रं पुरस्कृत्य राज्यं तेभ्यो ददौ नृपः ॥ ३८ ॥
वयोवृद्धश्च संजातः कालधर्ममुपागतः ।
एतस्मिन्नंतरे तत्र नारदः समुपागतः ॥ ३९ ॥
पूजितः पंगुना राज्ञा यथावृत्तमचोदयत् ।
पर्यटन्नूर्ध्वलोकांस्तु गतो यमनिकेतनम् ॥ ४० ॥
तत्र वै नरके घोरे पितरं दृष्टवान्नृपम् ।
बहुदुःखसमापन्नं दीर्घकालं स्वकर्मणा ॥ ४१ ॥
इति वै कथयामास जगामान्यत्र वै मुनिः ।
ऋषिवाक्यं समाकर्ण्य राजा चिंतापरायणः ॥ ४२ ॥
मुनीनाहूय पप्रच्छ नरकात्पितुरुद्धृतिः ।
कथं भूयान्मम पितुरिति तांश्छरणागतः ॥ ४३ ॥
[illegible]ंगस्तदानीं तु सांत्वयामास तं नृपम् ।
[illegible]स्त्वं नृपशार्दूल ह्युपायं कथयामि ते ॥ ४४ ॥
[illegible]णा चोपदिष्टं तु कामग्रंथिविमोचनम् ।
[illegible]श्राद्धादिकं सम्यग्वृषोत्सर्गादिकं तथा ॥ ४५ ॥
पितॄनुद्दिश्य कुर्वंति नरकादुद्धरंति ते ।
इति वाक्यं समाकर्ण्य राजा हर्षसमन्वितः ॥ ४६ ॥
ऋषिवर्गोक्तमार्गेण राजा दानैरनेकशः ।
ब्राह्मणान्पूजयामास संतुष्टास्ते तदाऽभवन् ॥ ४७ ॥
ब्राह्मणानां प्रसादेन पंगुराजस्य वै पिता ।
पुत्रधर्मेण वै राजा स्वर्गलोकंगतोभवत् ॥ ४८ ॥
इति ते कथितं पुत्र पंग्वाख्यानमनुत्तमम् ।
तद्वंशं वर्णयिष्यामि सावधानमनाः शृणु ॥ ४९ ॥
पंगुरासीज्ज्येष्ठराजा तत आरण्यकोभवत् ।
तस्य वंशे नृपो जज्ञे नाम्ना दाल्भ्येति विश्रुतः ॥ ५० ॥

दाल्भ्याच्च शांतिपालोभूत्कांतिराजा ततः परम् ।
सोमवंशे समुद्भूता राजानो हि महाबलाः ॥ ९१ ॥
शांता दांत[illegible]ख्यातपौरुषाः ।
इति श्रीस्कंदपुरा[illegible]ंडे व्याससनत्कुमार-
संवादे सोमवंशो[illegible]ध्यायः ॥ ३२ ॥

अ[illegible]यः ।

महादेव उवाच । ल[illegible]रद्वाजमुनेः कुले ।
जातः प्रथम[illegible]श्रुतः ॥ १ ॥
[illegible]लाच्च गाधि[illegible] नृपः ।
[illegible]वनाच्छिव[illegible]ः ॥ २ ॥
[illegible]स्य वंशे नृप[illegible]विश्रुतः ।
[illegible]स्कराद्विभा[illegible]जातकः ॥ [illegible] ॥
[illegible]रिजातात्त्र[illegible]तः ।
[illegible]करात्कालि[illegible]वान: ॥ ४ ॥
तस्य वंशे नृपो जज्ञे भार्गवो नाम भूपतिः ।
भार्गवात्तैतिलीनाम तत्सुतो मित्र इत्यभूत् ॥ ५ ॥
द्रुमस्तद्वंशजो राजा ततो नष्टोन्वयोभवत् ।
मुख्यवंशो समुच्छिन्ने प्रातिलोमानुलोमतः ॥ ६ ॥
वंशो विस्तारतां यातो कलौ दुष्टोभवत्किल ।
हिरण्यस्यास्य भक्तस्य हिरण्याख्यऋषेः कुले ॥ ७ ॥
जातः प्रथमभूपालो माननामा तु विश्रुतः ।
माननाम्नः सुतंतुश्च तत्सुतः शरभेति च ॥ ८ ॥
शरभात्कालदंडश्च कालाद्विकलनामकः ।
विकलात्सूत्पत्तिकोभूत्तत्सुतो विश्वपालकः ॥ ९ ॥

तद्वंशे नृपतिर्जज्ञे भावनिर्नाम विश्रुतः ।
तद्वंशे च नृपो जातो नाम्ना कैलास इत्यपि ॥ १० ॥
ततो हि पद्मराजाभून्मालिवांश्च ततः परम् ।
तस्माच्च द्विमुखो राजा तत्पुत्रास्त्विदुमंडनः ॥ ११ ॥
ततस्तु श्रीधरो राजा पाशपाणिश्च तत्सुतः ॥
तत्सुतः कालिनामाभूत्सोमनामा च तत्सुतः ॥ १२ ॥
तस्य वंशे नृपो जज्ञ ऐरावत इतीरितः ।
चंडिकायाः सुभक्तस्य हारितस्य मुनेः कुले ॥ १३ ॥
जातः प्रथमभूपालो नाम्ना च श्रीपतिः स्मृतः ।
श्रीपतेर्हरिनामाभूत्तत्सुतो भीमभूपतिः ॥ १४ ॥
भीमाद्वैराटनामाभूत्तत्सुतो ह्युग्र इत्यभूत् ॥
उग्रात्तु दमनो राजा तस्माद्दामोदरोति च ॥ १५ ॥
तस्य वंशे नृपो जज्ञे त्र्यंबको नाम भूपतिः ।
तस्मात्सुपर्णराजाभूत्कर्णराजा ततः परम् ॥ १६ ॥
तस्माच्च धार्मिको जज्ञे तत्पुत्रो गौरनामकः ।
गौरवाद्द्रोपतिर्जातस्तत्सुतो मणिमण्डनः ॥ १७ ॥
[illegible]शे नृपो जज्ञे हिरण्याक्ष इति स्मृतः ।
[illegible]ात्कौशिकश्च तत्पुत्रः सुरथेति च ॥ १८ ॥
[illegible]त्तु महीपालस्तत्सुतो बुधनामकः ।
[illegible]ायाश्च भक्तस्य देवराजमुनेः कुले ॥ १९ ॥
[illegible] प्रथमभूपालः शैलनामेति विश्रुतः ।
[illegible] शीतुनामाभूत्तत्सुतः पद्मभूपतिः ॥ २० ॥
[illegible]शे नृपो जज्ञे देवको नाम नामतः ।
[illegible] ऋतुपर्णोभूत्तत्पुत्रो भोजनामकः ॥ २१ ॥
[illegible] हरिवर्णोभूत्तत्पुत्रो भुजगेति च ।
[illegible]रो नाम मालिवांश्च ततः परम् ॥ २२ ॥

मालिवंतमनुप्राप्य नष्टोभूद्वंशविस्तरः [illegible]
महाकाल्याश्च भक्तस्य भूचण्डाख्यमुनेः [illegible] ॥
जातः प्रथमतो राजा नकुलो नाम [illegible]
नकुलाद्गर्गनामाभूत्तस्मात्पांडुनृपोभव [illegible]
पांडोः पृथु [illegible]
तस्माच्च सो [illegible]
तस्य वंशे नृ [illegible]
कामाक्षाद्भ [illegible]
ततोभूद्धतुप [illegible]
महावीर्यो [illegible]
सत्यसेनस्त [illegible]
एते चान्ये [illegible]
तैः पालिते [illegible]
एतेषां वंशकथने विनायक नहि [illegible]
पूर्वोक्तानां च सर्वेषां वंशं वक्तुं न [illegible]
बहुःस्याद्ग्रंथविस्तार इति मत्वा न वच्मि ते ।
अंगिरा नामसा चैव देवी लोकेषु विश्रुता ।
तद्वंशे नृपतिर्जज्ञे दमनो नाम भूपतिः ॥
दमनाद्भारवी राजा काशिराजश्च तत्सुतः ।
तत्पुत्रश्चाश्विनो राजा त्विदुमौलीच तत्सुतः ॥
तस्य वंशे नृपो जज्ञे सुमना नाम वै नृपः ॥
तस्माच्च कालिनामाभूत्तत्पुत्रश्चंद्रशेखरः ॥ ३
तस्य वंशे नृपो जातो हेतिनामा विवेकवान्
तस्मादायुरिति प्रोक्तो गोपालश्च ततः परम्
गोपालाद्गुह्यको राजा वारिवाहश्च तत्सुतः
वारिवाहाद्रुद्रसेनो महाबाहुश्च तत्सुतः

तस्मात्सुभद्रको राजा वीरवाहुस्ततोऽभवत् ।
तस्माच्च कक्षिवान् जज्ञे ह्यनुराजा ततः परम् ॥ ३६ ॥
ततो वै द्रुहिणो नाम ततो वै धृतिमानभूत् ।
तस्माच्च गुरुभक्ते [illegible] यातपौरुषः ॥ ३७ ॥
अतिवीरस्ततो ज [illegible] नामकः ।
धृतिमंतो महात् [illegible] वाः ॥ ३८ ॥
देवीभक्ता महात [illegible] रकाः ।
दाननिष्ठास्तपो [illegible] ाः ॥ ३९ ॥
एषां हि वंशज [illegible] तले ।
कलौ कलुषचि [illegible] ीतले ॥ ४० ॥

तस्मात्सुदर्शनश्चैव तत्पुत्रः शंकरेति च ।
शंकराद्दीर्घबाहुश्च शामराजा ततः परम् ॥ ४९ ॥
तस्माद्दलननामाभूत्तत्पुत्रो मानसो नृपः ।
तस्य वंशे नृपो जज्ञे [illegible]तमः ॥ ५० ॥
ततो वै श्वेतनाम[illegible]भिधः ।
तस्मात्तु गुण[illegible]तिवीर्यवान् ॥ ५१ ॥
महासेनश्च त[illegible]तः ।
सत्यसंधस्ततो[illegible]वत् ॥ ५२ ॥
ये तेषां बंधुव[illegible]व ।
वंशो विस्तारत[illegible]ाऽभवत् ॥ ५३
क्रमात्तु क्षीणत[illegible]लौ युगे ।
पद्मावत्याश्च [illegible]कुले ॥ ५४

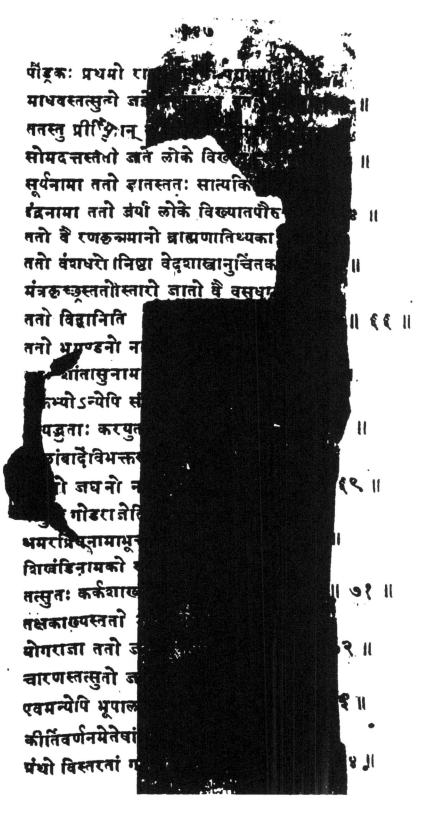

पौंड्रक: प्रथमो रा

माधवस्तत्सुतो ज ॥

ततस्तु प्रीथि॒ान्

सोमदत्तस्ततो जातो लोके विख ॥

सूर्यनामा ततो जातस्तत: सात्यकि

इंद्रनामा ततो जातो लोके विख्यातपौरु ॥

ततो वै रणकृत्नामानो ब्राह्मणातिथ्यका

ततो वंशधरो निष्ठा वेदशास्त्रानुचिंतक ॥

मंत्रकृच्छ्रस्ततोस्तारो जातो वै वसध

ततो विद्वानिति ॥ ६६ ॥

ततो भमण्डनो न

शांतासुनाम

भ्यो ऽन्येपि स

यद्भुता: करयुत ॥

ांबादेविभक्त

ो जघनो न ॥ ६९ ॥

गोडराजेि

भमरश्रिषुनामाभू ॥

शिखंडिनामको

तत्सुत: कर्कशाख ॥ ७१ ॥

तक्षकाख्यस्ततो

योगराजा ततो ज ॥

चारणस्तत्सुतो ज

एवमन्येपि भूपाल ॥

कीर्तिवर्णनमेतेषां

ग्रंथो विस्तरतां ग ॥

अंबायासक्तचित्तस्य वृद्धविष्णोर्मुने: कुले ।
प्रथमो मन्मथो नाम तत्पुत्र: सुमनो नृप: ॥ ७५ ॥
तस्माच्च नृगनामाभून्महावीरश्च तत्सुत: ।
महावीराद्भूरिराजा तत्सुत: कविमंडन: ॥ ७६ ॥
श्येनजित्तत्सुत: प्रोक्तो ह्यनिवाहश्च तत्सुत: ।
ततो भद्राश्वनामाभूच्छलभस्तत्सुत: स्मृत:॥ ७७ ॥
शलभाद्भानुको राजा दमनश्च तत: परम् ।
दमनाद्रुद्रको नाम ह्यग्निमित्रस्ततोऽभवत् ॥ ७८ ॥
प्रवहस्तत्सुत: प्रोक्त: कीर्तिमाली च तत्सुत: ।
एते चान्ये च बहवो राजानो वीर्यवत्तमा: ॥ ७९ ॥
विष्णुवृद्धकुले जाता विख्याता भुवनत्रये ।
वागीश्वर्यास्तु भक्तस्य वैवस्वतमुने: कुले ॥ [illegible]
जात: प्रथमभूपाल: पारसिर्नाम भूपति: ।
तस्माच्च वैणवो राजा कीर्तिमाली च तत्सुत: ॥ [illegible]१ ॥
ततस्ताम्राक्षनामाभूद्बृहदश्वस्तत: परम् ।
ततो रथ्यकनामाभून्महिषस्तु तत: परम् ॥ ८[illegible]
क्षेमधूर्तिस्ततो जातो मेघनादस्तत: परम् ।
गजानांक: परं जज्ञे वायुवाहस्ततोजनि ॥ ८३ ॥
तस्माच्च क्षेत्रकृज्जज्ञे ततो जात: समारण: ।
बाहुशाली ततो जज्ञे गुणशाली ततोऽभवत् ॥ ८४ ॥
एवमाद्या: सुबहवो राजानो भुवि भूरिश: ।
जातास्ते हि महासत्त्वा: क्षत्रधर्मस्य रक्षका: ॥ ८५ ॥
रक्ताक्षीदेवताभक्तभद्रनाम्नो मुने: कुले ।
प्रथमो रंधको राजा तत्पुत्र: शामलो नृप: ॥ ८६ ॥
शामलात्कीर्तिमाली च हंसवाहश्च तत्सुत: ।
तत्सुतश्च महावीर्य: कीर्तिमांश्च तत: परम् ॥ ८७ ॥

मयूरध्वजनामाभूत्तद्वंशे वीर्यवत्तमः ।
तद्वंशे चक्रवर्ती च क्षोणीपालश्च तत्सुतः ॥ ८८ ॥
ततो वै दमनो नाम पुंडरीकस्ततः परम् ।
हरिमेधास्ततो जातः पशुपालस्ततोभवत् ॥ ८९ ॥
उग्रधन्वा ततो जातस्ततो भूधरनामकः ।
उग्रवेगस्ततो जातो बहुविद्याविशारदः ॥ ९० ॥
ततो विख्यातकीर्तिश्च हेममाली ततोऽभवत् ।
ततोऽन्येपि च राजानो वीर्यवंतो मनस्विनः ॥ ९१ ॥
[illegible]ताः क्षोणितले तेऽपि पुराणेषु सुविश्रुताः ।
महादेव्याश्च भक्तस्य कृपायोश्च मुनेः कुले ॥ ९२ ॥
प्रद्योतो नाम राजाभूत्कांतिराजा च तत्सुतः ।
ततस्तु सुंदरो राजा मेधावी च ततः परम् ॥ ९३ ॥
ततः पुरंदरो नाम ह्यांबिकेयस्ततोऽभवत् ।
ततो वै कुरुजिन्नाम सर्वजिच्च ततोऽभवत् ॥ ९४ ॥
ततो भद्र[illegible]नामाभूद्वीर्यश्च तत्सुतोऽभवत् ।
ततश्च [illegible]द्राजा तद्वंशे वंशवर्धनः ॥ ९५ ॥
सुराजित्तत्सुतो जातस्ततोभून्मधुरस्वनः ।
केकिवाहस्ततो जातस्ततः पिंगाक्षनामकः ॥ ९६ ॥
पुरुजिच्च ततो जज्ञे कक्षिवांश्च ततः परम् ।
महीधरस्ततो जातः कालज्ञश्च ततोऽभवत् ॥ ९७ ॥
दंडधारस्ततो जज्ञे तद्वंशे शत्रुतापनः ।
एवमाद्यास्तु राजानो वीर्यवंतो धृतव्रताः ॥ ९८ ॥
आसमुद्रां महीमेतां पालयित्वा दिवं गताः ।
अजेयाः शत्रुभिः सर्वे मत्प्रसादेन तेऽभवन् ॥ ९९ ॥
तामसीदेवताभक्तचामरस्य मुनेः कुले ।
प्रथमः शशिराजाभूत्तद्वंशे चंद्रभूपतिः ॥ १०० ॥

[illegible] तो धर्मनामकः ।
[illegible] राजानः सत्यविक्रमाः ॥ १ ॥
[illegible] तिवृद्धिः कलौ युगे ।
[illegible] स्य मुनेः कुले ॥ २ ॥
[illegible] ती सुखवर्धनः ।
[illegible] रस्तत्सुतः स्मृतः ॥ ३ ॥
[illegible] वदस्तु ततोऽभवत् ।
[illegible] ऽन्ये भवन्नृपाः ॥ ४ ॥
[illegible] वृद्धिकराः स्मृताः ।
[illegible] भस्य मुनेः कुले ॥ ५ ॥
[illegible] ाविद्याविशारदः ।
[illegible] शौर्यमंडनः ॥ ६ ॥
[illegible] ाहुस्ततोजनि ।
[illegible] याजीवी ततोऽभवत् ॥ ७ ॥
[illegible] त्रापि मयोदिताः
[illegible] मंतो महाबलाः ॥ [illegible] ॥
[illegible] तिमाक्ष्मुनेः कुले ।
[illegible] कसोजस्ततोऽभवत् ॥ ९ ॥
[illegible] ारायण इतीरितः ।
[illegible] त्राक्षश्च ततोऽभवत् ॥ १० ॥
[illegible] ामाक्ष इति भूपतिः ।
[illegible] हवो वंशवर्धनाः ॥ ११ ॥
[illegible] ास्त्रास्त्रेषु सुनिष्ठिताः ।
[illegible] ंबीलस्य [illegible] ेः कुले ॥ १२ ॥
[illegible] शो मकरो नृपः ।
[illegible] ामोदर इतीरितः ॥ १३ ॥

तद्वंशे कार्तिको नाम धृतवीर्यस्ततोऽभवत् ।
तद्वंशे मालिवान्जज्ञे कृतवर्मा ततोजनि ॥ १४ ॥
मातृकादेवीभक्तश्च गणंको नाम वै मुनिः ।
तस्य मंत्रोद्भवो नाम चापपाणिश्च तत्सुतः ॥ १५ ॥
तदन्वये गदापाणिस्तद्वंशे धर्मवर्धनः ।
तत्पुत्रा बहवो ह्यासन्नायुष्मंतो धृतव्रताः ॥ १६ ॥
मोहिनीदेवताभक्तवैरूक्षस्य मुनेः कुले ।
श्रीपालः प्रथमो राजा नारसिंहश्च तत्सुतः ॥ १७ ॥
तस्य वंशे नृपो जज्ञे समर्थ इति नामकः ।
समर्थाच्चापपाणिश्च समर्थस्तत्सुतः स्मृतः ॥ १८ ॥
तस्य वंशे नृपो जज्ञे भीमराज इतीरितः ।
भीमात्तु गर्गनामाभूत्काममाली ततः परम् ॥ १९ ॥
चंद्रवंशे महावीरा येभ्योऽन्येपि बभूविरे ।
[illegible]या भक्तियुक्तस्य वैतनस्य मुनेः कुले ॥ २० ॥
[illegible]तः प्रथमराजाच मयूरध्वजनामकः ।
तस्य वंशे नृपो जज्ञे गौतमाख्यो नृपोत्तमः ॥ २१ ॥
तस्य वंशे सिंहराजस्तत्सुतः प्रमदेति च ।
प्रमदात्सीत् राजाभूत्तत्सुतश्चैत्रनामकः ॥ २२ ॥
तद्वंशे सोमनामाभूत्तत्पुत्रः कमलाकरः ।
एते चान्ये च बहवो नृपाः सोमकुलोद्भवाः ॥ २३ ॥
ऊर्मिलादेवताभक्ता जामदग्निमुनेः कुले ।
प्रथमः शूरसेनोभूत्तत्सुतो नृगनामकः । ॥ २४ ॥
ततोभूत्सोमदत्तश्च तत्सुतो वरुणेति च ।
वरुणात्पाणिराजाभूत्तद्वंशे मृगवाहनः ॥ २५ ॥
तदन्वये ह्येकवीरो हरिवर्षस्ततोऽभवत् ।
महामेधास्ततो जातो क्षीरपाणिस्ततोभवत् ॥ २६ ॥

...वी राजानो बहवोऽभवन् ।
...भानुनाम्नो ऋषेः कुले ॥ २७

...

...सर्वज्ञा धर्मरक्षकाः ॥ ३५ ॥
...भेश्च मुनेः कुले ।
...ा तद्वंशे बहुबुद्धिमान् ॥ ३६ ॥
...रिपुहर्ता ततः परम् ।
...देवराजश्च तत्सुतः ॥ ३७ ॥
...भास्करेति च नामतः ।
...च ततश्चित्ररथेति च ॥ ३८ ॥
...ततोन्येऽपि बभूविरे ।
...द्रविणो नाम वै ऋषिः ॥ ३९ ॥

सत्यसंधस्तत्सुतोभूद्भद्राश्वश्च ततोऽभवत् ।
सात्यकिस्तत्सुतो जज्ञे तत्पुत्रः पृतनापतिः ॥ ४० ॥
तद्वंशे भास्करो नाम ततश्च सुरकंदनः ।
तद्वंशेऽन्येपि संजाता बहवो रिपुमर्दनाः ॥ ४१ ॥
चंपावतीसुभक्तस्य गोपनाम्नो ऋषेः कुले ।
प्रथमश्चैत्रराजाभूदुद्धवस्तत्सुतोभवत् ॥ ४२ ॥
तद्वंशे नृपतिर्जज्ञे भालकीयश्च तत्सुतः ।
तद्वंशे नृपतिर्जज्ञे श्रुतकीर्तिस्ततोऽभवत् ॥ ४३ ॥
श्रुतसेनस्ततो जातो महावीर्यस्ततोऽभवत् ।
तद्वंशे धृतिमान्नाम तद्वंशे च विचक्षणः ॥ ४४ ॥
तस्य वंशस्य विस्तारो जातो वै मेदिनीतले ।
दुर्गादेव्याश्च भक्तस्य कुमारस्य मुनेः कुले ॥ ४५ ॥
प्रथमो धर्मराजाभूत्तत्सुतः श्रवणेति च ।
श्रवणाच्छ्रुतदेवश्च ह्यश्ववाहस्ततोऽभवत् ॥ ४६ ॥
ततोभूद्धर्मवादेति तद्वंशे धनदो नृपः ।
तदन्वय ऐलराजा तद्वंशे गजनामकः ॥ ४७ ॥
तत्सुतः कृपनामाभूद्धरिवर्षस्ततोऽभवत् ।
ईश्वरीदेवताभक्तकुमारस्य मुनेः कुले ॥ ४८ ॥
प्रथमो रिपुनाशाख्यस्तत्सुतः शुनकाभिधः ।
तद्वंशे विश्वजिन्नाम भानुमाली ततोऽभवत् ॥ ४९ ॥
तद्वंशे मित्रकृद्राजा तद्वंशे भूतिवर्धनः ।
अरिजिच्च ततो जातो वंशवृद्धिस्ततोऽभवत् ॥ ५० ॥
तदन्वये वीरबाहुर्धृष्टकेतुस्ततोऽभवत् ।
धृष्टद्युम्नस्ततो जातस्तद्वंशे बहुधाऽभवन् ॥ ५१ ॥
वीरेश्वर्याश्च भक्तस्य मित्रऋषिमुनेः कुले ।
प्रथमः शाश्वतो राजा दानराजा च तत्सुतः ॥ ५२ ॥

तद्वंशे वीरहा जातः सुरमित्रस्ततोऽभवत् ।
तद्वंशे बोधनो नाम भद्राश्वश्च ततोऽभवत् ॥ ५३ ॥
उग्रधन्वा ततो जातस्ततो वै मधुपः स्मृतः ।
गुणग्राही ततो जातस्तद्वंशे मित्रवर्धनः ॥ ५४ ॥
अरिहा च तत [illegible]
षड्गुणीदेवताभ [illegible] ॥
प्रथमो दानर [illegible]
गविष्ठश्च ततो [illegible] ॥ ५६ ॥
बृहत्सेनस्ततो [illegible]
हेमांगदस्ततो [illegible] ॥
ततो वसुपति [illegible]
धृतव्रतस्ततो [illegible] ५८ ॥
ततोऽन्ये चैव [illegible]
धरांतलक्ष्य गो [illegible] ९ ॥
पाटलादेविभ [illegible]
जातः प्रथमत [illegible] ॥ ६० ॥
तस्य वंशे नृप [illegible] ।
तस्मादीश्वरन [illegible] ६१ ॥
तद्वंशेऽन्येपि भूपालाः शौर्यादायसमन्विताः ।
त्वरितादेवताभक्तरोमहर्षमुनेः कुले ॥ ६२ ॥
जायवान्नाम भूपालस्तत्सुतः कमलेति च ।
तस्य वंशे नृपो जज्ञे पवित्र इति नामकः ॥ ६३ ॥
पवित्रात्पारिजाताद्या बभूवुः शत्रुतापनाः ।
मालमालिनीभक्तस्य कूर्मनाम्नो ऋषेः कुले ॥ ६४ ॥
जातः प्रथमतो राजा प्राणनाथ इतीरितः ।
तस्य वंशे नृपो जज्ञे बाहुशाली इतीरितः ॥ ६५ ॥

तदन्वये नृपो जातो दीर्घबाहुरिति श्रुतः ।
तस्माच्च वीरसेनाद्या बभूवुः प्रीतिवर्धनाः ॥ ६६ ॥
मुंजादेव्याराधकस्य सुकुमारमुनेः कुले ।
जातः प्रथमतो राजा विदर्भ इति विश्रुतः ॥ ६७ ॥
विदर्भात्क्रमशकारश्च तद्वंशे श्रुतिवर्द्धनः ।
अरिहा च ततो जातः शिवराजा ततः परम् ॥ ६८ ॥
तस्माच्च वीरभद्राद्याः बहवः संबभूविरे ।
माहेश्वरीपूजकस्य सावनस्य मुनेः कुले ॥ ६९ ॥
जातो हि वैजयंतेति तद्वंशेऽर्जुननामकः ।
ततः शैब्य इति प्रोक्तः शैब्याच्च शलभो नृपः ॥ ७० ॥
ततो वै कर्णनामाद्या जज्ञिरे बहवो नृपाः ।
कात्यायन्याराधकस्य मालिवंतऋषेः कुले ॥ ७१ ॥
पार्थिवो नाम राजाभूत्तद्वंशे वीर्यवर्द्धनः ।
तदन्वये सुमित्रश्च मत्स्यध्वज इतीरितः ॥ ७२ ॥
तद्वंशे व्यापकाद्याश्च जाताः पार्थिवनंदनाः ।
कात्यायन्याराधकस्य चित्रनाम्नो ऋषेः कुले ॥ ७३ ॥
भूरिसेन इति ख्यातो भूरिवीर्यस्ततः परम् ।
जंबुनामा च तद्वंशे कीर्तिमाली ततोऽभवत् ॥ ७४ ॥
कीर्तिकाश्च ततो जातो बहुसेनस्ततः परम् ।
अरुणाद्या नृपाश्चैव तद्वंशे बहवोऽभवन् ॥ ७५ ॥

इति श्रीस्कंदपुराणे आदिरहस्ये सह्याद्रिखण्डे व्याससनत्कुमारसंवादे क्षत्रियोत्पत्तिकथनं नाम त्रयस्त्रिंशत्तमोऽध्यायः ॥ ३३ ॥

अथ चतुस्त्रिंशत्तमोऽध्यायः ।

महादेव उवाच । अन्तरादेवताभक्तस्यांतरिक्षमुनेः कुले ।
जातो द्रुपदनामा च तत्सुतः पृषद्घ्रो नृपः ॥ १ ॥

पृषदान्नीलनामाभून्नीलादग्निशिखः स्मृतः ।
तदन्वये नृपो जातस्ताम्रध्वज इतीरितः ॥ २ ॥
तस्मात्तु हंसकेत्वाद्या बहवो जज्ञिरे नृपाः ।
दाडिमादेवताभक्तमुद्गलस्य ऋषेः कुले ॥ ३ ॥
वासुकिर्नाम भूपालस्तत्पुत्रो ह्यमरोत्तमः ।
तस्माच्च करवीरोभूद्भूषणो नाम तत्सुतः ॥ ४ ॥
भूषणाद्वीरनामाभूत्तद्वंशे मरजी नृपः ।
वंदनादेविभक्तस्य पारिजातऋषेः कुले ॥ ५ ॥
कीर्तिमानिति विख्यातो वर्धिष्णस्तत्सुतः स्मृतः
ततोभूद्वृषसेनश्च ततो दुर्मर्षणः स्मृतः ॥ ६ ॥
दुखेति ततोजातस्तद्वंशेन्येपि जज्ञिरे ।
वैष्णवीदेवताभक्तपार्णवाख्यऋषेः कुले ॥ ७ ॥
जातः सुरवरो राजा प्रमाथिस्तत्सुतः स्मृतः ।
कुरुवर्यस्ततो जातः सुबाहुस्तत्सुतः स्मृतः ॥ ८ ॥
जितारिप्रमुखात्तस्य बहवो जज्ञिरे नृपाः ।
उग्रिणीदेवतापूज्यागस्त्यस्य च मुनेः कुले ॥ ९ ॥
तद्गोत्रजो नृपो नाम्ना वासुदेव इतीरितः ।
तस्माच्च वसुषेणोभूद् दृष्टद्युम्नस्तदन्वये ॥ १० ॥
तस्माच्च त्विंद्रसेनोभूत्ततो दामोदरोऽभवत् ।
सद्धर्माच्च ततो जातो हरिभक्तस्ततोऽभवत् ॥ ११ ॥
ततो वै बहवो जाता हर्याराधनतत्पराः ।
मोहिनीदेवताभक्तः शाल्मली नाम वै मुनिः ॥ १२ ॥
तद्गोत्रे भूपतिर्जातो ह्यतिवार इतीरितः ।
ततोभूदिंद्रमित्रेति ततः शर्यातिनामकः ॥ १३ ॥
शर्यातेः सुभगो नाम्ना ततो वै श्रवणाभिधः ।
विश्वावसुस्ततो जज्ञे ह्यौरवो नाम तत्सुतः ॥ १४ ॥

उत्तमौजास्ततो जातस्ततोभूद्विश्वपावनः ।
तदन्वये धुंधुमारः क्षोणीशश्च ततोऽभवत् ॥ १५ ॥
सुवर्णादेवताभक्तस्यात्रायोश्च ऋषेः कुले ।
जातः सुदेष्णनामा हि तत्सुतो बभ्रुनामकः ॥ १६ ॥
तदन्वयेतिवीरश्च ह्यभ्रमाली ततोजनि ।
तद्वंशे गमनात्माभूत्ततोन्येपि बभूविरे ॥ १७ ॥
भैरवीदेवताभक्तभौमर्षेस्तुमुनेः कुले ।
जातो रुक्मरथो नाम नकुलस्तत्सुतः स्मृतः ॥ १८ ॥
पुरुषाख्यस्ततो जातस्ततो वै पुरुषेश्वरः ।
तदन्वये मर्दपश्च ततोऽन्येपि बभूविरे ॥ १९
भामिनीदेवताभक्तमहातपऋषेः कुले ।
जातः सुरथनामा च तत्सुतो भीमविक्रमः ॥ २०
ततो हि द्रिमिलो नाम करुषस्तत्सुतः स्मृतः ।
अंगराजा ततो जातः शूरसेनस्ततोऽभवत् ॥ २१ ॥
ततः शांताभिधो जातस्ततोभूत्सिंहविक्रमः ।
रिपुमर्दस्ततो जातस्ततोन्ये संबभूविरे ॥ २२
जातिकादेवताभक्तस्योपमन्युऋषेः कुले ।
आदिराज इति ख्यातः कीर्तिमांश्च ततः परम्
ततोभूद्भद्रसेनेति ह्युग्रसेनस्ततोपि च ।
ततोभवन्महातेजा ह्यचिरायुस्ततोऽभवत् ॥ २
सौमिनीदेवताभक्तः शांडिल्याख्यऋषेः कुले ।
महाराज इति ख्यातस्ततोभूद्ध्रुवशंकरः ॥ २५ ॥
तदन्वये चक्रवर्ती द्युमत्सेन इतीरितः ।
तदन्वये वीरसेनः कांतिमाली ततोऽपि च ॥ २६ ॥
अर्चिष्याद्यास्ततो जाता भूमंडलसुरक्षकाः ।
दलिनीदेवीभक्तस्य विभांडकऋषेः कुले ॥ २७ ॥

अरिमर्दोऽभवद्राजा विक्रमश्च ततः परम् ।
क्षेमधूर्तिस्ततो जातः कालिंगस्तत्सुतः स्मृतः ॥ २८ ॥
विमलस्तत्सुतः प्रोक्तो वीरबाहुस्ततः परम् ।
विवक्षस्तत्सुतः प्रोक्तो हेमधन्वा ततोऽभवत् ॥ २९ ॥
ततो जात[illegible] पेया[illegible]ः ।
दैत्यना[illegible] कुले ॥ ३० ॥
प्रीतिमा[illegible] परम् ।
उरुवीर्य[illegible] विमल[illegible]सुतः ॥ ३१ ॥
[illegible] परम् ।
[illegible] प्रोक्तो [illegible] स्मृतः ॥ ३२ ॥
[illegible] जातो [illegible]ऽभवत् ।
[illegible] सात्विकस्य [illegible]ले ॥ ३३ ॥
[illegible]तः [illegible]सुतः ।
तद्वंशे [illegible] ॥ ३४ ॥
[illegible]त् ।
[illegible] कुले ॥ ३५ ॥
[illegible]भवत् ।
[illegible]भवत् ॥ ३६ ॥
[illegible]ऽभवत् ।
[illegible] ततो [illegible] ॥ ३७ ॥
तद्वंशे [illegible]भवन् ।
बगला[illegible] ॥ ३८ ॥
सीमंत[illegible] ततोऽभवत् ।
विबुधि[illegible] जात[illegible]मकः ॥ ३९ ॥
प्रेमार्थी [illegible]भवन् ।
भामिन[illegible]ले ॥ ४० ॥

गजो नाम महाराजा गवयस्तत्सुतः स्मृतः ।
गवाक्षस्तत्सुतो जातः पट्टराजा तदन्वये ॥ ४१ ॥
त[illegible]वंशे मेघनादाद्या वीरा ह्यासन्महीतले ।
श्म[illegible]राराधकस्यापि भानुनाम्नो ऋषेः कुले ॥ ४२ ॥
आ[illegible]सीन्महीधरो राजा ततो वै नहुषोऽभवत् ।
तद[illegible]न्वये वाजिमेधा ह्यश्वपालस्ततोऽभवत् ॥ ४३ ॥
तत[illegible] कथननामाभूज्जायंतस्तत्सुतः स्मृतः ।
तद[illegible]न्वये शतबलिर्निकुंभस्तत्सुतः स्मृतः ॥ ४४ ॥
चि[illegible]रेषाराधकस्य वारणाख्यऋषेः कुले ।
श्वे[illegible]नामाभवद्रा[illegible]राजा ततोऽभवत् ॥ ४५ ॥
संप[illegible]तिश्च ततो जा[illegible]नामा ततोऽभवत् ।
तद[illegible]न्वये कविर्नामा नी[illegible]स्ततोऽभवत् ॥ ४६ ॥
तता[illegible] ह्यजेयनामाभूद्बलवद्रूस्ततोजनि ।
शा[illegible]कदेवीपूजकस्य ह्युग्रनाम्नो ऋषेः कुले ॥ ४७ ॥
जा[illegible]तः सुक्षेत्रराजा च यज्ञकृच्च ततः परम् ।
तत[illegible]सु वसुनामा च ह्यनुराजस्ततः परम् ॥ ४८ ॥
प्रग[illegible]प्ता नाम राजाभूद्गजानीकस्ततः परम् ।
गजा[illegible]नीकादश्वपालो रमाक्रीडस्ततोऽभवत् ॥ ४९ ॥
सोमे[illegible]श्वरीपूजकस्य प्रेमाख्यस्य मुनेः कुले ।
स्वर्ण[illegible]वाहुरिति ख्यातो बाहुसेनस्ततोऽभवत् ॥ ५० ॥
तद[illegible]न्वये प्रजापालो बह्वामात्यास्ततोऽभवम् ।
तद[illegible]न्वये च राजाभून्मणिकुंडलनामकः ॥ ५१ ॥
म[illegible]हामारीपूजकस्य भाषणाख्यमुनेः कुले ।
जातः श्रीधरनामा च तद्वंशे राजभूषणः ॥ ५२ ॥
ततो गभस्तिनामाभून्निकुंभस्तत्सुतः स्मृतः ।
तदन्वये च बर्हिण्मान्ततोन्येपि बभूविरे ॥ ५३ ॥

तूलना[illegible]न् मुनेः कुले ।
महा[illegible]नि [illegible] राजा परमधार्मिकः ॥ ५४ ॥
तस्माद्दिवाणनिर्नाम [illegible] वीर्यवर्धनः ।
तदन्वये च प्रभिन[illegible]माली ततोऽभवत् ॥ ५५ ॥
तद्वंशे गुणवन्नाम [illegible] मालिमपश्चत् ।
कालनी[illegible]राधकस्य[illegible] ऋषेः कुले ॥ ५६ ॥
[illegible]पाल इति ख्या[illegible] ततोऽभवत् ।
[illegible]ततो जात[illegible] विषमायुधः ॥ [illegible]
[illegible]जित्ततो ता[illegible] लक्ष्मणः स्मृतः ।
[illegible] राजा [illegible]वरे ॥ [illegible]
[illegible]कस्य [illegible] ऋषेः कुले
[illegible]निति राजा[illegible] नाम [illegible] ॥ ५९ ॥
[illegible]नाम राजा[illegible]
[illegible]ततो जात[illegible] ततोऽभवत् ॥ ६० ॥
[illegible]नामक[illegible] ऋषेः कुले ।
[illegible] राजा[illegible]स्वामी ततोऽभवत् ॥ ६१ ॥
[illegible] ततो जात[illegible] देवसिंहः ।
[illegible]ततो जात[illegible] [illegible]केश्वरः ॥ [illegible]
ततो [illegible]नाथो [illegible]राजा ततोऽभवत् ।
[illegible]श्च [illegible]ऽन्येऽपि जज्ञिरे ॥ [illegible]
[illegible]कस्य [illegible] ऋषेः कुले ।
[illegible]नाम [illegible] परमधार्मिकः ॥ [illegible]
[illegible]ततो जा[illegible]नाकस्ततः परम् ।
[illegible]ने [illegible] ततोऽभवत् ॥ [illegible]
[illegible]मित्र[illegible]श्च ततोऽभवत् ।
[illegible] सम[illegible] [illegible]नीं नियतोऽभवत् ॥ ६६ ॥

वंशोयं हि गुणाध्यक्षः कलिकाले समागमे ।
वंशो व्यास समासाभ्यां मयोक्तः कुलनंदन ॥ ६७ ॥
समासेनात्र यश्चोक्तः सोन्येषु विशदोदितः ।
विस्तारादत्र यश्चोक्तः सोन्यत्र लघुतोदितः ॥ ६८ ॥
एवं वंशस्य विस्तारं सूर्यचंद्रमसोर्नराः ।
कीर्तयिष्यंत्यनुदिनं शृण्वंति च सुभक्तिनः ॥ ६९ ॥
ते धन्याः सुखिनश्चैव वंशवृद्धिं व्रजंति च ।
दीर्घायुष्यं धनं धान्यं धर्मवृद्धिं व्रजंति हि ॥ ७० ॥
राज्ञां पुण्यवतां कीर्तिं श्रुत्वा पापौघनाशिनीम् ।

गणेश उवाच । देवदेव जगन्नाथ भक्तानुग्रहकारक ॥ ७१ ॥
वंशोयं हि त्वया प्रोक्तो लोकोद्धारणहेतवे ।
सोमवंशे महावीरास्त्रैलोक्याख्यातिपौरुषाः ॥ ७२ ॥
भरताद्याः कार्तवीर्या नहुषाद्या महाबलाः ।
तद्वंशजास्तु शूराश्च पांडवाः कृष्णवल्लभाः ॥
त्रैलोक्यस्यापि जेतारः सत्यसंधा धृतव्रताः ।
येषां कीर्तनमात्रेण चरितश्रवणादपि ॥ ७४ ॥
पुण्यमक्षय्यमाप्नोति तेषां वै चरितं त्वया ।
वंशो वा मे कुतो नोक्तः सर्वज्ञेन महामते ॥ ७५ ॥

महादेव उवाच । पुरूरवाः सोमवंशे तत्पुत्रस्त्वायुनामकः ।
विद्वज्जनपोषकश्च जातो वीरोरिमर्दनः ॥ ७६ ॥
त्वायोर्वंशस्य विस्तारो मया ते कथितः किल ।
आयोर्वंशे महावीर्या महीशाद्याश्च जज्ञिरे ॥ ७७ ॥
भरताद्याः पांडवाद्याः कुरवश्च महौजसः ।
तेषां वंशस्य विस्तारो भारतादौ प्रकीर्तितः ॥ ७८ ॥
अत्र ते वै मया प्रोक्त इति जानीहि पुत्रक ।

इति श्रीस्कंदपुराणे आदिरहस्ये सह्याद्रिखण्डे व्याससनत्कुमारसंवादे क्षत्रियोत्पत्तिकथनं नाम चतुस्त्रिंशत्तमोऽध्यायः ॥३४॥

अथ पंचत्रिंशत्तमोऽध्यायः ।

गणेश उवाच । नियमस्य फलं प्रोक्तं श्रुत्वा प्रीताभवत्सती ।
भर्तारं लोकभर्तारं पुनरप्याह पार्वती ॥ १ ॥
भगवन्नियमानां हि फलमुक्तं महोदयम् ।
येन कर्म कृतेनासौ ब्रह्मलोकं गतो द्विजः ॥ २ ॥
एवं कथयसे शंभो कथां कथयतां वराम् ।
सामामृतं समासाद्य भवने मनसः सखः ॥ ३ ॥
शकलेन शशांकस्य सदात्वमधिराजसे ।
शिरोगतेन चंद्रेण मेरुपर्वतराडिव ॥ ४ ॥

एतत्कथयस्व प्रभो सदा धर्मचरं हि मे ॥ ८ ॥
एवमंबिकया प्रोक्तस्तदर्थं नीललोहितः ।
उमामाह परिष्वज्य शृणु देवि शुभानने ॥ ९ ॥
त्वया नाथो विमुक्तो वै ह्यरण्याद्दुदितस्तथा ।
निर्वेदं पर ग्त्वा मोक्षज्ञेनान्यथात्मना ॥ १० ॥
अहं तपसि संधार्य चरामि विनिकेतनः ।
शुक्लासु रमणीयासु नदीनां पुलिनेषु च ॥ ११ ॥
वृक्षवापीषु वृक्षेषु देवोद्यानवनेषु च ।
नियमं कुरु तीर्थे वा घनपीनोन्नतस्तनि ॥ १२ ॥

यत्र यत्र च तिष्ठामि गिरौ वापि सुशोभने ।
ततो देवगणाः सर्वे सशक्राः सपितामहाः ॥ १३ ॥
न समीयुर्ममैवाग्रे ममतेजःपरिभूताः ।
अथ ब्रह्माणमामंत्र्य महेंद्रो देवताधिपः ॥ १४ ॥
किमिदं भगवन्केन कृतं घोरमिदं तपः ।
कथयस्वाभयं तस्य ह्यस्माकं देवसत्तम ॥ १५ ॥
इतींद्रे वदमाने तु नदमाने यथांबुदे ।
चतुर्मुखस्त्रिलोकेशं प्राहेदं प्रपितामहः ॥ १६ ॥
नाहं तस्य गतिं ज्ञातुं समर्थस्त्रिदशेश्वर ।
किं त्वं मुख्यप्रभावेन दह्यते जगदावलिः ॥ १७ ॥
न वरं स्वमुखेनोक्तुमेवं च निश्चयो मम ।
अवश्यं च मया तुभ्यं जितकार्यं जगद्धित ॥ १८ ॥
हरें नेंदुर्न लब्धोहि सौम्यहेतुश्च कर्मणा ।
प्रगृह्यातोप मंत्रैर्दुर्यदि निर्वाणमिच्छथ ॥ १९ ॥
सहि भार्याविरहित और्वरीत्यनलेश्वरः ।
मादहिष्यति नः सर्वानेवंभूतस्तु दैवतम् ॥ २० ॥
न दह्यतेंदुं सहसा सोम्यतीतं न संशयः ।
तेजोभिर्भविता सौम्यचंद्रचूडाश्रितो मणिः ॥ २१ ॥
एवं नः सुकृतं कार्यं स वः प्रीतो भविष्यति ।
एतत्पितामहेनोक्तमुपायजनितं हितम् ॥ २२ ॥
गृहीतं दैवतैः सर्वैर्मणिरत्नं च यत्स्थितम् ।
तेनैव संभवे क्षमाः सेंद्रा दैवतनादिते ॥ २३ ॥
एवं कुर्मः प्रयामोथ वृत्तिं कृत्वा प्रचक्रिरे ।
ततोमृतसमापूर्णमेकमेकं विषस्य च ॥ २४ ॥
कुंभात्कुंभादुपादाय देवास्ते समुपस्थिताः ।
कलशौ सपिधानौ तौ तदग्रनिलहस्तकौ ॥ २५ ॥

मुमोचांते शुभं गंधं वंदनानि वचःश्रुतौ ।
ततो देवेश्वरं चाद्रिः प्रसन्नेंद्रियमानसम् ॥ २६ ॥
देवेति पूर्वमामंत्र्य प्राह देवं पितामहः ।
देवामृतमिदं वापि कुंभे हालाहलं विषम् ॥ २७ ॥
ततोमृतं गृहाण त्वं ततः पश्यंतु देवताः ।
तमेव ह्यमृतं देवि प्रथमं प्रथमांजले ॥ २८ ॥
कृष्णांगुलिशिरोभागे लेखलिख्यात्र निर्मिता ।
ततोभ्यर्च्य पुनर्देवि विषं विषरुहानने ॥ २९ ॥
स्पृश्याग्निं च ततो लब्ध्वा प्रदेशिन्या मयालये ।
अमृतेनैव चंद्रश्च कवचं च विषेण मे ॥ ३० ॥
युगं च जनितं चांते ललाटे देहजाविमौ ।
सौम्ये सौम्येन चंद्रेण ह्युत्तमांगगतेन वै ॥ ३१ ॥
तत्तेनामृततां नीतं महाराज इवेंदुना ।
तेन हालाहलेनापि विषेण मम सुंदरि ॥ ३२ ॥
आदर्शश्चैव संवृत्तो वृत्तपीनकुचोदरि ।
इत्येवं तु मया प्रोक्तं शिष्टेष्टमनुजार्चिते ॥ ३३ ॥
चंद्रार्द्धं तिष्ठते मूर्ध्नि यथैतज्जगदंबिके ।
य इदं शृणुयाद्देवि चंद्रार्द्धोत्पत्तिसंगतम् ॥ ३४ ॥
कंठः समभवच्छ्याम एषो मे वामलोचने ।
ततः शिवश्च सोमश्च देवानामस्मि सुंदरि ॥ ३५ ॥
गाणपत्यं भवेत्तस्य दिव्यं देहविपर्यये ।
कलिकलुषं वै हंति पावनं हि परं महत् ॥ ३६ ॥
पुण्यदं फलदं चैव सर्वकाले भवेन्नृणाम् ।
वेदो मुखगतस्तस्य नरवर्यस्य जायते ॥ ३७ ॥

इति श्रीस्कंदपुराणे आदिरहस्ये सह्याद्रिखंडे ईश्वरगणेशसंवादे चंद्रजन्मकथनं नाम पंचत्रिंशत्तमोऽध्यायः ॥ ३५ ॥

अथ षट्त्रिंशत्तमोऽध्यायः ।

गणेश उवाच । इदं वृत्तं त्वया प्रोक्तं महादेव सुनिश्चितम् ।
पाठारीयप्रभूणां वै कथितो विस्तरस्त्वया ॥ १ ॥
सूर्यवंशागतानुक्त्वा ब्रह्मक्षत्रियनाम्नः ।
तेषां नामानि वंशाश्च कथिताः पूर्वतस्त्वया ॥ २ ॥
अतःपरं महादेव धर्मोत्पत्तिं वदस्व मे ।
महादेव उवाच । साधु साधु त्वयाप्रोक्तमिदं वृत्तं सुनिश्चितम् ॥३॥
अतः परं प्रवक्ष्यामि संस्थां धर्मस्य तत्त्वतः ।
अयोध्यायां पुरा संस्था ततश्चोत्तरतस्तथा ॥ ४ ॥
ततश्च पैठने प्रोक्ता प्राप्ते कलियुगे सति ।
भृगुशापाद्गतं राज्यं गतशौर्यं गणाधिप ॥ ५ ॥
गते राज्ये ततः सर्वे वसिष्ठो मुनिपुंगवः ।
कौंकणे च भवेत्संस्था प्राप्ते कलियुगे सति ॥ ६ ॥
भवन्निंदां करिष्यंति लोकाः पापविमोहिताः ।
कूटयुक्तिरताश्चैव मिथ्यावादपरायणाः ॥ ७ ॥
द्विजनिंदापराश्चैव शास्त्रनिंदापरास्तथा ।
त्रेतायुगे गुरुश्रेष्ठं वसिष्ठं तापसं मुनिम् ॥ ८ ॥
सूर्यवंशे नृपाः सर्वे पूजयंति गुणोपमाः ।
कलौ युगे च संप्राप्ते महीं पापपरायणाम् ॥ ९ ॥
सर्वे च ऋषयस्त्यक्त्वा गतास्ते बद्रिकाश्रमे ।
ततो वसिष्ठराजर्षिर्नृपान्सर्वांस्तदाऽब्रवीत् ॥ १० ॥
मदुक्तं चावधार्यं वै भवद्भिः सर्वसंमतैः ।
मत्संमताद्भवद्भिश्च क्रिया कार्या विचक्षणैः ॥ ११ ॥
मम वंशकुले जाता ममगोत्रसमुद्भवाः ।
मां गुरुं मानयेत्सर्वान्पूजयेद्विधिपूर्वकम् ॥ १२ ॥

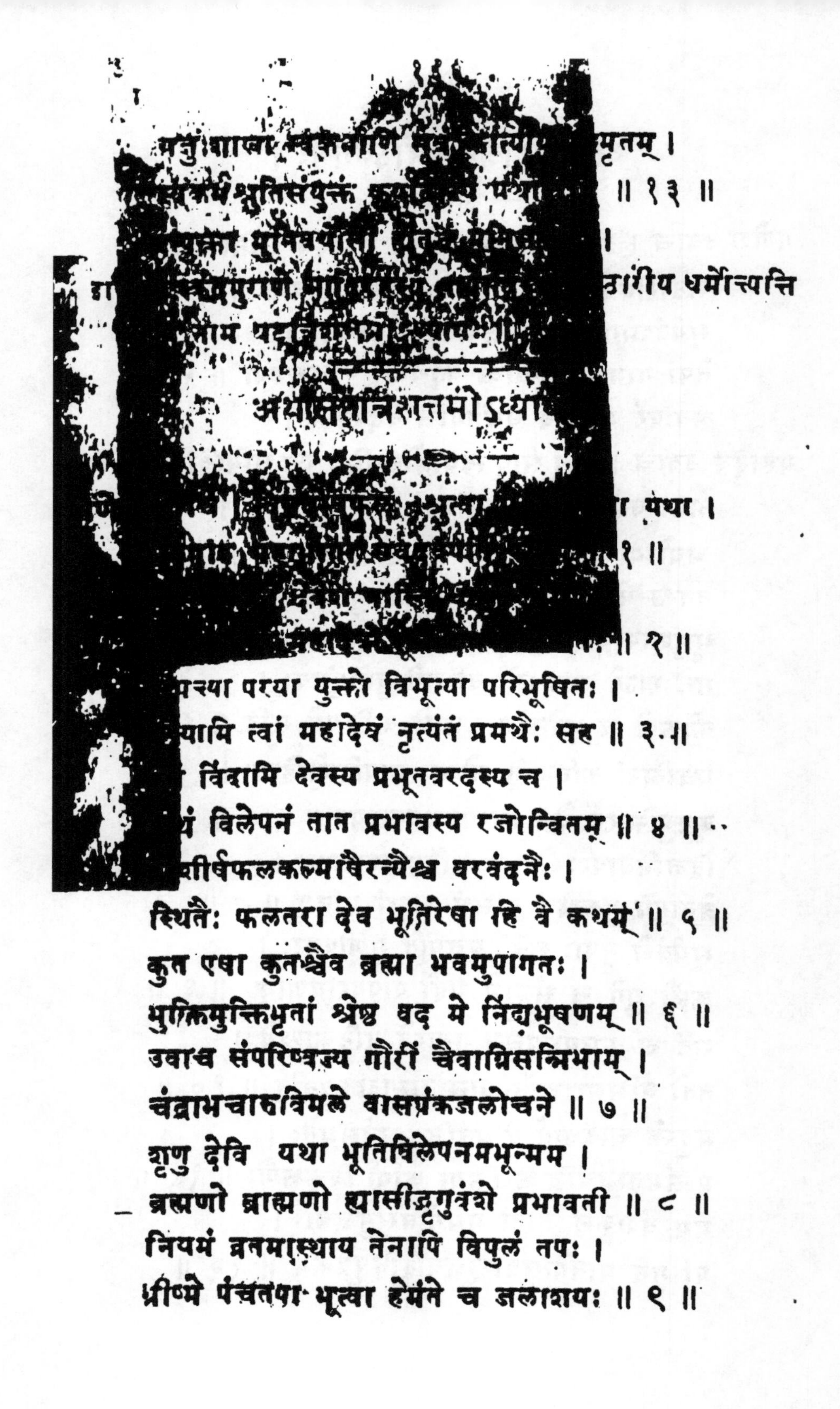

[illegible] मृतम् ।

[illegible] श्रुतिसंयुक्तं [illegible] ॥ १३ ॥

[illegible] ।

[illegible] पुराणे [illegible] रीय धर्मोत्पत्ति

[illegible]

अथ सप्तत्रिंशत्तमोऽध्यायः

[illegible] यथा ।

[illegible] ॥ १ ॥

[illegible]

[illegible] ॥ २ ॥

[illegible] मत्या परया युक्तो विभूत्या परिभूषितः ।

[illegible] यामि त्वां महादेवं नृत्यंतं प्रमथैः सह ॥ ३ ॥

[illegible] विदामि देवस्य प्रभूतवरदस्य च ।

[illegible] यं विलेपनं तात प्रभावस्य रजोन्वितम् ॥ ४ ॥

[illegible] शीर्षफलकल्माषैरन्यैश्च वरचंदनैः ।

स्थितैः फलतरा देव भूतिरेषा हि वै कथम् ॥ ५ ॥

कुत एषा कुतश्चैव ब्रह्मा भवमुपागतः ।

भुक्तिमुक्तिभृतां श्रेष्ठ वद मे निंद्यभूषणम् ॥ ६ ॥

उवाच संपरिष्वज्य गौरीं चैवाग्निसन्निभाम् ।

चंद्राभचारुविमले वासपंकजलोचने ॥ ७ ॥

शृणु देवि यथा भूतिर्विलेपनमभून्मम ।

ब्रह्मणो ब्राह्मणो ह्यासीद्भृगुवंशे प्रभावती ॥ ८ ॥

नियमं व्रतमास्थाय तेनापि विपुलं तपः ।

ग्रीष्मे पंचतपा भूत्वा हेमंते च जलाशयः ॥ ९ ॥

वर्षास्वाकाशगश्चापि सोभवद्वायुभक्षकः ।
चतुर्थे पंचमे षष्ठे सप्तमे दशमेऽथवा ॥ १० ॥
काले काले मितालापे पूर्णमाहार मा हरेत् ।
ते वृक्षाः शरभाः सिंहाः शृगालाः किन्नरा गजाः ॥ ११ ॥
फलान्यमृतकल्पानि दत्त्वा तिष्ठंत्यभीनवत् ।
ये च सस्याशिनस्तत्र ये च मांसाशिनो मृगाः ॥ १२ ॥
एतत्प्रभावात्सर्वे वै निर्वैराः सहचारिणः ।
सचापि तपसादित्यो दीप्ताग्निः समतेजसा ॥ १३ ॥
पाकमक्षाग्लवणं तस्याहारो यतिप्रियः ।
नाम पर्णाद इत्येव सर्वलोकेषु विश्रुतः ॥ १४ ॥
एकपर्णाशिनस्तस्य पक्वपर्णाशिनस्तथा ।
अहन्यहनि वर्षाणि जातान्यमृतवर्षिणि ॥ १५ ॥
तस्य धर्मवरस्यापि व्रतं चैव यथेप्सितम् ।
तपश्चरणयुक्तस्य सर्वधर्मरतस्य च ॥ १६ ॥
यदा यशा रसा भासा भवेत्तु रुधिरं मम ।
सदानिष्कल रूपस्य भयनिःकल्मषस्तपः ॥ १७ ॥
अथ कर्माशिवं कर्तुं कदाचित्स तपोधनः ।
छिन्नात्मनो महत्तमा सुगर्भा दर्पसन्निभाः ॥ १८ ॥
सुश्राव शोणितं चाथ क्रुद्धो दग्ध्वा प्रहस्य सः ।
सहसा नृत्यमानश्च नर्दनश्च स ब्राह्मणः ॥ १९ ॥
त्रासयामास सहसा मृगास्तानलयानिति ।
तस्यापूर्वं विकारं च दृष्ट्वा दृष्ट्वा मृगांबिके ॥ २० ॥
दृष्ट्वा समुत्सृष्टमृगास्तस्य सिंहार्दिता इव ।
तस्माच्चितविभ्रंशोभवन्निति तदांबिके ॥ २१ ॥
मयाऽर्या रुद्ररूपेण तस्य विप्रस्य दर्शितः ।
अहंभोश्च इतीयुक्ते मया विप्रः समाविति ॥ २२ ॥

मानुष्यं विविधं चापि तव मामभ्यभाषत ।
यशोयशश्च कीर्तिश्च महिषीश्चरयावच ॥ २३ ॥
न सौम्याहमतिर्नैदुर्नाम्नोहमिति भास्करः ।
न दहतीतिचाप्यग्निस्त्वयं कुर्वन्हि कर्हिचिन् ॥ २४ ॥
तत्तु धर्मतपोदानैर्धौतं ते जन्मसंचितम् ।
तपसा कलुषं सर्वं तपो गर्वशमं जहि ॥ २५ ॥
अनंतरात्मा पृथुनिमा भूर्विस्मयोऽभवत् ।
तपस्विभस्तथा ह्यंते भवतोऽपि तपोधन ॥ २६ ॥
निःकल्मषं शरीरं मे तपस्यापस्य ब्राह्मणाः ।
अहं नः प्रतिदुष्यामि किमुपस्त्वं सकल्मषः ॥ २७ ॥
शरीरान्मे श्रवेभ्यस्म दृष्ट्यामानात्र पाथत ।
ततः प्रदर्शितं देवि मया सुंदरि सुंदरि ॥ २८ ॥
स्वकैकाररुहैः स्थित्वा समक्षं ब्राह्मणैः सह ।
क्षीरधाराभवास्मादं गुल्मता दृढमाददान् ॥ २९ ॥
यावद्दृश्यंति प्रोक्ताहि इदमाहात्मविस्मयम् ।
अन्नं रात्माप्थ दिवा यदुक्तं तदिहं तथा ॥ ३० ॥
स्वयं शाकरसोद्भूतं तं भूय प्रवृमेति च ।
को भवान्किं च भोगात्र तामकिं किंच मे तपः ॥ ३१ ॥
मघः श्यामधनेचापि कोभावन्मेदृथोहरः ।
एवं मे वस्तुकारणस्य मया तस्य ततोंतिके ॥ ३२ ॥
दर्शितं दक्षिती पाक्षिरूपं रूपसहस्त्रधा ।
तं तत्प्रदर्शितेगौर्यै सभमार्तत्रिलोचने ॥ ३३ ॥
समेपद्भयामपाताशु तुष्टा तत्र समाप्रिये ।
पर्णाद उवाच । ओंनमो ब्रह्मरूपाय महादेवाय शूलिने ॥ ३४ ॥
ब्रह्मेंदुविष्णुपूज्याय परब्रह्म नमोस्तु ते ।
नमो भस्मांगरागाय भस्मोत्पत्तिविकारिणे ॥ ३५ ॥

भस्मलिप्तांगदेहाय पुण्यचंदनधूपिने ।
एवं स्तुतो वरो दत्तो द्विजवर्याय तोषणात् ॥ ३६ ॥
गोषु विप्रेषु भक्तेषु देवेष्वस्तु च ते सदा ।
योगात्समुदितो भूत्वा मां प्रणम्य गणेश्वरम् ॥ ३७ ॥
गतोसौ सुरसंकाशः सुमेरौ च शुभानने ।
एतस्मात्कारणवशान्ममामृतसुगंधिनः ॥ ३८ ॥
भूत्या च लेपनं जातं स्नानं चैव मम प्रिये ।
पुण्यस्नानं कृतं क्षेत्रे प्रयाणे यच्च सुंदरि ॥ ३९ ॥
तत्फलं सकलं देवि भूतिस्नाने न संशयः ।
तथार्णवेषु शैलेषु मंत्रेष्वेव हि यत्फलम् ॥ ४० ॥
राजन्यसहितेष्वेव सर्वेषु च द्विजातिषु ।
भूतिस्नानेन यत्पुण्यं लभेच्छतगुणं प्रिये ॥ ४१ ॥
ब्रह्मा विष्णुर्महेशश्च शक्रोऽग्निर्वरुणो यमः ।
स्नानेनानेन वै स्नातः सर्वेषामुपरि स्थितः ॥ ४२ ॥
आदित्या वसवो रुद्रा मरुतश्चाश्विनौ तथा ।
एतत्स्नानमुपासंतो देवा देवत्वमागताः ॥ ४३ ॥
तपोधनाश्च ये सिद्धा ह्युरगाश्चारणास्तथा ।
स्नानस्य च प्रभावेन जाता व्याधिविवर्जिताः ॥ ४४ ॥
पिशाचेभ्यो राक्षसेभ्यो यक्षेभ्योपि च पार्वति ।
न भवेच्च भयं देवि भूति [illegible]ानेन सर्वतः ॥ ४५ ॥
अनेन तु विधानेन मम तुल्यप्रभाः प्रिये ।
ममानुगा भवंत्येते भस्मस्नानेन वै गणाः ॥ ४६ ॥
सर्वतीर्थावगाहं च भूतिस्नानं च पार्वति ।
तोलयेद्यदि वै भूत्या माहात्म्यं चाधिकं भवेत् ॥ ४७ ॥
भूतीलवस्य वश्यानि नियमानि च भामिनि ।
राक्षसेभ्यो भयं नैव भस्मस्नानाच्च पार्वति ॥ ४८ ॥

भूतिस्नानसमं नास्ति तत्त्वमंबुजलोचने ।
स्नानस्यास्य फलं यच्च तद्विदंति गणेश्वराः ॥ ४९ ॥
नास्ति गंगासमं तीर्थं नास्ति वेदसमा श्रुतिः ।
नास्ति वेदसमं शास्त्रं नास्ति भूतिसमं तपः ॥ ५० ॥
उच्छिष्टो वाप्रपन्नो वा हिंसनेन विहिंसकः ।
स नरो भूतिसंस्पृष्टो न भ्रश्येत विनायक ॥ ५१ ॥
एवं पर्णादिमुद्दिश्य मयैषा च सुगंधिनी ।
भूतिर्विलेपने जाता देवि तामरसेक्षणे ॥ ५२ ॥
एतत्ते कथितं देवि मया मृदु वचः स्मिते ।
यतोऽन्येषां च जाता च मम भूतिर्विलेपनम् ॥ ५३ ॥
य एवं कुरुते भक्त्या भूतिस्नानं च मानवः ।
सर्वकाममवाप्नोति शिवलोके महीयते ॥ ५४ ॥

इति श्रीस्कंदपुराणे आदिरहस्ये सह्याद्रिखण्डे व्याससनत्कुमार-
संवादे भूतिमाहात्म्यकथनं नाम सप्तत्रिंशत्तमोऽध्यायः ॥ ३७ ॥

अथ अष्टत्रिंशत्तमोऽध्यायः ।

लिंगार्चनविधिः

[illegible]श उवाच । भूत्युत्पत्तिं कथां श्रुत्वा शुभां गिरिवरात्मजा ।
पतिं पतिव्रता प्राह विकसन्नयनांबुजम् ॥ १ ॥
का निष्ठा तु गृहे देव शवभूत्यारुणेक्षण ।
[illegible]हस्रसंजातः प्रज्वालितो महानलः ॥ २ ॥
सिद्धचारणसंपत्तौ संकुलीभूतसंततौ ।
किन्नरैर्यक्षगंधर्वैर्नादिते भूतिभूषिते ॥ ३ ॥
भूतप्रेतसमाकीर्णे मदैः रुधिरभक्षकैः ।
शिवारावसुगंभीरे काकोलूकसमाकुले ॥ ४ ॥

प्रशुष्कतरुभूयिष्ठे शवमर्त्यैरलंकृते ।
कुशकाशवृतेद्देषे ब्रह्मसूत्रानुभूषिते ॥ ५ ॥
मूषकोलूखलयुते शिवाशतरवोत्कटे ।
आज्याहुतिनिपातैश्च वर्द्धमान इवानले ॥ ६ ॥
क्रव्यादगणसंतुष्टे सारमेयकृतस्वने ।
खट्वाभिपीठकैः शूर्पैर्मुसलैश्च निरंतरैः ॥ ७ ॥
नानाभरणवस्त्रैश्च भूषणैश्च विभूषितैः ।
बीभत्साद्भुतरौद्रैश्च यदेतत्सर्वदेहिनाम् ॥ ८ ॥
दुरंतकाष्ठप्रतिमे दुर्विभाव्यदुरासदे ।
बालहस्तकृतापीडभूषितेऽत्रांत्रमालया ॥ ९ ॥
गजचर्मांबरधरो व्याघ्रचर्मविभूषितः ।
वसां पूर्णकपालैश्च व्याघ्रगोमहिषाभवत् ॥ १० ॥
नृत्यमानपिशाचैश्च राजमानो भयंकरः ।
भ्रामयन्सर्वभूतानि पातयन्निव दानवान् ॥ ११ ॥
भर्तृमंडलादुत्पन्नं प्रभुः प्रभवतामपि ।
रात्रौ श्मशाने सुप्तोसि किमेतद्भुवनेश्वर ॥ १२ ॥
श्रुतं त्रैलोक्यरथस्य विश्रुतस्य श्रुतस्य च ।
तव नाम महादेव वित्तमं वृतमीश्वर ॥ १३ ॥
भुवि भावनियुक्तायां भार्यायां मयि शंकर ।
भ्रमंति च वहिश्चित्ता दूयते चापि मे मनः ॥ १४ ॥
साध्वाचारस्य विकृतं तवाचारं निशाम्यहम् ।
सर्वदैवतपूज्यस्य सर्वदेवमयस्य च ॥ १५ ॥
तस्य नाम महादेव गृहीतं देवमीश्वर ।
ईशको नाम जगतस्तव चेदं महेश्वरात् ॥ १६ ॥
ध्रुवमत्र महादेव कारणं महदस्ति वै ।
कौतूहलमतीवेदं ममामितमहं प्रभो ॥ १७ ॥

हे नाथ परमं गुह्यं पृच्छंत्या मम वेदय ।
इत्यैवमभियुक्तस्तु सोनयोमापनिर्भवः ॥ १८ ॥
चास्ते फुल्लमुखो देवो हरसर्वमुखाप्रजित् ।
अहं शोणितपः कालः करालवदनः श्विके ॥ १९ ॥
रौद्रे मुहूर्ते संभूते धृते रोदिपि भूयपः ।
ततो मामवदेद्देव पुराणामादिरव्ययः ॥ २० ॥
कुमारः किमिदं रूते नालं देव हि रोदिषि ।
रुद्रस्त्वमसि तेनाहं मुक्तो वै मच्छयोगिनी ॥ २१ ॥
न तिष्ठामि रुदाम्येव ततो मां पुनरब्रवीत् ।
किमिदं च रूते भूयो नीललोहितमानदः ॥ २२ ॥
त्रिलोचन किमतो भूयः करवाणि तवानघ ।
नाम मे देहि तमहं रुदन्नेव तदा ब्रुवे ॥ २३ ॥
सस्थनामानि ह्येतेषां यतांतानि गुहांलणि ।
अन्यानि तैरपि कृतैरोदिष्येव ततो स्विके ॥ २४ ॥
ततो मां पाणिना देवि लोकेशाच्चिदविष्कला ।
किमिदं रुदतेत्यर्थं रोदते रादनस्य ते ॥ २५ ॥
तथैवान्यान्सोदरान्मे नामधेयानि पार्वति ।
ततो देवि ततस्तत्तु श्रूयतां च समंततः ॥ २६ ॥
द्रावयामीह पर्णयस्तेन रुद्रोस्मि नामतः ।
महानिचयसंहारो हरते हरनामतः ॥ २७ ॥
कालो भूत्वा महाकालस्तेनाहं कालसंज्ञितम् ।
धातुद्वयमिमं प्रोक्तं लक्षणं ग्रासितात्मनः ॥ २८ ॥
सर्वलोकाश्च शाम्यंते तेन शर्वोहमंबिके ।
यच्छन्कोपि सदादाय लोकात्सुकृतपंडितान् ॥ २९ ॥
स एव सकलं भावाभवन्नेनामि पार्वति ।
छागश्चैव सादयति स मया नैव कथ्यते ॥ ३० ॥

यदि न शांतिमाप्नोति तेनोग्रोहमितीरितः ।
महतश्च महच्चाहं मह्यादिपतिरेव च ॥ ३१ ॥
महाशब्देन निरतो महादेव कृतो ह्यहि ।
अहं पीत्रायतश्रोणि चेश्वराणामपीश्वरः ॥ ३२ ॥
कर्तुं हर्तुं च दातुं च तेनाहं परमेश्वरः ।
अन्यान्यपि च नामानि ममेष्टानीह पार्वति ॥ ३३ ॥
येन चापि हितात्मा वै स्तुतस्तुष्याम्यसंशयः ।
तनुष्वेतासु मां देवि योऽभ्यर्चयति नामतः ॥३४॥
अर्चितस्त्रिदशेतीति दशैरेव तु तुल्यताम् ।
एतानि यश्च नामानि धारयंति मम प्रिये ॥ ३५ ॥
शाश्वतं पदमाप्नोति गाणपत्यं न संशयः ।
यः कर्माण्याधिपृष्टोसि विधानाय विभामिनि ॥ ३६ ॥
स कर्म कुरुते नात्र दृश्यार्थस्य नियोगतः ।
अन्यथाहं यदा कुर्यात्प्रजामनु सदा प्रिये ॥ ३७ ॥
रौद्रभावं यदा कुर्याद्रौद्रकर्मा तदाह्यहम् ।
मच्छदिस्युदितं कर्म पुरुषाय गिरेस्तुते ॥ ३८ ॥
तत्तेनावश्यकर्तव्यं मृदु वा यद्विनेतरत् ।
प्रजापतेश्च कः शक्त आदेशं कर्त्तुमन्यथा ॥ ३९ ॥
दिनेशे सर्वभूतानि स करोत्युपदेशताम् ।
मासोऽहं ते वरारोहे पुरुषेण वरानने ॥ ४० ॥
नियुक्तः किल काले वा धर्मदोषनिवृत्तये ।
अहं संवत्सरः कालः काले संहारकारकः ॥ ४१ ॥
कालरात्रिश्च भवति सहधर्मचरी मम ।
अहं चत्वारि जानामि मां च त्वं पर्वतात्मजे ॥ ४२ ॥
मन्मनात्वन्मयं चैव नारायणवदव्ययम् ।
ममेत्थमुचितं कर्म विद्यात्त्राहि समाहितम् ॥ ४३ ॥

नयनानयनाच्चैव यथा नास्ति व्यतिक्रमः ।
पुण्यं च रमणीयं च सिद्धिक्षेत्रं च पार्वति ॥ ४४ ॥
इष्टं स्मशानमेवं मे तत्र तत्र वसाम्यहम् ।
प्रेतास्तत्र गणाध्यक्षा रमणीयास्ततः क्षणे ॥ ४५ ॥
रमयंति रमलकं स्मशानं तेन मे कृतम् ।
यो यस्य दीयते देवि विषयो विषयेऽखिले ॥ ४६ ॥
स तत्र रमते जंतुर्भूरिरेव प्रकीर्तितः ।
स तस्मिन् तृप्यमानस्तु गुहराणि गुहागुणैः ॥ ४७ ॥
स्नेहं सदा स कुरुते सत्यं सत्यं न संशयः ।
यत्त्वागमेषु तीर्थेषु त्रिश्रुतेषु फलं विदुः ॥ ४८ ॥
फलं स्मशानमर्चायां तदेव प्रवदाम्यहम् ।
असौ च साधकश्चापि वेदारण्यप्रकीर्तितः ॥ ४९ ॥
तेन मृष्टो ममचैवं देवदेव जगत्पते ।
काले काले महेशादन्वरदानां वर प्रभो ॥ ५० ॥
स्वाहा कालत्वमापन्नस्त्वया हेतुरुदाहृतः ।
ज्वालाज्वाले ज्ञितो योमि सूर्यस्तु पवने गतौ ॥ ५१ ॥
लिंगे ह्यर्चां प्रकुर्वीत यदा भक्तिपुता नरः ।
अत्यतुर्यैर्चयित्वा तु नृत्यगीतैश्च मानवः ॥ ५२ ॥
अत्यतुर्यनमस्कारं कुर्वंति निमिषेक्षणाः ।
घृतेन दध्ना क्षीरेण जलेन च सुगंधिना ॥५३ ॥
गोवलेन तथा चान्ये नरास्त्वां स्नापयंति च ।
अन्यं त्वां सततं माल्यैउपहारैश्च पुष्कलैः ॥ ५४ ॥
पूजयंति फलं तेषां जायते किं त्रिलोचन ।
ये च पर्युषितं माल्यं न ददाति तवानघ ॥ ५५ ॥
तेषामपि फलं चैव देवदेवस्य किं भवेत् ।
देवीवचनमेवं तु निशम्यार्थपतिर्हरः ॥ ५६ ॥

स बौध्यवाचयातां वै भार्यां वचनमत्रवीत्।
यामोक्ता संभवेद्देवि गजनाजमे शृणु ॥ ५७ ॥
यदेवं प्रश्नविविधमपि ते परिकीर्तितम्।
तद्भक्तो ममभक्तेषु योसकृत्कृतपादपः ॥ ५८ ॥
त्वमेववेत्ति वेदास्त्वे नान्यो वेदविदां वरे।
यथा यो भक्तिमान्भक्त्या मम भक्तिमतां वरे ॥ ५९ ॥
तथा वै स्वर्णवर्णांगे रमयामि भवांबुधे।
यथा कृतं त्वया प्रश्नस्नापनार्चनपूर्वकम् ॥ ६० ॥
संभावितं मया सम्यग्गुह्यमानं निशामय।
जलेन साधिवासेन स्नापनं यः करोति मे ॥६१ ॥
सोश्वमेधफलं प्राप्य शिवलोके महीयते।
योर्चयाजपते देवि पुरुषः सो गिरेः सुते ॥ ६२ ॥
लोके लिंगार्थकृन्ज्ञानाल्लिंगे योर्चयते हि माम्।
न मे तस्मात्प्रियतरः प्रियो वाधिव्रते बले ॥ ६३ ॥
घृतेन पयसा दध्नात्तैलेन च जलेन च।
गोक्षीरेण चतुर्दश्यां लिंगस्नापनकारकाः ॥ ६४ ॥
तेनेष्टामे भवंतिवै ह्यक्षयास्तेजरामराः।
तथा विश्वजितो देवि ये लिंगार्चनतत्पराः ॥ ६५ ॥
येर्चामर्चयंते देवि पूर्णवर्षशतं नराः।
यः कश्चिद्दिवसं लिंगं समयं तं न संशयः ॥ ६६ ॥
उपाहारानुपहोरे यस्तु मेच पुरुषोत्तमः।
सोपहारैः शुभैरिष्टैर्मद्धर्माहूणपो भवेत् ॥ ६७ ॥
स तावच्च ह्यलोकस्थो ह्यनंतं सुखतो जनः।
बहुमाल्यप्रदा ये च ह्युपहारपराश्च ये ॥ ६८ ॥
दधिक्षीरघृतैः पंच स्नापनं यश्च कुर्वते।
यश्च मे प्रयतो भूत्वा लिंगमेवार्चयेत्पुनः ॥ ६९ ॥

तेन स्वर्गे गणो भूत्वा सुचिरं विप्रवत्सले ।
महत्तेजःसमासार्थं रमेह च यथा त्वया ॥ ७० ॥
ततो ह्यपिंगलं रुद्रं शिवं पूजयते सदा ।
स भवेद्देवदेवेश स पुत्रो मे मृगेक्षणे ॥ ७१ ॥
महत्ते समयासार्थं सुतो ह्युहर मे द्विज ।
यत्तपस्यसि वै प्रोक्तं त्वं किंनु तपसे सदा ॥ ७२ ॥
चंद्रदिवाकरप्रभे मया त्वया रमेदिति ।
मंदिते च क्षणे माने हरप्रश्नकुतूहलात् ॥ ७३ ॥
नवाग्वदेत्पार्वति संहितार्चक भवेत्सदा ब्राह्मण देवसंसदि ।
सदेव पर्यायदुपेत्य पूजितो रमेच्चिरं चारुतमे मया सह॥७४॥

इति श्रीस्कंदपुराणे आदिरहस्ये सह्याद्रिखंडे लिंगार्चनविधिर्नाम अष्टत्रिंशत्तमोऽध्यायः ॥ ३८ ॥

अथ एकोनचत्वारिंशत्तमोऽध्यायः ।

गणेश उवाच । अष्टाविंशतिया प्रोक्ता शिवस्य परमात्मनः ।
तामहं श्रोतुमिच्छामि वक्रेण कथयस्व मे ॥ १ ॥
सनत्कुमार उवाच। मंदवृष्यं सुखासीनं ब्रह्मा पप्रच्छ शंकरम् ।
केषु केषु च स्थानेषु द्रष्टव्योसि मया प्रभो ॥ २ ॥
महेश्वर उवाच । वसुर्णास्यां महादेवं प्रयागे च महेश्वरम् ।
निमिषे देवदेवं च गयायां प्रपितामहम् ॥ ३ ॥
कुरुक्षेत्रे विदुस्थानं प्रभासे शशिभूषणम् ।
पुष्करे ब्रह्मदेवं तु सिखदेशं विमले रवौ ॥ ४ ॥
येन विज्ञायते मंत्रे सूक्ष्ममात्रात्मिकेश्वरे ।
ध्यानसिद्धेश्वरं योगं तिस्तौयंच उतेश्वरे ॥ ५ ॥

विजयं चैव काश्मीरे जयं च मरुतेश्वरम् ।
यस्यांगे च विदुः स्थानं कापीटं करवीरके ॥ ६ ॥
कायावतालबुद्धिं च देवीकायामुमापतिम् ।
हरिचंद्रे हरं चैव पुरीचंद्रे तु शेखरम् ॥ ७ ॥
जटिकालेश्वरं विद्यात्सौम्यकुकुटकेश्वरे ।
तारकं चैव गंगायां बदर्यां च त्रिलोचनम् ॥ ८ ॥
जभेश्वरेति मुकुतं श्रीशैले त्रिपुरांतकम् ।
नेपाले च पशुपतिं दिव्यमंगेश्वरं विदुः ॥ ९ ॥
गंगासागरयोर्ब्रह्मा ह्योंकारोमरकंटके ।
सप्तगोदावरीभीमं पाताले हाटकेश्वरम् ॥ १० ॥
कर्णिकारे गणाध्यक्षं कैलासे त्रिपुरांतकम् ।
हेमकूटे विरूपाक्षं भूर्भुवं गंधमादने ॥ ११ ॥
दंडीश्वरे नलं प्राहुर्ज्वललिंगं स्थलेश्वरे ।
भूतेश्वरे गणाध्यक्षं कैरातं च किरातके ॥ १२ ॥
दानवानां विनाशाय वाराहं विंध्यपर्वते ।
गंगाह्रदे हि मण्यानमाननं वडवामुखे ॥ १३ ॥
श्रेष्ठं कोटेश्वरे तीर्थे वरिष्ठं वेष्टकापथे ।
कुसुमापुरे च प्रेष्ठेशं लंकायामलकेश्वरम् ॥ १४ ॥
अष्टाविंशतिनामानि वदेद्वै शृणुयाच्च यः ।
पुराणे चोपगीतानि ब्रह्मणा च महात्मना ॥ १५ ॥
यः पठेच्च शुचिर्भूत्वा ह्युभयोः कालयोर्नरः ।
दशानामश्वमेधानां फलं प्राप्नोति मानवः ॥ १६ ॥
व्यास उवाच । श्रुतं मे शिवनाम्नो वै रहस्यं द्विजसत्तम ।
विभूतिं देवदेवस्य श्रोतुमिच्छाम्यहं द्विज ॥ १७ ॥
सनत्कुमार उवाच । आसीनं मंदरस्याग्रे नानारत्नविभूषिते ।
तत्र नंदीश्वरो देवं परिपृच्छति शंकरम् ॥ १८ ॥

नंदिकेश्वर उवाच । भगवन् देवदेवेश त्रिपुरांत सुराधिप ।
विभूतिं मे महादेव पृच्छतो वद सांप्रतम् ॥ १९ ॥
शंकर उवाच । त्वं तु नंदीश्वर मत्तो विभूतिर्यादृशी मम ।
एकाग्रमानसो भूत्वा निशामय समाहितः ॥ २० ॥
अग्निप्राकारकोणेषु प्रवृत्तोहं न संशयः ।
चरां च पृथिवीं सर्वामासमुद्रां यथेष्टकाम् ॥ २१ ॥
पर्वतेषु च सर्वेषु देव्या सह वसाम्यहम् ।
प्रदक्षिणां तदा कुर्याद्गोशतस्य फलं लभेत् ॥ २२ ॥
जितो योस्मि ध्रुवं चैव गवां शतसहस्रकम् ।
गवां शतसहस्रस्य फलं प्राप्नोति मानवः ॥ २३ ॥
चंद्रोस्मि वरुणश्चाहं चरामि पृथिवीमिमाम् ।
दिनक्षये पूर्वसंध्याकालेऽहं मृत्युना सह ॥ २४ ॥
विनयोस्मि ध्रुवं चैव चंद्रोहं वेदवादिनः ।
इंद्रियाणींद्रियार्थेषु भुवि चैवाहमक्षयः ॥ २५ ॥
वृत्तीनां वृत्तिरेवाहं जयोहं सर्वभूतिषु ।
वैनतेयः सुरा दैत्याः पवनो दहनस्तथा ॥ २६ ॥
मारुतोहं जलं चाहं क्षिपामि बलवत्सदा ।
अहं सृजामि भूतानि संक्षयामि युगे युगे ॥ २७ ॥
योनीशतसहस्रेषु भ्राम्यते स्वात्मलीलया ।
मयि क्रुद्धे च तत्सर्वे खेचरे त्रिपुरांतके ॥ २८ ॥
मया विनिहता दैत्यास्तारकाक्षा महाबलाः ।
येषां निश्वासवातेन त्रयो लोकाः प्रकंपिताः ॥ २९ ॥
सर्वभूतक्षयं कृत्वा तत्त्वोक्तं नात्र संशयः ।
सर्वभूतेषु वै नित्यं भ्रमामि मुदितस्तथा ॥ ३० ॥
न तं देशं विजानामि मया शून्यं तु यो भवेत् ।
भक्तानां सर्वभूतानां ये च मां शरणागताः ॥ ३१ ॥

अनन्यमानसो भूत्वा यो मां पूजयते नरः ।
तुष्टोहं च प्रदास्यामि गाणपत्यं चतुर्भुजम् ॥ ३२ ॥
किं तस्य तु विशेषेण ह्यक्षयश्च भवाम्यहम् ।
तुष्टोहं सर्वनारीणां रूपमप्सरसोपमम् ॥ ३३ ॥
समं जीवस्तथैतानि नियमैः सकलैः सह ।
अहं कामोऽस्मि दर्पोस्मि रजः सत्त्वं तमस्तथा ॥ ३४ ॥
सर्वतीर्थाभिगमनं कृत्वा भवति तत्त्वतः ।
सर्वोपासं च यत्कृत्वा तत्फलं प्रतिपद्यते ॥ ३५ ॥
न चास्य भवते व्याधिर्न च कामं जहेन्नरः ।
महात्मा स नरश्रेष्ठो जरामृत्युविवर्जितः ॥ ३६ ॥
विमुक्तः सर्वपापेभ्यो रुद्रलोके महीयते ।
सनत्कुमार उवाच । सुखासीनस्तथाचास्ति क्रीडते च यथासुखम् ३७
यथा च भगवान् यज्ञे सर्वदानस्य यत्फलम् ।
प्राप्नुवंति शुभाल्लोकान्कृतैर्वै कर्मभिः स्वकैः ॥ ३८ ॥
चांडालाश्चैव मातंगा व्योकाराश्च ह्यमंगलाः ।
मत्स्यवेध्याश्चक्रव्याधाः सदा रंगोपजीविनः ॥ ३९ ॥
तेपि सर्वे प्रमुच्यंते प्राप्नुवन्ति शुभां गतिम् ।
ब्रह्मपुत्रस्य तद्वाक्यं श्रुत्वा नंदी गणाधिपः ॥ ४० ॥
प्रत्युवाच शुभं वाक्यं पृच्छंतं च यथाविधि ।
अध्यात्मध्यानयुक्ताश्च येन सिध्यंति मानवाः ॥ ४१ ॥
तत्सर्वं तत्प्रवक्ष्यामि नमस्कृत्वा पिनाकिनम् ।
भक्तानां सर्वभूतानां ये च मां शरणागताः ॥ ४२ ॥
गंधर्वकिन्नराणां च जंतूनां येन हिंसनम् ।
तत्पापं दहते ध्यानी काष्ठराशिमिवानलः ॥ ४३ ॥
कुमारी दूषणं कृत्वा मातंगगमनं तथा ।
एकेन यानरूपेण तत्पापं नयते क्षयम् ॥ ४४ ॥

अभक्ष्यभक्षणं कृत्वा ह्यपेयं पीतवानथ ।
तद्विशोधयते ध्यानात्तुषाग्निरिव कांचनम् ॥ ४५ ॥
उदधिं तु यथा कर्णधारस्तारयते सुखम् ।
तथा ध्यानात्मकं प्राप्य सर्वपापैः प्रमुच्यते ॥ ४६ ॥
ध्यानं योगविधिं कृत्वा यदि मोक्षं न गच्छति ।
ब्रह्मलोकेऽपि वा वासो विष्णुलोके यदृच्छया ॥ ४७ ॥
सोमसूर्याग्निदेवेंद्राद्विशेषं समवाप्नुयात् ।
यमलोकेपि वासो वा पूज्यमानश्च दैवतैः ॥ ४८ ॥
अथोक्तेन विधानेन विस्तरेण महात्मना ।
स्याद्यदि ध्यानयुक्तस्य शिवमाप्नोति मानवः ॥४९ ॥
अधीत्य चतुरो वेदान् सांगोपनिषदो द्विजः ।
मानवस्तेषु सर्वेषु जन्मकर्मवशानुगः ॥ ५० ॥
तावद् भ्रमति संसारे यावद्ध्यानं च विंदति ।
असुराश्च सुराश्चैव ऋषयः पितरस्तथा ॥ ५१ ॥
यदा ब्रह्मादयो देवा दीव्यन्ते तीव्रतेजसा ।
गृहस्थो ब्रह्मचारी च वानप्रस्थोऽथ भिक्षुकः ॥ ५२ ॥
एते ध्यानेन यत्नेन न च लिप्यंति कर्मभिः ।
ब्राह्मणाः क्षत्रिया वैश्याः शूद्राश्च वर्णसंकराः ॥ ५३ ॥
एते ध्यानेन दिव्येन न च लिप्यंति कर्मभिः ।
चांडालमादितः कृत्वा ये नराः पापकर्माणः ॥ ५४ ॥
प्राप्नुवंति शुभान्लोकान् ध्यानाद्दहंति किल्बिषम् ।
अन्यग्रंथिभिदे गुह्यं सारभूतसमुच्चयम् ॥ ५५ ॥
सर्वपापेषु ये शक्तास्ते च सिध्यंति मानवाः ।
तत्सर्वं संप्रवक्ष्यामि तव स्नेहान्महामुने ॥ ५६ ॥
ध्यानयोगविधिं कृत्वा मोक्षस्य च विधिं शृणु ।
आज्ञां नरो यो गुरुषु करोति न च विंदति ॥ ५७ ॥

अगम्यगामी ब्रह्मघ्नः सुरापी गुरुतल्पगः ।
शतकालानुगुह्यं च कलां नार्हंति षोडशीम् ॥ ५८ ॥
दिवसे दैवतं ध्यानं शौचाचारसमन्वितम् ।
यंत्रितश्चतुरो वेदान्सर्वाशी सर्वविक्रयी ॥ ५९ ॥
अश्वमेधसहस्रेण राजसूयशतानि च ।
आकाशमिव पंकेन तेन पापेन लिप्यते ॥ ६० ॥
यः सहस्रं सहस्राणां भोजयेत्सत्यवादिनाम् ।
एकस्तु मंत्रवित्प्रीतः सर्वं वहति वै द्विज ॥ ६१ ॥
संकल्पितसहस्रेण स्नातकानां शतेन च ।
वानप्रस्थसहस्रेण यतिरेव विशेषतः ॥ ६२ ॥
सांख्ययोगविशुद्धात्मान्भुंजनो यश्च योगवित् ।
यावतो ग्रसते पिंडान्स्नातं तस्य हविर्मुखम् ॥ ६३ ॥
सर्वपापरतस्तस्य यश्च ध्यानं च विंदति ।
प्रतिग्रहसहस्रेण तेन मुच्येत किल्बिषात् ॥ ६४ ॥
यस्य वै कुप्यते ध्यानं नास्ति तस्य कुलोद्भवः ।
यस्य वै तुष्यति ध्यानं कुलं तस्य विवर्द्धनम् ॥ ६५ ॥
नियतो ध्यानयोगेषु गच्छते विदिशो दश ।
श्रूयंते ध्यानिनः सर्वे इति ध्यानपरिग्रहे ॥ ६६ ॥
न स लिप्यति पापेन तमसा किल्बिषेन च ।
यथा पर्वतमाश्रित्य विचरंति मृगादयः ॥ ६७ ॥
तथा विश्वविदो योगमाप्नुवन्ति न संशयः ।
ग्रामदाहे यथा वन्हिः सर्वभुक् च न विध्यते ॥ ६८ ॥
विश्ववित्सर्वकर्माणि तथा कृत्वा न लिप्यते ।
पुराणं सकलमिदं श्रुत्वा पापात्प्रमुच्यते ॥ ६९ ॥

इति श्रीस्कंदपुराणे आदिरहस्ये सह्याद्रिखण्डे शिवगणेशसंवादे
एकोनचत्वारिंशत्तमोऽध्यायः ॥ ३९ ॥

अथ चत्वारिंशत्तमोऽध्यायः ।

सनत्कुमार उवाच । नंदिन् यदुक्तं देवेन ध्यानस्य फलमुत्तमम् ।
तत्तेहं श्रोतुमिच्छामि केन मंत्रेण ध्यायते ॥ १॥
ध्यानं कतिविधं देवाः प्रतिगृण्हंति तं शिवम् ।
अक्षराश्च कथं देवा रुद्रं विश्वपितामहम् ॥२ ॥
एतन्मे संशयं देव तत्त्वमाख्याहि सुव्रत ।
नंदिकेश्वर उवाच । ब्रह्मा वै दक्षिणे पार्श्वे वामपार्श्वे तु केशवः॥३॥
उभाभ्यां मध्यतो रुद्रः स्वं करोति पृथक् पृथक् ।
यदि ध्यायेदेकतरं ध्याति वै निष्कलं शिवम् ॥ ४ ॥
रुद्रसायुज्यतां याति चेत्याह भगवाञ्छिवः ।
ये नित्यं देवदेवस्य हृदयंति स्मरंति वै ॥ ५ ॥
न तान्संक्रमते पापं ते मृताश्च दिवंगताः ।
अकारो भगवान्विष्णुरुकारश्च पितामहः ॥ ६ ॥
मकारश्च स्वयं रुद्रो विज्ञेयो ध्यानतत्परैः ।
अधः कृत्वा मकारं च ह्युकारं च प्रयोजयेत् ॥ ७ ॥
तकारं च मकारं च मात्रया सह योजयेत् ।
ह्युत्पन्नो मकारश्च ह्युकारं च नियोजयेत् ॥ ८ ॥
मकारं तं शनैः कृत्वा ध्यानं युंजति योगवित् ।
ॐकारं चैव ह्याद्यानां योगिनां तु तथैव च ॥ ९ ॥
उकारं ध्यायमानस्य जन्म तस्य न विद्यते ।
तथा प्रविष्टमोंकारं परितिष्ठेत मूर्द्धनि ॥ १० ॥
ततोप्यकारयोगी च ह्यक्षरादक्षरं भवेत् ।
एवं प्रपूज्यमानं तु मनो वै जायते परम् ॥ ११ ॥
महेश्वरं तु स ध्यायेत्समानाक्षरगामिनम् ।
यथा भावोद्भवं तस्य ह्युदानं तत्प्रकीर्त्यते ॥ १२ ॥

निगृह्य सर्वेंद्रियाणि ध्यानं युंजति योगवित् ।
अंगुष्ठमात्रं पुरुषं हृदि कृत्वा शिवं व्रजेत् ॥१३॥
भ्रुवोर्मध्ये च विप्राय ह्यसांख्यत्वं गुणान्वितम् ।
ललाटमध्यगं वाचमुच्यते लोकपावनम् ॥ १४ ॥
अक्षयं सूक्ष्मभावं च मूर्ध्नि कृत्वा शिवं व्रजेत् ।
नित्यमोमिति संज्ञातनिस्त्वार्थे योगमास्थितः ॥ १५ ॥
उच्चार्यमाणं क्षरते प्रशांतं वक्ष उच्यते ।
तस्मान्नोचारयेद्ब्रह्म मात्रब्रह्मक्षरतां व्रजेत् ॥ १६ ॥
त्रिब्रह्म त्रिगुणं चैव त्रिस्थानं त्र्यक्षरं तथा ।
त्रिगात्रं मूर्द्धमात्रं तु यस्तु वेद स वेदवित् ॥ १७ ॥
नोच्छ्वासमात्रमिति चेत्ध्यानं पूजति योगवित् ।
ॐकारं प्रथमं योगं नित्यं ध्यायन्ति योगिनः ॥ १८ ॥
विमुक्ताः सर्वपापेभ्यो विशांति शिवमव्ययम् ।
[illegible]गानीव संसारे त्विन्द्रयाणि सुखानि च ॥ १९ ॥
प्रकाशयंस्तदात्मानं निवातदीपवद्बुधः ।
तैलधारामविच्छिन्नां तस्य चित्तस्य विश्रयः ॥ २० ॥
ॐकारं ध्यायते वीरो विशुद्धेनांतरात्मना ।
न कंपनी तु स चैव न च मात्राणि निक्षिपेत् ॥ २१ ॥
धारयित्वा ततः शक्तिं ततः प्रत्याहरेत्पुनः ।
प्राणायामैर्वशं कृत्वा सर्वां चैवेंद्रवाहिनीम् ॥ २२ ॥
ततो युंजीत मेधावी ह्योंकारं स्थिरमानसः ।
अकारश्च ह्युकारश्च मकारश्चेति च त्रयः ॥ २३ ॥
एकैकशस्त्रीन्चैव तु ब्रह्मोंकारे निवेदयेत् ।
अकारस्त्विह ह्यधर उकारे यज्ञउच्यते ॥ २४ ॥
मकारे सामवेदस्तु मंत्रमूलेष्वथर्वणः ।
एवमुत्पातमानस्तु ततश्चोत्पन्नमीश्वर ॥ २५ ॥

शाश्वतं परमं ब्रह्म यज्ज्ञात्वा मोक्षमश्नुते ।
वसत्योमादिमोंकारं शशिनं च महेश्वरम् ॥ २६ ॥
मकारे च लयं सूक्ष्ममक्षरं परमं पदम् ।
यदि प्रसूत ॐकारः प्रलयश्च स्थितो हि सः ॥ २७ ॥
यमैश्च नियमैर्युक्तो ध्यायेदोंकारमादितः ।
शतं सहस्रपादानां गमिरित्येषणं परम् ॥-२८ ॥
शिवस्य परमं लिंगं विश्वरूपेण संहितम् ।
एवं च ह्युद्धृतं ब्रह्म सत्यं च परमं पदम् ॥ २९ ॥
ब्रह्मादयोऽप्युपासंते तच्चिंत्यास्तु परायणाः ।
तत्सुखं तत्र निर्माणं स मोक्षो विप्र उच्यते ॥ ३० ॥
एवमेतानुमानेन प्रसादश्चोपजायते ।
यथा पलाशपत्राणि निर्लिप्त्येव न बंधनैः ॥ ३१ ॥
तद्वज्जगदिदं सर्वं मायारूपेन बृंहितम् ।
एतत्ते कथितं सर्वं संक्षेपाद्ध्यानमुत्तमम् ॥ ३[illegible] ॥
रुद्रेणोक्तमिदं गुह्यं प्रयच्छति परं सुखम् ।
एवं नंदीश्वराच्छ्रुत्वा ब्रह्मपुत्रो महायशाः ॥ ३३ ॥
नंदीश्वरं परिष्वज्य हृष्टपुष्टस्तपोधनः ।
अभिवंदेनुवाग्भिस्तमीश्वरं चंद्रमौलिनम् ॥ ३४ ॥
योगं गुह्यतमं श्रुत्वा प्रयाणेषु यथासुखम् ।
तस्यामीशत्वपुर्नित्यं नित्यानित्यविवर्द्धते ॥ ३५ ॥

इति श्रीस्कंदपुराणे आदिरहस्ये सह्याद्रिखण्डे ईश्वरगणेशसंवादे नंदीश्वरयोगो नाम चत्वारिंशत्तमोऽध्यायः ॥ ४० ॥

अथ एकचत्वारिंशत्तमोऽध्यायः ।

योगोपनिषत् ।

[illegible] उवाच । महेश्वरेण यत्प्रोक्तं पञ्चज्जन्म सनातनम् ।
तत्सर्वं क्रमयोगेन कथ्यमानं निबोध मे ॥ १ ॥
प्राणायामं तथा ध्यानं प्रत्याहारात्रधारणे ।
योगं च परमं प्रोक्तं पंच कर्म प्रकीर्तितम् ॥ २ ॥
तेषां कर्मविशेषेण लक्षेण परमन्त्रथ ।
प्रवक्ष्यामि यथा तत्त्वं स्वयं रुद्रेण भाषितम् ॥३॥
प्राणायामस्तथा प्राणः प्राणस्यायाम उच्यते ।
सर्वतस्त्रिविधं प्रोक्तं मद[illegible]गतोत्तरम् ॥ ४ ॥
प्राणायामनिरोधैश्च मंत्रैर्द्वादशभिस्तथा ।
न तद् द्वादशमात्रास्तु ह्यु[illegible]ः प्रथमः स्मृतः ॥ ५ ॥
मध्यमश्च द्वाविंशत्कनिष्ठो त्रिंशतिमात्रकः ।
त्रिविधं चास्ति वै प्रोक्तं प्राणायामस्य लक्षणम् ॥ ६ ॥
सिंहो वा कुंजरो वापि तथान्यो वा मृगो वने ।
नवग्राहो दुराधर्षो द्विस्व[illegible]श्च प्रजायते ॥ ७ ॥
योगं निषेव्यमाणस्तु न द[illegible]ं प्राप्नुयात्कचित् ।
यथैव तु महासिंहः कुंजरो वाथ दुर्मदः ॥ ८ ॥
कालांतवशगध्योगाद्दुर्भिक्षपरिमर्दनात् ।
परिचीयमानः कालेन वशत्वं चैव गच्छति ॥ ९ ॥
परिचीयमानयोगस्य वशत्वं याति मारुतः ।
वशत्वं च तथा चापि गच्छते योगमास्थितः ॥ १० ॥
यथा स्वच्छंदतः प्राणो निपतत्याशु गच्छति ।
यथा सिंहो मृगो वापि नीयमानो व्यवस्थितः ॥ ११ ॥

अभयं च मनुष्याणां ततस्तेभ्यः प्रवर्तते ।
परिचीयमानस्य तथा वायुर्वै विश्वतोमुखः ॥ १२ ॥
परिचीयमानसंक्रुद्धः शरीरे कलुषं दहेत् ।
प्राणायामेन युक्तस्य विप्रस्य नियतात्मनः ॥ १३ ॥
सर्वे देवाः प्रणस्यंति सत्यस्थं चैव जायते ।
तीर्थानि यानि पंचैते नियमाश्च व्रतानि च ॥ १४ ॥
सर्वयज्ञफलं चैव प्राणायामस्य तत्फलम् ।
प्राणायामैर्देहेद्दोषान्धारणाभिश्च किल्बिषम् ॥ १५ ॥
प्रत्याहरेण विषयान्ध्यानेनानीश्वरान्गुणान् ।
तस्माद्युक्तं सदा योगात्प्राणायामं सदाऽऽचरत् ॥ १६ ॥
सर्वपापविशुद्धात्मा परं ब्रह्माधिगच्छति ।
मासि मासि कुशाग्रेण जलबिंदुं च यः पिबेत् ॥ १७ ॥
संवत्सरशतं पूर्णं प्राणायामस्य तत्फलम् ।
अतः परं प्रवक्ष्यामि प्राणायामस्य लक्षणम् ॥ १८ ॥
आसनं स्वस्तिकं कृत्वा पंच पद्मासनं तथा ।
समजान्वेकजान्वा वाप्युत्थानं च समास्थितः ॥ १९ ॥
मनागूर्द्ध्वासनो भूत्वा संगृह्य चरणावुभौ ।
संवृतास्योन्मीलनाभ उपविष्टो वाग्यतः ॥ २० ॥
पार्ष्णिभ्यां वृषणं रक्षेत्तथा शेफं च नित्यशः ।
किंचिदुन्नामितमुखो दंतैर्दंतान्न संस्पृशेत् ॥ २१ ॥
जिह्वां न चालयेच्चापि पाषाण इव निश्चलः ।
तमः प्रस्थाप्य रजसः सत्त्वेन संस्थितो ह्यभूत् ॥ २२ ॥
भूत्वा भूत्वा स्थिरं योगी निषण्णस्तु समाहितः ।
इंद्रियाणींद्रियार्थेभ्यो मनः पंच च वायवः ॥ २३ ॥
निरुध्य समवायेन कर्मेंद्रियं तथैव च ।
निवृत्तिर्विषयाणां च प्रत्याहारमुपक्रमेत् ॥ २४ ॥

तनो मात्रा श्रुतिर्ज्ञेया निमेषोन्मेष एव च ।
तथा द्वादश मात्रास्तु प्राणायामो विधीयते ॥ २५ ॥
धारणा द्वादशयामा सर्वसाधारणेंद्रियम् ।
दश द्वादश विज्ञेयं पंचविंशपरं तपः ॥ २६ ॥
गोदोहदोहनं यावत्सकाले ह्यचरं स्थितम् ।
धारणां धारयेद्योगी नित्यमध्यात्मचिंतकः ॥ २७ ॥
यस्य ते परमात्मानं दिव्यमक्षयमव्ययम् ।
धारयित्वा यथाशक्ति शनैः प्रत्याहरेत्पुनः ॥ २८ ॥
जित्वा जित्वा ततो भूतिं सारभेत ततो मुनिम् ।
अजिता हि सदा भूतिर्दोषं च कुरुते महत् ॥ २९ ॥
विवर्धयति ह्यमृदुं तस्मादेव जितामहि ।
प्राणायामस्य संरोधात्प्राणायामस्तु पठ्यते ॥ ३० ॥
मनसा धारयेच्चापि धारणं नातिविंदति ।
निवृत्तिर्विषयाणां च प्रत्याहारो न संशयः ॥ ३१ ॥
सर्वेषां समवायेन सिद्धिः स्याद्योगरक्षणा ।
देशकालनिदेशास्तु विज्ञेयं तत्त्वलक्षणम् ॥ ३२ ॥
प्रादेशकालतत्त्वस्य दर्शनं तु न विद्यते ।

इति श्रीस्कंदपुराणे आदिरहस्ये सह्याद्रिखण्डे व्याससनत्कुमार संवादे योगोपनिषत् नाम एकचत्वारिंशत्तमोऽध्यायः ॥ ४१ ॥

अथ द्विचत्वारिंशत्तमोऽध्यायः ।

दुर्वासोपनिषत् ।

व्यास उवाच । श्रोतुमिच्छामि भगवन् योगस्य परमं विधिम् ।
तदहं श्रोतुमिच्छामि त्वत्प्रसादात् द्विजोत्तम ॥ १॥

सनत्कुमार उवाच । सुखोपविष्टमासीनं महादेवं स्वयंप्रभम् ।
पप्रच्छ मुनिशार्दूल दुर्वासास्तु महामुनिः ॥ २ ॥
भगवन् भयसंविग्नमिदमाह कृतांजलिः ।
भगवन्केन मुच्यंते नराः पापेषु ये रताः ॥ ३ ॥
ब्राह्मणाः क्षत्रिया वैश्याः शूद्राश्चैव तथा विभो ।
श्वपाकम्लेच्छमातंगाः सूकरीपक्षिपोषकाः ॥ ४ ॥
पापाशयाः कृतघ्नाश्च दुष्टकर्मकृतो नराः ।
परद्रव्यापहाराश्च युद्धे चापि पराङ्मुखाः ॥ ५ ॥
अशक्ता बहुशश्चैव शक्त्या वृत्तिभुजश्च ये ।
चांडालमत्स्यवेधाश्च ह्यगम्यागमने रताः ॥ ६ ॥
एतेचान्ये च बहवः सर्वपापेषु ये रताः ।
गच्छन्ते ते यथा तात पापिष्ठगतिं वत्सल ॥ ७ ॥
एतं वै संशयं तात छेत्तुमर्हसि नः क्षमः ।
महेश्वर उवाच । शृणु विप्रेंद्र तत्त्वेन येन मुच्येत कर्मणा ॥ ८ ॥
एवं ते ध्यानिनो विप्रा दहंते पातकं क्षणात् ।
ध्यानेन शुद्ध्यते बुद्धिर्ध्यानेन विदितात्मना ॥ ९ ॥
लभते ब्रह्म निर्वाणं शुद्धा ध्यानेन योगिनः ।
ध्यानं चिंतयमानस्य ह्येकचित्तेन ध्यायिनः ॥ १० ॥
एकेन ध्यानयोगेन तत्पापं निर्दहेत्क्षणात् ।
पितृपत्नीं गुरुपत्नीं स्नुषां भगिनीमेव च ॥ ११ ॥
गत्वा शुद्धतरो विप्रो ध्यानेन तु न संशयः ।
ध्यानहीनो यस्तु नित्यं दुष्टभक्तो दृढव्रतः ॥ १२ ॥
लभते धारणाद्योगं येन शुद्ध्यति वै मतिः ।
लब्धं सर्वप्रयत्नेन संयनिस्तत्परो भवेत् ॥ १३ ॥
तन्मयस्तत्परश्चैव मूर्ध्नि निर्वाणमृच्छति ।
अथवा सूर्यलोके तु चंद्रलोके तथैव च ॥ १४ ॥

अग्निलोकाद्वायुलोकं रुद्रलोकं प्रजापतिः ।
विष्णुलोकांतरं गत्वा विष्णुलोकात्परा गतिः ॥ १९ ॥

इति श्रीस्कंदपुराणे आदिरहस्ये सह्याद्रिखंडे व्याससनत्कुमार संवादे दुर्वासोपनिषत् नाम द्विचत्वारिंशत्तमोऽध्यायः॥४२॥

अथ त्रिचत्वारिंशत्तमोऽध्यायः ।

दुर्वास उ०। कोसौ ध्यानात्मकः श्रेष्ठः किं च ध्यानं च नित्यशः ।
एतदिच्छाम्यहं श्रोतुं त्वत्प्रसादान्महेश्वर ॥ १ ॥
महेश्वर उवाच । आसनं तु प्रयत्नेन बुद्ध्या पूजति योगवित् ।
य ह्यमंडलकं चैव स्वस्तिकं समुदाहृतम् ॥ २ ॥
रुद्रपीठं च वर्यं च वज्रदंडोन्नतं तथा ।
इत्येतदासनं प्रोक्तं नानारूपगुणान्वितम् ॥ ३ ॥
एतेषामेकमास्थाय ह्यासनं तु विचक्षणः ।
लब्ध्वाहारविहारौ च ह्येकांते च भिरामयः ॥ ४ ॥
शिष्टसंसर्गवर्ज्यं तु दर्शनार्थागमं तथा ।
चित्तं ध्यानेन यच्चिंत्यं शास्त्रदृष्टेन कर्मणा ॥ ५ ॥
योगस्थेनैव मार्गेण ह्येकाग्रमानसो भवेत् ।
एकाग्रमानसो भूत्वा ह्युत्पत्तिप्रलयौ तथा ॥ ६ ॥
युंजीत् स्वे शरीरार्थं नित्यं चैव शरीरके ।
मज्जामेदोभ्यां संपूर्णे शिराजालसमावृते ॥ ७ ॥
नवद्वारपुरे देहे मम चैव शरीरके ।
श्लेष्ममूत्रपुरीषेषु दुर्गंधे जन्मसंभवे ॥ ८ ॥
व्याधिशोकगणे घोरे मम त्वं हि शरीरके ।
चिंतयित्वा शरीरस्य नित्यानित्यं हि योगवित् ॥ १०॥

योगमेव प्रवक्ष्यामि बाह्याभ्यंतरमेव च ।
अविमुक्तस्थिते दैवे रुद्रवासे तु चेश्वरः ॥ १०॥
प्राणास्तु रुद्रा विज्ञेया ह्यविमुक्तपरं स्मृतम् ।
तस्मिंस्थाने वसे देवि रुद्रावसति वोच्यते ॥ ११ ॥
एष आभ्यंतरो योगो मया ते कथितो द्विज ।
अन्यं ते कथयिष्यामि हितार्थं सर्वजंतुषु ॥ १२ ॥
आभ्यंतरं शृणु तथा योगं योगविदां वरम् ।
श्रोत्रं त्वकचक्षुषी जिव्हा नासिका चैव पंचमम् ॥ १३ ॥
पृथिव्यापश्च तेजश्च वायुराकाशपंचमः ।
महाभूतादि कर्तव्यं ज्ञानार्थं ज्ञानमेव च ॥ १४ ॥
व्यक्तं वै परिषं शांतं प्राणायामं च धारणा ।
प्राणायामैर्वशीकृत्वा सर्वामिंद्रियवाहिनीम् ॥ १५ ॥
ततो युंजीत मेधावी प्राणं च मनसा मुनिः ।
मनः पूर्वं मनः सर्वं मनस्तस्मान्न लंघयेत् ॥ १६ ॥
पृथग्भावेन तत्त्वानां पश्चाद्धूलितमूर्द्धनि ।
एवं त्वं प्राणमनसोरिंद्रियाणां समन्वितम् ॥ १७ ॥
आत्मनैवात्मनो विप्र धारयेदात्मनात्मनि ।
इति श्रीस्कंदपुराणे आदिरहस्ये सह्याद्रिखंडे दुर्वासोपनिषत् नाम त्रिचत्वारिंशत्तमोऽध्यायः ॥ ४३ ॥

अथ चतुश्चत्वारिंशत्तमोऽध्यायः ।

महेश्वर उवाच । प्राणोपानसमानाश्च ह्युदानो व्यान एव च ।
तान्हित्वा वायवान्पंच धारयेन्नात्मनात्मनि ॥ १ ॥
भवेदांगुलिपत्रेषु तथा वै पर्वसंधिषु ।
जान्वोश्च ह्यूरुजंघासु शिश्ने चरणयोस्तथा ॥ २ ॥

भ्रुवोर्मध्ये ललाटे च स्कंधे श्रोत्रे च मूर्द्धनि ।
नाभिमध्ये शरीरस्य विहितं सूर्यमंडलम् ॥ ३ ॥
ज्वालामालासहस्रैश्च दीप्यमानः स्वतेजसा ।
तस्य मध्यं तु विहितं सौम्यं सोमस्य मंडलम् ॥ ४ ॥
सोममंडलमध्ये तु परं नाभ्यां च तिष्ठति ।
अस्थिस्नायुशिरामांसवर्जितो दुःखवर्जितः ॥ ५ ॥
न च श्यामो न रक्तश्च न कृष्णो न च पिंगलः ।
न पांडुरो न कपिलो लोहितो न च शामलः ॥ ६ ॥
आदित्यवर्णं पुरुषं संतं विद्याद्विचक्षणः ।
ईश्वरश्च भवश्चैव विभुः क इति कीर्त्यते ॥ ७ ॥
शुद्धस्फटिकवर्णाभं पश्यंते तत्र चर्षयः ।
येन सर्वमिदं व्याप्तं पयो दधि च सर्पिषा ॥ ८ ॥
क्रीडार्थं सृजते लोकान् ख्यात्यर्थं च महेश्वरः ।
न किंचित्क्रीडते नित्यं बालक्रीडनकैरिव ॥ ९ ॥
पलाशस्य यथा पत्रं सर्वं व्याप्तं हि तंतुभिः ।
सूर्यरश्मिर्यथाजस्रं सर्वतेजांसि धारयेत् ॥ १० ॥
एवं तेन तथा व्याप्तं शरीरं परमात्मना ।
परमात्मेति विज्ञेयो ज्ञानाभ्यासेन वै द्विज ॥ ११ ॥
अभ्यासात् पश्यते सर्वं स्वयमात्मानमात्मनि ।
इमं योगविधिं कृत्वा शृणु तत्त्वं मनीषिणः ॥ १२ ॥
दश प्राणवहा नाड्यो देहिदेहेषु संस्थिताः ।
चतस्रो यास्तु विज्ञेया देवनाड्योस्तु पार्श्वयोः ॥ १३ ॥
जंघायां चतस्रो ज्ञेया नाड्यस्तु परिकीर्तिताः ।
कृष्णसंकाशसंस्थानं हृदयं चापि दृश्यते ॥ १४ ॥
सुप्तो हि पुरुषो ज्ञेयः परमात्मा व्यवस्थितः ।
शुद्धस्फटिकसंकाशो विमुक्तः सर्वबंधनैः ॥ १५ ॥

मालासूत्रमिव प्रोतः पश्यंति निष्कलं ध्रुवम् ।
तं दृष्ट्वा ध्यानयोगेन परमात्मानमीश्वरम् ॥ १६ ॥
न शक्यं कुरुते कालदृष्ट्या मायामयं जगत् ।
तद् दृष्ट्वा नानुलिप्यंते कर्मणा पातकेन च ॥ १७ ॥
शुद्धस्फटिकवर्णाभं निर्गुणं शाश्वतं ध्रुवम् ।
नीरंजनमथाव्यक्तं पदमक्षरमव्ययम् ॥ १८ ॥
त्वां सर्वगतं सर्वं मुक्तश्च त्वं सदाशिवः ।
प्रार्थिता भावना स्रष्टा हर्ता प्रस्रविना यनः ॥ १९ ॥
धर्मोत्सुकं च सर्वस्वस्तदेग्निश्च भास्करः ।

इति श्रीस्कंदपुराणे आदिरहस्ये सह्याद्रिखंडे शिवगणेशसंवादे चतुश्चत्वारिंशत्तमोऽध्यायः ॥ ४४ ॥

अथ पंचचत्वारिंशत्तमोऽध्यायः ।

महेश्वर उवाच । प्राणापानसमायुक्ता स्नेहात्प्रोक्ता द्विजोत्तम ।
नाभिं संचरते क्षिप्रं परमात्मानमव्ययम् ॥ १ ॥
क्षणे प्राप्य तदा योगी नित्यध्यानपरायणः ।
एवं हि परमात्मानं पापकर्मा न पश्यति ॥ २ ॥
पापकर्मापि यो नित्यं नित्यं धर्मपरायणः ।
ध्यानाग्निः सर्वकर्माणि दहत्यग्निरिवेंधनम् ॥ ३ ॥
न वेदयज्ञैर्न जपैर्न योगैर्न शौचजप्यैर्न च वेदगीतैः ।
प्राप्यंवरंतुनतरेचनरेणलोकेध्यानार्णवंयस्तुनिषेवतेध्रुवम्॥४॥
न नदीस्नानमात्रेण त्रिदंडीनां विधारणात् ।
प्राप्तं पदं कस्य वरेण लोके ध्यानार्णवं यस्तु न सेवते बुधः॥५॥
सर्वतः समचित्तस्तु सर्वमात्मानमेव च ।
चिंतयन्सर्वभूतानि तदा सिद्धति सो द्विज ॥ ६ ॥

इति श्रीस्कंदपुराणे आदिरहस्ये सह्याद्रिखण्डे पंचचत्वारिंशत्तमोऽध्यायः ॥ ४५ ॥

अथ षट्चत्वारिंशत्तमोऽध्यायः ।

दुर्वास उवाच । ज्ञापयामि पुनर्देव प्रसादं कुरु शंकर ।
किंदृशोयं भवेद्देहे षडंगो वेद उच्यते ॥ १ ॥
महेश्वर उवाच । प्राणायामस्तथा ध्यानं धारणा योग उच्यते ।
प्राणस्य ग्रहणं नित्यं प्राणायामः स उच्यते ॥ २ ॥
ॐकारं मनसा ध्यात्वा ह्येकाग्रमनसा स्मरन् ।
ध्यानेन तु समायोगी ध्यानसंचित्ततत्परः ॥ ३ ॥
सर्वेषामिंद्रियाणां च विषयाणां तथैव च ।
प्रतिप्रत्याहरं कृत्वा प्रत्याहारः स उच्यते ॥ ४ ॥
दशानामिंद्रियाणां च ह्योंकारे प्रतिमानसः ।
योजनानां जयेच्चैव योगो वै कीर्त्यते बुधैः ॥ ५ ॥
अहिंसा सत्यवचनमस्तेयं चाप्यकल्पता ।
तथैव ब्रह्मचर्यं च पंचैते नियमाः स्मृताः ॥ ६ ॥
अक्रोधो गुरुशुश्रूषा शौचं संतोष एव च ।
एतेषु नियमाः पंच विज्ञेया ब्रह्मवादिषु ॥ ७ ॥
षडंगो योग चेत्येषः शुद्धो विज्ञान एव च ।
स गच्छेत्परमं स्थानं शाश्वतं पदमव्ययम् ॥ ८ ॥
अंते शून्ये तु यस्यार्थे शरीरे कीर्त्यते बुधैः ।
तस्य चांते शरीरस्य शरीरेशः स उच्यते ॥ ९ ॥
ज्ञानं निरंजनं चैव ह्यव्यक्तं त्रिगुणात्मकम् ।
द्रष्टा पाता च स्रष्टा मे मंता बोद्धा तथैव च ॥ १० ॥
पुरुषं [illegible] ध्यानचक्षुषा ।
यजते [illegible]भ्यते ॥ ११ ॥
पश्येत्सूक्ष्म [illegible]तु शरीरी त्हृदि संस्थितः ।
हृदि मध्ये स्थिता बुद्धिर्मनओंकारमेव च ॥ १२ ॥

अव्यक्तं त्रिगुणं तत्र पुरुषश्चात्र सत्तम: ।
रजस्तमोभ्यां संश्छन्नो यदा किंचिन्न चिंतयेत् ॥ १३ ॥
वर्तमानस्तु विज्ञेयश्चतुर्थी गतिरेव च ।
पंचविंशति विज्ञेयं शिवमीशानमव्ययम् ॥ १४ ॥
सभूतिं च विशालां च भावनां वै तथैव च ।
यन्न वेत्ति नर: प्राज्ञ: स: श्रेष्ठस्त्विष्टसंज्ञक: ॥ १५ ॥
पुरुष: संचरत्येवं भवत्युपरिसंस्थित: ।
रुद्रावासे तु ह्योंकारस्त्वाविमुक्त: स उच्यते ॥ १६ ॥
माहात्म्यं तस्य यत्प्रोक्तं संश्छिन्नं तत्र विद्यते ।
एवं चिंत्वा च ज्ञात्वा च स गच्छेत्परमं पदम् ॥ १७ ॥
य एवं पंचविंशकं षड्विंशं च तथैव च ।
ऊनविंशतिकं विद्याज्ज्ञानतत्त्वार्थचिंतक: ॥ १८ ॥
विंशकं तु तदा ज्ञात्वा ह्यमृतत्वाय कल्पते ।
चतुर्विंशग्रहं योगं ह्येष वै पंचविंशक: ॥ १९ ॥
षड्विंशकस्तथा ज्ञेयो ह्यध्यक्ष: सप्तविंशक: ।
पुरुषोऽष्टाविंशतिकस्त्रिंशत्पुरुषलोकधृक् ॥ २० ॥
यं विदित्वा न शोचंति शिवं तं कथयामि ते ।
एष वै कथितो ब्रह्मन्मया हितवसुव्रत ॥ २१ ॥
अच्छेद्योपि ह्यजो नित्यं स्वरव्यंजनसंज्ञक: ।
यश्चिंतयेद्यतिर्नित्यं मात्राक्षरविवर्जित: ॥ २२ ॥
अविमुक्त: स्थितो देवो मत्स्योदर्यास्तु दक्षिणे ।
ॐकारं परमं देवं पंचायतनवादिनम् ॥ २३ ॥
तस्य चैव प्रसादेन निष्फलत्वं प्रपद्यते ।
चिंतयेद्योगवान्नित्यमेष वै [illegible] ॥ २४ ॥

इति श्रीस्कंदपुराणे आदिरहस्य[illegible]ससनत्कुमा
संवादे षट्चत्वारिंशत्तमोऽध्याय: ॥ [illegible] ॥

अथ सप्तचत्वारिंशत्तमोऽध्यायः।

दुर्वास उवाच । कथं ज्ञेयं हि भगवन् मात्राक्षरविवर्जितम् ।
एतन्मे देव गुह्यं च ब्रूहि तत्त्वं वृषध्वज ॥ १ ॥
महेश्वर उवाच । शृणु विप्र यथा तत्त्वं मात्राक्षरविवर्जितम् ।
शरीरं तु तदा ब्रह्मन् यज्ज्ञात्वा मुच्यते यतिः ॥ २ ॥
ॐकारं परमं ब्रह्म किंचिदन्यन्न विद्यते ।
पंचोच्यते च तद्ब्रह्म मात्रैव परिकीर्तितम् ॥ ३ ॥
प्रथमा वै द्वितीया च विज्ञेयाक्षरमालिनी ।
तृतीया निमिषा चैव विज्ञेया योगचिंतकैः ॥ ४ ॥
पिपीलिकार्धमात्रा च विज्ञेया गुणवर्जिता ।
प्रशांता चाक्षरा चैव तां विदित्वा तु मुच्यते ॥ ५ ॥
अकारो विद्युता नाम ह्युकारोक्षरगामिनी ।
मकारो निमिषा नाम प्रशांता तु पिपीलिका ॥ ६ ॥
अकारो ब्रह्म चेत्याहुरुकारो विष्णुरुच्यते ।
मकारोऽपि मम ज्ञेयः प्रशांतं शाश्वतं ध्रुवम् ॥ ७ ॥
ॐकारं तु तदा योगी युंजानः समभं हरेः ।
विज्ञानाख्या तदा ज्ञेया नित्यमक्षरगामिनी ॥ ८ ॥
चिंत्यमानश्च बहुशो सोमसूर्यनिदर्शनैः ।
इषुकार इवासक्तो यथा येन तु पश्यति ॥ ९ ॥
यादृशं तारयेद्ब्रह्म तथा विंदति तत्परम् ।
इति श्रीस्कंदपुराणे आदिरहस्ये सह्याद्रिखंडे व्याससनत्कुमार-
संवादे सप्तचत्वारिंशत्तमोऽध्यायः ॥ ४७ ॥

अथ अष्टचत्वारिंशत्तमोऽध्यायः ।

महादेव उवाच । इदं शरीरं विप्रेंद्र सर्वदेवमयं शृणु ।
तदहं ते प्रवक्ष्यामि तस्मिंस्तस्मिंश्च दैवतम् ॥ १ ॥
विष्णुः पदेषु विज्ञेयो योजयेन्मरुतस्तथा ।
पायौ मित्रोऽथ वरुण उपस्थे च प्रजापतिः ॥ २ ॥
कुबेरोपि कटिस्थाने यक्षैश्च सहितस्तथा ।
अन्ते समुद्रा विप्रेंद्र ह्युदरे पंच देवताः ॥ ३ ॥
हृदिस्थाने तु सावित्री ह्युर्वीः सोमस्तथैव च ।
हस्तयोरिंद्र इत्याहुस्त्वचिवै विधुतस्तथा ॥ ४ ॥
ओषध्यश्च वनस्पत्यो नखे केशेषु वै द्विज ।
रोमकूपे धर्मधारामूह्यादित्थं न संशयः ॥ ५ ॥
श्रोत्राणि च दिशः सर्वा विज्ञेया ब्रह्मवादिषु ।
भ्रुवोस्तु पर्वता ज्ञेया ललाटे वसवस्तथा ॥ ६ ॥
अपराण्हे यमश्चैव तथा वेधाः प्रतिष्ठितौ ।
अपराण्हे रात्रयश्च समुद्राः कुक्षयस्तथा ॥ ७ ॥
अहंकारे तथा रुद्रो बुद्धौ ब्रह्मा प्रतिष्ठितः ।
इत्येवं तु मया प्रोक्तं सर्वदेवमयं परम् ॥ ८ ॥
एतज्ज्ञात्वा च बुध्या तु गछंतु परमां गतिम् ।

इति श्रीस्कंदपुराणे आदिरहस्ये सह्याद्रिखण्डे व्याससनत्कुमार-संवादे दुर्वासोपनिषत् नाम अष्टचत्वारिंशत्तमोऽध्यायः ॥४८॥

अथ एकोनपंचाशत्तमोऽध्यायः ।

दुर्वास उवाच । एवं प्रोक्ताः शरीरस्था देवता ऋषयस्तथा ।
प्राणाकृतिं कथं सर्वे लभंते वृषभध्वज ॥ १ ॥

महेश्वर उवाच । प्राणापानसमानाश्च ह्युदानो दान एव च ।
इत्येते वायवः पंच शरीरेषु प्रतिष्ठिताः ॥ २ ॥
एतेभ्यो जुहुयेयुस्तु प्रथमामाहुतिं द्विज ।
सावित्री चतुरो वेदाः सषडंगपदक्रमाः ॥ ३ ॥
ओषध्यश्च वनस्पत्यो सोमभास्करमारुताः ।
तेन तेन तु तृप्यंति यत्प्राणे जुहुते यतिः ॥ ४ ॥
समाने जुहुयुस्तत्तु द्वितीयामाहुतिं द्विज ।
तेन नागाः समुद्राश्च सरितः सागरस्तथा ॥ ५ ॥
ऋषयः पितरश्चैव सर्वे वेदाः ससागराः ।
तेनान्नेन तु तृप्यंतु ह्यपाने जुहुते यतिः ॥ ६ ॥
समाने जुहुते यत्तु तृतीयामाहुतिं द्विज ।
अश्विनौ मरुतौ यस्तु यमश्च वरुणस्तथा ॥ ७ ॥
प्रजापतिः कुबेरश्च सर्वे देवगणास्तथा ।
तेनान्नेन तु तृप्यंति समाने जुहुने यतिः ॥ ८ ॥
उदानं जुहुते यत्र पंचमामाहुतिं द्विज ।
तेन सर्वा सनक्षत्रा सप्तद्वीपा च मेदिनी ॥ ९ ॥
सप्त लोकाश्च ब्रह्मांडमप्सरोरगराक्षसाः ।
तेनान्नेन तु तृप्यंति व्याने तु जुहुते यतिः ॥ १० ॥
एकं तु सततं विप्र जुहुते प्रणवेन वै ।
श्वपाकस्यापि भुंजानो न स पापेन लिप्यते ॥ ११ ॥
ब्राह्मणाः क्षत्रिया वैश्याः शूद्रोथ यदि वा पठेत् ।
एवमेवमिदं ज्ञात्वा ह्यमृतत्वमवाप्नुयात् ॥ १२ ॥

इति श्रीस्कंदपुराणे आदिरहस्ये सह्याद्रिखण्डे व्याससनत्कुमार-संवादे प्राणयजनकथनं नाम एकोनपंचाशत्तमोऽध्यायः॥ ४९॥

अथ पंचाशत्तमोऽध्यायः ।

महादेव उवाच । यस्त्वयोक्ता भगवता सांख्ययोगविशारदाः ।
योगनाडीमिमां ब्रह्मन् श्रोतुमिच्छामि तत्त्वतः ॥ १ ॥
सनत्कुमार उवाच । प्रणम्य शिरसा देवं ह्यभयं भुवनेश्वरम् ।
कात्यायनि नमस्तुभ्यं रुद्रपत्नि विशेषतः ॥ २ ॥
हिरण्यगर्भहरिहरैर्योगशास्त्रमुदाहृतम् ।
परमध्यामिदं ध्यानं नाडीसंशरसंज्ञितम् ॥ ३ ॥
विश्वमूर्तिर्यदा श्रीमान्देहस्थः क्रीडते सदा ।
श्रमतरासयत्तस्य जगद्देहश्रिनास्तु या ॥ ४ ॥
योगनाडीः प्रवक्ष्यामि त्वदयांते समाश्रिताः ।
पूर्वाः श्वेतास्तथा नाड्यो दक्षिणाः कृष्णपिंगलाः ॥ ५ ॥
पंच पंच स्मृता नाड्यो त्वदि संस्थानमाश्रिताः ।
शतमेकोत्तरं नाडी सुयान्ते नेत्रयोगिनः ॥ ६ ॥
सर्वाश्च ताः समग्राश्च ब्रह्मनाडीं समाश्रयन् ।
परमात्मा त्वदिस्थो हि ससमस्ताश्च पश्यति ॥ ७ ॥
विश्वोसिताभिर्नाडीभिर्जलक्रीडा हि हंसवत् ।
पूर्वनाडीषु वै पंच प्राणाद्याः परिकीर्तिताः ॥ ८ ॥
दक्षिणा याः स्थिता नाड्यस्तासां पंच जला इव ।
पश्चिमोत्तरपार्श्वे तु ह्युत्पन्नो चोत्तरादिशि ॥ ९ ॥
समानस्थानचोत्थानि ह्यधःस्थाने समाश्रिताः ।
द्विगुणं तु समुत्पन्नं त्वदपानंतरं ततः ॥ १० ॥
एतन्नाडीप्रमाणं तु विश्वामित्रप्रतिष्ठितम् ।
उदयाश्चतुर्भिः संयुक्तः स्तु तासु विश्वकर्मणा ॥ ११ ॥
तेनैव नाड्यंतरसंचरेण तां शुक्रनाडीं हृदि लक्षयाताः ।
तां ब्रह्मनाडीं प्रवदंति प्राज्ञाः परावरज्ञानविधानभूताः १२

बुद्धींद्रियाणि रक्षंति मनस्तत्र प्रयोजनम् ।
पंचेंद्रियाणि संयुक्ताः पंचकर्मेंद्रियैस्तथा ॥ १३ ॥
सर्वे च त्हदि संबद्धा त्हदि योगेन पादयोः ।
सर्वनाडीसहस्रस्य गुणान्येव चतुष्टयम् ॥ १४ ॥
ध्रुवं न पश्यते स्वर्गे प्रसुप्तं च चतुष्टयम् ।
नाडीरश्मिस्तथा चैव सर्वे सर्वेश्वरं जगत् ॥ १५ ॥
यज्ञाश्च सर्ववेदाश्च त्हदि सर्वे व्यवस्थिताः ।
अभिसाद्यते विश्वं प्रणवेनोर्द्धमुच्यते ॥ १६ ॥
मूर्ध्नि भूत्वा ततो भाति नासिका सूर्यमेव च ।
शुक्रमूत्रवहा नाड्यो एकीभूत्वा तु मिश्रिताः ॥ १७ ॥
रेतसः समपर्यंत मूत्रं चैव तथैव च ।
ब्रह्मनाडी मुखे तस्य मनसा त्हदि चेश्वरम् ॥ १८ ॥
त्रीणि चास्थिसहस्राणि परं संवत्सरं स्मृतम् ।
न तत्र वै चेति विश्वं मनसः सर्वतोमुखम् ॥ १९ ॥
एकचित्तपरो नित्यं स्मरतो निर्मलीभवेत् ।
वृक्षात्सूक्ष्मतरो भावो यं विदित्वानुपूज्यते ॥ २० ॥
सोमं सूर्यांशुभिः पीतं यद्येषं चैव तिष्ठति ।
तत्रोपरि नयंते ते योगिनां मूर्धशायिनाम् ॥ २१ ॥
तेनैवमार्गे विनियोजितंभवाननेकशास्त्रादिविदेवसर्वान् ।
ध्यानेनविज्ञायविधूतकल्मषःभित्वास्थितिंब्रह्मविदःप्रयांति२२
सनत्कुमारेणेदं तु नाडीसंचारसंचितम् ।
योगशास्त्रमिदं पुण्यं वेदशास्त्रं सुनिश्चितम् ॥ २३ ॥
पुण्यात्पुण्यतरं सत्यं पवित्रं पापनाशनम् ।
नाडीसुखं तु चिंत्यात्मा सर्वपापैः प्रमुच्यते ॥ २४ ॥
नाडीमध्यागतं विश्वं शुध्यते पितृमातृकम् ।
गोमूत्रं सप्तकं पापं सहते चाष्टकं तथा ॥ २५ ॥

तेनापि श्रद्धया नाडी मूर्धाधस्तादिति स्मृतः ।
सनाडीमात्ममध्यं तु येन विश्वं हृदि व्रजेत् ॥ २६ ॥
यावतो ह्रदि तिष्ठंति तन्मयास्तत्परायणाः ।
तावत्संचिंतयन्विश्वं याच तिष्ठे मनः पुनः ॥ २७ ॥
एवं चिंत्येन योगेन नाड्या धारयते परम् ।
नाडीसूक्ष्मेन योगेन ह्यूर्ध्वरेवोत्तरायणम् ॥ २८ ॥
नाड्यधस्ताच्च तत्कार्यं तद्भूतं तन्मनः स्मृतम् ।
उभौ मार्गौ तु विज्ञेयौ देहं संवत्सरं स्मृतम् ॥ २९ ॥
स गत्वा तेन मार्गेण जायते न कदाच न ।
भित्वा सोढं मनश्चैव विमुक्तं परमं स्मृतम् ॥ ३० ॥
विधाने चैव नाड्यास्तु शरीरं परिकीर्तितम् ।
स्नायुस्त्रीणि सहस्रेण दुर्वासा रनिजा स्मृताः ॥ ३१ ॥
सस्यवंते सहस्राणि शिराश्चाहुरिसंस्थिताः ।
ते वै शिरांसि मार्गाणि विश्वं यत्र प्रतिष्ठितम् ॥ ३२ ॥
सर्वनाडीः परित्यज्य ब्रह्मनाडीं सनाशयत् ।
सनाडीपर्वदुर्गाणि तारयंत महार्णवम् ॥ ३३ ॥
एका नाडी निरालंबा भानुमध्यशिरोगताः ।
धूतपापा दिवं यांति मूर्ध्नि भित्वा तमीश्वरम् ॥ ३४ ॥
यो यो श्रीपातीष्टानां ह्युपैति ज्योतिर्मानवम् ।
देवैः सद्भिर्वैर्ऋषभःसमग्र ब्रह्मा च विष्णुश्च महेश्वरश्च३५
वायुर्यमोग्निर्वरुणःशशांकः सर्वांतरिक्षं च दिवं च यांति ।
गुणैःस्तवंतोभिमुख्याभिमुख्यागायंति नृत्यंति च पूजयंति३६
स युक्तयोगी च सुपूज्यमानः परं पदं गच्छति चेश्वरालयम् ।
इति श्रीस्कंदपुराणे आदिरहस्ये सह्याद्रिखंडे व्याससनत्कुमार-
संवादे पंचाशत्तमोऽध्यायः ॥ ५० ॥

अथ एकपंचाशत्तमोऽध्यायः ।

व्यास उवाच । अविमुक्तस्य माहात्म्यं श्रोतुमिच्छामि तत्त्वतः ।
तथैवौंकारशब्दस्य माहात्म्यं च वदस्व मे ॥ १ ॥
सनत्कुमार उवाच । पार्वत्या सह संवादं देवदेवस्य धीमतः ।
वक्ष्यामि शृणु ते व्यास रहस्यं ज्ञानमुत्तमम् ॥ २ ॥
देव्या त्वीशं तु पृच्छंत्या रहस्यं ज्ञानमुत्तमम् ।
तीर्थाय निपदं पुण्यं रहस्यं ज्ञानमुत्तमम् ॥ ३ ॥
तीर्थाय निपदं पुण्यं मोक्षदं सर्वदेहिनाम् ।
कथयामास देवेशो रहस्यं परमाद्भुतम् ॥ ४ ॥
सत्वरं चिंतयामास ह्यविमुक्तं गणाधिपः ।
वाराणसींविना देवो न रतिं प्राप कुत्रचित् ॥ ५ ॥
उवाच वाक्यं वरदो जगन्नाथः पिनाकधृक् ।
तस्मिन्पुरवरे नित्यं रतिर्मेधा च मे पुनः ॥ ६ ॥
ध्यानकर्म न सुश्रोणि तदिहैकमनाः शृणु ।
सिद्धांतानां च सर्वेषां सतीनां चैव सुंदरि ॥ ७ ॥
चतुर्दशानां विद्यानां यस्तु सारः प्रकीर्तितः ।
आत्मज्ञानं परं गुह्यं यज्ज्ञात्वामृतमश्नुते ॥ ८ ॥
सोहं देवि स्थितः साक्षाद्रुद्रावासे च यः प्रभुः ।
तेन चैव तु सुश्रोणि तस्मिन्स्थाने स्थितः सदा ॥ ९ ॥
पंचायतनमास्थाय मनस्तन्मयतां व्रजेत् ।
एवं पाशुपताः श्रेष्ठा मम पुत्रा दृढव्रताः ॥ १० ॥
ते विमुक्तं परं स्थानं रुद्रावासं हि सर्वदा ।
विंदंति परया भक्त्या स्वभावं परमास्थिताः ॥ ११ ॥
ॐकारं परमं ब्रह्म योगं मे विदितं बुधः ।
पंचब्रह्मसमायुक्तं पंचायतनवासिनम् ॥ १२ ॥

ये रक्षंति शिवं तत्र ते रक्षंति परं पदम् ।
ब्राह्मण्यं ते न मुध्यंते वेदवेदांगपारगम् ॥ १३ ॥
एते वै पुण्यकर्माणि ये त्वाच देवसंमिताः ।
नानालिंगधरा विप्रा वेदशास्त्रपरायणाः ॥ १४ ॥
गृहस्थाश्चैव यतयस्तस्मिन्तीर्थ उपासिताः ।
एकदंडस्त्रिदंडो वा हंसव्रतधराश्च ये ॥ १५ ॥
शिवाः पाशुपता ये च कपालव्रतचारिणः ।
उपासंति च मां नित्यं स्वकं च व्रतमास्थिताः ॥ १६ ॥
अविमुक्ते परे क्षेत्रे तद्भावगतमानसाः ।
कर्मभेदे तु तेषां वै सर्वेषामास्थितो ह्यहम् ॥ १७ ॥
विभजामि परं स्थानं यत्तु मोक्षपरं पदम् ।
श्मशानं तत्र विख्यातमविमुक्तं विमुक्तिदम् ॥ १८ ॥
द्विजैः पाशुपतैर्घृष्टं देवगंधर्वसेवितम् ।
यत्र नित्यं हरः साक्षादविमुक्ते स्थितः प्रभुः ॥ १९ ॥
नित्यं सन्निहितो देवि जंतूनां चैव कारकः ।
तस्यां पुर्यां व्यवस्थानात्परता ह्यविमुक्तता ॥ २० ॥
संयुक्तं शिशुभिश्चैव तथा संसारभीरुभिः ।
तत्र विश्वेश्वरं दृष्ट्वा संसारे न पतेत्पुनः ॥ २१ ॥
सिद्धिक्षेत्रं तपःक्षेत्रं तथा वाराणसी मुने ।
अविमुक्तेश्वरं देवं संसारभयमोचनम् ॥ २२ ॥
वापीजले च तत्रस्थं देवदेवस्य सन्निधौ ।
स्पर्शनाद्दर्शनात्तस्य ह्युद्धरेन्मानवो भुवि ॥ २३ ॥
दुर्लभं तु कलौ देवि तज्जलं ह्यमृतोपमम् ।
तारणं सर्वभूतानां सर्वपापस्य नाशनम् ॥ २४ ॥
जिगीषावंतं पुनाति एतद्रुद्रपरो भुवि ।
यत्र संध्यामुपासित्वा ब्राह्मणाः सकृदेव तु ॥ २५ ॥

संध्यामुपास्य सदृशा भवंति शरदां शतम् ।
देवो देवी नदी गंगा मिष्टान्नं च गतिः परा ॥ २६ ॥
वाराणस्यां विशालाक्षि वासः कस्य न रोचते ।
इति श्रीस्कंदपुराणे आदिरहस्ये सह्याद्रिखण्डे शिवगणेशसंवादे
ह्यविमुक्तमाहात्म्यकथनं नाम एकपंचाशत्तमोऽध्यायः ॥ ५१ ॥

अथ द्विपंचाशत्तमोऽध्यायः ।

सनत्कुमार उवाच । भद्रकर्णसुतः श्रीमानासीद्यक्षः प्रतापवान् ।
हरिकेश इति ख्यातो ब्राह्मणो धार्मिकश्च सः ॥ १ ॥
तस्य जन्मप्रभृत्येव शर्वभक्तिरनुत्तमा ।
तदाशस्तन्नमस्कारस्तद्भक्तस्तत्परायणः ॥ २ ॥
आसीनश्च शयानश्च गच्छंस्तिष्ठन्ननुत्तमः ।
भुंजानोथ पिबन्वापि रुद्रमेवानुचिंतयन् ॥ ३ ॥
तमेवं युक्तमनसं पूर्णभद्रः पितामहः ।
न त्वं तु यमहं मन्ये दुर्जनो यस्त्वनन्यथा ॥ ४ ॥
नहि यक्षे कुलीनानामेतद्वृत्तं भवेत्पुनः ।
गृह्यकारत यूयं वै स्वभावक्रूरचेतसः ॥ ५ ॥
क्रव्यादाश्चैव भक्ष्याश्च हिंसाशीलाश्च पुत्रक ।
मैवं कार्षील्न ते वृत्तिरियं दृष्टा महात्मना ॥ ६ ॥
स्वयंभुवा यत्सृष्टं च सूक्तं वा यदि नो भवेत् ।
आश्रमांतरजं कर्म न कुर्याद्गृहमेधिनः ॥ ७ ॥
विदित्वा मानुषं भावं कर्मभिर्विविधैः सह ।
देवत्वं न विमार्गेषु मानुषीं जातिमेव च ॥ ८ ॥
पुत्र उवाच । यथा चतुर्विधस्तेषां धर्मस्तत्प्राप्तिसंश्रिता ।
यथा हि विदितं यस्य तस्मादेवं न संशयः ॥ ९ ॥

सनत्कुमार उवाच। स एव मुक्तः पुत्र तु पूर्णभद्रः प्रतापवान्।
उवाच विक्रमः क्षिप्रं गच्छ यत्र त्वमिच्छसि ॥ १० ॥
ततः स निर्गतस्त्यक्त्वा गृहात्संबंधिनस्तथा।
वाराणसीं समासाद्य तपस्तेपे सुदुस्तरम् ॥ ११ ॥
स्थानभूतोहि निमिषः शुष्ककंठः प्रलोचनः।
त्यक्त्वा गोत्रकृतां वृत्तिं तथा जातिकृतां ततः ॥ १२ ॥
इहागत्य च धर्मात्मा कर्णायतविलोचने।
आराधयानो योगेशं गोकर्णदेवमीश्वरम् ॥ १३ ॥
तस्मिन्काले ततो व्यास ह्येकचित्तः सुमंदधीः।
सन्नियम्येंद्रियग्राममवतिष्ठति निश्चलः ॥ १४ ॥
अथ तस्यैव नियमस्तत्परस्य तदात्मनः।
सहस्रकं तु वर्षाणां दिवमप्यभिवर्तते ॥ १५ ॥
वल्मीकेन समाक्रांतो भक्ष्यमाणः पिपीलिभिः।
वज्रसूचीमुखैस्तीक्ष्णैर्भक्ष्यमाणस्तथैव च ॥ १६ ॥
निर्मांसरुधिरप्रख्यः शंखकुंदेंदुसन्निभः।
अस्थिशेषोभवत्सर्वदेवं वै चिंतयेन्नपि ॥ १७ ॥
एतस्मिन्नंतरे देवि विज्ञापयति शंकरम्।
उदारं वै पुनरहं द्रष्टुमिच्छामि सर्वदा ॥ १८ ॥
क्षेत्रस्यैव च माहात्म्यं श्रोतुं कौतूहलं हि मे।
यतः प्रियतमे तत्तु यच्चास्य फलमुत्तमम् ॥ १९ ॥
इति विज्ञापितो देवः पार्वत्या परमेश्वरः।
सर्वैः पृष्टो यथापायमाख्यानुमुपचक्रमे ॥ २० ॥
निर्जगाम च देवेशः पार्वत्या परमेश्वरः।
विधानं दर्शयामास देव्या देवः पिनाकधृक् ॥ २१ ॥
देवेश्वर उ०। प्रफुल्लनानाविधशोभितंवनं लताप्रतानावनतंमनोरमम्।
विरूढशष्पैःपरितःसुगंधितं सुपुष्पितैःकंटकितैश्चशोभितैः ॥ २२ ॥

तमालगुल्मैर्नियतं सुगंधिभिः सकर्णिकारैर्बकुलैश्च सर्वतः ।
अशोकपुन्नागवनैः सुपुष्पितैर्द्विरेफमालाकुलपुष्पसंभवैः ।२३।

क्वचित्प्रफुल्लांबुजरेणुभूषितैर्विहंगमैश्चारुफलैः प्रणादिभिः।
विनादितं सारसहंसनादितं प्रमत्तदात्यूहतैश्च बंधुभिः ।२४।

क्वचिच्च चक्रांगरवोपनादितं क्वचिच्च वैदेवकदंबकायुतं ।
क्वचिच्च कारंडवनादनादितं क्वचिच्च मत्तालिकुलाकुलीकृतम् ॥२५॥

मदाकुलाभिर्भ्रमरांगनाभिर्निषेवितं वायुसुगंधपूषितम् ।
प्रगीतविद्याधरसिद्धचारिणां प्रकृष्टनानाविधपक्षिशोभितम् ॥२६॥

प्रमत्तहारीनकुलोपनादितं मृगेंद्रनादीकुलमानसालसैः ।
क्वचित्क्वचिद्द्वंद्वकदंबकं मृगैः प्रफुल्लनानाविधचारुपंकजैः ॥२७॥

सरस्तडागैरुपशोभितं क्वचित् ;
मयूरशब्दाभिरमं सुशोभिरे ।
नवकिसलयशोभाशोभितप्रांतसानु ;
शुककपिकलविंकैर्नादितं वल्गुशब्दैः ॥ २८ ॥

क्वचिच्च दंतक्षतचारुवीरुधं ;
क्वचिल्लतालिंगितचारुवृक्षम् ।
आकीर्णपुष्पनिकरैः प्रवियुक्तहासे ;
विभ्राजितैस्त्रिदशवर्गकुलैरनेकैः ॥ २९ ॥

फुल्लोत्पलैः सरसपद्मविकासयुक्तैस्तोयाशयैः समनुशोभितदेवमार्गं ।
मार्गांतरागलितपुष्पविचित्रभक्तिसंबद्धगुल्मविटपैर्विहगैरुपेतं ॥३०॥

तुंगाभिर्नालपुष्पैः सुकतरललितप्रांतशाकैरनेकैः ;
मत्तालिव्रातगीतश्रुतिसुखजनकैर्वासितांगैर्मनोज्ञैः ।
रात्रौ लापस्यभासाकुसुमिततिलकैरेकभाषंप्रयांते ;
छायासुप्तप्रबुद्धस्थितहरिणकुलासप्तदर्भांकुराग्रं ॥ ३१ ॥

हंसानांपक्षवातप्रलुलितकमलस्रस्तविस्तीर्णतोये ;
स्तोयानांपक्षपातैःप्रविकचदलिवाटंनित्यन्मयूरम् ।
मायूरैःपक्षचंद्रैःक्वचिदपिनदितैरंजिपक्ष्मप्रदेशं ;
देशेदेशेमुदितविमलोन्मत्तहारीतवृंदम् ॥ ३२ ॥
सारंगैःक्वचिदुपशोभितप्रदेशसंश्छन्नंकुसुमचयैःकुटिद्विचित्रैः ।
कृष्णाभिःक्वचिदपिलीह्यकीर्णपुष्पैरावासैःपरमवृतंचपादपानां।३३।
आम्रानैःकनकनिभैःक्वचिद्विशालैरुत्तुंगैःपनसमहीरुहैरुपेतं ।
श्रीयुक्तंकनकफलैर्विभूषितंयदाकीर्णमलिमृगशावभिश्चकासे॥३४॥
गुल्मांतराप्रसूततीरमृगीसमूहवल्लीलतांतनुभृतामपवर्गतायां ।
चंद्रांशुजालधवलैस्तिलकैर्मनोज्ञैःसिंदूरकुंकुमकुसुंभनिभैरशोकैः ३५।
चामीकरप्रतिसमैरथकर्णिकारैःफुल्लारविंदपदचित्रविशालशाखैः ।
क्वचिदंजनवर्णाभैः क्वचिदिंदुसमप्रभैः ।
क्वचित्कांचनसंकाशैःपुष्पैर्वासितभूतलम् ॥ ३६ ॥
सकलभुवनकर्ता लोकनाथस्तदानीं ;
तुहिनशिखरिपुत्र्यास्पर्धनिष्ठैर्गणेशैः ।
विविधतरुविशालैर्मत्यजूष्णश्च पुष्पैः ;
उपवनतरुरम्यं दर्शयामास देव्याः ॥ ३७ ॥
देव्युवाच । उत्थानं दर्शितं देव शोभया परया युतम् ।
क्षेत्रस्य तु गुणान्सर्वान्पुनर्वक्तुमिहार्हसि ॥ ३८ ॥
अस्य क्षेत्रस्य माहात्म्यं त्वयोक्तं च यथा तथा ।
श्रुत्वा तु नहि मे तृप्तिस्ततो भूयो वदस्व मे ॥ ३९ ॥
देवदेव उवाच । इदं गुह्यतमं क्षेत्रं सदा वाराणसी मम ।
सर्वेषामेव जंतूनां हेतुर्मोक्षस्य सर्वदा ॥ ४० ॥
तस्मिन्हित्वा सदा देवि मदीयव्रतमास्थिताः ।
नानालिंगधरा नित्यं ममलोकाभिकांक्षिणः ॥ ४१ ॥
अभ्यासन्ते परं योगं युक्तमानाजितेंद्रियाः ।
नानावृक्षसमाकीर्णे नानासिंहविनादिते ॥ ४२ ॥

कमलोत्पलपुष्पाद्यैः सरोभिः समलंकृते ।
अप्सरोगणगंधर्वैः किन्नरैरुपशोभिते ॥ ४३ ॥
रोचते मे सदा वासो न कार्येण ततः शृणु ।
मन्मयो मम भक्तश्च मयि सर्वार्पितक्रियः ॥ ४४ ॥
यथामोक्षमवाप्नोति ह्यन्यत्र च यथा क्वचित् ।
एतन्ममपुरं दिव्यं गुह्याद्गुह्यतरं महत् ॥ ४५ ॥
ब्रह्मादयो विजानंति ये च सिद्धार्थमोक्षकाः।
नातः परतरं क्षेत्रं इह लोकेन संशयः ॥ ४६ ॥
विमुक्तं न मया यस्मान्मोक्षते न कदाचन ।
महाक्षेत्रमिदं तस्मादविमुक्तमिदं स्मृतम् ॥ ४७ ॥
नैमिषे च कुरुक्षेत्रे गंगाद्वारे च पुष्करे ।
स्नानात्संसेवनाद्वापि न मोक्षः प्राप्यते क्वचित् ॥ ४८ ॥
इह संप्राप्यते येन तत एतद्विशिष्यते ।
प्रयागे भगवान् मोक्ष इह वा मत्परिग्रहात् ॥ ४९ ॥
प्रयागादपि तीर्थाच्च काशीयं वै विशिष्यते ।
जैगिषव्यपरां सिद्धिं योगतः सुमहातपः ॥ ५० ॥
अस्य क्षेत्रस्य माहात्म्यं भक्त्या च मम भावनात् ।
जैगिषव्यो महाश्रेष्ठो योगिनस्तान् विशिष्यते ॥ ५१ ॥
ध्यायंतस्तत्र मां नित्यं योगाग्निर्दीप्यते भृशम् ।
कैवल्यं परमं यांति देवानामपि दुर्लभम् ॥ ५२ ॥
अव्यक्तलिंगैर्मुनिभिः सर्वसिद्धांतवेदिभिः ।
इह संप्राप्यते मोक्षो दुर्लभोन्यत्र कर्हिचित् ॥ ५३ ॥
तेभ्यश्चाहं प्रवक्ष्यामि योगैश्वर्यमनुत्तमम् ।
कुबेरः सुमहायक्षस्तथा सर्वार्पितक्रियः ॥ ५४ ॥
क्षेत्रशाश्वदनादेवं गणेशत्वमवापह ।
संवर्तो भविता यश्च सोऽपि भक्त्या ममैव हि ॥ ५५ ॥

इहैवाराध्य मां देवि सिद्धिं यास्यत्यनुग्रहात् ।
पराशरसुतो योगी ऋषिर्व्यासो महातपाः ॥ ५६ ॥
धर्मभर्त्ता भविष्यश्च वेदसंस्थाप्रवर्त्तकः ।
रंस्यते सोऽपि पद्माक्षि क्षेत्रेऽस्मिन्मुनिपुंगवः ॥ ५७ ॥
ब्रह्मा देवर्षयः सर्वे विष्णुर्वायुर्दिवाकराः ।
देवराजस्तथा शक्रो ये चान्येऽपि दिवौकसः ॥ ५८ ॥
उपवासमहात्मानः सर्वे मामिह सुव्रते ।
अन्ये च योगिनः सिद्धाश्छन्नरूपा महाव्रते ॥ ५९ ॥
अनन्यमानसा भूत्वा मामिहोपासंते सदा ।
अलकां च पुरीमेतां मत्प्रसादादवाप्स्यसि ॥ ६० ॥
स चैनां पूर्ववत्कृत्वा चतुर्वर्णसमाकुलाम् ।
स्फीतां जनपदाकीर्णां भूत्वा वसु चिरं नृपः ॥ ६१ ॥
मयि सर्वार्पितप्राणो मामेव प्रतिपद्यते ।
ततः प्रभृति चार्वंगि ह्येते क्षेत्रनिवासिनः ॥ ६२ ॥
गृहस्थो ब्रह्मचारी च मद्भक्ता मत्परायणाः ।
प्रसादांगं गमिष्यंति मोक्षं परमदुर्लभम् ॥ ६३ ॥
एवं संक्षेपतो देवि क्षेत्रस्यास्य महाफलम् ।
अतः परतरं नास्ति सिद्धिक्षेत्रं महेश्वरि ॥ ६४ ॥
एतद्बुध्या नियोगं तु यच्च योगेश्वरो भुवि ।
एतदेव परं ब्रह्म येन वेद परं पदम् ॥ ६५ ॥
वाराणसीतिभुवनत्रयसारभूता ;
रम्यापुरीममसदागिरिराजपुत्रि ।
अत्रागताविविधदुष्कृतकारिणोपि ;
पापक्षयाद्विरजसःप्रतिभान्तिमर्त्याः ॥ ६६ ॥
एतद्वनंप्रियतमंममदेविनित्यं पुण्यंपवित्रतमसुगुल्मनिकायजुष्टं ।
अस्मिन्मृतास्तनुभृतःपदमाप्नुवन्तिमूर्खागमेनरहितानाहिसंशयोत्र ६७

सनत्कुमार उ० । एतस्मिन्नंतरे देवो देवीं प्राह गिरीशजाम् ।
दातुं प्रसादं यक्षाय वरशक्ताय भामिनि ॥ ६८ ॥
भक्तो मम वरारोहे तपसा गतकिल्बिषः ।
अहो वरमसौ लब्ध्वा मत्तो वै भुवनेश्वरि ॥ ६९ ॥
एवमुक्त्वा ततो देवः सह देव्या जगत्पतिः ।
जगाम यक्षो यत्रास्ते कृशोस्यमनिशं ततः ॥ ७० ॥
तं दृष्ट्वा प्रणतं भक्त्या हरिकेशं वृषध्वजः ।
दिव्यं चक्षुरदात्तस्मै येनापश्यत्स शंकरम् ॥ ७१ ॥
सनत्कुमार उवाच।अथ यक्षस्तदा तत्र शनैरुन्मील्य चक्षुषी ।
अपश्यत्सगणं देवं वृषं श्वेतमुपाश्रितम् ॥ ७२ ॥
महादेव उ० । वरं ददामि ते पूर्वं त्रैलोक्यसदृशं प्रभो ।
सामर्थ्यं च शरीरस्य पाहि मां विगतज्वरः ॥ ७३ ॥
सनत्कुमार उ०। अतः स लब्ध्वा तु वरं शरीरेण क्षतेन तु ।
पादयोः प्रणतस्तस्य कृत्वा शिरसि चांजलिम् ॥ ७४ ॥
उवाच वचनं चैतद्वरदोस्मीति चोदितः ।
भगवन् शक्तिरव्यं मां त्वयि नान्यां विधत्स्व मे ॥ ७५ ॥
अन्नदं चैव लोकानां गाणपत्यं तथाक्षयम् ।
अविमुक्ते च ते स्थानं पश्येयं सर्वदा यदा ॥ ७६ ॥
एतदिच्छामि देवेश वरं दत्तमनुत्तमम् ।
महादेव उवाच । जरामरणनिर्मुक्तः सर्वलोकविवर्जितः ॥ ७७ ॥
भविष्यसि गुणाध्यक्षो वरः सर्वत्र पूजितः ।
अजेयश्चापि सर्वेषां योगैश्वर्यसमन्वितः ॥ ७८ ॥
अन्नदश्चादिदेवेभ्यो क्षेत्रपालो भविष्यसि ।
महाबलो महासत्त्वो ब्रह्मण्यश्च ममप्रियः ॥ ७९ ॥
त्र्यक्षश्च दंडपाणिश्च महायोगी तथैव च ।
उद्भ्रमः संभ्रमश्चैव गणौ ते परिचारकौ ॥ ८० ॥

तवाज्ञया करिष्येते लोकस्य भ्रमसंभ्रमौ ।
सनत्कुमार उ०। एवं च भगवांस्तत्र यक्षं कृत्वा गणेश्वरम् ॥ ८१ ॥
जगाम वामदेवेशो रुद्रावासेश्वरेश्वरः ।
एतदेव प्रपश्यंति विहारायतनास्त्वया ॥ ८२ ॥
इति श्रीस्कंदपुराणे आदिरहस्ये सह्याद्रिखण्डे शिवगणेशसंवादे
दंडपाणिवरदो नाम द्विपंचाशत्तमोऽध्यायः ॥ ५२ ॥

अथ त्रिपंचाशत्तमोऽध्यायः ।

सनत्कुमार उवाच । आश्चर्यं तत्र यद्वृत्तं पंचायतनमुत्तमम् ।
पुरा कश्चिद् द्विजश्रेष्ठस्तदिहैकमनाः शृणु ॥ १ ॥
मंडूकी चरते तत्र पंचायतनमुत्तमम् ।
निर्माल्यं देवदेवस्य ह्योंकारेशस्य सुव्रत ॥ २ ॥
पंचत्वमागता ब्रह्मन् कालेन कतिवापि सा ।
जातिस्मरत्वं संप्राप्य राज्ञः सुमनसो गृहे ॥ ३ ॥
यौवनं तु यदा प्राप्ता तदा राजा सविस्मयः ।
दातुकामः सुतां राजा तया च विनिवारितः ॥ ४ ॥
वैणपं परमं गत्वा वाराणस्यामुपागता ।
ॐकारं सृष्टवान् देवं पंचायतनमुत्तमम् ॥ ५ ॥
तत्र चैव तनुं त्यक्त्वा शिवलोकमुपागता ।
मंडूकी चैव सिद्धिं मे प्राप्तां चैतां दुरत्ययाम् ॥ ६ ॥
एतत्ते कथितं ब्रह्मन् यद्वृत्तं तत्र वै पुरा ।
अन्यच्चैव तु यद्वृत्तं तस्मिन्नायतने महत् ॥ ७ ॥
आसीत्प्रतापमुकुटो राजा परमधार्मिकः ।
तस्य पुत्रस्तु धर्मात्मा ह्यात्मवान् सख्यवांच्छितः ॥ ८ ॥

कालेन गच्छता सोऽथ राजा पुत्रं तदुक्तवान् ।
दारसंग्रहणं पुत्रस्त्वया कार्यं च सांप्रतम् ॥ ९ ॥
येनाहं निर्वृतो वत्स चरामि च यथासुखम् ।
एवमुक्त्वा तदा तेन स पुत्रः पुनरब्रवीत् ॥ १० ॥
मया न शक्यते तात त्वदाज्ञापरिपालनम् ।
राजोवाच । कुरु मद्वचनं पुत्र प्रभुरस्मि पिता तव ॥ ११ ॥
न युक्तं भवता पुत्र नरकात्सन्त्रातिक्षयात् ।
सोऽपि तत्पितुराज्ञां च श्रुत्वा नृपसुतो बली ॥ १२ ॥
प्राह संस्मृत्य पौराणीं संसारस्य विचित्रताम् ।
तात शृणु वचो मेऽद्य तत्त्ववाक्यं सहेतुकम् ॥ १३ ॥
मया जन्मसहस्राणि जरामृत्युशतानि च ।
प्राप्तोपि दारसंयोगं वियोगमनुपूर्वशः ॥ १४ ॥
तृणगुल्मलतावल्लीसरीसृपमृगद्विजाः ।
पशुः स्त्री पुरुषो ज्ञानी प्राणिनः शतशो मया ॥ १५ ॥
गणकिन्नरगंधर्वा विद्याधरमहोरगाः ।
यक्षगुह्यकरक्षांसि दानवाप्सरसस्तथा ॥ १६ ॥
तेनेश्वरेश्वरत्वं हि प्राप्तं तात पुनः पुनः ।
सृष्टस्तु बहुधः सृष्टौ संसारेणाऽपि संवृतः ॥ १७ ॥
दारसंयोगयुक्तस्य जाता चैवं विटंबना ।
न राज्यं द्रव्यमुत्सृज्य सिद्धिर्भवति सर्वदा ॥ १८ ॥
शारीरं द्रव्यमुत्सृज्य सिद्धिर्भवति सर्वदा ।
राष्ट्रद्रव्यविमुक्तेन शरीरं तात गृह्यते ॥ १९ ॥
यो धर्मो यत्सुखं तात द्विषतामस्तु तत्तथा ।
क्षराच्च वै भवेन्मृत्युरक्षरं ब्रह्म शाश्वतम् ॥ २० ॥
जन्ममृत्यू ह्युभौ राजन्नात्मन्येव व्यवस्थितौ ।
अदृश्यमानौ भूतानि योधयंतौ न संशयः ॥ २१ ॥

अविनाशोस्य सर्वस्य नियतो यदि वा पितः ।
भित्वा शरीरे भूतानामहिंसां प्रतिपद्यते ॥ २२ ॥
लब्ध्वा वा विधिवत्सर्वं सहस्थावरजंगमम् ।
ममत्वं यस्य नैवास्था किं त्वया स करिष्यति ॥ २३ ॥
अथवा सततं राजन् वने वन्येन जीवति ।
द्रव्येषु ममता यस्य मृत्युरस्य च वर्तते ॥ २४ ॥
राष्ट्रांतराणां शत्रूणां भूतानां यस्य मे मतिः ।
यद्योपास्यति तद्वृतं मुच्यते महतो भयात् ॥ २५ ॥
कामात्मनां न प्रशंसंति लोके नचास्तिकाले विदितप्रवृत्तिः।
तर्थानि वेदाध्ययनं तपश्च कामेन कर्माणीह दृष्टलोके ॥ २६॥
तस्मादहंकारयेश्च पंचायतनमीश्वरम् ।
हतस्ततो च यद्वृतं यस्मिन्नायतने मम ॥ २७ ॥
कथयामि समासेन तीर्थमाहात्म्यमुत्तमम् ।
अद्धिन्यजन्मनिबद्ध निवेदगंधंतुदैवानि मनोहराणि ॥२८॥
विद्याधराणामथ किन्नराणां जातोस्म्यहं वैश्यकुले सुशुद्धचै।
अतस्ततोभूदभिलाषभक्तिः शर्वे शिवे शंकरे त्रिपुरघ्ने॥२९॥
व्रतोपवासैर्विविधैःस्तवैश्च संतोषितः शूलसितास्त्रधारी ।
एवं हि युगपत्कालं भ्रमतीर्थं च कारणात् ॥ ३० ॥
ततः कदाचित्कालेन ह्यविमुक्तं गतोस्म्यहम् ।
ॐकारं दृष्टवांस्तत्र पंचायतनवासिनम् ॥ ३१ ॥
रुद्रावासे कृतं स्नानं देवदेवस्य सन्निधौ ।
रात्रौ जागरणं कुर्याद्वैशाखे च कृतं मया ॥ ३२ ॥
ततः स च मया दृष्टो देवगंधर्वकिन्नरैः ।
तेनैव कर्मणा जातो भवतोहं गृहे शुभे ॥ ३३ ॥
तत्र यास्याम्यहं शीघ्रं रवितोयं कृतांजलिः ।
ॐकारेश्वरदेवस्य प्रसादेन मया हि तत् ॥ ३४ ॥

प्रादुर्भूतं सम्यग्ज्ञानं दुर्लभं यत्सुरैरपि ।
संसारेऽत्र प्रपश्यामि ह्यात्मानं प्रकृतेः परम् ॥ ३५ ॥
तत्र चैव च गच्छामि ह्यविमुक्ते सुरेश्वरे ।
ॐकारं निष्कलं ब्रह्म पंचायतनवासिनम् ॥ ३६ ॥
द्रक्ष्यामि शंकरं देवं तेनाहं नोद्भवः पुनः ।
राजोवाच । अहं तत्र गमिष्यामि यत्र त्वं प्रस्थितोनघ ॥३७॥
जातिस्मरत्वं संप्राप्य ह्युद्विग्नमानसो ह्यहम् ।
संसारे च यदा पुंसां वैराग्यं जायते पुनः ॥ ३८ ॥
अत्र गोत्रकृतां वृत्तिं तथा जातिकृतामपि ।
प्रियाप्रियाणि सर्वाणि निर्ममो निरहंकृती ॥ ३९ ॥
त्यक्त्वा सर्वाणि कर्माणि ह्यात्मशुद्धानि धारयेत् ।
संन्यस्य सर्वकर्माणि ह्यविमुक्तं ततो व्रजेत् ॥ ४० ॥
अविमुक्ते प्रविष्टस्य विहारो नैव विद्यते ।
कृत्वापि क्षेत्रसंन्यासमविमुक्तः स कामतः ॥ ४१ ॥
शांता दांता जितक्रोधास्तितिक्षाहतकिल्बिषाः ।
आत्मन्यात्मन्यनाधारे ह्योंकारेश्वरसंयुताः ॥ ४२ ॥
सर्वभूतांतरात्मानं पश्यंति विजितेंद्रियम् ।
वसंति परमं देवमोंकारं परमं पदम् ॥ ४३ ॥
सर्वे देवा यत्पदं वै नमंति तपांसि सर्वाणि च यद्वदंति ।
यदिच्छया ब्रह्मचर्यं चरंति तं हि तत्पदं चाविमुक्तम्॥४४॥
एवमुक्तस्तदा राजा ह्योंकारं मनसा स्मरन् ।
राज्येभिषेचयामास पुत्रं चैव कनीयसम् ॥ ४५ ॥
सस्मार पूर्वचरितं ततो निर्वेदमागतः ॥
प्रणम्य मनसा देवं पंचायतनवासिनम् ॥ ४६ ॥
ॐकारं परमं ब्रह्म वाराणस्यामुपागतम् ।
सूर्यत्नमकरोतासौ तस्मिन्नायतने सदा ॥ ४७ ॥

प्रदक्षिणं प्रकुर्वत ह्योंकारं देवमीश्वरम् ॥
पंचत्वमागतस्तत्र चारुयोनिं समागतः ॥४८ ॥
आराधयंतो देवेशं पंचायतनमीश्वरम् ।
स्तुवंति परमं देवमोंकारं च स्तवेन तु ॥ ४९ ॥
व्यास उवाच । कीदृशश्च स्तवस्तैस्तु कृतो देवस्य शूलिनः ।
यस्य चोच्चारमात्रेण ह्यात्मा संप्रखरी भवेत् ॥ ५० ॥
सनत्कुमार उवाच । शृणु व्यास परं गुह्यं रहस्यं योगमुत्तमम् ।
मृत्युंजयं परं योगं ह्यविमुक्ते स्थितं परम् ॥५१ ॥
ये च शिवपदं दिव्यमनादि ह्यजमव्ययम् ।
स्वयंभुवा विनिर्देश्यं कारणं परमं विधि ॥ ५२ ॥
भावाभावसमक्षं तत्र्वचिंत्यमचलं पदम् ।
निर्भयं निर्मलं नित्यं निरपेक्षमनामयम् ॥ ५३ ॥
निस्तुतिं निर्नमस्कारं निःसंगं निरुपद्रवम् ।
निरंजनं निरुत्पातं निरालंबं च निष्कलम् ॥ ५४ ॥
अपवर्गमविज्ञेयमनौपम्यमनाश्रयम् ।
अनित्यं कारणं देवमनंतं सर्वतोमुखम् ॥ ५५ ॥
नमस्कृत्य महादेवं विशुद्धज्ञाननिर्मलम् ।
शिवं सर्वात्मकं सूक्ष्ममनादि पंचदैवतम् ॥ ५६ ॥
आत्मज्ञानादिविषयं स्तुतिगोचरवर्जितम् ।
शब्दाद्याकाशरहितं पंचनिर्वाणकेवलम् ॥ ५७ ॥
शब्दाविशेषनिर्मुक्तं विद्यया नीतगोचरम् ॥
निष्कंपमतमात्मानं प्रकटस्थानदीपकम् ॥ ५८ ॥
मुक्तोपदेशविन्यासं प्रत्यस्तमितविग्रहम् ।
आत्मोपले च विज्ञेयं चित्तं चेतिं विलोकनम् ॥ ५९ ॥
समागम्य विनिर्मुक्तं विहरंतं च केवलम् ॥
नित्यावकाशरहितं शब्दाद्यगोचरं परम् ॥ ६० ॥

सकृद्विस्तीर्णविपुलं देवदेवं सुरात्मकम् ।
हेतुप्रमाणरहितं कल्पनाभाववर्जितम् ॥ ६१ ॥
अभावभावनाग्राह्यं भावातीतं विलक्षणम् ।
वाक्यपंचात्मरहितं निःप्रपंचात्मकं शिवम् ॥ ६२ ॥
ज्ञानज्ञेयावलोकस्थं हेतुं परमकारणम् ।
अनाहतं सर्वगतं शब्दादिगुणसंभवम् ॥ ६३ ॥
शब्दब्रह्मगतेशानं शब्दशब्दांतगास्पदम् ।
सर्वविरक्तं देवेशं सर्वदिव्यपदे स्थितम् ॥ ६४ ॥
हृदि बाह्यांशकांतस्थं प्राणापानोदयाष्टकम् ।
अग्राह्यं सदयात्मानं निष्कलंकात्मकं विभुम् ॥ ६५ ॥
स्वरादिव्यंजनास्थितं रहस्यार्थविनिर्णयम् ।
वाचामवाच्यविषयमोंकारार्थस्वरूपिणम् ॥ ६६ ॥
अप्रतर्क्यमनुच्चार्यं कलनाकालवर्जितम् ।
निःशब्दं निश्चलं सौम्यं देहातीतं परं वरम् ॥ ६७ ॥
भूतावगाहरहितं निःशब्दमेकधा स्थितम् ।
अचिंत्यं परमं सूक्ष्मं पंचतंत्रसमन्वितम् ॥ ६८ ॥
अप्रमेयमनंताख्यमक्षयं परमं महत् ।
स्थूलसूक्ष्मविभागस्थं व्यक्ताव्यक्तं सनातनम् ॥ ६९ ॥
कल्पकल्पांतरतममनादिनिधनं महत् ।
महाभूतं महाकायं सिद्धिनिर्वाणकारणम् ॥ ७० ॥
योगक्रियाविनिर्मुक्तं मृत्युंजयमहेश्वरम् ।
सर्वोपसर्गरहितं सर्वतः सूर्यसन्निभम् ॥ ७१ ॥
अव्यक्तं परतो नित्यं कैवल्यं द्वैववर्जितम् ।
अनन्यतेजःसंक्रांतमविमुक्तनिवासिनम् ॥ ७२ ॥
हरिसूर्यसमाख्यं च पंचायतनमीश्वरम् ।
शरण्यं देवमीशानमोंकारं शिवरूपिणम् ॥ ७३ ॥

देवदेवं महादेवं पंचवक्त्रं वृषध्वजम् ।
सदा च शिवरूपाक्षं शूलहस्तं जटाधरम् ॥ ७४ ॥
वाराणस्यां स्थितं देवमोंकारं परमं पदम् ।
तारकं सर्वजंतूनां नमस्यामि नमो नमः ॥ ७५ ॥
सनत्कुमार उवाच । एवं तु स्तुवतस्तस्य लिंगतेजो बभूव ह ।
बभौ भास्करसंकाशं सूर्यकोटिसमप्रभम् ॥ ७६ ॥
स्तोत्रांते तर्ह्ययं जातः स राज्ञा च स्तुतः सदा ।
एतदोंकारनिर्दिष्टं स्तोत्रं शंभो पठिष्यति ॥ ७७ ॥
अविमुक्ते महाक्षेत्रे सर्वात्मताभिसंवृते ।
तस्य सिद्धिः सदा व्यास दिव्या करतले स्थिता ॥ ७८ ॥
ब्राह्मणः क्षत्रियो वैश्यः शूद्रोपि यदि वा पठेत् ।
मुच्यते सर्वपापेभ्यः श्रद्दधानस्तु यो भवेत् ॥ ७९॥
वेदाहमेतं पुरुषं महान्तमादित्यवर्णं तमसः परस्तात् ।
तमेवविदित्वानभवेच्चमृत्युर्नान्यःपंथाविद्यतेवैजनानाम्॥८०॥
यदि वक्त्रसहस्रं च लक्षकोटि भवेदिति ।
तदा नोंकारदेवस्य शक्यं माहात्म्यमीरितुम् ॥ ८१ ॥
इतीरितं ते तु मया समस्तं पुराणमोंकारकृतैकदेवम् ।
वृत्तं न देव बहुभिः सहस्रैः पिनाकशंभो चरणेषुदासः॥८२॥
व्यास उवाच । अहो कथेयं सुभगा श्रुता पुण्यफलोदया ।
न तृप्तिमधिगच्छन्ति ह्योंकारस्य कथां विना ॥ ८३ ॥
शृण्वतस्तु पुनर्ब्रह्मन् कथानुग्रहभागसि ।
तस्य माहात्म्यमाचक्ष्व विस्तरेण तपोधन ॥ ८४ ॥
सनत्कुमार उवाच। शृणु व्यास कथां दिव्यां पौराणींवेदसंमताम् ।
शंभोर्गिरिसुता देवी भार्या कालीति विश्रुता ॥ ८५ ॥
अव्यक्ता दयिता साध्वी शीलवृत्तिसमन्विता ।
तया सह महादेवश्चाविमुक्तोपपत्तये ॥ ८६ ॥

पंचायतनमास्थाय कालं नीत्वा द्विजोत्तम ।
सदा नित्यक्रियार्थे च सोपास्ते शंकरो वशी ॥ ८७ ॥
संध्यां पूर्वां पश्चिमां च ह्योंकारे संस्थितो हरः ।
निवृत्ते कर्मणि ततः संध्यानृत्यमहर्निशम् ॥ ८८ ॥
अष्टादशभुजो भूत्वा भावेनावस्थितो विभुः ॥
दिव्यं वर्षसहस्रं तु नृत्यभावे स्थितो हरः ॥ ८९ ॥
गंधर्वाप्सरसश्चैव विद्याधरगणास्तथा ।
नृत्यमानाः स्थिताः सर्वे नृत्यवादित्रसंवृताः ॥ ९० ॥
गते वर्षसहस्रे तु स्वेदीभूता गणास्तदा ।
प्रेतभूतास्तथा देवा दृष्ट्वा तन्नृत्यमुत्तमम् ॥ ९१ ॥
द्रष्टारश्चैव मुह्यंति वलयंतः पदे पदे ।
तदेवं दशामथो दृष्ट्वा गौरी वचनमब्रवीत् ॥ ९२ ॥
किं विरूपाक्ष नृत्यं च मनोविस्मयकारकम् ।
अनेकैश्च विधैः स्वामिन् नृत्यं दृष्टं मया पुरा ॥ ९३ ॥
मंदराद्यैर्गिरिवरैस्तथापर्यस्तभूधरैः ।
कैलासेनैव संदृष्टं कदाचित्तु मया पुरा ॥ ९४ ॥
कारणं कथयस्वाद्य यद्यनुग्रहभाग्ह्यहम् ।
एवमुक्तस्तदा देवो देव्या च परमेश्वरः ॥ ९५ ॥
उवाच प्रहसन् देवो देव्याश्च मुखपंकजम् ।
उन्नम्य पाणिना देवो ह्यंगुल्या च महात्मनः ॥ ९६ ॥
सांत्वयन्प्राह वचनमिदं संजनयन्मुदम् ।
विशिष्टकारणं यत्तु नृत्ये गिरिसुते शृणु ॥ ९७ ॥
योसौ परात्परो देवि हंसाख्यः परिकीर्तितः ।
नामाक्षश्चवते भद्रे सोऽस्मिन्स्थाने प्रतिष्ठितः ॥ ९८ ॥
पंचायतनमासाद्य ह्यविमुक्ते स्थितः स्वयम् ।
एतदादिस्वरूपं ते मया योगबलेन तु ॥ ९९ ॥

विज्ञातं देवि गदितुं दिव्यमात्मानमात्मना ।
ऋग्वेदस्थः सुपूर्वाण्हे मध्यान्हे यजुषि स्थितः ॥ १०० ॥
अपराण्हे च सामस्थो ह्यथर्वे च समागमे ।
पंच पंच स्थितं देवं पंचायतनवासिनम् ॥ १ ॥
तेन तृप्तो ह्यहं देवि पंचायतनमास्थितः ।
ब्रह्माण्डोदरवर्तीनि तीर्थानि गिरिजात्मजे ॥ २ ॥
तेषामप्यधिकं स्थानं पंचायतनमुत्तमम् ।
ममचास्याधिका प्रीतिर्येन कार्येण तच्छृणु ॥ ३ ॥
एषः परिचरे लोके ह्यानंदो ब्रह्मणः परः ।
सोऽयं स्थाने सदा देवि मंतव्यो नात्र संशयः ॥ ४ ॥
अस्मिन्स्थाने स्थितस्यापि पुरुषस्य जितात्मनः ।
दिव्यं चक्षुः प्रवर्तेत येन पश्यत्यसौ परम् ॥ ५ ॥
प्रत्यक्षं ज्ञानवान् भद्रे पुरुषश्च चतुर्भुजः ।
त्रिनेत्रान् शूलहस्तांश्च ललाटाक्षान्वृषध्वजान् ॥ ६ ॥
वक्ष्यन्ति मानवाः सर्वे पंचायतनवासिनम् ।
शिवलोकस्य संचारं पंचायतनवासिनम् ॥ ७ ॥
रहस्यं सर्वजंतूनां पंचायतनवासिनम् ।
येन कार्येण सुश्रोणि रहस्यं गोपितं मया ॥ ८ ॥
शांता दांता जितक्रोधाः पंचायतनपूजनम् ।
सद्भावभाविता भद्रे द्रक्ष्यंति परमं पदम् ॥ ९ ॥
यैस्तु जन्मांतरे देवि पुरा वै ह्यर्चितो ह्यहम् ।
निवेदितं परं स्थानं यत्सुरैरपि दुर्लभम् ॥ १० ॥
ब्रह्मांडोदरमध्ये तु यानि तीर्थानि सुव्रते ।
वाराणस्यां गमिष्यंति वैशाखस्य चतुर्दशीम् ॥ ११ ॥
द्रक्ष्यंति परमं देवं पंचायतनवासिनम् ।
देवाश्च ऋषयश्चैव रुद्राः पाशुपताश्च ये ॥ १२ ॥

परिवार्य स्थिताः सर्वे ह्योंकारेशं शुचिस्मिते ।
मत्स्योदर्याश्च भवनमादिदेवस्तु केशवः ॥ १३ ॥
अस्मिन्क्षेत्रे स्वयंभूश्च स्थितः पूर्वेण केशवः ।
रुद्राणां चैव कोटिस्तु काशिकायां च संस्थिता ॥ १४ ॥
ध्यायमानस्तु ह्योंकारं पंचायतनवासिनम् ।
सप्तकोट्यस्तु मंत्राणां जपस्य फलमाप्नुयात् ॥ १५ ॥
कृत्तिवासाः स्थितो भद्रे तस्य देवस्य पश्चिमे ।
एवं तु ह्यक्षयं स्थानं मदीयं शाश्वतं शुभे ॥ १६ ॥
मनोबुद्धिरहंकारकामलोभास्तथापरे ।
एते रक्षंति सततं पंचायतनवासिनम् ॥ १७ ॥
कृशोश्वरगवश्चंद्रो यथा ह्यासूर्यमंडलम् ।
कृत्वा पापं पुनः पश्चात्पंचायतनवासिनम् ॥ १८ ॥
ॐकारदर्शनाद्देवि गतिं प्राप्नोति दुर्लभाम् ।
गच्छति स्वर्गलोके तु सत्यं सत्यं न संशयः ॥ १९ ॥
इति श्रीस्कंदपुराणे आदिरहस्ये सह्याद्रिखण्डे व्याससनत्कुमार-
संवादे पंचायतनवर्णनं नाम त्रिपंचाशत्तमोऽध्यायः ॥ ५३ ॥

अथ चतुःपंचाशत्तमोऽध्यायः ।

सनत्कुमार उवाच । तस्मिन्स्थाने पुरा वृत्तं तदिहैकमनाः शृणु ।
रथंतरे पुरा कल्पे राजासीत्पुष्पवाहनः ॥ १ ॥
नाम्ना लोकेषु विख्यातस्तेजोभिः सूर्यसन्निभः ।
तपसा तेन तुष्टेन देवदेवेन शंभुना ॥ २ ॥
कामलं कांचनं देवं यथाकामगमं मुने ।
स तेन विचरन्लोकान्सप्तद्वीपनिवासिनाम् ॥ ३ ॥
द्वीपानि सुरलोकं च यथेष्टं विचरन्सदा ।
कक्षादः सप्तद्वीपेषु तस्य पुष्करवासिनः ॥ ४ ॥

तस्य नाम्ना च तद्द्वीपं पुष्करद्वीपमुच्यते ।
तदेव ब्राह्मणादत्तं यानमस्य मनोजवम् ॥ ५ ॥
पुष्पवाहनमित्याहुस्तत्रस्था देवदानवाः ।
नागम्यमायान्ति जगत्त्रयेपि ब्रह्मांबुजस्यापि जगत्त्रयेपि॥६॥
अस्ति च तत्स्था प्रतिमानरूपा नारीसहस्रैरभिताभिमान्या।
नाम्ना च लावण्यवती बभूव सा पार्वती चेष्टतमा भवस्य॥७॥
तस्यात्मजानामयुतं बभूव धर्मात्मनां दिव्यधनुर्धराणाम् ।
तदात्मनः सर्वमवेक्ष्य राजा मुहुर्मुहुर्विस्मयमाससाद ॥८॥
सोप्यागतं पूज्यमुनिं प्रविष्टं प्रचेतसं वाक्यमिदं बभाषे ।
कस्माद्विभूतिरमलामलमर्त्ययुक्ताजाताचसर्वविदितामममसुंदरीयं।९।
भार्याममाल्पतपसैवसुतोषितेनदत्तामममांतुजगृहंचमुनेचधात्रा ।
यस्मिन्प्रविष्टमगकोटिशतंनृपाणांसन्मान्यकुंजररथौघघनावृतानां१०
नो लक्षते ह्यगतमंबरवीथगाणैरप्यात्रिवर्जितभयप्रदमुत्तमं च।
तस्मात्त्वमन्यजननी निजरोद्भवेन ॥ ११ ॥
धर्माधिकं कृतमिषेस्त्र जनाभिगम्यम् ।
यथास्ति मे कथय तत्प्रथितश्च कीर्त्या ॥ १२ ॥
सद्भार्यया तदखिलं च वद प्रचेतः ।
मुनिरप्यवोचन्नतवांतरितापृथिवीपतेननुनिशम्यकथाम्।१३।
तव जन्मनोद्यककुलेधरुपागतिरनेकजवातकारि ।
वपुरप्यसृति पुरुषं कृत इवाभरणं कुसंधि नच ते कृतं ।१४।
न च सूनुभून्नपिता जननी भगिनी तेन च बंधुजनोपि ।
अभवदनावृष्टिरतां च रौद्रा कदाचित्परमवंदता च ॥१५॥
क्षुत्पीडिते नम्रता न किंचिदासारितं वन्यफलानि सायम् ।
अथाभ्यपश्यन्महदंतुजाढ्यं सरोवरं पंकपरीततोयम्॥ १६ ॥
पद्मान्यथादामबहूनिपातः सहस्रपत्त्रान्यतिमुक्ततीर्थे ।
तन्मूल्यलाभाय पुरं समस्तं त्रातं तदा शोपमहत्तदानीं॥१७॥

केनानकश्चित्कमलेषु जातः स्नातो भृशं यत्नरिपीडितश्च ।
उपविष्टस्त्वमेकस्मिन् सभार्यो भवनांतरे ॥ १८ ॥
रुद्रस्यावाससंस्थस्य त्वया रात्रौ मया कृतः ।
सभार्यस्तत्र भगवान्कृत्वासौ मंगलध्वनिम् ॥ १९ ॥
तत्र दृष्टं पाशुपतैः शिवपूजापरायणैः ।
भृत्यसंकोणसंस्थैश्च मूर्धन्यंजलिभिस्तथा ॥ २० ॥
तद्भागवतसंकल्पैरोंकारगतमानसैः ।
अन्यैश्च विविधैः सिद्धैस्तस्मिन्देशमुपागतैः ॥ २१ ॥
ध्यायमानं परं ब्रह्म ह्योंकाराख्यं तु चेश्वरम् ।
त्वया चावगतं सर्वं पंचायतनदर्शनात् ॥ २२ ॥
पंक्तिश्चैव तदा जाता सांपरयस्य नरेश्वर ।
किमेतैः कमलैः कार्यं वरं शंभुरलंकृतः ॥ २३ ॥
निवेदितं तदा पुष्पं पंचायतनवासिने ।
दीयतामादिदेवाय सुवर्णस्य पलं शतम् ॥ २४ ॥
गृहीतं तु ततस्तेन महासत्त्वमहात्मना ।
तत्र जागरणं चैव प्रसंगेन त्वया कृतम् ॥ २५ ॥
प्रभाते च त्वया तस्मिन्दृष्टः शंभुर्यदृच्छया ।
आश्चर्यं परमं मत्वा तस्मिन्नायतने स्थितः ॥ २६ ॥
संमार्जयेत् सपत्नीक ह्युपलेपनतत्परः ।
कालेन गच्छति तत्र रुद्रावासतटे शुभे ॥ २७ ॥
पंचत्वं गतवांस्तत्र देवदेवस्य सन्निधौ ।
अग्नौ प्रविष्टा सुश्रोणी तव गृह्य कलेवरम् ॥ २८ ॥
कर्मणा ते तु राजेंद्र तवेयं बुद्धिरागता ।
स भवान्वसुना जातः सपत्नीको नरेश्वरः ॥ २९ ॥
पुष्पानुकारात्तस्माच्च शंकरस्य च पूजनात् ।
ॐकारेश्वरमाहात्म्यादल्पेन तपसा नृप ॥ ३० ॥

यथाकाशगते सत्यं शयनं च चतुर्मुखः ।
संतुष्टश्चैव राज्यं च वृथारूपी स ईश्वरः ॥ ३१ ॥
तस्मादुत्तिष्ठ राजेंद्र पुष्कलं माहितन्यते ।
अविमुक्तं समासाद्य ह्योंकारं शरणं व्रजेत् ॥ ३२ ॥
प्रसादात्तस्य देवस्य त्वीक्षसे परमेश्वरम् ।
इत्युक्तः स तु राजा वै पूर्वोक्तेन महर्षिणा ॥ ३३ ॥
लोमजित्सर्वगात्रेषु हर्षाविष्टः समब्रवीत् ।
जन्मांतरं त्वया ख्यातं ब्राह्मणकुलवर्धन ॥ ३४ ॥
संसारे त्वत्समैः सत्त्वा ह्यपभा[illegible] च जायते ।
एवं प्रसाद्य तं विप्रं राजा तु कृतनिश्चयः ॥ ३५ ॥
सपत्नीको जगामाशु वाराणस्यां महामुने ।
शंभोः प्रियतमे देशे पंचायतनमुक्तिदे ॥ ३६ ॥
मत्स्योदर्यास्तटे ब्रह्मन् रुद्रावासस्य चोत्तरे ।
दक्षिणामूर्तिमास्थाय ह्योंकारस्तत्र संयुतः ॥३७ ॥
तत्र देवो हरो नाम देव्यग्रे च स्थितः परः ।
ॐकारपरमं स्थानं मानुषैश्च दुरात्मभिः ॥ ३८ ॥
रूपं तस्य सुविख्यातं पुण्यदं सर्वदेहिनाम् ।
देवत्वेऽवसन् व्यास कालसूचनमुख्यकैः ॥ ३९ ॥
रुद्रावासे कृतं स्नानं पंचायतनवासिनम् ।
द्रक्ष्यामि चेश्वरं देवं पुनर्जन्म न विद्यते ॥ ४० ॥
मनोरथं प्रकुर्वंति तस्य देवस्य दर्शने ।
दुराधर्षे दुःसहे च समस्तदुरविक्रमे ॥ ४१ ॥
कलिकल्मषशून्यैश्च येषां नोपहता मतिः ।
तेषां दृश्यं च गम्यं च तत्स्थानं शशिमौलिनम् ॥ ४२ ॥
तेषां च गोपितं व्यास देवदेवेन शूलिना ।
यः कश्चिद्दृश्यते तत्र दुष्टे कलियुगे भये ॥ ४३ ॥

गंधर्वैः किन्नरैर्यक्षै राक्षसैश्च तथोरगैः।
सिद्धैः संपूजितस्तत्र तथा दानवनायकैः ॥ ४४ ॥
अंतर्ध्यानगतैर्नित्यं परमेश्वरतत्परैः ।
तत्र गत्वा स राजर्षिः परिभावं समाश्रितः ॥ ४५ ॥
आराधयानो देवेशं पंचायतनवासिनम् ।
क्लेशानकरनिर्जित्य ध्यानदीपेन चेश्वरम् ॥ ४६ ॥
दृष्ट्वा वासं तु ह्योंकारं तत्रैव परमं पदम् ।
अव्यक्तमात्मरूपं च शिवं परमदुर्लभम् ॥ ४७ ॥
अनेनैव शरीरेण तत्त्वं मुंचंति जंतवः ।
भक्त्या परमभक्ताश्च तत्र देवं विशंति च ॥ ४८ ॥
जपिष्यंति च वै तत्र सर्वभावेन शंकरम् ।
विज्ञेयास्ते गणाः सर्वे शिवभक्तिपरायणाः ॥ ४९ ॥
सिद्धियोगस्य सोपानमेषः पंथाश्च सुंदरि ।
वाराणस्यां तु ये केचित्तीर्थान्यायतनानि च ॥ ५० ॥
तेषां चैव तु सर्वेषामोंकारं परमं स्मृतम् ।
ॐकारदर्शनादेवं सर्वं दृष्ट्वा न संशयः ॥ ५१ ॥
सनत्कुमार उवाच । ततः सभगवान्देवो देवं देवेक्षमानरम् ।
उवाच देवि यस्येदमुद्यानं निर्मितं पुरा ॥ ५२ ॥
यन्नास्ति वै देवलोके मनसा तत्कृतं मया ।
तद्भूतमस्ति लोके न यस्य नो विस्मरेन्मनः ॥ ५३ ॥
देव्युवाच । एवं भवतु देवेश यथा तत्त्वं सनातनम् ।
नहि चान्यत्प्रगंतव्यमुत्थानात्परतो हरः ॥ ५४ ॥
सनत्कुमार उवाच । सहदेव्या ततो व्यास वाराणस्यां वृषध्वजः।
सव्योत्थानदिदृक्षार्थं विचचार समंततः ॥ ५५ ॥
पूर्वस्यां च दिशो भागे देवो देव्याः परात्परः ।
उद्यानं दर्शयामास नानाकिन्नरनादितम् ॥ ५६ ॥

नानावृक्षसमाकीर्णं नानापन्नगशोभितम् ।
चंपकाशोकपुन्नागपाटलाशतसंकुलम् ॥ ५७ ॥
बिल्वार्जुनकदंबैश्च न्यग्रोधोदुंबरैरपि ।
गंधवद्भिश्च कुसुमैर्जातिकेसरकेतकैः ॥ ५८ ॥
रम्यैः सुरभिपुष्पैश्च सद्लोलांतसेवितैः ।
संयुक्तै पर्वतैः श्रीमद्वनं विश्रामसंमितम् ॥ ५९ ॥
स तु ह्युद्यानमासाद्य देवीं प्राह जगत्पतिः ।
पश्य देवि विमानस्थान्किन्नरान्सुमहत्प्रभून् ॥ ६० ॥
स तदुद्यानमासाद्य देवी प्राह जगत्पतिम् ।
पश्य देवि विमानस्थान्किन्नरान्सुमनोहरान् ॥ ६१ ॥
पारिजातकखंडानि तथा कल्पद्रुमानि च ।
मम लोके च ये वृक्षा विष्णुलोके च ये शुभे ॥ ६२ ॥
ब्राह्मणाः सदने ये च पश्य तान् पश्य सुव्रते ।
इयं वाराणसी देवि शिवलोकं समाश्रिता ॥ ६३ ॥
भद्रेहमत्र तिष्ठामि देवदेवो जनार्दनः ।
तिष्ठते सर्वलोकेशो ब्रह्मा कमलसंभवः ॥ ६४ ॥
परिवार्य स्थिताः सर्वे ह्योंकारे चाविमुक्तके ।
अस्मिन्देशे पुरा देवि तिष्ठंति मम शोभने ॥ ६५ ॥
कृत्वा गोलोकसंस्थानं गवां वासश्च भूरिशः ।
गवां चैव सुवर्णानां फेनो मूर्ध्नि समाप तत् ॥ ६६ ॥
गतामयोद्गता दृष्ट्वा गावस्ताः सोमपार्श्वगाः ।
ततस्ताः प्रेक्षितास्तत्र मया गावस्तथाभवन् ॥ ६७ ॥
तेजसा मम नेत्राभ्यां नैकवर्णा भृशार्दिताः ।
गावः सर्वा इमा देवि ह्यासन् कामसुवर्णकाः ॥ ६८ ॥
नैकवर्णास्तदाभूता या या संप्रेक्षिता मया ।
ता वै शरणतां गत्वा मामेव लोकमातरः ॥ ६९ ॥

ताश्चिताास्ते समागत्य लोकगोभिः समन्विताः ।
प्रसादं कुरु देवेश गावस्तव सुतेजसः ॥ ७० ॥
न विनाशाय चायांति तथा कुरु सुरार्चिते ।
ततोहमास्थितो देवः स्थानेऽस्मिन्स्वयमेव तु ॥ ७१ ॥
प्रसादयंति मां गावो ब्रह्मा मामब्रवीत्तदा ।
गोप्रेक्षक इति ख्यातः संस्तुतः सर्वदैवतैः ॥ ७२ ॥
प्रेक्षके त्वीश्वरं दृष्ट्वा गवामभ्यर्च्य मानवः ।
न दुर्गतिमवाप्नोति कलुषैश्च विमुच्यते ॥ ७३ ॥
ततस्ता मुच्यमानास्तु प्रसन्ने मयि सुव्रते ।
ह्रदेशेत्कुं समासक्ताः शांतास्ताश्च तदाभवन् ॥ ७४ ॥
मया उक्ता हिताः सर्वे ब्रह्मणापि महात्मना ।
धेन्वा पूज्याश्च मान्याश्च भविष्यंति ममाज्ञया ॥ ७५ ॥
कपिलाह्रदमित्येवं तदाप्रभृति कथ्यते ।
अत्रापि स्वयमेवाहं वृषध्वज इतीरितः ॥ ७६ ॥
सान्निध्यं कृतवान्देवि सतां वै वत्सतां गतः ।
वृषध्वजमिदं दृष्ट्वा सर्वयज्ञफलं लभेत् ॥ ७७ ॥
स्वर्गं गतश्च मां लब्ध्वा सर्वपापैः प्रमुच्यते ।
लभते देहभेदेन गणत्वं चापि दुर्लभम् ॥ ७८ ॥
अस्मिन्नपि प्रदेशे तु ता गावो ब्राह्मणाः स्वयम् ।
सान्निध्यं सर्वभूतानां सर्वा दुग्धपयोभृतः ॥ ७९ ॥
आज्यं क्षीरेण रुद्रेण कृतमेतन्मनोहरम् ।
रुद्रह्रदमिति ख्यातस्तेन देवमिदं शुभम् ॥ ८० ॥
सर्वैर्देवैरहं देवि ह्यस्मिन् देशे प्रसादितः ।
गणेशत्वममीषंति दुषा शांतः शिवस्तदा ॥ ८१ ॥
शिवो भूत्वास्म्यतोहं वै पुण्यमस्यापि दर्शनम् ।
प्रेक्षते प्रयतो मर्त्यः स्वर्गलोकमवाप्नुयात् ॥ ८२ ॥

अत्राहं ब्रह्मणानीय स्थापितः परमेष्ठिना ।
ब्रह्मणा चापि संगृह्य विष्णुना स्थापितः सुतः ॥८३ ॥
तं दृष्ट्वा ब्रह्मणा विष्णुः प्रोक्तः सविधचेतसा ।
मयाऽनीतमिदं लिंगं कस्मात्स्थापितवानसि ॥ ८४ ॥
ततो ह्युवाच विष्णुश्च ब्रह्माणं कुपितासनम् ।
रुद्रमंशान्ममोत्पन्नं शतभात्रमहत्तरम् ॥ ८५ ॥
ममवत्स्थापितं पूर्वं नाम्ना हेममयं भवान् ।
हिरण्यगर्भ इत्येवं ततश्चासं समाश्रितः ॥ ८६ ॥
दृष्टे च मयि देवेश मम लोकं व्रजेन्नरः ।
एवं च वदतो ब्रह्मा मम लिंगमिदं ततः ॥ ८७ ॥
स्थापयामास विधिवद्भक्त्या परमया युतः ।
देवदेवं महादेवं प्रहृष्टेनांतरात्मना ॥ ८८ ॥
स्वयमेव महादेवं नीयमानः पुनः पुनः ।
ततोहं सर्वदेवानां पश्यतां तत्र तत्र च ॥ ८९ ॥
प्रविष्टो लिंगमध्ये तु ब्रह्मविष्णुप्रचोदितः ।
पालनार्थं ततो ब्रह्मा सूक्ष्मो भूत्वा व्यवस्थितः ॥ ९० ॥
मीलेश्वरेतिनामा वै लोकानामर्चने रतः ।
तस्मात्सुनीलमित्येवं गृह्यक्षेत्रमिदं मम ॥ ९१ ॥
प्राणानिह न त्यक्त्वान्न पुनर्जायते क्वचित् ।
एवं विष्णुस्तथा देवि ब्रह्मा लोकपितामहः ॥ ९२ ॥
प्रसन्नमनसौ द्वौ तु चार्थवंतौ महात्मानौ ।
अशक्या सा गतिस्तस्य योगिनां चैव सा स्मृता ॥ ९३ ॥
अस्मिन्नपि स्थिता दैत्याः सर्वे ते देवकंटकाः ।
व्याघ्ररूपं समास्थाय निर्दग्धास्तेजसा मया ॥ ९४ ॥
व्याघ्रेश्वरस्ततः ख्यातो नित्यं तत्राहमास्थितः ।
न पुनर्दुर्मतिर्येषां दृष्ट्वैवं व्याघ्रमीश्वरम् ॥ ९५ ॥

उत्पन्नाद्विदलौ चैव द्वौ दैत्यौ ब्रह्मणा पुरा ।
अवध्यौ दैवतैः सृष्टौ त्वयैव निहतौ शुभौ ॥ ९६॥
तवाज्ञामित्रकेनाऽयुस्तस्येदं विद्ममास्थितम् ।
निवासं नाम विख्यातं सुरासुरनमस्कृतम् ॥ ९७ ॥
दृष्ट्वैवं मनुजः सद्यः पशुपाशैर्विमुच्यते ।
न शोचति पुनर्मर्त्यः संस्थितो मृत्युजन्मनि ॥ ९८ ॥
समंतात्तानि देवेश लिंगानि स्थापितः शिवः ।
दृष्ट्वैवं चिंतयेन्मर्त्यो देहभेदगुणी भवेत् ॥ ९९ ॥
इदानीमहमागत्य स्वयमेव व्यवस्थितः ।
एवमुक्तं मया यस्मादविमुक्तमिदं ततः ॥ १०० ॥
अविमुक्ते ततो देवि पुराकल्पे सुरासुरैः ।
स्तुतोहं विविधैस्तोत्रैर्महादेवेति भावितैः ॥ १ ॥
उत्पन्नं मम लिंगं च भित्वा भूमिं सुदुर्भिदाम् ।
मद्दत्तं दर्शनं तेषां सर्वेषां च दिवौकसाम् ॥ २ ॥
महादेवेति ते सर्वे ध्यायमानाः सुरोत्तमाः ।
वाराणस्यां ततो देवो सेवितात्मा ततो भुवि ॥ ३ ॥
क्षेत्रं वाराणसी नाम मुक्तिदा सा भविष्यति ।
अविमुक्तेश्वरं चैव यः संद्रक्ष्यति मानवः ॥ ४ ॥
मम लोके गतिस्तस्य यत्र तत्र मृतस्य च ।
प्राणानिह तु संन्यस्य यास्यते मुक्तिमुत्तमाम् ॥ ५ ॥
पवित्रगिरिराजा त्त सदा हेममयः शुभः ।
मम प्रियमिदं स्थानमात्मलिंगं प्रतिष्ठितम् ॥ ६ ॥
पुरा वाराणसी चेयं पुरमध्ये प्रणोदितम् ।
क्षेत्रमेतन्महद्दिव्यं जान्हव्यादाहसंगता ॥ ७ ॥
वरुणा नाम तत्रैव गंगा चैव सरिद्वरा ।
स्थापितं संगमे ताभ्यां ब्रह्मणा लिंगमुत्तमम् ॥ ८ ॥

मंगलेश्वरमित्येवं ख्यातिं जयति दुर्लभाम् ।
मंगलेश्वरं दृष्ट्वैव स्नातश्च मनुजः शुचिः ॥ ९ ॥
अर्चयेत्संगमे शर्वं तस्य जन्म कुतः पुनः।
इदमन्यद्गृहं देवि निवासं योगिनां परम् ॥ १० ॥
क्षेत्रं मध्ये च यत्राहं स्वयं भूत्वा समास्थितः ।
मध्यमेश्वरमित्येवं ख्यातं सर्वसुरासुरैः ॥ ११ ॥
सिद्धैश्च स्थापितमिदं मदीयं व्रतमुत्तमम् ।
योगिनां मोक्षदं नित्यं जन्ममृत्युजितात्मनाम् ॥ १२ ॥
दृष्ट्वैवं मध्यमेशानं जन्ममृत्यू न शोचति ।
स्थापितं लिंगमेतच्च शुक्रेण भृगुसूनुना ॥ १३ ॥
तेन शुक्रेश्वरं पुण्यं सर्वसिद्धसुरार्चितम् ।
ऋषिर्वै मानवः सद्यो मुक्तः स्यात्सर्वकिल्बिषैः ॥ १४ ॥
मृतस्तु न पुनर्जन्म संसारे तु लभेन्नरः ।
जराजंतुकरूपेण ह्यसुरैर्देवकंटकैः ॥ १५ ॥
ब्रह्मणो वरं लब्ध्वा तौ देवान्घातयतः सदा ।
प्रतिषिद्धौ मया तौ तु गोमायुमृगशंकितौ ॥ १६ ॥
मया दानवरूपेण सूदितौ दानवौ पुरा ।
ममाज्ञया पुनस्तैस्तु स्थापितं लिंगमुत्तमम् ॥ १७ ॥
जंबुकेश्वरविख्यातं ससुरासुरसत्तमैः ।
दृष्ट्वैनमथ देवेशं सर्वान्कामानवाप्नुयात् ॥ १८ ॥
ग्रहैः शुक्रपुरोगैश्च लिंगं वै स्थापितं त्विह ।
पश्य लिंगानि पुण्यानि सर्वकामप्रदानि तु ॥ १९ ॥
राभांडेश्वरविख्यातं लिंगं सूर्येण स्थापितम् ।
तमिमं देवमीशानं दृष्ट्वा मुच्यति मानवः ॥ २० ॥
सर्वपापैर्विनिर्मुक्तः सूर्यलोकं स गच्छति ।
ईशानेशं ततस्तस्मात्सुरासुरनमस्कृतम् ॥ २१ ॥

एवमेतानि पुण्यानि संति स्थानानि सुव्रत ।
कथितानि मया क्षेत्रे गुह्यं चान्यदिदं शृणु ॥ २२ ॥
क्रोशं क्रोशं चतुर्दिक्षु क्षेत्रमेतत्प्रकीर्तितम् ।
योजनं विद्धि क्षेत्रस्य मृत्युकालेऽमृतप्रदम् ॥ २३ ॥
महालयगिरिस्थानं केदारे च नये स्थितम्।
गणत्वं लभते दृष्ट्वा क्षेत्रं मोक्षमवाप्नुयात् ॥ २४ ॥
गणापत्यं यदा तस्माद्गतिर्मुक्तिरनुत्तमा ।
ततो महालयात्सूक्ष्मात्केदारान्मध्यमादपि ॥ २५ ॥
मूलपुण्यप्रदं क्षेत्रमविमुक्तमिदं मम ।
ॐकारमध्यमस्थानं स्थानं चैव महालयम् ॥ २६ ॥
मम पुण्यानि भूलोके तेभ्यः पुण्यतमं त्विदम् ।
ततः सृष्टानि भूतानि ततः क्षेत्रमिदं शुभम् ॥ २७ ॥
कदाचिन्न मया मुक्तमविमुक्तं ततोभवत् ।
अविमुक्तेश्वरं लिंगं मम दृष्ट्वेह मानवः ॥ २८ ॥
सर्वपापविनिर्मुक्तः पशुपाशविवर्जितः ।
दशाश्वमेधके स्नात्वा दृष्ट्वा वै दंडनायकम् ॥ २९ ॥
अविमुक्तं प्रणामेच्च ह्योंकारं च ततो व्रजेत् ।
दृष्ट्वा चोंकारदेवेशं संसारे दुःखसागरे॥ ३० ॥
एवमुक्त्वा महादेवो दिशः सर्वा व्यलोकयत् ।
त्रैलोक्यसंस्थितः पश्चाद्देवदेवो महेश्वरः ॥ ३१ ॥
अकस्मादभवत्सर्वं तद्देहं कलितं मया ।
विद्युत्सुभूतिनिर्घोषं सूर्यायुतमिवोदितम् ॥ ३२ ॥
तेजोभिरेकतः पूर्णं विधिभास्करयोरिव ।
ततः पाशुपता सिद्धा भस्मना भासितप्रभाः ॥ ३३ ॥
बहवो मनसा भक्त्या नमस्कृत्य महेश्वरम् ।
शृण्वंतु सर्व एवैते विश्वतस्त्वमरोदितम् ॥ ३४ ॥

विश्वरूपधराः सर्वे त्रिनेत्रा रुद्रमूर्त्तयः ।
पुनर्निरीक्ष्य देवेशं ध्यानयोगेन कृत्स्नशः ॥ ३५ ॥
तत्परज्ञानमाधाय नीयमाना इवांबरे ।
स्थितानां शतशस्तेषां देवदेवः सनातनः ॥ ३६ ॥
संचिंत्य परमं स्थानं तन्मूर्तिर्भवपूरुषः ।
प्रभुमुद्दिश्येश्वरेण दिव्यसूर्यायुतप्रभः ॥ ३७ ॥
कृत्स्नं जगदिदं सर्वमवागच्छत्यत्रस्थितः ।
न शशाक पुनः स्तुं हृष्टरोमा बभूव ह ॥ ३८ ॥
ततस्तं हृष्टमात्मानं दृष्ट्वा सा प्रकृतिः स्थिता ।
तस्य तां परमां मूर्तिमास्थितां तु जगत्पतेः ॥३९ ॥
प्रकृतेर्मूर्त्तिमास्थाय योगेन परमात्मना ।
न शशाक पुनः स्तुं पुरुषस्य महात्मनः ॥ ४० ॥
ततस्ते त्हदि चास्थाय योगिनः परमस्य तु ।
विचिंत्य हृदयं सर्वे देवि संसारजीविनः ॥ ४१ ॥
अनुगृह्य ततः सर्वान् तान्दृष्ट्वा प्रेमविह्वलः ।
नीलकंठो महादेवः पुनश्चक्रे वपुः शुभ ॥ ४२ ॥
तं दृष्ट्वा गिरिजा प्राह सहृष्टतनूरुहा ।
स्तुवंती चरणौ नत्वा दृष्ट्वा च भगवानिति ॥ ४३॥
स देवश्च ततः श्रेष्ठः सा देवी च सुरार्चिता ।
मदीयं तपआस्थाय भक्तिमद्भिर्द्विजोत्तमैः ॥ ४४॥
माहात्म्यं वै यैर्यैस्तु तेषामेकेन जन्मना ।
एतस्याश्च प्रभावेन भक्त्या च मम नित्यशः ॥ ४५ ॥
अनुग्रहो मया देषां क्रियते मुक्तिदः सदा ।
तस्मादिदं महाक्षेत्रं ब्रह्माद्यैः सेव्यते सदा॥ ४६ ॥
सनत्कुमार उवाच । एतत्ते कथितं व्यास पंचायतनमुत्तमम् ।
अविमुक्तस्य माहात्म्यं कैश्चित्यं हृदयेधरैः ॥ ४७॥

एवं च राधितो देवो ह्यन्यजन्मनि सुव्रते ।
ते विंदंति परं क्षेत्रमोंकारं च विमुक्तिदम् ॥ ४८॥
तस्मात्सर्वप्रयत्नेन त्वविमुक्तमुपासकः ।
तदा द्रक्ष्यति तं देवि ह्योंकारं परमं पदम् ॥ ४९ ॥

इति श्रीस्कंदपुराणे आदिरहस्ये सह्याद्रिखण्डे शिवगणेशसंवादे दंडपाणिवरदो नाम चतुःपंचाशत्तमोऽध्यायः ॥ ५४ ॥

अथ पंचपंचाशत्तमोऽध्यायः ।

व्यास उवाच । उमाहरौ तु देवेशौ चक्रतुर्यत्र संगतौ ।
तन्मे सर्वमशेषेण कथयस्व महामुने ॥ १ ॥
सनत्कुमार उवाच । उमाहरौ तु देवेशौ परस्परमनिंदितौ ।
शिलादस्यात्मजं पुत्रमयुज्यत धरेण ह ॥ २ ॥
स चाप्ययोनिजो विप्रो ह्याराध्य परमेश्वरम् ।
रुद्रेण समतां लब्ध्वा महागणपतिर्बभौ ॥ ३ ॥
व्यास उवाच । कथं नंद समुत्पन्नः कथं चाराध्य शंकरम् ।
समानत्वमगाच्छंभोः प्रतीहारत्वमेव च ॥ ४ ॥
सनत्कुमार उवाच । अभूदृषिः स धर्मात्मा शिलादो नाम वीर्यवान् ।
तस्यासीच्छलकैश्छत्रः शिलादस्तेन सोभवत् ॥ ५ ॥
अपश्यल्लंबमानांस्तु गर्तायां स पितॄन्द्विजः ।
विच्छिन्नसंततिर्घोरे निरये तु स तारयेत् ॥ ६ ॥
तैरुक्तमित्यमरुचं देवलोकादिमव्ययम् ।
आराधय महादेवं पुत्रार्थं द्विजसत्तम ॥ ७ ॥
योस्मत्सुतारणे शक्तः स ते पुत्रान्प्रदास्यति ।
तेषां वाक्यं ततः श्रुत्वा जगाम शरणं विभुम् ॥ ८ ॥

दिव्येन तु सहस्रेण तप्यमानश्च शूलधृक् ।
सर्वदेवमयश्चाहं वरदोस्मीत्यभाषत ॥ ९ ॥
तं दृष्ट्वा सोममीशानं प्रणतः पादयोर्गतः ।
हर्षगद्गदया वाचा तुष्टाव विबुधेश्वरम् ॥ १० ॥
नमः परमदेवाय महेशाय महात्मने ।
स्रष्टा सर्वसुरेशानां ब्रह्मणः पतये नमः ॥ ११ ॥
कामांगनाशनायैव योगसंभवहेतवे ।
नमः पर्वतवासाय ध्येयगम्याय वेधसे ॥ १२ ॥
ऋषीणां पतये नित्यं देवानां पतये नमः ।
प्रधानाय नमो नित्यं तत्त्वायामरसंगिने ॥ १३ ॥
वरदाय च भक्तानां नमः सर्वगताय च ।
सृष्टेश्च पतये चैव नमस्ते प्रभविष्णवे ॥ १४ ॥
जगतः पतये चैव जगत्स्रष्ट्रे नमः सदा ।
प्रकीर्त्याः पतये नित्यं पूज्याय परगामिने ॥१५
ईश्वराय नमो नित्यं योगगम्याय रंहसे ।
संसारोत्पत्तिनाशाय सर्वकामप्रदाय च ॥ १६ ॥
अरण्याय नमो नित्यं नमो भस्मांगरागिणे ।
नमस्ते ह्युग्ररूपाय तेजसां पतये नमः ॥ १७ ॥
सूर्यानिलहुताशाय सर्वकामप्रदाय च ।
स्थिताय च नमो नित्यं नमस्त्रैलोक्यवेधसे ॥ १८ ॥
स्तोतव्यस्य स्तुतो देव विश्रामस्तेन विद्यते ।
यस्मादुक्तस्त्वमेवास्य जगतः स्थितिनाशयोः ॥ १९ ॥
अशरण्यश्च देवेश त्वत्तश्च शरणार्थिनः ।
प्रसंगे परमां लब्ध्य वरदो भव विश्वकृत् ॥ २० ॥
तस्यैवं वदतो व्यास देवदेवस्त्रिलोचनः ।
वरदोस्मीति तं प्राह शिलादं मुनिसत्तमम् ॥ २१ ॥

यः स्तोत्रमेतदखिलं प्रपठन्द्विजन्मा ।
प्रातः शुचिर्नियमवान्द्विजसत्तमश्च ॥
तद्ब्रह्मराक्षसपिशाचकभूतसंघा ।
गछन्ति यस्य श्रवणादपि पूतनाश्च ॥ २२ ॥
ततः स भगवान्देवः स्तूयमानो महोदयः ।
उवाच वरदोस्मीति ब्रूहि यत्ते मनोगतम् ॥ २३ ॥
तमेवं वादिनं देवं शिलादोभ्यवदत्प्रभुः ।
वरदं देवदेवेशं शिलादो वाक्यमब्रवीत् ॥ २४ ॥
भगवन् यदि तुष्टोसि यदि देयो वरश्च मे ।
इच्छामि त्वत्समं पुत्रं मृत्युहीनमयोनिजम् ॥ २५ ॥
एवमुक्तस्ततो विप्र प्रीयमानस्त्रिलोचनः ।
एवमस्त्विति च प्रोच्य तत्रैवांतरधीयत ॥ २६ ॥
गते तस्मिन्महादेवे ऋषिः परमपूजितः ।
स्वमाश्रममुपेतश्चं ऋषिभ्योऽकथयत्ततः ॥ २७ ॥
तैर्भृशं संस्तुतश्चापि कालेन तु सुहृद्वृतः ।
विप्रस्तु यज्ञभूमिं स्वलांगलेन च कर्षताम् ॥२८ ॥
तस्य तत्कर्षमाणायाः सीतायाः समुपस्थितः ।
संवर्तकालपरमः कुमारः प्रत्यदृश्यत ॥ २९ ॥
स तं दृष्ट्वा तथाभूतं कुमारं दीप्ततेजसम् ।
राक्षसोयमिति ज्ञात्वा भयान्नोपससार ह ॥ ३० ॥
कुमारोपि तथाभूतं पितरं दीप्ततेजसम् ।
उपासयत दीनात्मा तात तातेति चाब्रवीत् ॥ ३१ ॥
स तथा ह्युच्यमानोपि यदा तं नाभ्यनंदत ।
ततो वायुस्तदाकारः शिलादं प्राह सत्वरम् ॥ ३२ ॥
सोल्लंघयेन्न पुत्रस्ते योसौ देवेन शंभुना ।
अयोनिजः पुरा दत्तः सततं प्रतिनंदय ॥ ३३ ॥

यस्मान्मोदकरस्ते ऽयं सदैव द्विजसत्तम ।
तस्मान्नंदीति नाम्नायं भविष्यति न संशयः ॥ ३४ ॥
श्रुत्वा स वायुवचनं नंदिनं परिषस्वजे ।
भयं हित्वाश्रमं नीतो नंदीशः पुष्टिवर्धनः ॥ ३५ ॥
चूडोपनयनादीनि कर्माण्यस्य चकार ह ।
कृत्वा चाध्यापयामास वेदान् सांगपदक्रमान् ॥ ३६ ॥
यजुर्वेदं धनुर्वेदं गांधर्वं शास्त्रमुत्तमम् ।
सुशिल्पानि च कर्माणि निर्मलज्ञानमेव च ॥ ३७ ॥
शास्त्रलोकप्रमाणानि तथा व्याकरणानि च ।
तथा चैव पुराणानि तथा शास्त्राणि सर्वशः ॥ ३८ ॥
पंचज्ञानानि जातानि ज्योतिर्गणविचेष्टितम् ।
मातृकं तु महातेजं योगाभ्यासमनुत्तमम् ॥ ३९ ॥
पंचभिर्दिवसैः सर्वं तेनाधीतमशेषतः ।
एतस्मिन्नंतरे विप्र दिव्यौ देवर्षिसत्तमौ ॥ ४० ॥
आश्रमं समनुप्राप्तौ शिलादस्य महौजसौ ।
तावभ्यर्च्य यथान्यायं शिलादः सुमहातपाः ॥ ४१ ॥
तदा दृष्टसुखासीनौ चासने परमार्चितौ ।
मित्रावरुणनामानौ तपोयोगबलान्वितौ ॥ ४२ ॥
अभिज्ञौ सर्वजंतूनां सर्वलोकचराचरौ ।
तेनार्चितौ सुविश्रब्धौ विस्मितौ परमासने ॥ ४३ ॥
उपविष्टौ तथा प्रीतौ विप्राभिर्वाग्भिरेव च ।
तयोः पुत्रः सकृद्दृष्टेर्दर्शयामास वै मुनिः ॥ ४४ ॥
स एव मुक्तस्तेजस्वी शिलादः पुत्रवत्सलः ।
उवाच गुणसंपन्नः सोमवंशस्य वर्धनः ॥ ४५ ॥
तयोः पदे च शिरसा वंदनं च चकार सः ।
तौ तु तस्याशिषं देवौ प्रायुंक्तां धर्मनित्यताम् ॥ ४६ ॥

गुरुशुश्रूषणं तावल्लोकाश्चैव तथाक्षयाः ।
शिलादस्तु तथा लभ्य त्वाशिषं देवयोस्तयोः ॥ ४७ ॥
विसृज्य नंदिनं यातः सोपृच्छदृषिसत्तमौ ।
शिलाद उवाच । भगवन् भाग्यवित्तौ च सर्वेषामपि देहिनाम् ॥४८॥
किमर्थं मम पुत्रस्य दीर्घमायुरभावपि ।
प्रायुंक्तवंतौ सम्यक् च नाशिषो मुनिसत्तमौ ॥ ४९ ॥
नवैषस्तनयस्तान ह्यल्पायुः सर्वधर्मतः ।
अद्यारभ्याब्दमेकं वै जीवितं धारयिष्यति ॥ ५० ॥
तच्छ्रुत्वा शोकसंतप्तोन्यपतद्भुवि दुःखितः ।
विसृज्य मुनिशार्दूलावेकाकी विललाप ह ॥ ५१ ॥
तस्य शोकाद्विलपतः स्वरं श्रुत्वा सुतः शुभः ।
क्रंदमानं च तं दृष्ट्वा पितरं भृशदुःखितम् ॥ ५२ ॥
केन त्वं तात दुःखेन दूयमानः प्ररोदिषि ।
दुःखं ते कुत उद्भूतं ज्ञातुमिच्छामि तत्त्वतः ॥ ५३ ॥
शिलाद उवाच । पुत्र त्वं किल वर्षेण जीवितं च प्रहास्यसि ।
ऋचनुस्तावृषी सर्वं ततो मां दुःखमाविशत् ॥ ५४ ॥
सत्यं हि तूचनुर्विप्रौ न तावनृतभाषिणौ ।
तेनाहं पुत्र शोकेन भृशं पीडितमानसः ॥ ५५ ॥
नंद्युवाच । देवो वा दानवो वापि यमो वापि कदाचन ।
तथापि तत्र मृत्युं वै वंचयिष्यामि मा रुद ॥ ५६ ॥
शिलाद उवाच । किं तपः किं परं ज्ञानं को योगः कः श्रमश्च ते ।
येन त्वं दारुणं मृत्युं वंचयिष्यसि पुत्रक ॥ ५७ ॥
नंद्युवाच । न तात तपसा मृत्युं वंचयिष्ये च मृत्युताम् ।
महादेवप्रसादेन मृत्युं जेष्यामि नान्यथा ॥ ५८ ॥
न च कश्चिदुपायोस्ति मुक्त्वा देवं पिनाकिनम् ।
द्रक्ष्यामि शंकरं देवं नातो मृत्युर्भविष्यति ॥ ५९ ॥

नष्टे मृत्यौ मया सार्धं त्वं चिरं दीव्यसे पितः ।
शिलाद उवाच । मया वर्षसहस्रेण तपस्तप्तं सुदुस्तरम् ॥ ६० ॥
महादेवः पुरा तुष्टो लब्धस्त्वं मे यतः सुतः ।
भवांस्तु त्वेकवर्षेण कथं द्रक्ष्यति शंकरम् ॥ ६१ ॥
वर्षेण किं तपः पुत्र शक्यं कर्तुं वृषध्वजात् ।
का ते शक्तिर्महाभाग येन मृत्युं विजेष्यसि ॥ ६२ ॥
नंद्युवाच । न तात तपसा देवो दृश्यते विद्यया नच ।
शुद्धेन मनसा भक्त्या दृश्यते परमेश्वरः ॥ ६३ ॥
अहमेव विजानामि यथा पश्यामि शंकरम् ।
त्वया विसृष्टो गच्छामि ह्यचिरेण त्रिलोचनम् ॥ ६४ ॥
द्रक्ष्यामि च न संदेहो विसृज्य च शुभस्तु माम् ।
अचिरेणैव कालेन जन्ममृत्युविवर्जितम् ॥ ६५ ॥
द्रक्षिष्ये मां कृतार्थं च तस्मान्मां त्वं विसर्जय ।
यदि दस्युसहस्राणि यमकोटिशतानि च ॥ ६६ ॥
अभिद्रवंति संक्रुद्धा दण्डपाण्युद्यतायुधाः ।
तथापि नान्यथा तात भयं मे त्वं करिष्यसि ॥ ६७ ॥
न ममैते करिष्यंति व्यथां लोम्नोपि चैव हि ।
अवतीर्य नलं तात तावद्बुद्धः समाहितः ॥ ६८ ॥
अभ्यस्य पैत्रमध्यायं तथा च शतरुद्रयम् ।
द्रक्ष्यामि वरदं देवं नाथं मृत्युहरं परम् ॥ ६९ ॥
जगतश्चापि मुक्तस्य रुद्रभावान्वितस्य च ।
न मृत्युकाला बहवः करिष्यंति मम व्यथाम् ॥ ७० ॥
तमेवं वादिनं मत्वा ब्रुवाणं शुद्धया गिरा ।
व्यसर्जयददीनात्मा हृष्टपुत्रं महातपाः ॥ ७१ ॥
प्रणम्य स पितुः पादौ शिरसा च महायशाः ।
प्रदक्षिणं समावृत्य संप्रतस्थे हि निश्चितम् ॥ ७२ ॥

नमस्कृत्य पितुः पादौ संस्मृत्वा च ह्युमापतिम् ।
ध्यायमानस्तु मनसा प्रणतार्तिहरं हरम् ॥ ७३ ॥
इति श्रीस्कंदपुराणे आदिरहस्ये सह्याद्रिखण्डे व्याससनत्कुमार-
संवादे नंद्युत्पत्तिवर्णनं नाम पंचपंचाशत्तमोऽध्यायः ॥ ५५ ॥

अथ षट्पंचाशत्तमोऽध्यायः ।

सनत्कुमार उवाच । निर्गतोथ ततो नंदी जगाम सरितांवराम्
त्रैलोक्येषु च विख्यातां सर्वलोकसुखावहां ॥ १ ॥
तां प्रविश्य ततो धीमानेकाग्रो हृदि संस्थितम् ।
जजाप शतरुद्रीयं परं परमकारणम् ॥ २ ॥
भवान्मृत्युस्तथा व्यास त्वेकचित्तसमाहितः ।
तथ्यता तेन तत्रैव तृप्तस्तेन सदाशिवः ॥ ३ ॥
कोटिरेका यदा जप्ता प्रसन्नोभूत्सदाशिवः ।
तदा तत्र वचस्तृप्तो महादेवं स तु द्विजः ॥ ४ ॥
उवाच प्रणतो भूत्वा प्रणतार्तिहरं हरम् ।
द्वितीयां जप्तुमिच्छामि कोटिं परमकारणाम् ॥ ५ ॥
जजाप कोटिमन्यां तु रुद्रमेवानुचिंतयन् ।
द्वितीयायां ततः कोट्यां संपूर्णायां वृषध्वजः ॥ ६॥
प्रसन्नोभून्महादेवो वरदोस्मीत्यभाषत ।
सत्वाह भगवान्कोटिं तृतीयां जप्तुमाचर ॥ ७ ॥
इच्छामि देवदेवेश त्वत्प्रसादादहं विभो ।
एवमस्त्विति भूयोपि भगवान्प्रत्युवाच ह ॥ ८ ॥
उक्त्वा जगाम देवेशो देव्या सह महाद्युतिः ।
ततस्तृतीयां तत्रैव कोटिमन्यां जजाप ह ॥ ९ ॥

युगांतादित्यसंकाशं ततः समभवद्विभुः ।
साधु जप्तं त्वया धर्मान् ब्रूहि यत्तु मनोगतम् ॥ १०॥
मयेमां कोटिमन्यां वै भूयोपि तव चेतसा ।
वरमेतं वृणे देव यदि तुष्टोसि मे विभो ॥ ११ ॥

देवदेव उवाच । किं ते जप्येन बहुधा तुष्टोस्मि तव सर्वदा ।
यं यं हि वृणुषे कामं सर्वं तं ते ददाम्यहम् ॥ १२ ॥
विष्णुस्त्वमथ चेंद्रस्त्वमन्यैरपि तु का कथा ।
आदित्यो भव रुद्रो वा यक्षो वा ह्यात्मतुल्यता ॥ १३ ॥
स एवमुक्तो देवेन शिरसा पादयोर्गतः ।
तुष्टाव देवमीशानं जराशोकविनाशनम् ॥ १४ ॥
नमो देवाधिदेवाय महादेवाय वै नमः ।
नमः कर्मांगनाशाय नीलकंठाय वै नमः ॥ १५ ॥
नमोस्तु गणनाथाय त्रैलोक्यदहनाय च ।
नमः कालाय दंडाय चोग्रदंडाय वै नमः ॥ १६ ॥
नमो नीलशिखंडाय सहस्रशिरसे नमः ।
सहस्रपाणिनेत्राय सहस्रचरणाय च ॥ १७ ॥
सर्वतः पाणिपादाय सर्वतोक्षिमुखाय च ।
रथिने धन्विने चैव महाव्याघ्राय ते नमः ॥ १८ ॥
नमस्त्रिशूलहस्ताय ह्युग्रदण्डधराय च ।
नमो देवाधिपतये रुद्राणां पतये नमः ॥ १९ ॥
नमः सहस्रनेत्राय शतनेत्राय वै नमः ।
आदित्यानां च पतये पशूनां पतये नमः ॥ २० ॥
नमः पृथिव्याः पतये चाकाशपतये नमः ।
नमश्च लोकपतये महर्लोकपते नमः ॥ २१ ॥
नमो यागाधिपतये सर्वलोकप्रदायक ।
ध्यानिनो ध्यायमानाय ध्यानिभिः संस्तुताय च ॥ २२ ॥

मृत्यवे कालदंडाय यमाय च महात्मने ।
देवाधिपतये चैव दिव्यसंहननाय च ॥ २३ ॥
महिषांतकहंत्रे च पूष्णे वै परमेष्ठिने ।
ब्रह्मणे गुरवे चैव कुमारवरदाय च ॥ २४ ॥
ब्रह्मणः शिरसो हंत्रे ह्यजश्च परतः पर ।
त्रिपुरघ्नाय शर्वाय भूभारहरणाय च ॥ २५ ॥
उमादेहार्धदेहाय तथा नारायणाय च ।
ललाटांकितनेत्राय नेत्रोर्ध्वज्वलनाय च ॥ २६ ॥
हलिने मुसलघ्नाय महेशाय नमो नमः ।
मृत्युपाशोग्रसूत्राय नक्षत्रलोकमूर्तये ॥ २७ ॥
हिमवद्विंध्यवासाय मेरुपर्वतवासिने ।
कैलासवासिने चैव धनेश्वरसखाय च ॥ २८ ॥
विष्णुदेहार्धसंस्थाय तस्मै च वरदायक ।
सर्वभूताय संज्ञाय सर्वभूतानुकंपिने ॥ २९ ॥
प्रेत्यभूतादिवासाय प्राणिनां जीवनाय च ।
नमस्ते मन्यमानाय ह्यतिमान्याय चैव हि ॥ ३०॥
बुध्यमानाय बुद्धाय सुबुद्धिचक्षुषे नमः ।
नमस्ते स्पर्शचित्राय तथैव स्पर्शनाय च ॥ ३१ ॥
हस्तिने चैव हस्ताय तथा पादाय पादिने ।
नमश्चानंदकर्त्रे च ह्यानंदाय च ते नमः ॥ ३२ ॥
स्थूलाय चैव सूक्ष्माय ह्यलुब्धाय च ते नमः ।
नमस्ते तपसे नित्यं क्षेत्रज्ञाय जिताय च ॥ ३३ ॥
विष्णवे लोककर्त्रे च प्रजानां पतये नमः ।
शिल्पिने शिल्पिनाथाय विदुषे विश्वकर्मणे ॥ ३४ ॥
धर्माय स्तुतये चैव शिष्टाय च नमोस्तु ते ।
भूतनाथाय भूताय कृष्णाय पतये नमः ॥ ३५ ॥

निष्ठते द्रवते चैव गायते नृत्यते तथा ।
अवश्यायाप्यवेशाय ह्यजराथामराय च ॥ ३६ ॥
अक्षयायाव्ययायैव तथाप्रतिहताय च ।
अनादृश्याय सर्वेषां तथैवादृश्यरूपिणे ॥ ३७ ॥
सूक्ष्मेभ्यश्चापि सूक्ष्माय सर्वगाय महात्मने ।
नमस्ते भगवंस्त्र्यक्ष नमस्ते भगवन् शिवः ॥ ३८ ॥
नमस्ते सर्वलोकेश नमस्ते सर्वभावन ।
नमो देवाधिपतये ब्रह्मणे चाथवा पुनः ॥ ३९ ॥
न विष्णुं नच देवेंद्रं नहि त्रियां च कामये ।
इच्छाम्यहं त ईशान संसाराद्विनिवर्तनम् ॥ ४० ॥
नित्यं ते शरणं नाथ प्रसन्नात्मापरिच्छद ।
द्रष्टुमिच्छामि योगेन एष मे दीयतां वरः ॥ ४१ ॥
त्वन्नो गतिः परा देव त्वमनाथालयं महत् ।
शरणं त्वां च मे नाथ नान्यं पश्यामि कर्हिचित् ॥ ४२ ॥
त्वय्यासक्तस्य चैवाशु विनाशो नात्र संशयः ।
अन्यां गतिं न पश्यामि यस्यामात्यंतिकं सुखम् ॥ ४३ ॥
अनुरक्तं च भक्तं च त्वत्परं त्वत्तपोश्रयम् ।
पश्यामि सर्वसंसारमतिदुस्तरदुस्तरम् ॥ ४४ ॥
न पतेयं महादेव यथा तत्र तथा कुरु ।
इतीच्छामि महादेव ह्येवं मे दीयतां वरः ॥ ४५ ॥
प्रपठेत्प्रातरुत्थाय य इमं देव मानवः ।
चतुर्दश्यां विशेषेण ब्राह्मणो वापि तत्तथा ॥ ४६ ॥
स देहभेदमासाद्य नंदीश्वरसमो भवेत् ।
सोश्वमेधफलं प्राप्य रुद्रलोके महीयते ॥ ४७ ॥
श्रुत्वा सकृदपि ह्येनं स्तवं पापप्रणाशनम् ।
यस्तु तत्र मृतो व्यास न दुर्गतिमवाप्नुयात् ॥ ४८ ॥

योधीयते नित्यं स्तवस्तदग्रे देवः सदाभ्यर्चयते यतात्मना ।
किं तस्य यज्ञैर्विविधैश्च दानैस्तीर्थैःसुतप्तैश्च तथा तपोभिः ४९
कंपानुकृत्य द्विजपुंगवो हि गृहस्थधर्मापि यतेर्वरः समः ।
एष मंत्रनरश्चैव संसारे विनिवर्तनः ॥ ५० ॥

सनत्कुमार उवाच । ततस्तं देवदेवेशो भक्त्या परमया युतम् ।
तथाप्यमृतहस्तेन मुखं तस्य ममार्ज ह ॥ ५१ ॥
निरीक्ष्य गणपान्सर्वान्महादेवोवदत्पुनः ।
मात्र निष्ठ हि तेनोक्तं तुष्टोहं तव पुत्रक ॥ ५२ ॥
त्यक्तजन्मजरामृत्युर्मत्प्रसादाद्भविष्यसि ।
जाने भक्तिमहं वत्स जाने चार्तिं तवानघ ॥ ५३ ॥
तत्त्वमर्थं तु शैलादे यदुक्तं तु त्रिधा मया ।
अमरो जरया युक्तः सर्वदुःखविवर्जितः ॥ ५४ ॥
अक्षयश्चाव्ययश्चैव संपिता ससुखी जनः ।
ये त्वया सह संदिष्टाः स्निग्धा भागवताश्च ये ॥ ५५ ॥
ते च सर्वे त्वया सार्द्धं मम लोकं प्रयांतु वै ।
ममेष्टगणपश्चैव मद्वीर्यो मत्पराक्रमः ॥ ५६ ॥
इष्टश्च मे सदा चैव मम पार्श्वगतस्तथा ।
मद्रूपश्चैव भविता महायोगबलान्वितः ॥ ५७ ॥
बुद्धियुक्तश्च सद्वीर्यः क्षीरोदममृतं परम् ।
संधार्य संप्रयच्छामि तत्र रंस्यसि पुत्रक ॥ ५८ ॥
कृत्वा कुशमयीं मालां स्वयंभूव्यात्मने ततः ।
अददद्वै महादेवो नंदिने दिव्यरूपिणे ॥ ५९ ॥
स तया मालया नंदी शंभुवत्कंठशोभया ।
त्र्यक्षो दशभुजः श्रीमान् द्वितीय इव शंकरः ॥ ६० ॥
तत एनं समादाय हस्तेन भगवान् पुनः ।
उवाच ब्रूहि कं त्वाऽद्य ददामि वरमुत्तमम् ॥ ६१ ॥

आश्रमश्चाप्यमत्यर्थं तपसा च बभौ सदा ।
जप्येश्वर इति ख्यातो मम तृप्तो भविष्यति ॥ ६२ ॥
समंताद्योजनं क्षेत्रं दिव्यसिद्धैश्च सेवितम् ।
सिद्धचारणसंकीर्णमप्सरोगणसेवितम् ॥ ६३ ॥
सिद्धिक्षेत्रं परं गुह्यं भविष्यति न संशयः ।
कर्मणा मनसा वाचा यत्किंचित्कुरुते नरः ॥ ६४ ॥
अशुभं वा शुभं चात्र सर्वं भवति भस्मसात् ।
गुप्यमानस्य तुल्यं हि रुद्राणां तद्भविष्यथ ॥ ६५ ॥
यत्र यत्र मृतास्तत्र यास्यंति मम लोकताम् ।
ततो जप्यं श्रुतं श्रुत्वा गृहीत्वा हरनिर्मलः ॥ ६६ ॥
उक्त्वा नंदी भवस्वेति विससर्ज महातपाः।
तदा समभवत्पुण्यं नानापुष्पद्रुमैर्युतम् ॥ ६७ ॥
हंसकारंडवाकीर्णं चक्रवाकोपशोभितम् ।
रक्तपद्मवनोपेतं प्रावर्त्तत महानदी ॥ ६८ ॥
स्त्रीरूपधारिणी चैव पुण्याऽमलजला शुभा ।
पद्मेन सह शोभाक्षी महादेवमुपस्थिता ॥ ६९ ॥
यस्मादन्नोदका देवी वरदा च शुभानने ।
तस्मादन्नोदका नाम्ना भविष्यसि वरानने ॥ ७० ॥
तस्यां स्नानं तु यः कुर्याच्छुचिः प्रयतमानसः ।
सोऽश्वमेधफलं प्राप्य रुद्रलोके महीयते ॥ ७१ ॥
तस्माद्देव्या महादेवो नंदीश्वरपतिः शुभः ।
पुत्रस्नेहवत्या चोक्तः पादयोर्वै ननाम ह ॥ ७२ ॥
सा तमाऽपादशिरसा पाणिभ्यां परिमार्जनी ।
पुत्रस्नेहवती चैव स्रोतोभिर्ललिता तथा ॥ ७३ ॥
पयसा शंखगौरेण देवी देवं निरीक्षती ।
त्रीणि स्रोतांसि श्रोत्राणि पतितानि इतस्ततः ॥ ७४ ॥

नदी त्रिस्रोतसां पुण्या तत्र स्नाने फलप्रदा ।
नंदी त्रिस्रोतसां दृष्ट्वा स्पृष्ट्वा परमहर्षितः ॥ ७५ ॥
ननाद नादात्तस्माच्च सरिदन्या ततोभवत् ।
यस्मात्त्वत्प्रसादेन प्रवृत्तान्यवसं नदी ॥ ७६ ॥
तस्मादृशं स्वकांतां वै ह्युवाच वृषभध्वजः ।
जांबूनदमयं दिव्यं सदैव परमाद्भुतम् ॥ ७७ ॥
मुकुटं चंद्रवत्तस्मै कुंडले चामृतोपमे ।
तं तथाभ्यर्चितं व्योम्नि दृष्ट्वा चैव प्रभाकरः ॥ ७८ ॥
देवराज्येऽभिषिचंतं यत्र नंदंति दुंदुभाः ।
ततस्तस्याभिषिक्तस्य प्रवृत्ते स्रोतसी वृषम् ॥ ७९ ॥
तत्सुवर्णोदकं ताम्रां महादेवोभ्यभाषत ।
यज्जूनदमया यस्मादेषा मुकुटतः प्रभा ॥ ८० ॥
प्रावर्त्तत महीपुण्या तस्मात्कंबूनदीति सा ।
एतद्यः प्रवदन्नाम जंप्येश्वरसमीपतः ॥ ८१ ॥
भिक्षादफलमेतस्य यज्ञो दानं महात्मनः ।
त्रिरात्रोपोषितो भूत्वा तथाभ्यर्च्य च शूलिनम् ॥ ८२ ॥
ब्राह्मणांस्तर्पयित्वा च यत्र यत्र मृतो नरः ।
नंदीश्वरस्यानुचरः क्षीरोदनिलयो भवेत् ॥ ८३ ॥
यस्तु जप्येश्वरे प्राणान्परित्यजति दुस्तरान् ।
म्रियते नान्यथा वापि स मे गणपतिर्भवेत् ॥ ८४ ॥
नंदीश्वरसमो नित्यं शाश्वतो ह्यक्षयोव्ययः ।
पुत्रस्य जन्म देवेशि ज्ञेयं सर्वत एव च ॥ ८५ ॥
जप्येश्वरं पंचनदं च वै द्वौ यो मानवोभ्येत्य जहाति पातकं ।
स मे सदा स्याद्गणपो वरिष्ठस्त्वया समः स्कंद समानवर्णः॥८६॥
इति श्रीस्कंदपुराणे आदिरहस्ये सह्याद्रिखण्डे शिवगणेशसंवादे
नंदिवरप्रदानं नाम षट्पंचाशत्तमोऽध्यायः ॥ ५६ ॥

अथ सप्तपंचाशत्तमोऽध्यायः ।

सनत्कुमार उवाच । एतत्ते कथितं व्यास नंदिनश्च समुद्भवम् ।
फलेन जीवितेनापि सौपत्ये ह्यभिषेचितः ॥ १ ॥
भगवान्देवदेवेशः सर्वभूतपतिर्हरः ।
उवाच देवीमिच्छंतीमुमां गिरिवरात्मजाम् ॥ २ ॥
इति नंदीश्वरं देवमभिषिंचाम्यसूनृतम् ।
गणेश्वराणां सर्वेषां किंवा त्वं मन्यसे शुभे ॥ ३ ॥

देव्युवाच । सत्यमेव त्वयोक्तं तु गणेशत्वे तथैव च ।
स मान्य इति देवेश नंदीपुत्रः समागतः ॥ ४ ॥
ततः स भगवान्देवः सुरसिद्धगणार्चितः ।
प्राप्तो व्यास गणेशो वै भूत्वा देवो महाबलः ॥ ५ ॥
चिंतयामास गणपान् रुद्रांश्च दिशि वासिनः ।
अग्निरूपधरा व्यास त्रिनेत्राः शूलधारिणः ॥ ६ ॥
आगतास्ते मध्यभागादसंख्यास्ते मुदायुताः ।
प्रस्थिता दक्षिणामाशां पश्चिमामुत्तरां तथा ॥ ७ ॥
पूर्वां चोर्ध्वमधस्तात्तु सुश्रुवुस्ताः शुभा गिरः ।
नीलकंठाः सितग्रीवाः सुबुद्धज्वलनेक्षणाः ॥ ८ ॥
समागतास्तदा व्यास ह्येषां संज्ञा न विद्यते ।
ब्रह्मांडावरणा ये च ह्यधऊर्ध्वादयो मुने ॥ ९ ॥
कापालीशा विशोकाश्च सततं दिविवासिनः ।
अनंतरूपाः शतशः शतपादाः सनातनाः ॥ १० ॥
संप्राप्ताः सर्वलोकेशं तच्छृणु त्वं महामुने ।
ततः करालदशनो भृकुटीकुटिलाननः ॥ ११ ॥
पंचयोजनविस्तीर्णो दीर्घत्वात्तावदेव तु ।
ततश्चत्वारि वक्त्राणि बिभ्रच्छोणितपांडुरः ॥ १२ ॥

पंचविंशहाश्च कर्णाश्च पाशहस्ता महाबलाः ।
ततः कोटिशतेनैव दशानां भारभूमिपः ॥ १३ ॥
विख्यातः सोमवर्येति कोटीशतवृतः प्रभुः ।
तादृशानां गणाध्यक्षो देवांतिकमुपागतः ॥ १४ ॥
अथापरो महाकायः शूलपाणिर्महाबलः ।
युगांतानलसंकाशः स्थितः स्थिरयशा बलः ॥ १५ ॥
चंद्रमौलिर्महाकेशश्चतुर्बाहुर्विलोहितः ।
एकपादैर्महाकायैस्त्र्यक्षैस्तैः शूलपाणिभिः ॥ १६ ॥
वृतः कोटिशतेनैव स्थाणुस्तत्राभ्यवर्तत ।
सहपारिषदो रुद्रः सर्वासुरसुपूजितः ॥ १७ ॥
ततोपरः पद्मनेत्रो रुद्रपादावहः शुचिः ।
सहस्रबाहुचरणः सहस्राक्षः सहस्रपात् ॥ १८ ॥
करालदर्शनश्चैव महासर्पपरिच्छदः ।
अर्धचंद्रकृतापीडशिरोमालादिभूषितः ॥ १९ ॥
कोटीपरिवृतः सोमश्रीर्जगाम महाबलः ।
ततोपरः समापेतो देवदेववरं प्रभुम् ॥ २० ॥
चतुर्वर्णो महातेजाश्चतुर्दंष्ट्रश्चतुर्मुखः ।
सहस्रबाहुर्व्यात्तास्यो महादेवोर्द्धवाहनः ॥ २१ ॥
करालवदनश्चैव शंकुकर्णो महाबलः ।
असिपाणिर्महातेजाः शतपादः शतोदरः ॥ २२ ॥
विद्युत्केशो महाक्षश्च तथैवोभयतो गतिः ।
अग्रैकपादिति ख्यातो वृतः कोटिशतेन सः ॥ २३ ॥
कांचनोत्पलवृद्धाक्षो ह्यजेयः शिवपर्वतः ।
अगात्ततः परो व्यास गणेशश्च महाबलः ॥ २४ ॥
सर्वतोवदनः श्रीमान् सर्वतः पाणिपादधृक् ।
हएवाग्घरिपादश्च ह्यवनीं धार्यते शुभाम् ॥ २५ ॥

शनैर्विनस्तिकोटीनामष्टाभिः स्वात्मनः समैः ।
निकुंभ इति विख्यातः शतपादः शताननः ॥ २६ ॥
अरातिश्च गणश्रीमान् तडित्केशो महाबलः ।
चंद्रमालाधरो देवः सहसा परिपालयत् ॥ २७ ॥
दंडधारी महावक्त्रः शंखकुंदेंदुसन्निभः ।
शतकोटीशतवृतो देवस्य पुरतः स्थितः ॥ २८ ॥
ततः परमशस्त्रेण कोटीनागाधिपैर्वृतः ।
सूर्यमालाधरो बिभ्रदाजगाम महाबलः ॥ २९ ॥
स सूर्याप्यायतो नाम महेशपरमाप्रियः ।
सर्वज्ञानमहातेजा विश्रुतः सुमहामतिः ॥ ३० ॥
तथान्यः सर्वमानीय वस्त्राभरणमेव च ।
चंडायुधो महातेजा ह्रस्वबाहुर्बृहद्धनुः ॥ ३१ ॥
सुनामविश्रुतो लोके ग्रह्यप्यापनकारकः ।
गणकोटिशतैः षड्भिर्वृतः समभवत्तदा ॥ ३२ ॥
शंकुकर्णोभ्ययाच्चैव गणकोट्या महाबलः ।
नंदिनश्चैव पिंगाख्यः शतमष्टाभिरेव च ॥ ३३ ॥
विनायकश्चतुषष्ट्या कृष्णांगो नाम विश्रुतः ।
हिरण्यवर्णकश्चैव त्वेकपादस्तथैव च ॥ ३४ ॥
वृषकेशो द्वादशभिः सप्तभिश्चैव वर्तितः ।
महीधरसहस्रेण कोटीनां गणपैर्वृतः ॥ ३५ ॥
आदित्यमूर्त्तिः प्रणवः कोट्या चैव वृतो बहिः ।
संतापश्च शतेनैव कुकुटोष्टाभिरेव च ॥ ३६ ॥
कुंभश्च पंचदशभिस्तथा संकोचनः परः ।
अशौचा भूतकोट्यश्च तथान्यौ मेध्यभूतिकौ ॥ ३७ ॥
एकरूपोप्यथाष्टाभिस्तथा सप्तशिरोगणाः ।
महाबलश्च दशभिरपस्मारश्च विश्रुतः ॥ ३८ ॥

लीलोद्भवश्च देवेशः कण्वभद्रस्तथैव च ।
विकृतिश्चैव सप्तानां कोटीनामाजगाम ह ॥ ३९ ॥
कोटिकोटिसहस्राणां शतैर्विंशतिभिस्तथा ।
इतश्चेतश्च ह्याजग्मुर्महायोगबलान्विताः ॥ ४० ॥
भूतकोटिसहस्रेण प्रमथैः कोटिभिर्वृतः ।
प्रभाकरश्च विंशत्या विधूतैश्च महाबलैः ॥ ४१ ॥
भृगुश्चैव यमश्चैव कालो विषधरस्तथा ।
शतमायो महामायः पर्वताभरणस्तथा ॥ ४२ ॥
एकशृंगाभिविंख्यातस्तथा वै शृंगिभिश्च यः ।
एते चान्ये च बहवो गणपाश्च महाबलाः ॥ ४३ ॥
यथासुखेन वाद्यानि वादयंतो मुदाऽन्विताः ।
रथैर्नागैर्हयैश्चैव ह्यष्ट कर्मठवाहनाः ॥ ४४ ॥
व्याघ्रसिंहवराहैश्च सर्पपक्षिभिरेव च ।
श्वापदैश्च तथानेकैरन्यैश्च विविधैस्तथा ॥ ४५ ॥
एकीकृत्य तथाकाशं सकिन्नरमहोरगम् ।
सप्तमापूर्युक्तेन हंसयुक्तमथापरे ॥ ४६ ॥
विमानेषु तथारूढा नानारूपधराः परे ।
पुष्पकेन विमानेन तथा महाद्विपेन च ॥ ४७ ॥
भेरीशंखमृदंगैश्च पणवानकगोमुखैः ।
वादित्रैर्विविधैश्चित्रैः पटकैरेकपुष्पकैः ॥ ४८ ॥
मंगलैर्वेणुवीणाभिर्विविधैरुरगैरपि ।
दुर्दरैस्तलपातैश्च कणपैः कणयैरपि ॥ ४९ ॥
वाद्यमानैर्महाघोरैराजग्मुर्यत्र शंकरः ।
हंसयानेन दिव्येन पद्मयोनिः पितामहः ॥ ५० ॥
सुनियोगः सुसंसिद्धिवृतः सर्वैः समंततः ।
ऋग्वेदो दक्षिणे पार्श्वे शुद्धमूर्तिधरः स्थितः ॥ ५१ ॥

इतिहासपुराणानि नानारूपधराणि च ।
पार्श्वस्थितानि सर्वाणि दक्षिणेन तु जज्ञिरे ॥ ५२ ॥
देवदेवो महायोगी गरुडस्थो जनार्दनः ।
सर्वैर्देवैः परिवृतोऽप्यगात्तत्र महाबलः ॥ ५३ ॥
वृतो ह्यात्मसमैर्देवैर्नानारूपधरैः शुभैः ।
दृष्ट्वा नारायणं रूपं प्रोवाच समुपागतम् ॥ ५४ ॥
वाचा गंभीरया देवस्तदैवं लोकभावनम् ।
शृणु विष्णो मद्वचो वै यद्वक्ष्यामि सुरेश्वर ॥ ५५ ॥
अभिषेकं प्रयच्छ त्वं नंदिने सुरपूजितः ।
यदि तेऽहं प्रियः कृष्ण ह्यभिषेकं कुरु स्वयम् ॥ ५६ ॥
प्रहस्य स सुरैर्देवं ततो नारायणोऽब्रवीत् ।
यथा वदसि देवेश करिष्येऽहं तथा विभो ॥ ५७ ॥
देवानामपि देवस्त्वं तत्प्रामाण्यं न संशयः ।
इंद्रोऽप्यैरावतारूढ आजगाम शिवांतिकम् ॥ ५८ ॥
वसुभिर्मारुतैश्चैव यमेन च समावृतः ।
पृथग्विमानसंस्थैश्च छादयित्वा नभस्तलम् ॥ ५९ ॥
ते विश्वकर्माण विचित्रदेहा विश्वेशमेकाक्षरमव्ययं च ।
सहस्रनेत्रप्रतिभातिभास्वराः प्रणेदुरुच्चैरवनादितैर्मुदा ॥ ६० ॥

इति श्रीस्कंदपुराणे आदिरहस्ये सह्याद्रिखण्डे शिवगणेशसंवादे
देवसमूहागमनं नाम सप्तपंचाशत्तमोऽध्यायः ॥ ५७ ॥

अथ अष्टपंचाशत्तमोऽध्यायः ।

सनत्कुमार उवाच । ते गणेशा महासत्त्वाः सर्वदेवेश्वरेश्वरम् ।
प्रणम्य देवदेवं वै चेदं वचनमब्रुवन् ॥ १ ॥

भगवन् देवदेवेश सर्वदेवनमस्कृत ।
यदर्थं वयमायाता आख्यापय त्वमेव तत् ॥ २ ॥
किं सागरं शोषयामः ह्लावयामश्च पर्वतान् ।
उन्मथ्य विदिशः सर्वा यमं वा सह किंकरैः ॥ ३ ॥
जन्ममृत्युयुतान्येव भुवनानि सदैव तु ।
सुरेंद्रैः सहदेवैश्च हंतकं च महायुतम् ॥ ४ ॥
आनयामः सुसंक्रुद्धान्दैत्यान्वा सह बंधुभिः ।
कस्माद्व्यसनं घोरं करिष्यामस्तवाज्ञया ॥ ५ ॥
कस्य वाद्यान्वयं देव सर्वकामसमृद्धिमत् ।
तांस्तथा वादिनान्सर्वान्सततं भक्तवत्सल ॥ ६ ॥
उवाच देवः संपूज्य गणान् रुद्रो महेश्वरः ।
शृणुध्वं यत्कृते दासा आहूताश्च जगद्धिताः ॥ ७ ॥
श्रुत्वा च प्रियमात्मानः कुरुध्वं तदशंकिताः ।
नंदीश्वरोऽयं पुत्रो नः सर्वेषामीश्वरेश्वरः ॥ ८ ॥
प्रियो गणाग्रणीर्देवाः क्रियतां वचनं मम ।
सेनापत्येऽभिषेचध्वं महागणपतिं पतिम् ॥ ९ ॥
अद्यप्रभृति युष्माकमयं नंदीश्वरः प्रभुः ।
एवमुक्ता भगवता ते रुद्रगणपैः सह ॥ १० ॥
एवमस्त्विति संमंत्र्य संभारांस्तानकुर्वत ।
ततस्तस्याश्रमे दिव्यं जांबूनदविभूषितम् ॥ ११ ॥
आसनं दिव्यसंकाशं शुभं समुपकल्पयन् ।
शातकुंभमयं चापि चारुचामीकरप्रभम् ॥ १२ ॥
स्तंभैर्वैडूर्यसंकाशैः किंकिणीजालसंकुलैः ।
चातुर्वर्णसमायुक्तं मंडलं विश्वतोमुखम् ॥ १३ ॥
कृत्वा च ध्रुवमप्येतत्तदाश्रमवरं शुभम् ।
तस्मिन्संस्थाप्य देवेशमभ्यषिंचत नंदिनम् ॥ १४ ॥

वासोयुग्मं ततो दिव्यं दिव्यागंधास्तथैव च ।
केयूरं कुंडलं चैव मुकुटं हारमेव च ॥ १५ ॥
यदि संशूलवज्रं च रशनां च स्वयं हरः ।
छत्रं चैव स जग्राह वायुर्व्यजनमेव च ॥ १६ ॥
ऋषयस्तुष्टुवुश्चैव पितामहपुरोगमाः ।
नमः कूष्मांडरागाय वज्रयूतकराय च ॥ १७ ॥
शालंकायनपुत्राय हलमार्गे स्थिताय च ।
शिलादस्य तु पुत्राय शिवजाप्यपराय च ॥ १८ ॥
रुद्रभक्ताय देवाय नमस्ते जलशायिने ।
गणानां पतये चैव भूतानां पतये नमः ॥ १९ ॥
उमापुत्राय देवाय शिवलब्धवराय च ।
महागणाधिपतये ललाटनयनाय च ॥ २० ॥
प्रथमाय वरेण्याय त्वीश्वरायामृताय च ।
द्वाररक्षाय सुमहद्यशसः पतये नमः ॥ २१ ॥
महागणाधिपतये महायोगेश्वराय च ।
दंतिमुंडाय चंद्राय ह्येकाक्षरगमाय च ॥ २२ ॥
अक्षयायामृतायैव ह्यजरायामराय च ।
पशूनां पतये चैव रुद्ररूपधराय च ॥ २३ ॥
नमः प्रबलवेषाय सर्वज्ञाय जिताय च ।
अनेकशिरसे चैव ह्यनेकवरणाय च ॥ २४ ॥
किरीटिने कुंडलिने महापरिघबाहवे ।
पाहि सर्वगणांश्चैव पाहि देव नमोस्तु ते ॥ २५ ॥
एवं स्तुत्वा ततो देवस्तस्मै व्यास महामुने ।
प्रांजलि प्रयतो भूत्वा जयशब्दं चकार ह ॥ २६ ॥
ततो देवा जयं सर्वे गंधर्वाः सिद्धचारणाः ।
ततः सर्वाणि भूतानि विष्णुशक्रौ तथैव च ॥ २७ ॥

ततः शंखाश्च भेर्यश्च पणवा डमरुस्तथा ।
वंशाश्च पणवश्चैव हुकरा गोविषाणिकाः ॥ २८ ॥
डिंडिमा धेनुकाश्चैव मर्दलाश्च सहस्रशः ।
प्रवादयंतो गणपा हर्षयंतो मुदान्विताः ॥ २९ ॥
नंदीश्वरस्य य इमं स्तवं वै देवनिर्मितम् ।
यः पठेत्सततं मर्त्यः स गच्छेन्मम लोकताम् ॥ ३० ॥
नमो नंदीश्वरायेति यः कृत्वा च प्रणामयेत् ।
तस्य कूष्मांडराजेभ्यो न भयं विद्यते क्वचित् ॥ ३१ ॥
प्रभाते यः पठेन्नित्यं स्तवं वै भावसंमितम् ।
तस्य देवो वरं दद्यात् स्तवेनानेन पूजितः ॥ ३२
न भयं तस्य भवति देहे व्याधिश्च सर्वदा ।
नंदीश्वरं ये प्रणमंति शुद्धा नित्यं प्रसन्नेंद्रियशुद्धसत्त्वम् ॥ ३३ ॥
ते देवदेवस्य तथा नियुक्ता इष्टाविशिष्टाश्च गणा भवेयुः ।

इति श्रीस्कंदपुराणे आदिरहस्ये सह्याद्रिखंडे व्याससनत्कुमार-
संवादे अष्टपंचाशत्तमोऽध्यायः ॥ ५८ ॥

अथ एकोनषष्टितमोऽध्यायः ।

सनत्कुमार उवाच । ततस्तत्र गतो व्यास देवानामधिपो हरः ।
मरुतश्चाह संपूज्य पुनश्च सदसांपतिः ॥ १ ॥
मरुतो भो महासत्त्वा महाभागा महौजसः ।
सर्वेषामंतरात्मानस्तथा शक्रपुरोगमाः ॥ २ ॥
युष्माकं युवती कन्या सुभगा दिव्यरूपिणी ।
दातुमर्हथ तां सुभ्रूं स्नुतामेतां सतीं मम ॥ ३ ॥

मरुत ऊचुः । त्वमस्माकं च तत्तस्याः सर्वस्य जगतस्तथा ।
प्रभविष्णुस्त्रिलोके च न त्वं याचितुमर्हसि ॥ ४ ॥

त्वयैव देवा देव्याश्च त्वत्तो गतिरनुत्तमा ।
मान्यः परावरेशानां यस्त्वं वै सदसद्गुरुः ॥ ५ ॥
पिता ब्रह्म च तस्यापि देवत्वं प्रपितामहः ।
स त्वं पितामहोऽस्माकं न च याचितुमर्हसि ॥ ६ ॥
ईश्वर उवाच । नाहमर्हामि कल्याणं ससुरो वापि चासकृत् ।
किंतु कोपि हितार्थाय मुनीनां वसतां तथा ॥ ७ ॥
अदत्तं नो ग्रहीष्यामि ह्येष धर्मः सनातनः ।
श्रुत्वा वाक्यं च देवेशान्मरुद्भिर्देवसत्तमात् ॥ ८ ॥
न क्षणान्मानितं चैव देवदेवरतस्य च ।
स्वयं होता तु तत्रासीद् द्रष्टा लोकपितामहः ॥ ९ ॥
वृते च पाणिग्रहणे गंधर्वाः सहचारणैः ।
नारदः पर्वतश्चैव चित्रसेनश्च गायताम् ॥ १० ॥
सर्वाः सुरभयवहा हाहाहूहूस्तथैव च ।
तथाशानिः शिवायश्च विभूतो गडगंडकः ॥ ११ ॥
इति चैवेंद्रबाहुश्च यज्ञवादास्तदक्षिणाः ।
एते चान्ये च गंधर्वा जगुर्मनुमकुंठिताः ॥ १२ ॥
उर्वशी चैव रंभा च हृता वीर्या च विस्मृता ।
तिलोत्तमा च विख्याता ह्यन्याश्चाप्सरसस्तथा ॥ १३ ॥
अनृत्यंत महाभागा नृत्यं देवमनोहरम् ।
एवं समभवद्व्यास विवाहस्तस्य धीमतः ॥ १४ ॥
नंदिनो गणमुख्यस्य ह्यनुपम्यो महेश्वरः ।
ततः स तु कृतोद्वाहो नंदी गत्वा महात्मनः ॥ १५ ॥
पादौ ववंदे देवस्य तथा विष्णोर्जगत्पतेः ।
पुनर्देव्याः स वै तेषां देवानां च तथा पुनः ॥ १६ ॥
शिलादस्य च कालेन श्रिया परमया युत ।
ईश्वर उवाच । वरं शृणुष्व पुत्र त्वं सुता चेयं तव प्रिया ॥ १७ ॥

वरं ददामि तुष्टोस्य मनसा चेष्टमीयताम् ।
नंद्युवाच । भगवन् यदि तुष्टोसि त्वयि भक्तिर्दृढास्तु मे ॥ १८ ॥
सदाकालं च देवेश भव तुष्टो भजाम्यहम् ।
पितरं मम देवेश महेश्वर जगत्पते ॥ १९ ॥
अनुग्रहेण देवेश योक्तुमर्हसि कामद ।
महादेव उवाच । सदाहं तव नंदीश संतुष्टोस्मि गणेश्वर ॥२०॥
देवैश्च सहितो वत्स त्विदं च शृणु मे वचः ।
सर्वदेवसमो लोके रमस्व वरपुंगव ॥ २१ ॥
महायोगी महेष्वासो सपिता सपितामहः ।
अजेयश्चैव जेता च संपूज्यश्च भविष्यसि ॥ २२ ॥
अहं यत्र भवांस्तत्र यत्र त्वं तत्र चाप्यहम् ।
अयं च ते पिता पुत्र मत्प्रसादात्सदा तव ॥ २३ ॥
भविष्यति गणाध्यक्षो यत्र गणपतिर्ध्रुवम् ।
पितामहोपि ते वत्स ये चान्ये तव बांधवाः ॥ २४ ॥
मत्समीपं गमिष्यंति मम दत्तवरास्तथा ।
पर्वतं चैव विभ्राजं कामगं यच्च कामगम् ॥ २५ ॥
तिष्ठंति च वने दिव्ये प्रयच्छंति जनावृतम् ।
ततः स सर्वलोकेषु भविष्यसि यथेप्सितम् ॥ २६ ॥
ततो देवी महाभागा नंदिने वरदाऽब्रवीत् ।
वरं वरय पुत्र त्वं मत्तः कामान्यथेप्सितान् ॥ २७ ॥
नंद्युवाच । वरं मे देवि भक्तिर्मे सदा तव भवेदिति ।
ततो मरुत्सुतश्चैव देव्यभ्येत्य निवेदयेत् ॥ २८ ॥
पादयोः पतितं दृष्ट्वा तुष्टा देवी ततोऽब्रवीत् ।
वत्स वरं यथेष्टं हि त्रिनेत्राज्जन्मवर्जितात् ॥ २९ ॥
नंद्युवाच । युवयोरस्तु मे भक्तिर्यथा भर्त्तरि चैव हि ।
नित्यं ध्यानपरा स्यान्मे ज्ञाने च मतिरुत्तमा ॥ ३० ॥

देव्युवाच । एतद्भवतु ते पुत्र देवौ तव वरप्रदौ ।
देव्याश्च वचनं श्रुत्वा ब्रह्मनारायणावुभौ ॥ ३१ ॥
ऊचतुर्मुदितौ देवौ चैवमस्त्विति भामिनि ।
नारायणमथालोक्य ब्रह्मणा सह शंकरः ॥ ३२ ॥
उवाच सहितो देवैः प्रहृष्टेनांतरात्मना ।
अद्यप्रभृति नंदीशो युवाभ्यां मानितः सदा ॥ ३३ ॥
एवं भवतु देवेशि सहितं तव भाषितम् ।
देवरुद्रगणा देव सर्वदेवप्रियाश्च ये ॥ ३४ ॥
वरान्ददुर्महासत्त्वा एवमेव भवत्विति ।
ततो नंद्यब्रवीत्सर्वान् भवतां भक्तिरस्तु मे ॥ ३५ ॥
ऐश्वर्यं मम चाज्ञाप्यं भवद्भिश्च ममोचितम् ।
सर्वप्रयाणे सततं भवतां च सह प्रियः ॥ ३६ ॥
एकत्र वासश्च सदा नच कालविपर्ययः ।
सगणारुद्रा ऊचुः।भवान्पिता च माता च गतिश्चागतिरेव च।३७।
अस्माकमीशः सर्वेषां देवानामपि चेश्वरः ।
चरिष्यतां हरस्याग्रे रुद्राणां रुद्रसत्तम ॥ ३८ ॥
ऋषीणां देवतानां च प्रमथानां तथैव च ।
महाबलो महायोगी भविष्यसि न संशयः ॥ ३९ ॥
अस्माकं त्वं तु नाथश्च नायकोथ विनायकः ।
त्वं वै महासेनसमः सुराणां नारायणेनामरपूजितेन ॥४०॥
स्वयंभुवा चैव भुवानलेन देव्या यदुक्तं भवता तदेव ।
जप्येश्वरसमं क्षेत्रं न भूतं न भविष्यति ॥ ४१ ॥
जप्येश्वरनिकेतश्च जप्येश्वरविभावितः ।
त्वं वरः सर्वभूतानां वरदो वरदार्थिनः ॥ ४२ ॥
वरदः सर्वलोकेशो देवदेवपतिर्वरः ।
स एवं सर्वदेवस्तु वरदैः प्रतिबोधितः ॥ ४३ ॥

उवाच प्रागतान्सर्वान्ब्रूत किं करवाणि च ।
एवमुक्ताश्च गणपा रुद्राश्च भवतारिणः ॥ ४४ ॥
ऊचुश्च दिव्यविज्ञानं देवदेवस्य सन्निधौ ।
त्वमस्माकं गणाध्यक्षस्तुतो देवेन शंभुना ॥ ४५ ॥
अस्माभिश्चाभिषिक्तस्त्वं नायको मोक्षदायकः ।
स त्वं शिवश्च सौम्यश्च गुणवान्निर्गुणोपि वा ॥ ४६ ॥
क्षमाशौचदमोपेतो ह्यावां नः प्रियकृत्सदा ।
एवमुक्तस्तदा सर्वान् प्रणम्य बहुमानतः ॥ ४७ ॥
शिरस्यंजलिमास्थाय गणपस्तु स्तुवंस्तदा ।
नमो वः सर्वभूतेभ्यो नमो योगिभ्य एव च ॥ ४८ ॥
नमः परमयोगिभ्यो जटिलेभ्यश्च वो नमः ।
नमो मुनिभ्यो मौनेभ्यो देवेभ्यश्च नमो नमः ॥ ४९ ॥
नमः सहस्ररूपेभ्यो सर्वेभ्यश्च नमो नमः ।
देवासुरमनुष्याणामाप्यायिभ्यो नमो नमः ॥ ५० ॥
नमोग्निभ्यस्तथा चाद्भ्यो वरुणेभ्यस्तथैव च ।
नमः शिवाय पतये भवंतु गणनायकाः ॥ ५१ ॥
एवं स्तुत्वा गणाध्यक्षः पूजितश्च सुरेश्वरैः ।
ददातु चेप्सितं सर्वं देवो मे ह्युत्तमां गतिम् ॥ ५२ ॥
इति नंदिकृतं स्तोत्रं यो वाचयति नित्यशः ।
सोश्वमेधफलं प्राप्य सर्वपापैः प्रमुच्यते ॥ ५३ ॥
संध्यायामपरस्यां तु यत्पापं च कृतं दिने ।
पूर्वस्यां संत्यजेद्व्यास सर्वरात्रिकृतैनसम् ॥ ५४ ॥
ततस्ते गणपाः सर्वे संस्तुतास्तेन धीमता ।
विविशश्च तथा जग्मुः प्रणिपत्य महेश्वरम् ॥ ५५ ॥
देवाश्च लोकपालाश्च स्वयं देवो महेश्वरः ।
इच्छितं सह देव्या वै जगाम पदमव्ययम् ॥ ५६ ॥

य इदं नंदिनेशस्य वरदानं तथैव च ।
अभिषेकं विवाहं च जपेद्वा शृणुयाच्च वा ॥ ५७ ॥
ब्राह्मणः पठितो याति नंदीश्वरसलोकताम् ।
नियतस्तु पठेत्प्रातर्यतात्मा शुद्धमानसः ॥ ५८ ॥
सो भवस्य भवेद्भक्तः शिवलोके महीयते ।

इति श्रीस्कंदपुराणे आदिरहस्ये सह्याद्रिखण्डे व्याससनत्कुमार-
संवादे नंदिवरप्रदानं नाम एकोनषष्टितमोऽध्यायः ॥ ५९ ॥

अथ षष्टितमोऽध्यायः ।

ऋषय ऊचुः । कस्मिन्देशे पुरारण्य एतदाख्यानमुत्तमम् ।
वृत्तं ब्रह्मपुरोगानां कस्मिन्काले महाद्युते ॥ १ ॥
एतदाख्याहि नः सर्वं यथावृत्तं तपोधन ।
सनत्कुमार उवाच । यथा श्रुतं मया पूर्वं वायुना जगदायुनम् ।२।
कथ्यमानं द्विजश्रेष्ठ शतवर्षसहस्रके ।
नीलशापेन कंठश्च देवदेवस्य शूलिनः ॥ ३ ॥
तदहं कीर्तयिष्यामि शृणुध्वं शंसितव्रताः ।
उत्तरे शैलराजस्य सरःसु च नदीषु च ॥ ४ ॥
एवं भक्त्या महात्मानो ये तपःशंसितव्रताः ।
स्तुवंते तं महादेवं तत्र तत्र यथाविधि ॥ ५ ॥
ऋग्यजुःसामरूपाणि गीतं वाथर्वणादिभिः ।
ॐहुंकारनमस्कारैरर्चयंति सदाशिवम् ॥ ६ ॥
प्रवृत्ते ज्योतिषार्के च मध्यस्थान्हि दिवाकरे ।
देवस्य नियतात्मानः सर्वेस्तिष्ठंति तां कलाम् ॥ ७ ॥
अथ वै नियमस्यांते प्राणिनां जीवितोद्भवः ।
नमस्ते नीलकंठाय चेत्युक्त्वोवाच संगतिः ॥ ८ ॥

तच्छ्रुत्वा भावितात्मानो मुनयः शंसितव्रताः ।
वालखिल्याश्च विख्याताः पतंगसहचारिणः ॥ ९ ॥
अष्टाशीति सहस्राणि ऋषीणामूर्ध्वरेतसाम् ।
ते च पृच्छंति वै वायुं वायुपर्णाम्बुभोजनाः ॥ १० ॥
ऋषय ऊचुः । नीलकंठेति यत्प्रोक्तं त्वया पवनसत्तम ।
तत्सर्वं श्रोतुमिच्छामस्त्वत्प्रसादात्प्रभंजन ॥ ११ ॥
नीलता केन कंठस्य प्रकारेण विकार्यते ।
श्रोतुमिच्छामहे सम्यक् त्वद्वक्त्रात्तु विशेषतः ॥ १२ ॥
या वै वाचः प्रवर्त्तंते सर्वास्ताः प्रेरितास्त्वया ।
वर्णस्थानगले वायौ वाग्विधौ संप्रवर्तते ॥ १३ ॥
ज्ञानपूर्वं यथोत्साहं त्वत्तो वायो प्रवर्त्तते ।
त्वयि ह्युत्पद्यमाने च सर्वे वर्णाः प्रकीर्तिताः ॥ १४ ॥
यतो वाचो निवर्तन्ते देहबंधाच्च दुष्कृतात् ।
तत्रापि तेऽस्ति सद्भावः सर्वगस्त्वं सदाऽनिल ॥ १५ ॥
नान्यस्त्वत्तोऽधिको देवस्त्वयि तेऽस्तीह सर्वतः ।
एष ते जीवलोकस्तु प्रत्यहं जीवितोद्भवः ॥ १६ ॥
विततां त्वत्स्मृतिर्धर्मे भासमानस्त्वमीश्वरः ।
ब्रूहि मंगलसंयुक्तां कथां पापप्रणाशिनीम् ॥ १७ ॥
श्रुत्वा वाक्यं ततस्तेषां मुनीनां भावितात्मनाम् ।
प्रत्युवाच महातेजा वायुर्लोकनमस्कृतः ॥ १८ ॥
वायुरुवाच । शृणुध्वमृषयो विप्रा वेदवेदांगपारगाः ।
वसिष्ठो नाम धर्मात्मा मानसश्च प्रजापतेः ॥ १९ ॥
पप्रच्छ कार्तिकेयं वै मयूरवरवाहनम् ।
क्रौंचजीवितहर्त्तारं गौरीहृदयनंदनम् ॥ २० ॥
महिषासुरनारीणां नयनांजनतस्करम् ।
महासेनं महात्मानं मेघस्तनितनिस्वनम् ॥ २१ ॥

उमामनःप्रहर्षाणं नीलकंठस्वरूपिणम् ।
वसिष्ठ उवाच । ब्रूहि मंगलसंयुक्तां कथां पुण्यजनप्रियाम् ॥२२॥
एतस्य दृश्यते सर्वं शुद्धांजनचयोपमम् ।
तत्किमेतत्समुत्पन्नं कंठे रुद्रस्य देवराट् ॥ २३ ॥
एतद्दांताय शांताय भक्ताय ब्रूहि पृच्छते ।
श्रुत्वा वाक्यं ततस्तस्य वसिष्ठस्य महात्मनः ॥ २४ ॥
प्रत्युवाच महातेजा दैत्यारिः पावकोपमः ।
कार्तिकेय उवाच । श्रूयतां वदतां श्रेष्ठ कथ्यमानमिमं मया ॥२५॥
पार्वत्याश्चैव संवादं शर्वस्य च महात्मनः ।
तमहं कीर्तयिष्यामि त्वत्प्रियार्थं महामुने ॥ २६ ॥
कैलासशिखरे रम्ये नानाधातुविचित्रिते ।
तरुणादित्यसंकाशे तप्तकांचनभूषिते ॥ २७ ॥
वज्रस्फटिकसोपाने विचित्रसुशिलातले ।
जांबूनदसमे दिव्ये नानाभरणभूषिते ॥ २८ ॥
नानाद्रुमलताकीर्णे किन्नरैरुपशोभिते ।
संघट्टोद्गीतकमले धारासंपातनादिते ॥ २९ ॥
अप्सरोगणसंकीर्णे गंधर्वैरुपशोभिते ।
कोकिलाऽलापबहुले सिद्धचारणसेविते ॥ ३० ॥
विनायकपदोद्विग्नैः किन्नरैर्मुक्तकंदरैः ।
वंशवादित्रनिर्घोषैः श्रोत्रेंद्रियमनोहरैः ॥ ३१ ॥
दोलालंबितसंपातसुरसंघनिषेविते ।
ध्वानालंबितदोलानां घंटानां निनदावृते ॥ ३२ ॥
वल्लकीघोषबहुले नृत्यव्यापारसंकुले ।
अथ प्रभववाद्यैश्च सलिलास्फोटितैस्तथा ॥ ३३ ॥
देहबंधैर्विचित्रैश्च प्रक्रीडितगणेश्वरे ।
व्याघ्रसिंहमुखैर्घोरैर्भीमरूपैर्दुरासदैः ॥ ३४ ॥

मृगमेषमुखैश्चान्यैर्गजवाजिमुखैस्तथा ।
बिडालवदनैश्चान्यैः क्रोडकाकारमूर्तिभिः ॥ ३५ ॥
ह्रस्वैर्दीर्घैः कृशैः स्थूलैर्लंबोदरमहोदरैः ।
अश्वगंधैः प्रलंबोष्ठैः स्थूलजंघैस्तथैव च ॥ ३६ ॥
गोकर्णैश्चैककर्णैश्च बहुनेत्रैरनेकशः ।
एकपादैर्महापादैर्बहुपादैरपादकैः ॥ ३७ ॥
एकशीर्षैर्महाशीर्षैर्बहुशीर्षैरशीर्षकैः ।
एवंभूतैर्महादेवो भूतैर्भूतपतिर्वृतः ॥ ३८ ॥
विचित्रहेमांगविभूषिताद्रिशिलामये हेममये मनोरमे ।
सुखोपविष्टं मदनांगनाशनं जगाद वाक्यं गिरिराजपुत्री ॥ ३९ ॥
देव्युवाच । भगवन्देवदेवेश गोवृषांकितवाहन ।
तव कंठे महादेव भ्राजते कज्जलप्रभम् ॥ ४० ॥
तत्त्वं च न शुभं शुक्लं नीलांजनचयोपमम् ।
किमिदं दीप्त दीप्तं ते कंठे कामांगनाशन ॥ ४१ ॥
को हेतुः कारणं किं वा येनेदं नीलमीश्वर ।
एतत्सर्वं यथान्यायं श्रोतुमिच्छामि तत्त्वतः ॥ ४२ ॥
श्रुत्वा वाक्यं ततस्तस्याः पार्वत्याः पार्वतीप्रियः ।
कथां मंगलसंयुक्तां कथयामास चेश्वरः ॥ ४३ ॥
महादेव उवाच । मथ्यमाने शुभे पूर्वं क्षीरोदे देवदानवैः ।
अग्रे समुत्थितं घोरं विषं कालानलप्रभम् ॥ ४४ ॥
तद् दृष्ट्वा सुरसंघाश्च दैत्यसंघा वरानने ।
विषादवदनाः सर्वे गतास्ते ब्रह्मणोंतिकम् ॥ ४५ ॥
दृष्ट्वा सुरासुरगणान् ब्रह्मोवाच महामतिः ।
किमर्थं वै महाभागा भीता उद्विग्नमानसाः ॥ ४६ ॥
गणनाऽगणनैश्वर्यं भवतां संप्रवर्त्तिनाम् ।
त्रैलोक्यस्येश्वरा यूयं सर्वे च विगतज्वराः ॥ ४७ ॥

विमानचारिणः सर्वे देवाः स्वच्छंदचारिणः ।
अध्यात्मे चाधिभूते च ह्यधिदैवे च सर्वशः ॥ ४८ ॥
प्रजाकर्मविकाशं च शक्ता यूयं प्रवर्तितुम् ।
केन वा विगतैश्वर्या यूयं वै सुरसत्तमाः ॥ ४९ ॥
प्रजासर्गेण स्वस्तीह ज्ञानं मे न निवर्त्तते ।
किं कार्यं कारणं किं वा कुतो वा भयमागतम् ॥ ५० ॥
येन यूयं समुद्विग्ना मृगाः सिंहहता इव ।
एतत्सर्वं यथान्यायं शीघ्रमाख्यातुमर्हथ ॥ ५१ ॥
देवा ऊचुः । श्रुत्वा वाक्यं ततस्तस्य ब्रह्मणः परमात्मनः ।
ऊचुस्ते ऋषिभिः सार्द्धं देवदैत्येंद्रमानवैः ॥ ५२ ॥
सुरासुरैर्मथ्यमाने क्षीराब्धौ कंपवद्बहु ।
अभवन्मेघसंकाशं नीलांजनचयोपमम् ॥ ५३ ॥
प्रादुर्भूतं विषं घोरं संवर्त्ताग्निसमप्रभम् ।
कालकूटमिति ख्यातं विषं विषमकेशधृक् ॥ ५४ ॥
तद् दृष्ट्वा सुरसंघाश्च तथा दैत्या वरानन ।
विषवद्वदनाः सर्वे त्वामेव शरणागताः ॥ ५५ ॥
ब्रह्मोवाच । नमस्तुभ्यं भगवते नमस्ते दिव्यचक्षुषे ।
नमः पिनाकहस्ताय वरहस्ताय वै नमः ॥ ५६ ॥
सांख्याय चैव योग्याय भूतनाथाय वै नमः ।
नमस्ते लोकनाथाय भूतानां पतये नमः ॥ ५७ ॥
नमः सुरारिहंत्रे च सोमसूर्याग्निचक्षुषे ।
ब्रह्मणे चैव रुद्राय विष्णवे भवते नमः ॥ ५८ ॥
मन्मथांगविदाहाय कालकालाय वै नमः ।
कपर्दिने करालाय शंकराय हराय च ॥ ५९ ॥
कपालिनेऽधिरूपाय शिवाय च वराय च ।
त्रिपुरघ्ने मखघ्नाय मातृणां पतये नमः ॥ ६० ॥

बुद्धाय चैव शुद्धाय मुक्ताय केवलाय च ।
नमः कपालहस्ताय वरहस्ताय वै नमः ॥ ६१ ॥
अग्र्याय चैव चोग्राय व्यग्राय च शिवाय च ।
नित्याय चैवानित्याय नित्यानित्याय वै नमः ॥ ६२ ॥
चिंत्याय चैवाचिंत्याय चिंत्याचिंत्याय वै नमः ।
व्यक्ताय चैवाव्यक्ताय व्यक्ताव्यक्ताय वै नमः ॥ ६३ ॥
भक्तानामार्त्तिनाशाय प्रियनारायणाय च ।
उमाप्रियाय शर्वायानंदिने श्रद्धयाय च ॥ ६४ ॥
पंचमासार्धमासाय पुरुषायेश्वराय च ।
बहुरूपाय मुंडाय दंडिने मेषरूपिणे ॥ ६५ ॥
रथिने धन्विने चैव जटिलब्रह्मचारिणे ।
ऋग्यजुःसामसंवाय पुरुषायेश्वराय च ॥ ६६ ॥
लोकक्षयनिपाताय चेंद्राय वरुणाय च ।
इत्येवमादिचरितैः स्तुतिस्तुत्य नमोस्तु ते ॥ ६७ ॥
ज्ञात्वा च भक्तिं मम देवदेव गंगाजलस्नावितकेशपाश ।
सूक्ष्मोपयोगातिशयाधिगम्य सोनिर्भयंव्यक्तमुपैहि रुद्र ॥ ६८ ॥
महेश्वर उवाच । एवं भगवता पूर्वं ब्रह्मणा लोककर्तृणा ।
स्तुतोहं विविधैः स्तोत्रैर्वेदवेदांगपारगैः ॥ ६९ ॥
ततः प्रीतो ह्यहं तस्य ब्रह्मणः सुमहात्मनः ।
दत्वा वै मुख्यया वृत्त्या प्रीत्या चोक्तो मया ध्रुवम् ॥ ७० ॥
भगवन् भूतभव्येश भूताधिप महातपाः ।
किं कार्यं ते मया ब्रह्मन् कर्तव्यं वद सुव्रत ॥ ७१ ॥
श्रुत्वा वाक्यं ततो ब्रह्मा प्रत्युवाचांबुजेक्षणम् ।
भूतभव्यभवन्नाथ श्रूयतां कारणं मम ॥ ७२ ॥
सुरासुरैर्मथ्यमाने क्षीराब्धौ पंकजेक्षण ।
अभवन्मेघसंकाशं नीलांजनचयोपमम् ॥ ७३ ॥

प्रादुर्भूतं महाघोरं संवर्त्ताग्निसमप्रभम् ।
कालमृत्युमिवोद्भूतं युगांतादित्यवर्चसम् ॥ ७४ ॥
त्रैलोक्यछादिसूर्याभं विश्वरूपं समंततः ।
दृष्ट्वा सर्वे वयं भीता विषं वृषभवाहन ॥ ७५ ॥
तत्पिबस्व महादेव लोकानां हितकाम्यया ।
भवान् ग्राह्याश्च भक्ता वै भवांश्च वरदः प्रभुः ॥ ७६ ॥
भवांस्तस्य महादेशं समर्थः संनियंत्रितुम् ।
नास्ति कश्चित्पुमान्शक्तस्त्रिषु लोकेषु विद्यते ॥ ७७ ॥
येनाभ्युद्गतमात्रेण कृतः कृष्णो जनार्दनः ।
सुरतस्तु वरारोहे ब्रह्मणः परमेश्वर ॥ ७८ ॥
बाढमित्येव तद्वाक्यं प्रतिगृह्य वरानने ।
ततोहं पातुमारेभे विषं कालांतसन्निभम् ॥ ७९ ॥
पिबतो मे महाघोरं विषं वरगणार्चितम् ।
कंठः समभवत्कृष्णः सर्वः कृष्णांबुजेक्षणे ॥ ८० ॥
तन्नीलोत्पलपत्राभं कंठे सक्तविषोरगं ।
लक्षकं तदूगरं जातं लेलिहानमिवोत्तकम् ॥ ८१ ॥
तमुवाच महातेजा ब्रह्मा लोकपितामहः ।
शोभसे त्वं महादेव कंठेनानेन सुव्रत ॥ ८२ ॥
इति तस्य वचः श्रुत्वा मया गिरिवरात्मजे ।
पश्यतां सुरसंघानां दैत्यानां च वरानने ॥८३ ॥
यक्षगंधर्वनागानां पिशाचोरगरक्षसाम् ।
धृतं कंठे विषं घोरं ततः श्रीकंठता मम ॥ ८४ ॥
तत्कालकूटं विषमुग्रतेजः कंठे धृतं पर्वतराजकन्ये ।
संपश्यमानाः सुरदैत्यसंघा दुष्टाः परं वीक्षितुमागताश्च॥८५॥
ततः सुरगणाः सर्वे सयक्षोरगराक्षसाः ।
ऊचुः प्रांजलयो भूत्वा मत्तमातंगगामिनि ॥ ८६ ॥

त्वमेव विष्णुश्चतुराननस्त्वं त्वमेव मृत्युर्धनदस्त्वमेव ।
त्वमेवसूक्ष्मोरजनीकरश्चत्वमेवयज्ञानियमस्त्वमेव ॥ ८७ ॥

त्वमेव भूतं भवितं च भव्यं त्वमेव सर्वं प्रकरोषि धर्मं ।
त्वमेवसूक्ष्मात्परमंनुसूक्ष्मंप्रसिद्धयोगैरमरस्यसत्त्वम् ॥ ८८॥

त्वमेव सर्वस्य चराचरस्य पृथग् विभक्तः प्रलयेच गोप्ता।
इत्येवमुक्त्वावचनंसुरेंद्राःसमेत्यसर्वेप्रणिपत्यह्यूचुः ॥ ८९ ॥

गता विमानैरनिलोग्रवेगैर्विनादयंतो विदिशश्च सर्वाः ।
अध्यात्वसत्त्वाकमुपेत्यसर्वेसंत्वष्टरूपाविषदोषमुक्ताः॥९०॥

इत्येतत्परमं गुह्यं पुण्यरम्यतमं महत् ।
तिलकं चेति यत्प्रोक्तं त्रिषु लोकेषु विश्रुतम् ॥ ९१ ॥

स्वयं स्वयंभुवा प्रोक्ता कथा पापप्रणाशिनी ।
यस्तु धारयतेप्येतां ब्रह्मोद्गीतां कथां पराम् ॥ ९२ ॥

कस्य वक्ष्याम्यहं सम्यग् गतिं वेदाहमत्र च ।
विषं तस्य वरारोहे स्थावरे जंगमेति च ॥ ९३ ॥

पात्रं प्राप्यत सुश्रोणि क्षिप्रं न प्रतिहर्म्यसे ।
सयपत्ययुतं घोरं दुःस्वप्नं चापकर्षति ॥ ९४ ॥

अभेद्यस्त्रिशिरा ह्यक्षस्त्रिशूली वृषवाहनः ।
विचिंत्यविलसन्सिद्धः सप्तलोकान्ममाज्ञया ॥ ९५ ॥

न दृश्यते गतिस्तस्य वायोरिव नभस्तले ।
मम तुल्यबलो भृत्य तिष्ठन् बाहूसंधवम् ॥ ९६ ॥

मम भक्त्या वरारोहे ये शृण्वंति च मानवाः ।
तेषां गतिं प्रवक्ष्यामि हीहलोके परत्र च ॥ ९७ ॥

गवां शतसहस्रेण सम्यग् दत्तस्य यत्फलम् ।
तत्फलं लभते भक्त्या श्रुत्वा दिव्यामिमां कथाम् ॥९८॥

पादं वा यदि पादार्धं श्लोकार्धं श्लोकमेव च ।
यस्तु धारयते नित्यं शिवलोकं स गच्छति ॥ ९९ ॥

एवं प्रयुक्तं गिरिराजपुत्रि मया च तुष्टेन तवांनुजानने ।
निवेदितंपुण्यफलादियुक्तंवयंचगीतंचतुराननेन ॥ १०० ॥

कथामिमांपुण्यफलादियुक्तांनिवेद्यतेव्यासशिवर्धमूर्धजः ।
वृषस्यपृष्ठेनसहोमयाप्रभुर्जगामविध्वंसगुहांगुहप्रियः ॥ १ ॥

स्तुतं मया पापहरं महापरं निवेद्य तेभ्यः प्रययौ प्रभंजनः ।
अधीत्य सर्वं सकलं सुलक्षणं जगाम ह्यादित्यपथं प्रभंजनः ॥२॥

इति श्रीस्कंदपुराणे आदिरहस्ये सह्याद्रिखण्डे शिवगणेशसंवादे
ब्रह्मकृतशिवस्तुतिर्नाम षष्टितमोऽध्यायः ॥ ६० ॥

अथ एकषष्टितमोऽध्यायः ।

व्यास उ०।इच्छामि देवस्त्रिपुरं ददाह एकेषुणा विध्यत चांधकासुरम् ।
यथा पुरा भक्तवरप्रदानात्तन्मे मुने ब्रूहि यथायथं वै ॥१॥

पृष्टस्तथैवं मुनिना मुनींद्रः प्रसन्नवक्रस्तु तथाप्युवाच ।
दग्धं यथात्र त्रिपुरं तथा त्वं शृणुष्व पुत्रेति तथा ब्रुवाणः ॥ २ ॥

तस्मिन्हते दैत्यवृते नृसिंहे पुरा हिरण्याक्षसुतप्रवीरे ।
नम्रेषु दैत्येषु सदानवेषु वेयाधारावृत्तिदुःप्रतप्तः ॥ ३ ॥

स विश्वकृद्दानवराजकक्षो रत्यर्थहीनो मकरश्च वंद्यः ।
प्रदाय दैत्यं सहवारकक्षं विद्युत्प्रभं विष्णुसमप्रभं च ॥४॥

तपश्चकार सतु भीमकर्मा दैत्यौ च तावंधकदैत्यकल्पौ ।
निशांतकाले हिमपर्वतस्था ग्रीष्मे च पंचज्वलनाभितप्ताः ॥ ५ ॥

अभ्रे यद्यः क्रांतिभूमीं च भागे मेरुस्तपः प्राशुसयः प्रयत्नां ।
तेषामगाद्दिव्यसभासशत्यं यथा सुनीर्थे तपसिद्धितानाम् ॥ ६ ॥

वर्मास्थितेषाज्वलनः प्रभावासुखादिहीनादिभिःपुत्रसिहाम् ।
आदित्यतेजःप्रतिमानवीर्या वभूवुरादित्यतपःप्रकाणाः ॥ ७ ॥

पितामहस्तानभिदेवसर्वान् प्रियंवदस्तान्वचनं वभाषे ।
तप्तं तपो यद्विगतप्रमोहाच्चरंतिवदानीं शृणु ते विहस्ता॥८॥

शतं प्रकीलिर्भूमिर्निविद्ययानुर्मयः सुरेण प्रणतो भवाव ।
इच्छाम देयं च पुरत्रयं पुरं सुरैः समस्तैरपि यत्र वोध्यम् ॥९॥

इत्येव सूक्ते दनुजाधिपेन ब्रह्मा च तत्त्वं पुनरायमास ।
दातुं न शक्यो वरये स तुभ्यं तस्माद्व्रतं सांतरमेव देव॥१०॥

वरत्रयाचस्ततस्तदाचेच्चित्तं च मातेतदुजः ।
तस्मिन्क्षणे यत्त्रिपुरं गतेपु पुरेषु दिव्येपु सुर प्रवीणः ॥ ११ ॥

एकेषुणा च त्रिपुरं दहेत ;
तन्नाविभाषस्त्रिपुरं स्म भूयात् ।
श्रुत्वा ततस्तद्वचनं नियम्य ;
तूर्ष्णीं वरं तद्धसितांतरात्मा ॥ १२ ॥

सदावभासं दनुजाधिपाय ;
दत्वा वरं तूर्णं पुरं जगाम ।
ततो मयस्तत्त्रिपुरं ससर्ज ;
जगद्विधाते च पुरादिकल्पे ॥ १३ ॥

प्रीतीयमन्यत्पुरुषासुहैमम् ;
ससर्ज मेरोरिव शृंगमुच्चैः ।
सृतं तदा तत्त्रिपुरं मयेन ;
स्वर्गस्य रूपं मनहासि दिव्यम् ॥ १४ ॥

द्वारैर्मनोज्ञैर्वडभीगवाक्षैः ;
बाष्पैर्ध्यागमेमेर्धैउश्चक्तं ।?
ध्वजैर्विचित्रैः परणावभूतैः ;
चलत्पताकाभिरतीवरे मे ॥ १५ ॥
प्रासादपंक्तिस्थिररत्नखंडैः ;
महामणिद्रष्टृतिलानिकारैः ।
सतोरणाभ्युत्थितहर्म्यदृष्टै ;
रलंकृत तत्त्रिपुरांगराज ॥ १६ ॥
सर्वैनुपुंसो नभवैर्मनोज्ञैः ;
वृतंसमंतात्तरुभिर्भमोघैः ।
रत्नैस्ततोद्यानशतैस्तथाभूत् ;
रुद्रातषंदप्रपूरहासैः ॥ १७ ॥
वाप्याभिरक्तांतविशुद्धपाणि ;
प्रफुल्लनीलोत्पलसंवृताभिः ।
दैत्यालयं तच्छुशुभे तथा वै ;
प्रहृष्टकेकाविहगैः सरोभिः ॥ १८ ॥
ततो नखाभिन्नपयोधराभिः ;
आकर्णरक्तांतविलोचनाभिः ।
लोकं पुरं तत्र मयश्चकार ;
मत्रारकाध्यायमदीददोप ॥ १९ ॥
पुराद्वितीतं रजतामयं च ;
विद्युत्प्रभायासुरराजतद्दाय ।?
हैमं तृतीयं चयमेव दिव्यम् ;
जग्राह राजोमय आत्मनोर्थे ॥ २० ॥

अधिष्ठितं तत्त्रिपुरं तथाभूत् ;
समं सशृंगैर्दनुराजसिंहैः ।
ते सर्वतः शत्रुबलानिजित्य ;
प्रियासहायाः सहमात्यभृत्यैः ॥ २१ ॥
सुखानि तस्मिन्विविधानि तत्र ;
त्रैलोक्यसौख्यानिकुर्वन्पतचिर्त्तयेछा ।
महोग्रतीरागजितान् ;
मुमत्तबलेनदेवान् ॥ २२ ॥
सत्वात्तु तेषां प्रसभंतिपत्य ;
नानाविधाश्चाकरतीव्रपिंडः ।
वनानि चैराजपुरः सरांसि ;
तडिल्लतावत्कुसुमानि चक्षुः ॥ २३ ॥
वाप्पश्च चक्षुःकमलैर्विहीना ;
जगुश्च रंभादिवराप्सरांताः ।
संत्रस्तगात्राः सुरयोषितश्च ;
तरश्च चक्षुर्महतीर्वसीयुः ॥ २४ ॥
तेषामतीतसमयेमहानप्रस ; ?
प्रकुर्वतादेवविनाशतानि ।
ततोमयं ते प्रतिजातकोपा ;
संगृह्य सर्वे च दिवौकशेषः ॥ २५ ॥
वृत्तं यथा सर्वमशेषतस्तन् ;
निवेदयन्नास्तु पितामहाय ।
तानाह देवः कमलासनस्तु ;
सर्वान्सुरेशान् प्रति शांतयित्वा ॥ २६ ॥

महाबलस्त्रिपुरस्थसुरेण;
हस्तं न शस्याधवलाक्रवन्हिः ।
कस्मादहं विष्णुपुरंच युष्मान् ;
प्रगृह्य शंभुं शरणं व्रजामः ॥ २७ ॥
गतिः समानः शशिभव्यशांतान् ;
देवान् बलान् वक्षति शूलपाणिः ।
तथेति ते तु प्रतिगृह्य देवा;
ब्रह्मादयस्त्विंद्रपुरोगमाश्च ॥ २८ ॥
कैलासमागम्य सुरेश्वरेशम् ;
दृष्ट्वा सुतुष्टाव सुराश्च मात्वना: ।
नमस्त्रिलोकेश्वरवंदिताय ;
सर्वेश्वरायामितविक्रमाय ॥ २९ ॥
नमोस्तु चंद्रार्धजटाकलाप;
दिगंबरायेति नमो नमस्ते ।
त्रैलोक्यनाथाय नमोस्तु नित्यम् ;
पिनाकचापाय पुनस्तथैव ॥ ३० ॥
नमः प्रदीप्तासिपरश्वधाय;
त्रिशूलहस्ताय नमोस्तु नित्यम् ।
नमो नमो नंदिवरप्रदाय;
जगच्छरण्याय सुरेश्वराय ॥ ३१ ॥
नमः सदा हर्षवरप्रदाय;
नमोस्तु यज्ञेषु वरप्रदाय ।
भस्मांगलिप्ताय कपर्दिने च;
नमोस्तु नित्यवृषभध्वजाय ॥ ३२ ॥

दिग्वाससे श्वेनवरप्रदाय ;
सर्वार्थतासर्वजगद्विधात्रे ।
हर्यक्षराग्निप्रपितामहानाम् ;
स्रष्ट्रे नमो देववरप्रदाय ॥ ३३ ॥
सूक्ष्माय नित्यं परमेश्वराय;
नमोस्तु ते सर्ववरप्रदाय ।
सोमानिलार्कज्वलनांबुभूमि;
व्योमांधकानां सृजते नमोस्तु ॥३४॥
नमो नमो दत्तविनाशनाय;
कामांगनाशाय नमोस्तु नित्यम् ।
यमप्रमाथाय प्रथाय पुण्णे;
योगाधिगम्याय सदा नमो[illegible] ॥ ३५॥

हृदाय सौम्याय वपुष्मते च नमो[illegible]र्वजगद्धृते च ।
नमोस्तु प्रष्ट्रे च सुरासुराणां नमो[illegible]विषधारिणे च। ३६।
नमो नमो नीलशिखंडिने च नमोस्तु नित्यं पुरुषोत्तमाय ।
श्मशानवासाय नमः सदैवनमोस्तुदैत्येश्वरनाशनाय ॥३७॥
नमः सदा स्नेहविनाशकाय ह्यज्ञाननाशाय नमो नमस्ते ।
नमः सदा मोक्षवरप्रदाय नमः सदाचारधृतस्थिताय ।३८।
भर्त्रे नमोभूमिधरेंद्रपुत्र्याःपित्रे कुमारस्य नमोस्तुनित्यम् ।
नमोस्तु विघ्नेशवरप्रदाय नमः सदा रूपवरप्रदाय ॥३९॥
नमोस्तु दक्षाध्वरसन्निहंत्रे नमोस्तु चंडीशवरप्रदात्रे ।
योगेश्वरायामरसंमताय नमोस्तु रुद्राय पराय धात्रे॥४०॥
सुभीमरूपाय च भीमसंभर्त्रे हराय शर्वाय च ह्युग्णतेजसे ।
गुणैर्विभेदाय गुणोत्कराय गुणव्यतीताय गुणात्मने च॥४१॥
नमोस्तु नित्यं पुरुषेश्वराय स्थूलाय सूक्ष्माय सदा नमोस्तु ।
प्रसाद्यमानेऽथ कुरु प्रसादं तुष्टः परेशानवर प्रसीद॥४२॥

एवं तु तेषां स्तुवतां सुराणां प्रीतस्तया स्तोत्रविशेषभक्त्या ।
जगाद शर्वः वरमीप्सितार्थं तुष्टोस्मि देवा वृणुताद्य शीघ्रम् ॥ ४३ ॥
समीहितं वो यदि किंचिदस्ति दातास्मि सर्वं तदशेषतोद्य ।

इति श्रीस्कंदपुराणे आदिरहस्ये सह्याद्रिखण्डे व्याससनत्कुमारसंवादे शंकरस्तुतिर्नाम एकषष्टितमोऽध्यायः ॥ ६१ ॥

अथ द्विषष्टितमोऽध्यायः ।

देवा ऊचुः । ब्रह्मलब्धवरैर्दैत्यैर्मयाद्यैर्दानवैस्त्रिभिः ।
दुःखं च त्रिपुराल्लब्धं वध्यमानैर्बलान्वितैः ॥ १ ॥
ह्रताश्चाप्सरसः सर्वा विध्वंसितवनानि च ।
सर्वान्देवान्वि[illegible]य मयनाभिस्ततो ब्रुवन् ॥ २ ॥
न तेषां नि[illegible]को ब्रह्माप्येषः पितामहः ।
विष्णुर्वापि मह[illegible] वेत्तु महद्भयम् ॥ ३ ॥
तद्यथा त्रिपुरं नार्यो देवास्तु जपितास्तथा ।
तथा रुद्र सुरश्रेष्ठ वरमेतत्प्रदीयताम् ॥ ४ ॥
इति विज्ञापितः शंभुः सर्वशस्त्रिपुरेश्वरे ।
इदमाह महातेजाः सुराणां श्वासयंत्रितः ॥ ५ ॥
अर्धमात्रांसुरेशां वै गृहीत्वा मम तेजसः ।
रुद्रतेजोमया भूत्वा पावनं विनिहंस्यथ ॥ ६ ॥
ततस्तु पुनरेवेशं ते प्राहुर्वचनंत्विदम् ।
शक्ताः साहस्रमध्यं च ह्युद्धर्तुं न वयं सुराः ॥ ७ ॥
कालशक्तिः सुरेशानां तेजो माहेश्वरप्रदम् ।
दृष्टं चापि रतुं वापि प्रसादं कुरु नः प्रभो ॥ ८ ॥
तत्कथंचिद्वयं शक्ता गृहीतुं दानवान् बलात् ।
भगवन् स्वयमेव त्वं त्रिपुरं जहि शंकर ॥ ९ ॥

तेभ्यः किल वरो दत्तो ब्रह्मणाऽमितशूलभृक् ।
दिव्यवर्षसहस्रे तु समेष्यति पुरत्रयम् ॥१० ॥
निमेषार्धक्षणेनैव परेतत्रिपुरांतकम् ।
सकृदेकमिषुं दीप्त्या संप्रयास्यति दानवान् ॥११ ॥
भविष्यति समो मृत्युर्नान्यथा मरणं हि नः ।
तद्वधं तु न शक्ताः स्म प्रसादात्ते सुरेश्वर ॥१२॥
ततः स भगवान्देवः प्रणतान्वृषभध्वजः ।
पुनराख्यापयन्प्राह समुद्विग्नान् दिवौकसः ॥१३ ॥
यद्येवं सुरशार्दूलास्त्रिपुरं दुर्गमं महत् ।
इषुमेकं ततः क्षिप्त्वा प्रधक्ष्यामि विशेषतः ॥ १४ ॥
ब्रह्मविष्णुप्रियार्थं हि सर्व्वस्यानुग्रहाय च ।
त्रिपुरं रथमास्थाय हिंस्यामि स्वयमेव तु ॥१५ ॥
क्रियतां स रथः सद्यो यत्रारूह्य दिवौकसः ।
धक्ष्यामि त्रिपुरं दुर्गमाक्रांतं विशिखैस्त्रिभिः ॥१६ ॥
यादृशश्च हि मां वोढुं शक्तः स्यात्सुरसत्तमाः।
बलवान्हिमवत्कल्पः कर्त्तव्यस्तादृशो रथः॥१७॥
ततो देवाः प्रणम्येशं प्रभुमीश्वरसत्तमम् ।
रथं च सहितो देव कल्पयामास ह्युत्तमम् ॥१८ ॥
ततः स भगवान् ब्रह्मा तथा विष्णुहुताशनौ ।
सर्वदेवमयं दिव्यं चक्षुषं रथमुत्तमम् ॥ १९ ॥
धातारं देवपवनं निर्ऋतिं धनदं यमम् ।
वसून् रुद्रांस्तथादित्यान् गंधर्वानश्विनावपि ॥ २० ॥
गरुडं पन्नगान्नागान् गुह्यकांस्तु महोरगान् ।
मुनीन्सर्वांश्च सिद्धांश्च ग्रहांश्चैव महाबलान् ॥ २१ ॥
पर्जन्यं शिशिरं कालं तथा चैव वनस्पतीन्
दिवसांश्च मुहूर्तांश्च क्षणान् काष्टा लवांस्तथा॥ २२ ॥

अयने पक्षमासांश्च निशाश्च दिवसांस्तथा ।
स्थावरं जंगमं चैव नक्षत्राणि तथैव च ॥ २३ ॥
अष्टौ देवनिकायांश्च रथे तस्मिन्यकल्पयत् ।
कांश्चिच्चतुर्द्वयं चक्रुः प्रतोदं प्रग्रहांस्तथा ॥ २४॥
ध्वजाः काश्चिद्रथे तस्य चक्रुर्वै सुरपुंगवाः ।
कृत्वाश्वांश्चतुरो वेदांस्तथा तस्मिन्ययोजयन् ॥ २५ ॥
संवत्सरमयं चक्रं धनुर्गिरिमयं तथा ।
ज्या चैव धनुषश्चक्रुर्देवदेव जगत्पते ॥ २६ ॥
तेन ह्येवं विधं देवा रथमग्र्यमचीकरत् ।
सर्वदेवमयं कृत्वा गिरिकन्ये रथोत्तमम् ॥२७ ॥
विष्णुः पितामहोऽग्रे वै प्रणाम परमेश्वरम् ।
रथः सज्ज इति प्राहुर्विनाशाय सुरद्विषम् ॥२८ ॥
ततः स भगवान् देवः स्तूयमानः सुरासुरैः ।
अवेक्षत रथं दिव्यं सर्वदेवमयं शुभम् ॥ २९ ॥
साधुसाध्विति जग्राह धनुस्तत्र तु शंकरः ।
तत्प्रगृह्य धनुर्दिव्यं सर्वतेजोमयं परम् ॥ ३० ॥
अधश्चोर्ध्वं च संप्रेक्ष्य धनुष्ये भुवनेश्वरः ।
पितामहं ततो विप्र ह्युवाच वचनं तथा ॥ ३१ ॥
रथ एष धनुश्चेदं त्वया ब्रह्मन्प्रकल्पितौ ।
जेतव्यं त्रिपुरं येन तमिषुं शीघ्रमानय ॥ ३२ ॥
ततः प्रोवाच तं ब्रह्मा प्रणम्य वृषभध्वजम् ।
रथ एषः कृतो दिव्यो धनुरेतच्च ते मया ॥ ३३ ॥
तमिषुं भगवन्देवमुद्योगं कर्त्तुमर्हसि ।
ततः पार्श्वस्थिताः शंभोर्विधुर्वायुहुताशनौ ॥ ३४ ॥
दृष्टिपातेन देवौ तौ समाह्वयदरिंदमः ।
द्वौ तावंजलिमाधाय सुरेशेन ह्युपस्थितौ ॥ ३५ ॥

स्वयमेव ततश्चक्रे शंभुर्विष्णुसुरोत्तमाः।
ओषधीनां पतिं सोमं मुखेप्यस्य नियोजयत् ॥ ३६ ॥
अग्रे च पावकं चक्रे ब्रह्माणं च ततोंतिकम् ।
सारथिः को रथे ब्रह्मन् त्वया च परिकल्प्यते ॥ ३७ ॥
तमुवाच ततो ब्रह्मा जज्ञिरे च रमापतिः ।
मह्यं ददासि चेत्त्वं तु स्वयमेव हि सांप्रतम् ॥ ३८ ॥
रथप्राप्ते किमधिकं सर्वे देवा रथे स्थिताः ।
सर्वंशोभनमित्युक्तस्ततो देवः पिनाकधृक् ॥ ३९ ॥
हस्ते प्रगृह्य देवेशोऽप्यारुरोह रथोत्तमम् ।
रुद्राः परिषदा ये च नंदीश्वरपुरोगमाः ॥ ४० ॥
शंकुकर्णास्तुरंगाश्च ये च चंडेश्वरादयः ।
गणेश्वरमहायोगास्त्र्यक्षापद्धिसमानयः ॥ ४१ ॥
नानाशस्त्रप्रहरणा नानायुद्धविशारदाः ।
वादयंतस्तथा वाद्यं भेरीदुंदुभयो मुदा ॥ ४२ ॥
ततः स भगवान्देवस्तूर्यशंखमवादयत् ।
आजग्मुर्गणमुख्यास्ते सहस्राणि चतुर्दश ॥ ४३ ॥
नानाविधा भूतगणा ह्युपविष्टाः सहस्रशः ।
निपेतुर्विनयो मूर्ध्नि रथस्तस्य पिनाकिनः ॥ ४४ ॥
स्वयमेव तु वाद्यानि विनेदुः सर्वतोदिशः ।
रथेषु तेषु युक्ताश्च देवदेवस्य शूलिनः ॥ ४५॥
प्रशस्ता भारमुद्वोढुं मुमुहुर्देवता भृशम् ।
ततस्तं देवदेवेशं ज्ञात्वा शक्रादिवौकसः ॥ ४६ ॥
आयांति त्रिपुरं दग्धं मंत्रयित्वाद्भुतं कुरु ।
रथे देवमये दिव्ये समारुह्य जगत्पतिम् ॥ ४७ ॥

ब्रह्माणं सारथिं कृत्वा स्वयमायाति शंकरः ।
नारदस्य वचः श्रुत्वा स तदा दानवाधिपः ॥ ४८ ॥
तारकासुरमाहूय विद्युन्मालिनमेव च ।
तथान्यानसुरान्भृत्यान्दानवोपि पुरःसरान् ॥४९ ॥
नारदेन यथाख्यातसर्वमाख्यातवांस्तदा ।
मयस्य वचनं श्रुत्वा तारकाख्यस्तदाब्रवीत् ॥ ५० ॥
पश्य तन्नियमा नाम ह्यनेनैकेन दैत्यप ।
दुर्बलः कुरुते भेदं दानशांत्वमथापि वा ॥ ५१ ॥
प्रमाणयशसश्चैव शत्रोर्वीर्य तु विश्वतः ।
दुर्बलस्य रिपोर्दंडराज्ये विजिगीर्षयः ॥ ५२ ॥
कर्तव्यो विक्रमश्चैव प्राह शुक्रस्तथा गुरुः ।
जिव्हादंडेन तान्सर्वान्स्थास्यामो निर्वृताः सुखम् ॥५३॥
तारकाख्यवचः श्रुत्वा विद्युन्माली महाबलः ।
समाप्यतदतीचेष्टं रातास्य वचनं शुभम् ॥ ५४ ॥
नाशंतत्कार्योशुभस्यापि देवताबलगर्विता ।
ते वध्यो मे वचः सत्यं प्रयास्यति ततःक्षयम् ॥ ५५ ॥
अन्योन्यं तु वयं बुद्धा ह्युपायं तेषु योजयेत् ।
शुद्धेनैव सदा दैत्या प्राप्नुयामजयं परम् ॥ ५६ ॥
प्रत्याहूय स तान्सर्वान्कुरुतान्नां जयिषु ते ।
त्रैलोक्यं विवृतं शुद्धमिदं भवति वि॰ कृत् ॥ ५७ ॥
सप्तलोकेश्वरं सद्यः पश्यामस्त्वां पुरःसरम् ।
हिरण्यकशिपुश्चैव हिरण्याक्षश्च दैत्यपः ॥ ५८ ॥
भोग्यतो जगतो राजा त्वत्प्रियाहितयार्गतम् ।
ततस्नुत्वा मयो व्यास त्रिवुन्मालीभिर्भाषितम ॥ ५९ ॥

नैते देवामितिप्राहु [ ] कंपयन्नसस्थिरः ।
यतुल्यस्य बलः शत्रो होणा च दैत्यपुंगवः ॥ ६० ॥
बालोया यो भवेज्यायानेकजातिवपुर्धरः ।
[illegible]मन् प्रयुञ्जन्नितमुपायचतुष्टयम् ॥ ६१ ॥
समाधिशक्तिमस्माकं बले भास्करपुंगवः ।
तद्देवैः सार्धमस्माकं युक्तं सामादियोजनम् ॥ ६२ ॥
स एष भगवानीशः सर्वभूतेश्वरेश्वरः ।
अस्माकं भवतां चैव स्रष्टा हंता भवेत्प्रभुः ॥ ६३ ॥
स हेतुः किमुपायाति ह्युपायस्तस्य कीदृशः ।
प्रणामः संश्रयश्चैव गुणोपायः कपर्दिनः ॥ ६४ ॥
द्वाविमौ साधने तस्य प्रयोज्येतेति मे मतिः ।
यदि कार्कश्यमायाति योजयाम पिनाकिना ॥ ६५ ॥
तस्य जिष्णो क्षणेनैव निहताश्च ततः सुराः ।
प्रत्याघोरो रणे शंभुमधीनास्ते तु शांतये [illegible]
योभियुक्तश्च तं [illegible]न शरणं तस्य को भवेत् ।
तस्य सर्वामदे [illegible]स्य रक्षां हि प्रार्थितं जगत् ॥ ६७ ॥
अभिज्ञानक्षणेनैव प्रपश्ये स भवेत्तापि ।
यो हेतुः [illegible]स्य कारणं जगतः स्वयम् ॥ ६८ ॥
कीदृशं तेन युद्धं वो देवदेवेन शंभुना ।
सर्वशोनिष्टयो भूत्वा ह्यरिकल्पमुमापतिम् ॥ ६९ ॥
ततस्तत्सहिता युद्धकालपाशेन यंत्रिताः ।
सप्रणाममुपास्यामो न योत्स्ये शंभुना सह ॥ ७० ॥
न युक्तं शंभुना युद्धं गच्छध्वं शरणं शिवम् ।
तमेवं वादिनं स्तुत्वा विश्वकर्माणमूर्जितम् ॥ ७१ ॥

नारदो भगवानाह दानवं तु तदा स्वयम् ।
यस्त्वया विश्वकर्मेदमुक्तं विस्तरतोर्थवत् ॥ ७२ ॥
सर्वमुक्तमिदं किंतु कालोऽयं नास्य संप्रति ।
भवतां तु ततः [illegible] व [illegible]
समतावपि कुर्व[illegible]ताः।
वृतः सर्वामरैः [illegible]ह ॥ ७४ ॥
प्रणतानप्यया[illegible]ति ।
[illegible] दानवाः॥ ७५ ॥
[illegible]दि ।
[illegible] विद्यते ॥ ७६ ॥
[illegible]लना ।
[illegible]याय: ॥ ७७ ॥
[illegible]देवैतैश्च ह ।
[illegible]भवेन्न वै ॥ ७८ ॥
[illegible]ध्वजः ।
[illegible]मः ॥ ७९ ॥
[illegible]तनिवारणीः ।
[illegible]पुत्सव[illegible] ॥ ८० ॥
[illegible]रथपु[illegible]ख्यो महा[illegible]
[illegible]पु[illegible]ाश्च महासु[illegible] ॥ ८१ ॥
कालशापावृता [illegible]पुण्या गतायुषः ।
साधेत शोभनं वाक्यं नारदेनेति तेऽब्रवीत् ॥ ८२ ॥
तस्यापि सदयो भूत्वा ज्ञात्वा तं समुपस्थिताः ।
शोभनं नारदेनस्तुमिति तेऽन्योन्यमब्रुवन् ॥ ८३ ॥

नारदोऽपि ततो दृष्टो रक्षयुद्धानुमायया ।
युयुत्सूनसुरान्कृत्वा ययौ शार्वं रथं प्रति ॥ ८४ ॥
ततस्तद्दानवाः सर्वे युद्धाय कृतनिश्चयाः ।
नानाप्रहरणोपेता बभूवुर्युद्धमीप्सवः ॥ ८५ ॥
तारकाख्यो बली बाणो विद्युन्माली च दानवः ।
समनह्यंतसहिता राजानस्तत्सुराग्रतः ॥ ८६ ॥
कथं दनुसुता भूत्वा राजानो बलगर्विताः ।
अवाद्यंत ततः शंखान् तूर्याणि च सहस्रशः ॥ ८७ ॥
दानवानां बलं घोरममराणां भयप्रदम् ।
कथमागमिते ते च वदन्मूर्द्धपुरम् ॥ ८८ ॥
विगतभयविवावादाग्मदक्षीणमाणाः ।
पशव इव यथाग्नेरन्वगच्छत्समीपम् ॥ ८९ ॥

इति श्रीस्कंदपुराणे आदिरहस्ये सह्याद्रिखंडे व्याससनत्कुमार-
संवादे द्विषष्टितमोऽध्यायः ॥ ६२ ॥

अथ त्रिषष्टितमोऽध्यायः ।

सनत्कुमार उवाच । अथाभ्यगात्पश्चिमसागरस्य ;
मूर्ध्निस्थितं तत्त्रिपुरं रथस्थः ।
नानापताकोज्वलचित्रमौलिः ;
हेमोपमो मौलिरिवाधिराजः ॥ १ ॥
तान्तेपि ह्युग्रं त्रिपुरं गणेशा ;
नंदीश्वराद्याः प्रमथाः प्रयत्नाः
युयुत्सवो दानवसभ्यमुख्याः ;
नादं प्रचक्रुः सहिताः प्रवीराः ॥ २ ॥
चंडेश्वरश्चंडवपुर्महात्मा ज्वलत्प्रदीप्तोग्रकुठारपाणिः ।
थ्यादाय वक्रं पुरतःस्थितो भूद्देवस्य शंभोःप्रमथेंद्रवीरः । ३ ।

दीप्तं त्रिशूलं परिगृह्य नंदी ह्यग्रे प्रतस्थे हरतुल्यवर्णः ।
पार्श्वस्थितभूत्स तु शंकुकर्णः प्रगृह्य दीप्तं मुसलं गणेंद्रः ।४।
भृंगी महात्मा स च वीरभद्रः ।
प्रतापयुक्तः शतशः प्रवीराः ॥ ५ ॥

ततः स नंदी गणपप्रवीरैरन्वीकरयुद्धमहीनसात्वैः ।
विव्याध भृंगी दशभिः पृषत्कैर्विद्युन्मनः कोपविरक्तनेत्रः ।६।
भृंगिसमासाद्य शिलायुधास्तसनाकवंतस्य रुजं वहंतु ।
विद्युत्प्रभंभृंगिरिटिस्ततोसौ शूलेन दीप्तेन जघान गुह्ये ।७।
स तेन शूलेन ततो जघानत्यक्त्वा च भृंगी प्रययौ भयार्त्तः।
ममस्तदाह्योदितिजायिनेनसभृंगिमुत्सृज्यगणेंद्रमुख्यः । ८ ।
विव्याधतीक्ष्णैर्निशितैः पृषत्कैर्विनायकंसप्तभिरंसदेशे ।
पुनःपृषत्कैर्दशभिश्चभूयोविद्युत्प्रभास्तंगजराजवक्त्रम् ॥ ९ ॥
जघानमुख्यस्त्वविरक्षरूप स्ततश्चुकोपास्यविनायकेंद्रः ।
सपुष्कराग्रेण गजेंद्रसिंहो ग्रीवांस्तदादैत्यपतेर्निपीड्य॥१०॥
उत्लुत्यमानः सशिरःशरीरात्प्रपीड्ययामास इवद्विपेंद्रः ।
दैत्यस्यकृत्यं शुशुभे शिरस्तुदिव्यावलेंद्रप्रतिमाशरीरात् ।११।
सहोत्सवे रंगभृतोपगीतं ह्रदात्तथोत्खातमिवासुपद्मम् ।
ततोपरो दैत्यपतिः सपत्नो निमिर्बलश्चांधकतुल्यवीर्यः।१२।
क्रुद्धोह्युपागम्यचशंकुकर्णांशिलीमुखैर्विव्यधयत्सुतीव्रं ।
तौ शंकुकर्णप्रभतंतिवत्यास्थितध्वजाग्रौविरथौचकार ॥१३॥
अन्ये समारुह्[illegible]स्तौभूयः समागम्य गणप्रवीरम् ।
तं जघ्नु तूर्णं कवितु[illegible]पत्कैर्वज्राभिघातप्रतिमैस्तुतीक्ष्णैः।१४।
क्रुद्धस्तदासप्रसभं गणेंद्रस्तौदैत्यराजौ सुचिरं निरीक्ष्य ।
दीप्तेन हत्वा मुसलेन वीरौसंप्रेषयामास पुरं यमस्य॥१५॥
अन्येचदैत्यास्त्रिपुराधिवासाःक्रुद्धाविनिष्क्रम्यगणेंद्रमुख्यैः ।
नाराचचक्रासिकुठारहस्ताघोरं महद्युद्धमतीव चक्रुः॥१६॥

तुल्यैर्गणेशैश्चहताहतत्विषोमृगायथाकेसरिभिर्वनांते ।
प्रवृद्धनानायुधचक्रधारा शिरोभुजैःशोणितमुद्वमंतः ॥ १७॥
धाम्ना हतास्तेनु पयोधराय नसमुदे वै गिरिशृंगकल्पाः ।
श्रुत्वा तु दैत्यो बलनेमिसंज्ञौ तौ शंकुकर्णेन हतौ प्रसह्य।१८।
पुरान्विनिष्क्रम्यसतारकाख्यःक्रुद्धोगणेंद्रश्चयमभ्यधावत् ।
तं शंकुकर्णोदितिजाधिकल्पं जघान मूर्न्धि प्रतिभं गणेंद्रः ॥ १९ ॥
निपत्यकिंचिन्निहतस्यवीर्यं लक्षेनदैत्याधिपतिं निपात्य ।
प्राप्तोहितूर्णं स हि तारकाख्यश्चिक्षेपतस्मैगणपाय चक्रम् ॥२०॥
क्रुद्धस्ततो सारभवं गणेंद्रस्तं तारकाख्यं स तु शंकुकर्णः ।
निपात्यमुष्ट्या निजघानमूर्ध्नि समाहतः सोपजघानकृत्तम् ॥ २१॥
जग्मस्तुबभ्राममुपोहतस्थौपपात नत्याज्यवरायुधं च ।
मुमोच रोधं विरराज तीव्रं मुमोच पश्चादसुरः प्रयुक्तः।२२
दृष्ट्वा विपन्नंदितिजानुजेंद्रंप्रगृह्यदैत्याभवनंयमस्य ।
गत्वानिवेद्यासुरराजपुत्रंशब्दान्विचक्रुर्विविधैर्विलापैः॥२३॥
ततोमयस्तान्रुदतःसुरेंद्रानाश्वासयन्प्राहवचःसुरेंद्रः ।
सृष्टं मया बह्ममृतं तदस्ति तेनैवमुत्थापयतं स दैत्याः।२४।
ततो गृहीत्वा ह्यमृतं पुनस्तं दैत्याधिपंदैवबशात्प्रहृष्टाः ।
चक्रुः सजीवं च यथा पुराणं मयं प्रणेमुश्च मुहुःशिरोभिः।२५।
सतारकाख्यो न यदाऽस भूयो युयुत्सया युद्धपथं जगाम।
आयत्तमालाक्षपितामहस्तं पूर्वं मृतं जीवितमास भूयः ।२६।
प्रोवाच वाक्यं स मुदा सुरेशं निवेदय न्वामकरेण दैत्यम् ।
हतोप्ययं शंकर तारकाख्यः कृतोमयेनाशुसजीवितश्च ।२७।
तस्यास्ति देवामृतमुत्तमंहि तेनासुरान्जीवयते सुरेंद्रः ।
दैत्यो महानेष सुरेंद्रकेतो मृतान्मृतान्जीवयते सदासौ।२८।
ततोमृतं तन्मयतः शरेण गृहाण देवेश पिनाकपाणे ।
श्रुत्वा वचस्तस्य पितामहस्य प्रधानमात्रेण जहार शंभुः।२९।

पितामहस्ततःपुनरेव दृष्टः पिनाकिनं प्राह वचः प्रणम्य ।
शुद्धं मया दृष्टमिदं गणानां दैत्याधिपैः सार्धमहर्निसत्त्वैः ।३०।
दिव्यंसहस्त्रं हि गतः समानां क्षयं न चैतत्त्रिपुरं जगाम।
क्षिप्रं त्वयेपुन्नच देवयोगे न किंवा तव नाम नाथ ॥३१॥
संकल्पमात्रादिदमेति नाशं दैत्याधिवासं त्रिपुरं तथैव ।
यदि त्वयं मानयितव्य ईश विमुंच तं तु त्रिपुरे निबद्धम् ।३२।
विज्ञेयमत्रं चतुराननेन प्रलीढमंतःकरणं महात्मा ।
कृत्वाधनुस्तब्धलवद्विकृष्य वियोजयत्क्रुद्ध इषुं पिनाके ।३३।
संकल्पमात्रेण तदीशमानि पुराणिदैत्यैःसहितानि त्रीणि ।
चक्रे स सृष्टिस्थितिनाशकर्ताजगच्चनिःस्पर्शमभूत्तदाशु ।३४।
विश्वात्मकं पावकसोमपुंखं त्रैलोक्यसंहारकरप्रदीप्तं ।
चिक्षेप देवस्तमिषुं तथोग्रं क्षिप्त्वाशु कष्टं प्रदहामि चाह।३५।
नंदी समागम्य ततोसुरार्थं प्रोवाच वाक्यं किमिदं प्रणम्य।
नंदीश्वरस्तं भगवानुवाच मयस्य भक्तस्य शुभं चिकीर्षुः॥३६॥
नंदीशभक्तो ममविश्वकर्मा दहेत्पुरं तस्य यथा च वन्हिः ।
नंदीशसोमं च हरिं च देवौ शीघ्रं समागच्छ निवारयस्व ।३७।
नंदीप्रगृह्याथ सुरेश्वराणां तूर्णं ययौ विश्वकृतः पुरं तत् ।
सयोगशक्त्यानिलतुल्यवेगो ज्योतिस्थितं पूर्वतरं जगाम॥३८॥
दृष्ट्वामयं तेन सदानवेंद्र मूर्धानतांगं वृषभध्वजस्य ।
नंदीश्वरंदानवराजदृष्ट्वा श्रुत्वामयस्तंशिरसप्रसादम् ॥३९॥
तथैव रुद्रायननाममूर्धा चक्रे प्रणामं स तथेति तस्य।
अथाग्निनातत्त्रिपुरं सदग्धं प्रदीपयित्वा सकलं समंतात्॥४०॥
संवर्त्तकाग्निप्रतिमो युगांते जगत्प्रदं हर्तुमिव प्रदीप्तः ।
तमागतंविश्वकृतोनिवासंसव्यच्छिन्नयुक्तंज्वलनंसदीपम् ४१
नंदीहुताशं च तथाभ्युवाच प्रसर्पभक्तः परमो मयश्च।
तं वन्हिराहासुरराजमाशु पुराद्बहिर्नीर्म ॥ ४२ ॥

हिमं स्पृहित्वा स महेशलिंगं पुराद्विनिःक्रम्य मयोसुरेंद्रः ।
पातालगर्तं सहसा प्रविष्टः कुर्वन्नमस्कारमुमाप्रियाय ॥ ४३ ॥
नंदीश्वरःसोऽपिसुरेंद्रपार्श्वमागम्यचाख्यायवनस्थितोऽभूत् ।
ततः प्रदीप्तं त्रिपुरं बभूव विनष्टचेष्टं सकलैश्च वेश्म ॥ ४४ ॥
नैकासुरीभिर्वृनभोगनागं विवस्त्रदैत्येंद्रजवध्वजाढ्यम् ।
वातायने हर्म्यविमानसंस्थाश्चंद्राननाःपीनपयोधराढ्याः ॥ ४५ ॥
पर्यंकसुप्ता मदविह्वला याः संगेप्रियाणां मुहुरीक्षमाणाः ।
त्रिलोचनैर्द्राममितानुरागैः श्यामापवादानयनैर्विशालैः ॥ ४६ ॥
दैत्यांगनास्ता ददृशुःप्रदीप्तमालिंग्यमानाः शरपावकेन ।
प्रासादसंस्थाःप्रययुर्भयार्तास्त्रासेन किन्नर्य इवाभ्यलस्थाः ॥ ४७ ॥
प्रियानयोविप्रसमागतास्ता मोहं समालिंग्यभृशंसजग्मुः ।
प्रियागृहीतादितिजाधिपास्ते संप्रष्टुकामास्तरसाभिजग्मुः ॥ ४८ ॥
निष्क्रम्यमूढाःशिवभक्तिरूढाःपेतुःसमुद्रेबलविप्रयुक्ताः ।
दैत्याः समुद्रे पतिताःसमस्ताःकेचिन्महेंद्रागिरिकंदरासु ॥ ४९ ॥
तीव्राश्चनक्रा मकराश्च घोराःसंजज्ञसुर्नष्टसमस्ततृष्णान् ।
जलेचरास्तांस्त्वपरेमहांतस्तच्छिन्नहाराःपतितास्त्रियस्ताः ॥ ५० ॥
मीनापरेभक्षयितुं प्रवृत्ताः करालदंष्ट्रा विकृताननास्ताः ।
आभक्ष्यमाणास्तु ह्यरण्यवासिभिर्मृगैश्चसिंहैश्च तथैव रक्षान् ॥५१॥
रुजाहतान्याः परिपीड्यमानाः संचुक्रुशुर्दीनतरं युवानः ।
तासां तदा दैत्यविलासिनीनां रेजेभयंक्रोशनिरीक्षितं तत् ॥ ५२ ॥
रतावसाने परिखेदितानां प्रियैरिवासामभिगंतुकामैः ।
सर्वे ततो दैत्यवृषाः सभार्याः प्रदह्यमानास्त्रिपुरानलेन ॥ ५३ ॥
मध्ये समुद्रे मकरैर्विभिन्ना गतासवो मृत्युपुरं प्रजग्मुः ।
शरश्चसोमेंद्रजनार्दनात्मा प्रलक्ष्य कृत्स्नं त्रिपुरं च दग्धम् ॥ ५४ ॥
जित्वासमुद्रस्य समं सयातः समंततः शंभुकरे जगाम ।
पुत्रान्यथा तत्र शरीरधारी चकार सृष्टिं प्रलयादिहेतुः ॥ ५५ ॥

ब्रह्मादयस्ते त्रिदिवौकसश्च मुनिर्वचश्चेदसुरेशमूचुः ।
नमोस्तुसर्वत्रसदास्थिताय स्रष्ट्रे मुराणां प्रमथेश तुभ्यम् ॥ ५६ ॥
नित्यं च विज्ञानलसत्क्रियाय नमो नमः सर्वमताय तुभ्यम् ।
तानाह देवः सतथा सुरेंद्रान्सोमार्कविष्ण्विंद्रमहेश्वरादीन् ॥५७॥
सदैव यूयं परिपालनीया देवाश्च दैत्याश्च मयैव नित्यम् ।
पूर्णाभिलाषा हतविद्विषश्च प्रयांतु देवाः सुनिवेशनानि ॥ ५८ ॥
देवोपिसाध्यैरभिवंद्यमानः कैलासशृंगंसहितो गणेंद्रैः ।
चंडेशनंदीश्वरवीरभद्रैर्जगामकर्त्ता जगतस्त्रिनेत्रः ॥ ५९ ॥

इति कथितमशेषं देवदेवस्य कर्म ;
त्रिपुरदहनसंज्ञं व्यास तुभ्यं मयैतत् ।
मनुज इदमधीते यः शुचिः शर्वभक्तः ;
स भवति गणपालः स्वर्गमादेवजन्मा ॥ ६० ॥

इति श्रीस्कंदपुराणे आदिरहस्ये सह्याद्रिखण्डे व्याससनत्कुमार-संवादे त्रिषष्टितमोऽध्यायः ॥ ६३ ॥

अथ चतुःषष्टितमोऽध्यायः ।

सनत्कुमार उवाच । आसीन्मंदरस्याग्रे नानारत्नविभूषिते ।
तत्र नंदीश्वरो देवः परिपृच्छति शंकरम् ॥ १ ॥
व्यास उवाच । गत्वा हिमवतः शृंगं पार्वत्यासहितो हरः ।
किं चकार शुभं तत्र देवदेवः सहोमया ॥ २ ॥
सनत्कुमार उवाच । प्रयाते हिमवच्छृंगे देवदेवः सहोमया ।
बभाषे गिरिजा देवं प्रणम्य परमेश्वरम् ॥ ३ ॥
पृष्टं वृत्तं हि विप्रस्य नैमिषारण्यवासिनः ।
प्रोच तपसा भक्त्या युक्तस्य स्वयमेव च ॥ ४ ॥

स्वयमेव प्रयाताहं द्विजराजाय पृच्छनुम् ।
माहात्म्यं तस्य दृष्ट्वा तु ब्राह्मणस्य तपस्विनः ॥ ५ ॥
गताहं विस्मयं देव द्विजश्रेष्ठतमादपि ।
देवेभ्योऽपि गरीयांसो ब्राह्मणा इति मे मतिः ॥ ६ ॥
किं तस्य श्रोतुमिच्छामि द्विजमाहात्म्यमुत्तमम् ।
देवदेव उवाच । एवमेतज्जगद्धात्रि सुरासुरनमस्कृते ॥ ७ ॥
श्रेष्ठास्तपस्विनो विप्रा देवेभ्योऽपि नगात्मजे ।
मदीयायां पुरा सृष्टौ प्रथमप्रभवो ह्यसौ ॥ ८ ॥
रुद्राद् द्विजातयः पूर्वं मया सृष्टा महौजसा ।
मदीयां सृष्टिमालोक्य ब्रह्मणोपि सिसृक्षया ॥ ९ ॥
ब्रह्मणा मूर्द्धतः सृष्टाः पूर्वमेव महाव्रताः ।
अग्निभूतोप्यहं तेषां द्विजाः श्रेष्ठायतोभवन् ॥ १० ॥
ततस्ते मनसा सर्वे बभूवुर्द्विजसत्तमाः ।
धर्माधिकाश्चतुर्वर्गः सर्वे तेषु प्रतिष्ठिताः ॥ ११ ॥
यज्ञं कुर्वंति ते विप्रास्तेन तृप्यंति देवताः ।
जगत्प्रतिष्ठितं सर्वं ब्रह्मणामिततेजसा ॥ १२ ॥
लक्षणं संप्रवक्ष्यामि द्विजातीनामिदं कलौ ।
शौचं जपविधानं च प्रभवत्येव कस्य तत् ॥ १३ ॥
ब्राह्मणस्तु भवेज्जात्या संस्कारात् द्विज उच्यते ।
विद्यया विप्रतां याता ब्राह्मणास्त्रिविधाः स्मृताः ॥ १४ ॥
पश्वजात्या भवेद्विंशो पश्वस्य द्विजपारगाः ।
तयोः प्राणवधे पुण्यं पापं च समतां भवेत् ॥ १५ ॥
जात्या च यो भवेद्विप्रः सर्वागमविशारदः ।
तपःशौचसमायुक्त अवदातः स उच्यते ॥ १६ ॥
तादृशो भोजयेच्छ्राद्धे दैवे पित्र्ये च योजितः ।
अक्षयं तद्भवेत्तस्य ह्यवदातस्य तत्क्षणात् ॥ १७ ॥

वेदविद्यायुतो विप्रो वन्हिहोमपरायणः ।
सोपि श्रेष्ठः स्मृतो देवि पूजितस्ताय तत्समम् ॥ १८ ॥
सर्वजातिषु मात्रेण योपि स्याद्ब्राह्मणः क्वचित् ।
सोपि लोकगुरुर्देवि पूजितः सुलभो भवेत् ॥ १९ ॥
अग्निहोत्रतपोयज्ञशौचमार्जवमेव च ।
सत्यं वेदप्रसंगश्च द्विजकर्म परं स्मृतम् ॥ २० ॥
ब्राह्मणश्च तपस्वी च न जन्म पुनरायते ।
विद्याब्राह्मणतां लब्ध्वा किंन्नरत्वं च देहिनाम् ॥ २१ ॥
मूर्त्तयो हि स्मृता ह्यष्टावर्कसोमादयो मम ।
सर्वास्ता निवसंतिस्म ब्राह्मणेषु प्रवर्त्तते ॥ २२ ॥
प्रस्रवंति महादेवि विप्राः श्रेष्ठत्वमागताः ।
न साध्यं विद्यते तेषां द्विजानां परमौजसाम् ॥ २३ ॥
त्दषितास्ते प्रसन्ना वा प्रयच्छंति शुभाशुभम् ।
द्विजास्तपस्विनो ये तु वेदविद्याविशारदाः ॥ २४ ॥
ऋत्विजश्च भवेयुस्ते देवानामपि देवताः ।
अहं पितामहश्चैव तेषां यावद्द्वयं स्मृतम् ॥ २५ ॥
मत्तः प्रवृत्तमानश्च तदा देवि पितामहः ।
प्रकृतिस्त्वं समाख्याता पुरुषः परमो ह्यहम् ॥ २६ ॥
रजस्तं व्यापकं विद्धि गुणा भूतेषु कर्मसु ।
महात्मानौ स्मृतौ देवी तमोरागं तथैव च ॥ २७ ॥
नारायणः स्वयं सत्त्वं सद्यान्यौ संप्रवर्तते ।
वहिस्तेजः स्मृता ह्येते महात्मानो द्विजातयः ॥ २८ ॥
सर्वतः प्रभवस्तेन नास्ति तेषां विचारणा ।
आर्जवं समता चैव विद्धि तेजो द्विजातिषु ॥ २९ ॥
तपोदानसमायुक्ता आर्जवं तु विशिष्यते ।
असाध्यं हंति पापानि शठता मोहबंधनम् ॥ ३० ॥

उभे ह्येते निहंतिस्म त्वार्जवं सेवितं द्विजैः ।
पुरा भागीरथीतीरे द्विजः परमधार्मिकः ॥ ३१ ॥
नानादानरुचिर्नाम उंच्छवृत्तिर्वभूव ह ।
सर्वविद्याव्यतीनात्मा सर्वभूताभयप्रदः ॥ ३२ ॥
सहपत्न्यः स मद्भक्तो वन्हिहोमपरायणः ।
अतिथिं भोजयित्वा तु पूर्वदेवि यथागतम् ॥ ३३ ॥
षष्ठे काले तथा स्नाति तस्येदं व्रतमुत्तमम् ।
अथैवं वर्तमानस्य भूयान् कालो जगाम ह ॥ ३४ ॥
अतिथावागते तस्य निर्विकल्पः प्रजायते ।
स तपः शौचसंयुक्त आर्जवैकरतो द्विजः ॥ ३५ ॥
बभूवात्यर्थंसर्वस्मादर्काग्न्योरपि तेजसा ।
तस्यैव तपसो वन्हिः प्रतितुष्टिसमाहितः ॥ ३६ ॥
गुरुर्हि सुरजेभ्यश्च समीहितवरप्रदः ।
कदाचिदपि कालेन षष्ठे काले समागते ॥ ३७ ॥
हिमवेगोदिते भानौ दुर्दिने पर्यटन् द्विजः ।
अथ शौचं तु तत्किंचिदुपवासपरायणः ॥ ३८ ॥
बभूव द्विजमुख्योसौ न तु खेदमचिंतयत् ।
सतीव्यस्य महाभागा सुभगा शीलशालिनी ॥ ३९ ॥
तथा चास्याः पतिश्चक्रे तथैवाप्यकरोत्तदा ।
शीतवाताभितप्तांगो नैकद्वंद्वः समास्थितः ॥ ४० ॥
क्लेशेन महता तीव्रं खिन्नोभूद्देवि स द्विजः ।
सीनंद्विदुनजान्दोषानैवातिथिमविंदत ॥ ४१ ॥
तथा तस्मिन्स तं ज्ञात्वा निश्चयं परमं महत् ।
श्वपाकरूपसदृशं विकृतं कुत्सितं महत् ॥ ४२ ॥
कृत्वा पद्भ्यां समूलस्थः प्रददौ तस्य शासनम् ।
क्षुधार्तः स तु विप्रेंद्रः पर्यटन्नतिथीच्छया ॥ ४३ ॥

अपश्यद्वृक्षरूपस्थं घोरविकृतरूपिणम् ।
श्वपाकमतिसंक्षुब्धमंगव्रणशतार्दितम् ॥ ४४ ॥
विदृशे वृद्धगात्रं च प्रस्रवत्कृमिशोणितम् ।
विशोकं तु तथासीनमपश्यद् द्विजसत्तमः ॥ ४५ ॥
समाश्वसिहि भद्रेति प्रोवाच मधुरं वचः ।
शीतावातवर्षं वन्हिज्वालयन्द्विजः ॥ ४६ ॥?
विशीतमग्निसंयोगात्समासात्तमुवाच सः ।
एहि भुक्तातिथिर्मेत्वं तमुवाच ततो द्विजः ॥ ४७ ॥
श्वपाकस्तव सान्निध्यं भवेद्भद्रेति सांप्रतम् ।
अवाकोहि द्विजश्रेष्ठ स्वल्पमन्नमवैमहि ॥ ४८ ॥
इतिहासप्रियपथैर्वसंति मृगपक्षिणः ।
नाहं सत्कृतमाहर्तुं याभ्येनमिचाब्रवीत् ॥ ४९ ॥
तमेवं वादिनं ध्यात्वा पुरुषं परमेश्वरम् ।
प्रोवाच मुनिशार्दूल त्विदं वचनकोविदः ॥ ५० ॥
नाहं भातिमर्हयामि पूजयामि तवानघ ।
आत्मा वै सर्वतो ह्येव सर्वप्राणिषु संस्थितः ॥ ५१ ॥
आत्मानं त्वमहं दृष्ट्वा पूजयामि परं शिवम् ।
सर्वत्र संस्थितं मत्वा पुरुषं परमेश्वरम् ॥ ५२ ॥
तिर्यक्त्केनहि मे कुत्सा तद्विदेषु विशेषतः ।
सर्वदेवेषु देव त्वं तपः शौचं परायणम् ॥ ५३ ॥
पूजयाम्यहव्यग्रस्तत्पत्रनिःसंशयोभवत् ।
कृमिकीटाश्च सर्पाश्च श्वपाकेषु द्विजातिषु ॥ ५४ ॥
यदा सर्वगतो ह्यात्मा तदा कुत्सा कदाचन ।
नहि मे कुत्सितो भद्र त्वमेवमवकुत्सितः ॥ ५५ ॥
भुंक्ष्व सत्कृतमन्नं त्वं पावयामास्मनुग्रहः ।
एवमुक्तो द्विजेंद्रश्च श्वपाकप्रतिमां तदा ॥ ५६ ॥

गृहं ततः स्वविप्रस्य तस्यानुग्रहलिप्सया ।
कथं भावरुचेस्तस्य ह्यतिथेरेव पूजने ॥ ५७ ॥
आतिथ्यं विदिशां चक्रे भावशुद्धेन चेतसा।
मूर्तिमान्सभवत्प्रीतो भोजितो हव्यवाहनः ॥ ५८ ॥
प्रददावीप्सितं तस्मै भोगैश्वर्यमनुत्तमम् ।
संयोगपरमं प्राप्य शुद्धवृत्तिर्द्विजोत्तमः ॥ ५९ ॥
अविमुक्तो महात्मा तु प्राप्तवानमृतं पदम् ।
तथैव कपिलः सिद्धस्तत्त्ववित्परमो मुनिः ॥ ६० ॥
एवमार्जवसंपन्नो ब्राह्मणः कृतलक्षणः ।
न किंचित्तु महादेवि शुभाशुभतरं पदम् ॥ ६१ ॥
एतत्ते कथितं नगेंद्रतनये माहात्म्यमन्यत्परम् ; -
ये श्रोष्यंति पठंति विद्धि सततं सिद्धाः शुचिमानसाः ।
पुण्यं सौख्यमथास्तु ते शिवफलं तेजोबलं पुष्टिदम् ;
रोगघ्नं शिवपादभक्तिसुलदं पुत्रप्रदं सर्वदा ॥ ६२ ॥
माहात्म्यमेतत्कथितं यथा वै महामहीध्रेंद्रसुते द्विजानाम् ।
दुष्टप्रभावामयते द्विजेंद्रा माहात्म्यमेतत्पृदमप्यवायुः ॥६३॥
द्विजमाहात्म्यमुलक्ष्य पार्वतीपरमेश्वरौ ।
बभूव दश संवादाः पुण्यपापभयापहाः ॥ ६४ ॥
ये चान्ये त्वंतु दशयाया पाराशर्यतपोधनाः ।
श्रोतव्यं मन्यसे मत्तु नतत्पृच्छ समाहितः ॥ ६५ ॥

इति श्रीस्कंदपुराणे आदिरहस्ये सह्याद्रिखण्डे शिवगणेशसंवादे चतुःषष्टितमोऽध्यायः ॥ ६४ ॥

अथ पंचषष्टितमोऽध्यायः ।

व्यास उवाच । भगवन् यत्त्वया प्रोक्तं नाडीचक्रस्य निश्चयम् ।
प्राप्य पाशुपतं योगं ब्रह्माद्याः सुरसत्तमाः ॥ १ ॥
लेभिरे परमं तत्त्वं ज्ञानेनापि महामुने ।
तन्मे कथय भक्ताय शिष्याय परिपृच्छते ॥ २ ॥
कीदृशं तत्परं योगं ज्ञानं पाशुपतं परम् ।
सनत्कुमार उवाच । ब्रह्माद्या देवता व्यास दक्षयज्ञे हतेश्वराः॥३॥
शंकरं शरणं जग्मुर्वीरभद्रभयार्दिताः ।
गणेंद्रैरभिमुक्तास्ते भस्मकूटे विरेजिरे ॥ ४ ॥
प्रमथा भस्म चादाय तेजसा सुरसत्तमम् ।
अभवंस्ते ततो रौद्राः पशवो दीक्षितापि वा ॥ ५ ॥
भस्मभूषितमात्राणां शंकरव्रतचारिणाम् ।
पुंयोगं च ददौ तेषां तदा देव उमापतिः ॥ ६ ॥
सर्वासां मोक्षविद्यानां ये नृणामितिहोच्यते ।
हिरण्यगर्भप्रमुखैर्योगमुख्यैः प्रवर्तिता ॥ ७ ॥
यो योगासकलो ह्यास सकृच्छ्रः पापसाधनः ।
जन्मांतरसहस्रैस्तु तमभ्यस्य महामुने ॥ ८ ॥
प्राप्नुवंति नरा ज्योतिर्योगैश्वर्यमथापि वा ।
योयं भगवता साक्षाद्योगो माहेश्वरः परः ॥ ९ ॥
तत्त्वतः कथितस्तेषां प्रपन्नानां दिवौकसाम् ।
अस्य सम्यक् परिज्ञानादनेनैव तु जन्मना ॥ १० ॥
व्रतं पाशुपतं प्राप्य षण्मासाज्ज्ञानवान् भवेत् ।
योगैश्वर्यमहाध्यासं यदा प्राप्य विषज्जते ॥ ११॥
यच्च कर्तृबहिः कृत्वा निष्फलस्य प्रभावतः ।
दीक्षां पाशुपतीं प्राप्य प्रविशंति महेश्वरम् ॥ १२ ॥

सर्वज्ञानसमायुक्तं तपोधर्मनमस्कृतम् ।
ततो योगमहं प्राह महदैश्वर्यमश्नुते ॥ १३ ॥
तस्य ग्रहणमात्रेण सर्वधर्मप्रमोचनम् ।
मुच्यते पृच्छमात्रस्तु ब्रह्महत्यादिपातकैः ॥ १४ ॥
दहेत्तृणं यथा वन्हिरिंधनं मानसं विदुः ।
कृताकृतं दहेत्सर्वं भूमिसोमसहावृतः ॥ १५ ॥
भस्मना मोहिताः सर्वे ब्रह्माद्या ह्यभिमानिनः ।
तन्मृतंस्तेजसा वीर्यं तस्मात्पावनमीश्वरम् ॥ १६ ॥
आत्मानं शंकरे न्यस्य यत्स्नानं भस्मसाद्भवेत् ।
भस्मना शिवयोगेन मुच्यते पाशबंधनात् ॥ १७ ॥
प्रभवंति सुराः सोमात्पितरो वन्हिसंभवाः ।
अग्निसोमात्मकं तस्माज्जगत्सर्वं प्रतिष्ठितम्॥ १८
ईश्वरो ह्यग्निसोमश्च तस्मात्तत्तेज उच्यते ।
तेजसा तस्य संस्पृष्टः शुद्धते किल्बिषाद् द्विज ॥ १९ ॥
सांख्यविद्यां तपश्चैव त्यक्त्वा धर्मांश्च वैदिकान् ।
केवलं भस्मसंच्छनाः प्रभो गच्छंति तत्पदम् ॥ २० ॥
विषाद्यानपि संसेव्ये बहुधर्मरतोपि सन् ।
पश्चाद्भक्तिपरः शंभोर्भस्मनैव हि शुद्ध्यति ॥ २१ ॥
आत्मानं च पशुं कृत्वा महादेवं हुताशनम् ।
दीक्षितो ब्रह्मभस्मभ्यां ब्रह्म त्वहंमतिर्भवेत् ॥ २२ ॥
शीघ्रमेव परं योगं प्राप्य मुच्यति बंधनात् ।
एवं व्रतं महाप्राज्ञ शूरः पाशुपतो मुनिः ॥ २३ ॥
इदं पाशुपतं ज्ञानं गुह्यं परममभ्यसेत् ।
ज्ञेयं ज्ञानं तथा ब्रह्म तं वंदे च यथेप्सितम् ॥ २४ ॥
आत्मा परात्मा चात्मा च स्थानत्रयसमन्वितम् ।
नाडीषु यच्च गुह्यात्मा ह्यात्मन्येवावतिष्ठते ॥ २५ ॥

सर्वेषु सर्वभूतेषु गूढोस्ति ऋण्यशेखरः ।
पयःसिद्धघृतं व्यास तं विदित्वा तु मुच्यते ॥ २६ ॥
तेजसा तमसंमृष्टो मुच्यते यस्य वै द्विज ।
वसते सतमीशानं सम्यगात्मा कथंचन ॥ २७ ॥
रूपशब्दरसानीतं वसते तमहेश्वरम् ।
तस्य ह्यहं महाभाग प्रसादाद्यस्य कस्य वः ॥ २८ ॥
आत्मानात्मपरायां च कथयामि तया सह ।
सर्वमेव तमः पूर्वमिदमासीज्जगत्किल ॥ २९ ॥
न देवा नापि मुनयो न सूर्यश्चंद्रतारकाः ।
न किंचिद् दृश्यते सर्वं जगच्च गच्छति स्थितम् ॥ ३०
शुद्धं महद्यदाधत्त स एषः परमेश्वरः ।
सर्वभावगुणातीतो निर्विकल्पो निरंजनः ॥ ३१ ॥
वहिरंतश्चरं दीप्तमचलं च स्वयंप्रभम् ।
यथा तदक्षरं ब्रह्म वृध्यमानं तथा शृणु ॥ ३२ ॥
ॐमित्येकाक्षरं पूर्वं क्षतस्माद्विनिर्गतम् ।
अक्षरश्च ममात्राच ह्योंकारो ब्रह्म शस्यते ॥ ३३ ॥
अकारे तत्र विष्णुश्च ह्युकारे तु पितामहः ।
मकारे भगवानीशस्त्रयश्चापि प्रकीर्तिताः ॥ ३४ ॥
ब्रह्मविष्णुस्थितौ यौ तु देवौ निश्वासनिर्गतौ ।
प्रकृतिं च समास्थाय नित्यतो विशपश्यतौ ॥ ३५ ॥
पत्नीरूपेण सा शक्तिर्जगतः प्रकृतिः पुनः ।
क्षरं च प्रकृतिः ख्याता ह्यक्षरः स्वयमीश्वरः ॥ ३६ ॥
ईश्वरात्प्रकृतिर्जाता जगदेतद्विमोहिनी ।
ब्रह्मत्वाद्बृहती श्यामा विष्णुत्वाद्विभवाच्च सा ॥ ३७ ॥
साचोमानामदृष्टा वै भक्तो यस्या महेश्वरः ।
अष्टपदी त्रिपदी च पंचदेहमुखी तथा ॥ ३८ ॥

त्रिनेत्रा पंचकर्मस्था सप्तद्वीपा रथोत्तमा ।
उभे शुभाशुभे तस्या विद्याविद्ये तथा शुभे ॥ ३९ ॥
उभयोरप्रमेयश्च कृपानुग्रहमेव च ।
निमित्तं भवने याने नराः संक्षेपतस्त्वमी ॥ ४० ॥
ईश्वराज्जात ह्योंकारः स च तस्मिन्प्रतिष्ठितः ।
ततः कृत्वा महायोगं योगिनः कपिलादयः ॥ ४१ ॥
अकारं परमं ब्रह्म निःकल्पत्वमुपासते ।
सर्व एव गुणो ह्यात्मा कारणं च स एव तु ॥ ४२ ॥
एवं प्रकृतिसूतौ तावोंकारप्रभवौ स्थितौ ।
ईशभोज्यौ गुणात्मानौ कृत्वा विष्णुपितामहौ ॥ ४३ ॥
उत्सृष्टौ वेदयज्ञाख्यौ त्यक्त्वा धर्मनिबंधनौ ।
महामोहौ तमोविष्टौ विषयासंगयुंजतौ ॥ ४४ ॥
ईश्वरः सर्ववेत्ता च ध्यानयोगपरासनः ।
तस्मात्प्रकृतिरुत्पन्ना तस्मिन्नेव प्रणश्यति ॥ ४५ ॥
येन सर्वेश्वरो भिन्नै नेगेनात्मनि संस्थिना ।
प्रकृतिस्तं न बध्नाति मुच्यते स भवार्णवात् ॥ ४६ ॥

इति श्रीस्कंदपुराणे आदिरहस्ये सह्याद्रिखण्डे व्याससनत्कुमार-
संवादे योगविधिर्नाम पंचषष्टितमोऽध्यायः ॥ ६५ ॥

अथ षट्षष्टितमोऽध्यायः ।

व्यास उवाच । भगवन्सर्वयोगेश सर्वामरनमस्कृत ।
अहो ज्ञानं तवाख्यातमज्ञानस्य निवर्त्तनम् ॥ १ ॥
अद्य मे गतसंदेहो महादेव परं प्रति ।
शंकरप्रकृतिं ज्ञात्वा ह्यहं विष्णुस्तदात्मकौ ॥ २ ॥

ज्ञात्वा सिद्धं तमीशानं मुच्यते बंधनादिति ।
सर्वयोगं तथा सर्वं त्यक्त्वा सकलसंहितम् ॥ ३ ॥
श्रवणादस्य विप्रेंद्र देहमुक्तमथापि वा ।
ते प्रसादाद् दहंति स प्राप्तज्ञाना गताशुभाः ॥ ४ ॥
निःसंदेहो भवस्यातः प्रष्टव्यं किंचिदस्ति मे ।
तथापि ज्ञापये शीघ्रं निष्ठामाख्यातुमर्हसि ॥ ५ ॥
एवं विज्ञानसंपन्नः प्राप्तयोगो मुनिर्मुने ।
विना क्लेशं तु त्यक्तायां योगी योगबलान्वितः ॥ ६ ॥
कथमाप्नोति तद्ब्रह्म निष्कलं परमेश्वरम् ।
ईश्वरं धनसंप्राप्तमुपायं मोक्षलक्षणम् ॥ ७ ॥
कथयस्व मुनिश्रेष्ठ प्रष्टव्यं नान्यदस्ति मे ।
एवमुक्तः सशिष्येण व्यासेन सुमहात्मना ॥ ८ ॥
सनत्कुमारः प्रोवाच शिवभक्तिपरायणः ।
सनत्कुमार उवाच । कथयाम्येष विप्रेंद्र शिवसिद्धांतनिश्चयः ॥ ९ ॥
ईश्वरज्ञानसंप्राप्तमुपायं मोक्षलक्षणम् ।
स्वेच्छया येन मुच्यंते योगिनो ज्ञानतत्पराः ॥ १० ॥
त्रिधोक्तां तु मां ज्ञात्वा मुहुरभ्यस्य चैव हि ।
स्वदेहं विषवत्त्यक्त्वा सिद्धिं वै ह्याप्नुयात्तु सः ॥ ११ ॥
या नाड्यः पुरदृष्टो वा प्रवरंति शरीरिणः ।
स तु तासां शतानां तु कर्णिकामध्यमास्थितः ॥ १२ ॥
तथाऽश्रित्य स नाडीनां यः पदेषु च संस्थितः ।
ताश्च नाड्यो वहिःसंगादंतं कुर्वंति विस्मृतम् ॥ १३ ॥
तत्तेजश्चक्षुरारक्तं सर्वनाडीसमाश्रितम् ।
मन एकत्व मे कुर्यात्तया ह्यात्मा निवेदयेत् ॥ १४ ॥
नाड्यर्जुनं च यो नाम्ना यो योगीष्पूरयते सदा ।
त्रीणि तस्य मुख्यान्याहुः सैरोनाडी त्वदि स्थिता ॥ १५ ॥

इमे प्राणास्तवाख्याता वायवः कीर्तिता मया ।
धनंजयस्तु ते सर्वे वशगास्त्वधिबंधनाः ॥ १६ ॥
तद्वशात्सर्वमन्ये ते तस्मिंस्तिष्ठंति संस्थिताः ।
नाभीसदनमासाद्य नाडीचक्रं समाश्रिताः ॥ १७ ॥
द्वितीयं कर्णिकायां तु तृतीयं भानसंज्ञितम् ।
सरिकापरशूमूलं त्रिविधोक्तानि रुच्यते ॥ १८ ॥
मूलं द्विक्षरनाड्यश्च ततः परशिरोस्थिताः ।
तालुके हि विवृद्धश्च पद्मनाभो व्यवस्थितः ॥ १९ ॥
भानौ वियौ स्थितः सर्वे प्राण एवं विमुंचति ।
अक्षिपत्रसमं नाड्यां कर्णिकायां नियोजितः ॥ २० ॥
चित्तमात्मनि संयोज्य वीक्षितः पूर्वतो मनः ।
प्रयोगादस्य विप्रेंद्र तत्क्षणान्मुनिसत्तमः ॥ २१ ॥
धर्माधर्मनिबंधैश्च कर्मभिः प्राणसंस्थितैः ।
यथा जीवो न बाध्येत योगिनस्तदिदं शृणु ॥ २२ ॥
बाह्यः शरीरजश्चैव मृत्युर्विधिः स उच्यते ।
विषसंगादियोगैश्च सर्वदंष्ट्रे शरीरकैः ॥ २३ ॥
बाह्यो मृत्युरिति ख्यातः शरीरं तु निबोधने ।
रोगजः कालयो वापि मृत्युरभ्यंतरे भवेत् ॥ २४ ॥
कालजो जरया त्यक्तो रोगिणो व्याधिरुच्यते ।
दुर्लभो मृत्युरहितो भोगसंधानजो मुनिः ॥ २५ ॥
योगोपायः कृतो यश्च यश्च कल्पोक्षयोगवः ।
तयोर्भेदत्वकारौ च शृणु व्यास समासतः ॥ २६ ॥
कालक्षेपाद् द्रवेदेको द्वितीस्यतमसि स्थितः ।
योगमाकाशतः शब्दः श्रूयते श्रोत्रसंधिजः ॥ २७ ॥
स पूर्वं नीयते कूर्मे तनवद्रिण्यजेन्महा ।
निष्प्रभास ततो वक्तिः शब्दयोगाद्विमुच्यते ॥ २८ ॥

शब्दस्पर्शे गुणातीते रूपयोगं विमुंचति ।
एषमग्नौ प्रविष्टेत्तु सर्व एवानिलस्ततः ॥ २९ ॥
एकतो योगमिच्छंतो मर्माणि विनिकृंतति ।
कौर्मारो देवदत्तश्च कृकरो नान्य एव च ॥ ३० ॥
उदानो नाम संयुज्य कर्णिकायां वसंति हि ।
अत ऊर्ध्वं भवेद्वानौ मनो जीवयतिर्निनो ॥ ३१ ॥
इंद्रियाणि मनोयाति मत्तः प्राणो विनिर्गतः ।
स तु सर्वेषु लीनेषु प्राणवायुं निपीडयेत् ॥ ३२ ॥
पीड्यमानास्ततः सर्वे भवंत्येकशतानिलाः ।
सुसंयुक्तं यतःस्थानं ततः कर्मप्रदायकः ॥ ३३ ॥
एकस्था वायवः सर्वे सूरयंति धनंजय ।
शेषस्तदीयः कूर्मारस्तावीह्यकासतिष्ठति ॥ ३४ ॥
एककालकृता देवाः सदा भूतगुणस्थिताः ।
विना योगं न जीयंते सूक्ष्मं माहेश्वरं पदम् ॥ ३५ ॥
उपविष्टः प्रसुप्तो वा मुक्तस्तस्मान्न संशयः ।
स्वच्छंदान्मुच्यते व्यास ज्ञात्वा न तं महेश्वरम् ॥ ३६ ॥
क्षुरिकां परशुं वापि शूलं वा धारयन्मुनिः ।
ततः सर्वे बलीयंते विकाराः करणेन सा ॥ ३७ ॥
सरजो मोहमापन्नो ज्ञानिनस्तु न विंदति ।
अनेन कर्मणा विप्र सर्वदुःखविवर्जितः ॥ ३८ ॥
कथमारोहयंतीह हर्म्यपृष्ठमतःपरम् ।
न पंच विषयान्दृष्ट्वा विज्ञाय परिनिष्ठिताः ॥ ३९ ॥
तत्त्वभिन्नः श्वभिः पूतो भस्मना ह्यभितो द्विजः ।
शंकरैकमना योगी दानमेतदविश्नुते ॥ ४० ॥
परावरमिदं योगं निष्फलं मुक्तिलक्षणम् ।
यत्नादपि न मुंचंति व्रतमप्राप्य शंकरम् ॥ ४१ ॥

सर्वेशानप्रबुद्धेन नेह प्रापुः कृतव्रताः ।
महादेवपरो भूत्वा स्थानमंतमवाप्नुहि ॥ ४२ ॥
एवमेतत्परं ब्रह्म ह्यन्ये विंदंति योगिनः ।
महादेवप्रसादेन ते मुक्ताः शिवयोगिनः ॥ ४३ ॥
एवं मोक्षविधिं कृत्स्नं सर्वप्रत्ययवर्जितम् ।
निष्फलः कथितो व्यास परं यस्य च विद्यते ॥ ४४ ॥
एवं पाशुपता विप्रा निष्कलंकं महेश्वरम् ।
योगादिविश्य मुंचंत पुनर्जन्मविवर्जितः ॥ ४५ ॥
सकलस्यास्पदं दिव्यं ब्रह्मलोकपरं पदम् ।
महादेवस्य पश्यामि तद्भक्तायनयातिभिः ॥ ४६ ॥

इति श्रीस्कंदपुराणे आदिरहस्ये सह्याद्रिखंडे व्याससनत्कुमार-
संवादे षट्षष्टितमोऽध्यायः ॥ ६६ ॥

अथ सप्तषष्टितमोऽध्यायः ।

सनत्कुमार उवाच । सत्यं समाहतश्चैव जनस्य तमसस्तथा ।
भूतभव्यभवंता च सत्यानां पूर्वतस्तथा ॥ १ ॥
लोकं भागवतः शंभो यत्रास्ते सकलः शिवः ।
व्यासो व्यक्तिविनिर्देश्यो लोके तस्मिन्न तिष्ठति ॥ २ ॥
तिर्यगूर्ध्वमधस्ताच्च लोकास्तद्विनिबंधनाः ।
ब्रह्मांडं सकलं तस्मिन् शिवलोके प्रतिष्ठितम् ॥ ३ ॥
न सो नश्यति संहारे ध्रुवस्थाणुसुरादयः ।
यत्राहि सकलाद्याश्च ब्रह्मा चैव पितामहः ॥ ४ ॥
वालखिल्यपुरोगाश्च सिद्धाश्च कपिलादयः ।
शिवयोगमनुप्राप्ताः सिंहादिगुणवर्जिताः ॥ ५ ॥

निष्कामनिवृता व्यास शिवमासीनमीश्वरम् ।
परमेश्वरसिंहो मे भावगम्यो मनीषिणाम् ॥ ६ ॥
परमैश्वर्यसंयुक्तं तत्रास्ते लय ईश्वरम् ।
क्षमा सत्यं दमश्चैव तपो वैराग्यमेव च ॥ ७ ॥
प्रस्थुमाज्ञास्तपो भूत्वा ह्यात्मबोधितमीश्वरम् ।
असंख्याताः परे तस्मिन्नित्या मुक्तस्तथाव्यया ॥ ८ ॥
आज्ञाधिकारधर्माण्यशौचाः प्रकृतयः स्मृताः ।
यस्यां याते महेशानो ब्रह्मा विष्णुः प्रजापतिः ॥ ९ ॥
ताभ्यां प्रकृतिभूताभ्यामृष्यर्थं परमं ययौ ।
अभयं विमलः सूक्ष्मो निष्कलत्वकलोपि च ॥ १० ॥
अतः परं परे दिव्ये धनमानुपदे स्थितः ।
मनसा प्राक्तनस्यादौ तत्तेजः संप्रकाशकः ॥ ११ ॥
यदासीद्धैमअंडं च लौकिकं चापवार्गिकम् ।
महांतं सर्वतो नित्यमीश्वरस्य समाप्नुयात् ॥ १२ ॥
तस्मादित्यस्य निर्भेदो क्षेत्रज्ञः सविभू स्मृतः ।
प्रकृतौ वैष्णवी प्रोक्ता सा च तस्माद्विनिर्गता ॥ १३ ॥
अंडस्य पूरको ब्रह्मा कंबुस्था त्यज्यते पुरम् ।
यस्थानविग्रहः सम्यक् रुद्रस्य परमात्मनः ॥ १४ ॥
नाम्ना शिवपुरं व्यास गतिरीश्वरयोगिनाम् ।
शतं शतसहस्राणां कोटिमानं तदुच्यते ॥ १५ ॥
महीमंडलसंस्थानं तन्मध्ये विस्मृतं स्मृतम् ।
शरदो दिव्यरूपेण ह्यहरादित्यतेजसा ॥ १६ ॥
तेन स्फटिकयुक्तेन प्राकारणे सुवेष्टितम् ।
चतुर्भिर्हेमजैर्द्वारैर्मणिमुक्ताविभूषितैः ॥ १७ ॥
शोभितं तत्पुरं रम्यं शुशुभे शुद्धसेवितम् ।
अपमृत्युसमं व्याधिकाममोहमहाभयात् ॥ १८ ॥

एते तत्र न विद्यंते तस्मिन् शिवपुरे मुने ।
शतं शतसहस्राणां योजनानां तथा दिशम् ॥ १९ ॥
तत्पुरं वृषभंगस्य सर्वस्यापि समृद्धिमत् ।
शिलासनं च तद्भूमौ स्पर्शमात्रं सुखावहम् ॥ २० ॥
विमलं दुर्विकासानि वल्मीकसदृशानि च ।
क्वचिद्रक्तानि पद्मानि क्वचित्कृष्णानि रेजिरे ॥ २१ ॥
महाप्रवालानि तथा मणिवैडूर्यसन्निभैः ।
एवं वतिमहार्हानि विन्यस्तानि महीतले ॥ २२ ॥
इंद्रनीलानि संकाशनिशामणिनिभानि च ।
केचित्कृष्णार्धरक्तानि दिव्यगंधवहानि च ॥ २३ ॥
प्रविशंति भृशं तस्मिन्नुदकं चामृतोपमम् ।
पुरे भगवतः शंभो पाराशर्य निबोधत ॥ २४ ॥
वरदा च वरेण्या च वारणा वरवर्णिनी ।
वनवाहारिभद्रा च पुरा चैव महापगाः ॥ २५ ॥
नानाकुसुमसंमिश्रं तावहं विजलामृतम् ।
न सिद्धाश्च मुनींद्राश्च नासुराः पितरस्तथा ॥ २६ ॥
न च वाद्य महेशस्य ज्ञातुं तत्परमाद्भुतम् ।
अंतर्भावविशुद्धाय सर्वतो भक्तिभाविताः ॥ २७ ॥
शिवैकमनसो व्यास तस्मिन्वै भ्राजते नरः ।
तस्य मध्ये सुरेशस्य सूर्यज्वलनवर्चसः ॥ २८ ॥
मेरुशृंगप्रतीकाशो हस्यते परमं प्रभा ।
अनिरीक्ष्यो महाबुद्धेः समंतात्परिशोभितैः ॥ २९ ॥
सोमवैडूर्यसंकाशैर्गिरींद्रनिलयैः पुरा ।
शशिरश्मिप्रकाशाभिः शोभितं तत्प्रकाशिभिः ॥ ३० ॥
विरराज मुखानीलं सर्वत्र कुसुमैः स्थितैः ।
शुशुभे तत्पुरं कीर्णं पादपैः कामगैर्युतम् ॥ ३१ ॥

यथैव कांचनो मेरुः सर्वेषां प्रवरो महान् ।
तथैव तत्पुरं रेजे सर्वलोकपरिस्थितम् ॥ ३२ ॥
तत्र विश्वेश्वरं साक्षान्महात्मा तत्परिग्रहात् ।
सदास्ति सहपत्न्या च द्विपदः परमेश्वरः ॥ ३३ ॥
लक्ष्मीर्मेधा धृतिश्चैव श्रीकीर्तिश्च सरस्वती ।
उमयासहितास्तत्र मोदंते लोकमातरः ॥ ३४ ॥
तास्ता मुनीश्वरा दिव्या रूपयोगसमन्विताः ।
गणेशैः सह मोदंते देवताः सहिता मुने ॥ ३५ ॥
गणानामादि पात्रं तु कुब्जावामनरूपिणः ।
कामरूपा महानेता महायोगपरायणाः ॥ ३६ ॥
प्रमथानां महात्मानः संतु तिष्ठंति सुव्रत ।
महाकालेश्वरस्तत्र नंदीश्वर गणेश्वरः ॥ ३७ ॥
गृहीत्वा यदि देवौ च सदेवाधारिपार्षदौ ।
जया च विजया चैव दिव्ययोगबलान्विता ॥ ३८ ॥
देव्याः पार्श्वे स्थिता नित्यमसिहस्ते महाबले ।
ककुदी च महानादो तदानीश्वरवाहनः ॥ ३९ ॥
तत्रास्ते मेघसंकाशो गोपतिः कामरूपधृक् ।
पद्यशक्तिधरः श्रीमानपि पार्श्वे व्यवस्थितः ॥ ४० ॥
सावश्चैव पिसाखश्च नैगमेयश्च सुव्रत ।
कुमारस्य स्थिताः पार्श्वे लोकानुग्रहहेतवः ॥ ४१ ॥
दश सूर्यसहस्राणि रविमूर्ते जगत्पते ।
शार्दूलाः कांचनास्तत्र सहाश्च रजतप्रभाः ॥ ४२ ॥
प्रभाता मणिकल्पानां महायोगबलाकता ।
असंख्यातस्थिताः कोट्यो रुद्राणां चैव भूयताम् ॥ ४३ ॥
सूरयो देवदेवस्य योगो योगमयो महान् ।
सर्वलोकमयो दीप्तो व्रह्मास्मीति जगत्सृजः ॥ ४४ ॥

एकादशेंद्रियाणीयं सर्वाशुभनिवर्त्तने ।
सर्वभावान्वितात्मानो ये योगा रुद्रतत्पराः ॥ ४५ ॥
तत्र तत्रामृतं व्यासो शेषं तत्र तदा मृतम् ।
ये च माहेश्वर व्यास तिष्ठंते शंकरालये ॥ ४६ ॥
अन्ये ये शंकराभक्तास्तान् शृणुष्व महामते ।
अहं सनंदनश्चैव सनकश्च सनातनः ॥ ४७ ॥
स तु ब्रह्मा स तु ज्येष्ठो नरनारायणावपि ।
कपिलो वसतां सिद्धश्चेंदुः पंचशिखस्तथा ॥ ४८ ॥
मूर्तिर्हयशिरा यश्च याज्ञवल्क्यादयस्तथा ।
अशयश्च सधर्माणः परमैश्वर्यसंयुताः ॥ ४९ ॥
तीर्थानीश्वर शूलं तु गुणातीता दिदृक्षवः ।
परिसंख्यातकाले तु ह्यन्यत्रलयसंज्ञके ॥ ५० ॥
ईश्वरीं तनुमाविश्य प्रत्युवाचापराण्हिकम् ।
महाकालेश्वरश्चैव गोकर्णश्च तथापरे ॥ ५१ ॥
अविमुक्ते च ह्योंकारं येन दृष्टं महामुने ।
तेपि यांति मृताकाले पुरे च गिरिजापते ॥ ५२ ॥
योगपार्श्वगतो यस्य मया ते परिकीर्तितः ।
व्रतं पाशुपतं प्राप्य सोपि तत्र प्रवर्तते ॥ ५३ ॥
भक्तिर्येषां भवेन्नित्यं कृता या तु न सत्तम ।
मृता शिवपुरे व्यास भिक्षाया दशपाणयः ॥ ५४ ॥
नंदीशस्कंदसंकाशा योगैश्वर्यसमन्विताः ।
रुद्रा भवंति विप्रेंद्र सदा शंकरचंद्रमाः ॥ ५५ ॥
एतत्ते कथितः सर्वो योगो माहेश्वरः परः ।
भक्तश्च सकलं चैव यज्ज्ञात्वा परमेश्वरः ॥ ५६ ॥
सर्वबंधविनिर्मुक्तः परं मोक्षमवाप्स्यसि ।
भविष्यशिवयोगार्थे ज्ञानस्यास्य प्रभावतः ॥ ५७ ॥

जगत्स्थितिकरो योगी स्मार्त्तधर्मप्रवर्त्तकः ।
स तु सह्यस्थितं प्राप्य ब्रह्मांडोद्भूततांगणे ॥ ५८ ॥
स्थिरधर्मनिरोधार्थं देवमेकं स्वयं भुवं ।
विज्ञानात्तमनुस्मृत्य चतुर्धा विकरिष्यसि ॥ ५९ ॥
मन्वंतरमिदं कृष्ण वैवस्वतमनिंदितम् ।
मयि कश्चित्करोधर्मो वेदस्मृतिपुरोगमः ॥ ६० ॥
त्वत्तश्च प्रचरिष्यंति तीर्थकृत्वा भविष्यति ।
एवमुक्ते तदा व्यासमुनिना ब्रह्मणा मुने ॥ ६१ ॥
उपसेव्य मुनींद्रस्त्वं मा संस्कारमवाप्तवान् ।
तत्क्षणाद्यस्य योगोसौ प्रादुर्भूतो महामुने ॥ ६२ ॥

इति श्रीस्कंदपुराणे आदिरहस्ये सह्याद्रिखण्डे व्याससनत्कुमार संवादे सप्तषष्टितमोऽध्यायः ॥ ६७ ॥

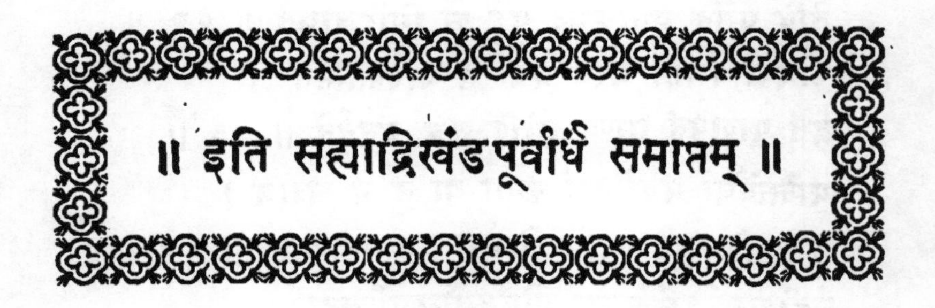

॥ इति सह्याद्रिखंडपूर्वार्धं समाप्तम् ॥

॥ ॐ नमो भगवते वासुदेवाय ॥

स्कंदपुराणांतर्गतम् सह्याद्रिखण्डम्

उत्तरार्ध

अथ प्रथमोऽध्यायः ।

चित्पावनब्राह्मणोत्पत्तिः ।

स्कंद उवाच । ब्राह्मणा दशधा प्रोक्ताः पंचगौडाश्च द्राविडाः ।
तेषां सर्वेषां चोत्पत्तिं कथयस्व सुविस्तरम् ॥ १ ॥
महादेव उवाच । द्राविडाश्चैव तैलंगाः कर्नाटा मध्यदेशगाः ।
गुर्जराश्चैव पंचैते द्राविडाः पंच कथ्यते ॥ २ ॥
सारस्वताः कान्यकुब्जा उत्कला मैथिलाश्च ये ।
गौडाश्च पंचधा चैव दश विप्राः प्रकीर्तिताः ॥ ३ ॥
त्रिहोत्रा ह्यग्निवैशाश्च कान्यकुब्जाः कनोजयाः ।
मैत्रायणाश्च पंचैते पंच गौडाः प्रकीर्तिताः ॥ ४ ॥
ब्राह्मणा दशधा चैव ऋषिह्युत्पत्तिसंभवाः ।
देशे देशविधाचारा एवं विस्तारिता मही ॥ ५ ॥
सर्वेषां ब्रह्म गायत्री वेदकर्म यथाविधि ।
षट्कर्मविधियुक्ता न तत्र कार्या विचारणा ॥ ६ ॥
भुंज्याश्च भोजनीयाश्च सर्वदेशेषु ब्राह्मणाः ।
योनिसंबंधकृत्यं च स्वशाखासूत्रसंज्ञया ॥ ७ ॥
चर्मांबुगुर्जरे चैव देशदोषः प्रकल्प्यते ।
दक्षिणे दासीगमनं दोषश्चैव महाद्भुतः ॥ ८ ॥

न दंतधौतं कर्नाटे काश्मीरे पटमार्जकः ।
तैलंगे गोवाहनं च प्रातरन्नं तु द्राविडे ॥ ९ ॥
एवं देशे च दोषाश्च स्वदेशे च प्रकल्प्यते ।
गुर्जरी कच्छहीना तु विधवा च सकंचुकी ॥ १० ॥
त्रिहोत्राश्च कनोजाश्च मत्स्यभुङ्मांसभुंजकाः ।
कान्यकुब्जो भ्रातृगामी देशदोषाः प्रकीर्तिताः ॥ ११ ॥
यथा देशस्तथा दोषः स्वस्वदेशे प्रकल्प्यते ।
परदेशे कृतं कर्म बाध्यते चैव पातकम् ॥ १२ ॥
एवं ऋषिकुलं श्रेष्टं ब्राह्मण्यं चैव विस्तरम् ।
सर्वकर्मेषु शुद्धं च देशदोषश्च कल्प्यते ॥ १३ ॥
ब्राह्मणाः क्षत्रिया वैश्याः शूद्राश्चैवानुलोमजाः ।
प्रतिलोमा षट्कषट्कं ज्ञातिश्चाष्टादश स्मृता ॥ १४ ॥
हरिवंशे भारते च क्षेत्रं सर्वत्र विश्रुतम् ।
तत्सर्वं तु मयैवोक्तं तेऽग्रे गुह्यं च पार्वति ॥ १५ ॥
सूर्यः कश्यपगोत्रे च नेत्राद्दक्षिणतो ह्यभूत् ।
तत्सूर्याज्जायते वंशश्चिरमायुर्मुनीश्वर ॥ १६ ॥
कन्या भद्रा महद्भूता व्यतीपातं च वैधृतिः ।
यमुना चैव यत्कन्या सवर्णाचैव संभवा ॥ १७ ॥
एवं सूर्यग्रहे वंशश्चिरमायुस्ततः परम् ।
अग्रे वंशमहाश्रेष्ठमग्निवेश्यादयोपि च ॥ १८ ॥
एवं वंशमहाश्रेष्ठो धर्मरक्षककेवल ।
यदुवंशेषु संभूतो विष्णुर्धर्मार्तिहेतवे ॥ १९ ॥
मानात्त्विरिंद्रियोश्चंद्र अत्रिगोत्रसमुद्भवः ।
चंद्रायुधोभवत्पुत्रस्तस्य पुत्रः पुरूरवाः ॥ २० ॥
पुरूरवाद्विस्तरतस्सोमवंशो महाद्भुतः ।
धर्मस्य रक्षणार्थाय क्षेत्रकर्मण्यते मही ॥ २१ ॥

एवं क्षेत्रं महाराजन् शताधिकात्वशेषतः ।
रामेण निहतान्क्षत्रानेकविंशतिवारतः ॥ २२ ॥
ब्राह्मणानां ततो पृथ्वीदानं दत्वा यथाविधि ।
नवीनं निर्मिवं क्षेत्रं शूर्पारकमनुत्तमम् ॥ २३ ॥
वैतरण्या दक्षिणे तु सुब्रह्मण्यास्तथोत्तरे ।
सह्यात्सागरपर्यंतं शूर्पाकारं व्यवस्थितम् ॥ २४ ॥
शतयोजनदीर्घं च विस्तारं त्रीणि योजनम् ।
भार्गवी मिलिता पृथ्वी समुद्रात्सुखहेतुना ॥ २५ ॥
क्षेत्रं जवाधिकं काशी तस्मात्तीर्थान्वितं तदा ।
विमलं निर्मलं चैव खादिरं तीर्थमुत्तमम् ॥ २६ ॥
हरिहरेश्वरं तीर्थं मुक्तेश्वरस्तथैव च ।
वालुकेशो महाश्रेष्ठो बाणगंगा सरस्वती ॥ २७ ॥
तस्यास्तु दक्षिणे भागे कुशस्थलिरुदाहृता ।
मठग्रामं तथा चान्ये गोमांचलस्तथैव च ॥ २८ ॥
तत्रैव स्थापितं तीर्थं गोरक्षं च कुमारिजम् ।
रामकुंडं कुड्मलं च प्राचीसिद्धं गुणोपमम् ॥ २९ ॥
एवं क्षेत्रं महादेवि भार्गवेण विनिर्मितम् ।
तन्मध्ये तु कृतो वासः पर्वते चातुरंगके ॥ ३० ॥
श्राद्धार्थं चैव यज्ञार्थं मंत्रिताः सर्वब्राह्मणाः ।
नागता ऋषयः सर्वे क्रुद्धोभूद्भार्गवो मुनिः ॥ ३१ ॥
मया नूतनकर्त्रा वै क्षेत्रं नूतननिर्मितम् ।
नागता ब्राह्मणाः सर्वे कारणं किं प्रयोजनम् ॥ ३२ ॥
ब्राह्मणा नूतनाः कार्या एवं चिन्ता ननुग्रहम् ।
सूर्योदये तु स्नानार्थं गतः सागरदर्शने ॥ ३३ ॥
चितास्थाने तु सहसा ह्यागतांश्च ददर्श सः ।
का जातिः कश्च धर्मश्च क स्थाने चैव वासनम् ॥ ३४ ॥

कथयध्वं च संस्थाप्य कारणं तस्य विद्यते ।

कैवर्तका ऊचुः।ज्ञातिं पृच्छसि हे राम ज्ञातिः कैवर्तकीति च ॥३५॥

सिंधुतीरे कृतो वासो व्याधधर्मविशारदाः ।

तेषां षाष्टि कुलं श्रुत्वा पवित्रमकरोत्तदा ॥ ३६ ॥

ब्राह्मण्यं च ततो दत्वा सर्वविद्यासुलक्षणम् ।

चितास्थाने पवित्रत्वाच्चित्तपावनसंज्ञकाः ॥ ३७ ॥

सर्वकाले स्मरन्नेवं कार्यार्थे चागतोस्म्यहम् ।

एवं हि चाशिषस्तेषां दत्वा तु भार्गवो मुनिः ॥ ३८ ॥

आनीता आलयश्रेष्ठस्त्रैलोक्याधिपतिः प्रभुः ।

एवं च नूतनान् विप्रान् दद्याद्गोत्राणि नामतः ॥ ३९ ॥

चतुर्दशगोत्रकुलाः स्थापिताश्चातुरंगके ।

सर्वे च गौरवर्णाश्च सुनेत्राश्च सुदर्शनाः ॥ ४० ॥

सर्वविद्यानुकूलाश्च भार्गवस्य प्रसादतः ।

गता बहुदिना देवि स्वकार्यकृतवान् स्थिताः ॥ ४१ ॥

कुचोद्यं चैवमादाय स्वामिबुद्धिपरीक्षणात् ।

अकार्यं कुरुते कार्यं स्मरते भार्गवं मुनिम् ॥ ४२ ॥

आगतस्तत्क्षणादेव पूर्वोक्तस्य च कारणात् ।

तत्रैव दृश्यते कृत्यं क्रोधितः स जगद्गुरुः ॥ ४३ ॥

शापितास्तेन ये विप्रा निंद्याश्चैव कुचित्सकाः ।

शापं च प्राप्यते तस्य कुत्सिताश्च दरिद्रिणः ॥ ४४ ॥

सेवा सर्वत्र कर्त्तार इदं निश्चयभाषणम् ।

इतिहासकथा देवि तवाग्रे कथिता मया ॥ ४५ ॥

चित्पावनस्य चोत्पत्तिरिदं चैव तु कारणम् ।

सह्याद्रेश्च तले ग्रामश्चित्तपोलननामतः ॥ ४६ ॥

तत्रैव स्थापिता विप्रा यावच्चंद्रदिवाकरौ ।

पश्चात्परशुरामेण ह्यानीता मुनयो दश ॥ ४७ ॥

त्रिहोत्रवासिनश्चैव पंचगौडांतरास्तथा ।
गोमांचले स्थापितास्ते पंचक्रोश्यां कुशस्थल्यां ॥ ४८॥
भारद्वाजः कौशिकश्च वत्सकौंडिन्यकश्यपाः ।
वसिष्ठो जामदग्निश्च विश्वामित्रश्च गौतमः ॥ ४९ ॥
अत्रिश्च दश ऋषयः स्थापितास्तत्र एव हि ।
श्राद्धार्थं चैव यज्ञार्थं भोजनार्थं च कारणात् ॥ ५० ॥
मठग्रामे कुशस्थल्यां कर्दलीनाम्नि तत्पुरे ।
तत्र देवा महाश्रेष्ठास्त्रिहोत्रपुरवासिनः ॥ ५१ ॥
आनीता भार्गवेणैव गोमांताख्ये च पर्वते ।
मांगिरीशो महादेवो महालक्ष्मीश्च म्हालसा ॥ ५२ ॥
शांता दुर्गा च नागेशः सप्तकोटीश्वरः शुभः ।
तथा च बहुला देवा भार्गवेण तु आनीताः ॥ ५३ ॥
स्थापिता भक्तकार्यार्थं तत्रैव च शुभस्थले ।
इतिहासं मया प्रोक्तं सर्वधर्मपरायणम् ॥ ५४ ॥
शृण्वतां पदमात्रेण गंगास्नानफलं लभेत् ।

इति श्रीस्कंदपुराणे उत्तररहस्ये सह्याद्रिखण्डे स्कंदेश्वरसंवादे चित्पावनब्राह्मणोत्पत्तिर्नाम प्रथमोऽध्यायः ॥ १ ॥

अथ द्वितीयोऽध्यायः ।

। काराष्ट्र ब्राह्मणोत्पत्तिः ।

स्कंद उवाच । महादेव विरूपाक्ष भक्ताभीष्टप्रदायक ।
कथयस्व महादेव काराष्ट्रब्राह्मणोत्पत्तिम् ॥ १ ॥
महादेव उवाच । शृणु पुत्र प्रवक्ष्यामि चेतिहासं पुरातनम् ।
काराष्ट्रोनाम देशोऽस्ति दशयोजनविस्तृतः ॥ २ ॥

वेदवत्याश्चोत्तरे तु कोयनासंगदक्षिणे ।
काराष्ट्रोनाम देशश्च दुष्टदेशः प्रकीर्तितः ॥ ३ ॥
सर्वे लोकाश्च कठिना दुर्जनाः पापकर्मिणः ।
तद्देशजाश्च विप्रास्तु काराष्ट्रा इति नामतः ॥ ४ ॥
पापं कर्मतो नष्टा व्यभिचारसमुद्भवाः ।
खरस्य ह्यस्थियोगेन रेतः क्षिप्तं विभावकम् ॥ ५ ॥
तेन तेषां समुत्पत्तिर्जाता वै पापकर्मिणाम् ।
तद्देशे मातृका देवी महादुष्टा कुरूपिणी ॥ ६ ॥
तस्याः पूजा यदाब्दे च ब्राह्मणो दीयते बलिः ।
ते पंक्तिगोत्रजा नष्टा ब्रह्महत्यां करोति च ॥ ७ ॥
न कृता येन सा हत्या कुलं तस्य क्षयं व्रजेत् ।
एवं पुरा तया देव्या वरो दत्तो द्विजान् किल ॥ ८ ॥
तेषां संसर्गमात्रेण सचैलं स्नानमाचरेत् ।
तेषां देशांतरे वायुर्न ग्राह्यो योजनत्रयम् ॥ ९ ॥
केवलं विषमाप्नोति पातकं ह्यतिदुस्तरम् ।
स्कंद उ० । किं गोत्रं च कथं जाताः किं नामग्रहणादपि ॥ १० ॥
कथयस्व महादेव सर्वमेव यथास्थितम् ।
ईश्वर उवाच । पुरीशमत्रिगोत्रं च कौशिकं वत्सहारितं ॥ ११ ॥
शांडिल्यं चैव मांडव्यं देवराजः सुदर्शनः ।
एवं ऋषिप्राप्तानि गोत्राणि त्वनुग्रहात् ॥ १२ ॥
संवत्सरे महानीचा ब्रह्महत्यां करोति च ।
सर्वकर्मबहिश्चैव सर्वधर्मबहिष्कृतः ॥ १३ ॥
सर्वे ते नगराद्बाह्यास्तेषां स्पर्शं न कारयेत् ।
तस्य देव्या कृतो यज्ञः सर्वत्र विजयप्रदः ॥ १४ ॥
सा देवीत्थं यवीद्विप्रान् सर्वसिद्धिं ददामि वः ।
अब्दे दीयते मां ब्राह्मणश्च सुलक्षणः ॥ १५ ॥

त्रिशेषं चैव जामाता ह्यथवा भागिनीसुतः ।
एतन्मध्ये त्रयो विप्राः पद्मयोर्नामधारकाः ॥ १६ ॥
पदमात्रं तु गायत्रीपारगाः कोंकणे स्थिताः ।
सह्याद्रिमस्तके भागे योजनं चतुर्भवेत् ॥ १७ ॥
योजनं शतविस्तीर्णं कौंकणमिति नामतः ।
देशं च केवलं नष्टं चांडालं जनसेवितं ॥ १८ ॥
तत्रैव वासकारी च पद्मयो ब्राह्मणाः खलु ।
श्राद्धे वा मौंजिकर्मे वा मांगल्ये वा सुकर्मसु ॥ १९ ॥
आगताः पद्मयो विप्राः कार्यनाशो न संशयः ।
वर्जयेत्सर्वकार्येषु सर्वधर्मविवर्जितः ॥ २० ॥
चांडालं ब्राह्मणाश्चैव न ग्राह्यं तस्य वै जलम् ।
इति कोंकणजा विप्रा दुष्टदेशे समुद्भवाः ॥ २१ ॥
कुचैलाचारहीनास्ते सर्वकार्येषु वर्जयेत् ।
उत्तमं चैव ब्राह्मण्यं मध्यदेशादयोरपि ॥ २२ ॥
नर्मदादक्षिणे तीरे कृष्णा चैव तथोत्तरे ।
तन्मध्ये च समाना स्यात्तुंगभद्रा त्वथोत्तरे ॥ २३ ॥
ततः सर्वं यथादेशो नात्र कार्या विचारणा ।
योजनं दश हे पुत्र काराष्ट्रो देशदुर्धरः ॥ २४ ॥
तन्मध्ये पंच क्रोशं च काशाद्यवाधिकं भुवि ।
क्षेत्रं वै करवीराख्यं क्षेत्रं लक्ष्मीविनिर्मितम् ॥ २५ ॥
तत्क्षेत्रं हि महत्पुण्यं दर्शनात्पापनाशनम् ।
तत्क्षेत्रे ऋषयः सर्वे ब्राह्मणा वेदपारगाः ॥ २६ ॥
तेषां दर्शनमात्रेण सर्वपापक्षयो भवेत् ।
तत्क्षेत्रं केवलं पीठं महालक्ष्म्याश्च तत्त्वतः ॥ २७ ॥
केवलैक्यविलासश्च महालक्ष्म्याः प्रसादतः ।
तत्र वै ह्यानीता देवी विश्वेश्वरजगत्प्रभुः ॥ २८ ॥

अष्टषष्टयानि तीर्थानि नीता भगवती सह ।
तत्र स्थाने गतः साधुः स्नात्वा पीत्वा च तज्जलम् ॥२९
ब्रह्महत्यादि पापं च नाशमाप्नोति निश्चितम् ।
नानाविधानि दिव्यानि तिष्ठंति तत्र देवताः ॥ ३० ॥
महर्लोके महाशेन कविलासपुरं शृणु ।
तत्र रुद्रगयां पुत्र कुर्वंति श्राद्धतर्पणम् ॥ ३१ ॥
एतस्य पितरः सर्वे ह्युद्धरंति न संशयः ।
तस्याप्युत्तरभागे तु रामकुंडं व्यवस्थितम् ॥ ३२ ॥
तस्य दर्शनमात्रेण सर्वपापक्षयो भवेत् ।

इति श्रीस्कंदपुराणे उत्तररहस्ये सह्याद्रिखण्डे शूर्पारकक्षेत्र-माहात्म्यं च ब्राह्मणोत्पत्तिर्नाम द्वितीयोऽध्यायः ॥ २ ॥

अथ तृतीयोऽध्यायः ।

गोमांचलक्षेत्रमाहात्म्यं ।

स्कंद उवाच । तदुपरि च स्कंदस्तु पुनः पृच्छां करोति ते ।
मांगिरीशस्य देवस्य कथं माहात्म्यमुत्तमम् ॥ १ ॥
ईश्वर उवाच । शृणु पुत्र प्रवक्ष्यामि कथां श्रेष्ठां पुरातनीं ।
मांगिरीशपर्वतो नाम पूर्वदेशे त्रिहोत्रके ॥ २ ॥
ब्रह्मणा स्थापितं लिंगं पूर्वं तत्र द्विजोत्तम ।
मांगीशनाम वै तस्य विख्यातं भुवनत्रये ॥ ३ ॥
स्कंद उवाच । कारणं च कथं जातं स्थापिता च जगद्गुरुः ।
तत्सर्वं सगुणं ब्रूहि भक्तानां च हिताय वै ॥ ४ ॥
ईश्वर उवाच । पूर्वं कृतयुगे पुत्र ममाज्ञया विरंचिना ।
पृथ्वीं कर्तृत्वकर्तव्यं सर्वं एव यथाविधि ॥ ५ ॥

ततो विरंचिना कृत्वा महीं सर्वां यथोचिताम् ।
सर्वं च ग्रस्तसंभूतं तेन तद्विलयं गतम् ॥ ६ ॥
ततो ब्रह्मा सुश्रेष्ठः पुनः पृथ्वीं चकार सः ।
अर्धमनाथसंभूतमर्ध एव परिग्रहः ॥ ७ ॥
पश्चान्ममाज्ञया विष्णुः पुरैव विलयं गतः ।
ततो विरिंचिदेवेन तपः कृत्वा त्रिहोत्रके ॥ ८ ॥
मांगिरीशप्रसादात्तु कर्माधीनं जगत्कृतं ।
एतदेव कृतं कर्म तदैव चैवं जायते ॥ ९ ॥
एवं मनोगतं पृथ्वी सर्वा एव तु निश्चयं ।
पूर्वपुण्यविभवः पुराविदः कर्म दैवमिति संप्रचक्षते ॥ १० ॥
उद्यमेन च विपार्जितं यथा वांच्छितं फलति चैव प्रतिज्ञा ।
यथा एकेन चक्रेण रथस्य न गतिर्भवेत् ॥ ११ ॥
विना पुरुषकारेण दैवं चैव न सिद्ध्यति ।
कर्माधीनं जगत्सर्वं कृत्वा विष्णुर्ममाज्ञया ॥ १२ ॥
एवं निर्माणतां पृथ्वीं शृणु पुत्र यथोचितम् ।
ब्रह्मणा स्थापितं लिंगं मांगिरीशं महद्भुतम् ॥ १३ ॥
पर्वते सत्कृते तत्र देशत्रिहोत्रपूर्वयोः ।
स देवो ब्राह्मणानां तु तत्तद्देशाधिपो यदा ॥ १४ ॥
ब्रह्मणा कथितं तेषां भक्तियुक्तेन साधयेत् ।
एवमाज्ञां शिरे धृत्वा कृत्वा भक्तिं सदाशिवे ॥ १५ ॥
तेन मांगिरीशो भक्तो यावच्चंद्रो दिवाकरः ।
ते ऋषिकुलसंभूता ब्राह्मणा दश गोत्रजाः ॥ १६ ॥
आनीता भार्गवेणैव शूर्पारेककुशस्थलीम् ।
तदर्थे ह्यानीता देवा गोमंताह्ये च पर्वते ॥ १७ ॥
एवं पुत्र सुखासीनो देवोत्पत्तिश्च जायते ।
ते देवा वीर्यवंतश्च भक्ताभीष्टप्रदायकाः ॥ १८ ॥

स्मरणाद्धरते विघ्नः सत्यं सत्यं वदाम्यहं ।
महालक्ष्मीर्महादेवी जगन्माता महालसा ॥ १९ ॥
शांता दुर्गा महामाया नागेशः साग्रदेवताः ।
एवं च देवताः पुत्र ह्यानीता भार्गवेण तु ॥ २० ॥
त्रिहोत्रवासकारीभिर्ब्राह्मणैश्च कृतं पदं ।
चंद्रतीर्थं महातीर्थं तीर्थं भास्करनामकम् ॥ २१ ॥
पद्मतीर्थं वरेण्यं च वायुतीर्थं तथैव च ।
मुने गोमांचले तीर्थमिंद्रनामानिकं शुभम् ॥ २२ ॥
हरिचूडामणिक्षेत्रं महापुण्यकरं स्मृतम् ।
गंगाया मध्यभागे तु क्षेत्रं दीपवती स्मृतम् ॥ २३ ॥
क्रोशद्वयं च विस्तीर्णं केवलं पुण्यवर्द्धनम् ।
तत्रैव स्थापितं लिंगमृषिभिः सप्तभिर्द्विज ॥ २४ ॥
सप्तकोटीश्वरं नाम भक्तानां पालको हरः ।
धातुभिः कल्पितं लिंगं रमणीयं सुनिश्चितं ॥ २५ ॥
दर्शनाद्धरते पापं स्पर्शनान्मोक्षमाप्नुयात् ।
यवाधिकं च केदाराद्वीर्यवंतं महद्भुतम् ॥ २६ ॥
भक्तानामिष्टकार्यार्थं स्थापितं पृथिवीतले ।
प्रत्यक्षो भगवान् रुद्रो वसते तत्र एव हि ॥ २७ ॥
महासेन महाबाहो शृणु कैवल्यजां कथां ।
पूर्वं तत्र महाश्रेष्ठो ब्राह्मणो चैद्यनामतः ॥ २८ ॥
तस्य कन्यातिनष्टा च दुष्कर्मा व्यभिचारिणी ।
तत्र सर्वैः स्थितैर्विप्रैर्बाह्यत्वं चैव दीयते ॥ २९ ॥
वीतरागेण सा नारी वसती च शिवालये ।
तत्रैव गायनं नृत्यं कृत्वा रात्रदिनावपि ॥ ३० ॥
संतुष्टश्च महादेवः सर्वेच्छां च ददामि ते ।
एवं लिंगे भवेच्छब्दः सुप्रसन्नो महेश्वरः ॥ ३१ ॥

ततस्तां पातकीयां च ददौ सायुज्यमुत्तमं ।
एवं तस्य वचः श्रुत्वा ज्योतिर्निर्माणतां गता ॥ ३२ ॥
ज्योतिषा ग्रासिता ज्योतिः सायुज्यं पदनिश्चलम् ।
तत्र स्थाने सुखासीना गीतवाद्यनिरंतरा ॥ ३३ ॥
प्राप्यते विपुलान् भोगान् महादेवप्रसादतः ।
इतिहासपुरातन्यं तवाग्रे कथितं मया ॥ ३४ ॥
महापुण्यकरं श्रेष्ठं कथा सर्वत्र दुर्लभा ।
पदमात्रं पठंतिच शृण्वंति च कथोत्तमाम् ॥ ३५ ॥
महापुण्यं भवेत्तस्य महारुद्रप्रसादतः ।

इति श्रीस्कंदपुराणे उत्तररहस्ये सह्याद्रिखण्डे गोमांचलक्षेत्रमाहात्म्यं नाम तृतीयोऽध्यायः ॥ ३ ॥

अथ चतुर्थोऽध्यायः ।

विविधब्राह्मणोत्पत्तिः ।

स्कंद उवाच । विश्वेश्वर जगन्नाथ त्रैलोक्याधिमहेश्वर ।
भूतं भव्यं भविष्यं च सर्गस्थित्यंतकारकम् ॥ १ ॥
कथां सर्वं जगन्नाथ श्रुत्वाहं त्वत्प्रसादतः ।
दश गोत्रकरा विप्रास्त्रिहोत्रस्थलवासिनः ॥ २ ॥
आनीता भार्गवेणैव स्वकथार्थस्य हेतवे ।
उत्पत्तिं वद हे शंभो तेषां चैव समासतः ॥ ३ ॥
ईश्वर उवाच । शृणु पुत्र प्रवक्ष्यामि किं योगं च कथं स्थितिः ।
ब्राह्मणा दश गोत्राश्च कुलं षट्षष्टिकं स्मृतं ॥ ४ ॥
कुशस्थल्यां च कर्दल्यां त्रिगोत्रं स्थापितं खलु ।
कौत्सं वत्सं च कौंडिन्यं गोत्रं दशकुलान्वितं ॥ ५ ॥

एते त्रिगोत्रजा विप्रा उत्तमा राजपूजिताः ।
सुदर्शनाः सदाचाराश्चतुराः सर्वकर्मसु ॥ ६ ॥
लोटल्यां च कुशस्थल्यां वरेण्ये मठग्रामके ।
षट्षडेतेषु ग्रामेषु कुलानि स्थापितानि वै ॥ ७ ॥
चूडामणिमहाक्षेत्रे कुलानि दश एव हि ।
स्थापितास्तत्र ये देवा भार्गवेण तु यत्नतः ॥ ८ ॥
दीपवत्यामष्टकुलं स्थापितं च यथाविधि ।
गोमांचले मध्यभागे किंचितस्यैव जातिकाः ॥ ९ ॥
स्थापिता द्वादशा विप्राः पंचक्रोशेषु मध्यतः ।
एवं षट्षष्टिका विप्राः स्थापिताश्च परस्परम् ॥ १० ॥
कुलं द्वादशकं पुत्र स्थापितं द्वादशे पुरे ।
एवं विस्तारितान्विप्रान्प्रतिलोमं च कथ्यते ॥ ११ ॥
ब्राह्मणः क्षत्रियो वैश्यः शूद्रश्चैवानुलोमजः ।
प्रतिलोमाः षट्कषट्कं विस्तारं शृणु मे प्रिये ॥ १२ ॥
वैश्यायां ब्राह्मणाज्जातो ह्यंबष्ठ इति नामतः ।
क्षत्रियायां च वैश्यात्तु जातो मागध इत्यभूत् ॥ १३ ॥
अनुलोममिदं भूतं प्रातिलोममिदं शृणु ।
ब्राह्मणात्क्षत्रियापुत्र अगरो नाम उच्यते ॥ १४ ॥
शूद्रधर्मादिकं न्यूनं नटभाटादि केवलं ।
ब्राह्मण्यां वैश्यसंभूता जाता वैवर्तिका विदुः ॥ १५ ॥
व्याधधर्मा महानष्टा अंतकायतयः स्मृताः ।
ब्राह्मण्यां शूद्रसंभूतो जातश्चांडाल एव हि ॥ १६ ॥
सर्वत्र नगराद्बाह्याः सर्वधर्मबहिष्कृताः ।
तस्य स्पर्शनमात्रेण सचैलं स्नानमाचरेत् ॥ १७ ॥
न गृहीत्वा तस्य भिक्षां स्पर्शास्पर्शं न कारयेत् ।
पार्वत्युवाच । गोलकं कुंडगोलं च द्विविधं परिकीर्तितम् ॥ १८ ॥

तस्य सर्वस्य चोत्पत्तिं कथयस्व महेश्वर ।
ईश्वर उ० । ब्राह्मणी विधवा नारी व्यभिचारेण गुर्विणी ॥ १९ ॥
गोलकं तस्य पुत्रो वै शूद्रवद्यदि केवलं ।
ब्राह्मणस्य यदा पुत्री जाता द्वादशवार्षिकी ॥ २० ॥
अविवाहिता च तस्यां वै जातश्चैवानुगोलकः ।
ब्राह्मणी विधवा चैव पुनर्विवाहिता कृता ॥ २१ ॥
तत्पुत्रः कुंडगोलश्च सर्वधर्मबहिष्कृतः ।
स्वपतित्यागिनी नारी निर्देशादुरतस्थयोः ॥ २२ ॥
तस्यां पुत्रो यदा जातो रंडको इति नामतः ।
अधमाः कुंडगोलाद्याः सर्वे धर्मबहिष्कृताः ॥ २३ ॥
रंडकश्चैव नामाभूत् सर्वत्रैवाप्यपूजकः ।
यदा गुप्तपरीजातो व्यभिचारस्य संभवः ॥ २४ ॥
वर्णसंकरनामा वै दशगोत्रविनाशकः ।
संकरो नरकायेति कुलघ्नश्चैव जायते ॥ २५ ॥
पतंति पितरो ह्येषां लुप्तपिंडोदकक्रियाः ।
तथापि चैव पांचाला मायामनुजकाष्ठतद् ॥ २६ ॥
शिल्पिकाः स्वर्णकाश्चैव पांचालाश्चैव उच्यते ।
कुंभकारी च पांचाला यदा प्रतिग्रही द्विजः ॥ २७ ॥
कुलानि दशकं तस्य पतंति नरकेषु वै ।
नटाश्च रजकाश्चैव बुरुडाश्चर्मकारकाः ॥ २८ ॥
अतिशूद्राश्च चांडालाः स्पर्शनात्स्नानमाचरेत् ।
ब्राह्मणानां च षट्कर्म क्षत्रियाश्च त्रिकर्मजाः ॥ २९ ॥
वैश्याः शूद्राश्च तांत्रीकाः सर्वशास्त्रेषु निर्णयः ।
तथा वाप्यंत्यजानां तु नास्ति धर्मश्च कर्म च ॥ ३० ॥
इमां पुत्र प्रवक्ष्यामि कथां लोकस्य काम्यया ।
क्षत्रियां वैश्यसंभूतो मार्तंड इति नामतः ॥ ३१ ॥

शूद्रश्च वैश्यनारीणां पंचे तु कुलशः पतिः ।
एवं च ज्ञातयः सर्वा द्विपांते विविधा इति ॥ ३२ ॥
नवखण्डा सप्तद्वीपा पृथ्वी देशसमाकुला ।
जंबुद्वीपं शाकद्वीपः शालमली लक्ष उच्यते ॥ ३३ ॥
कुशः क्रौंचमहाद्वीपः पुष्करीद्वीप उच्यते ।
सप्तद्वीपा च या पृथ्वी नवखण्डा च जायते ॥ ३४ ॥
वाराणसी तु दशमं विंध्याद्रिपर्वताग्रतः ।
पाणी चैव करांगुल्यां चतुरंगुलमुष्टिका ॥ ३५ ॥
षष्ठमुष्टिर्भवेद्धस्तो हस्तचत्वारिकं धनुः ।
द्विसहस्रधनुः क्रोशः क्रोशचत्वारि योजनम् ॥ ३६ ॥
शतग्रामो भवेद्देशो देशचत्वारि मंडलम् ॥
शतमंडलंभवेत्खंडं नवखंडा च मेदिनी ॥ ३७ ॥
तन्मध्ये योजनशतं रामखण्डं व्यवस्थितम् ।
सप्तयोजनविस्तीर्णं शुभकर्माणि तिष्ठति ॥ ३८ ॥
ते वै कोंकणजा विप्राः कथिताः सर्व एव हि ।
नर्मदायाश्च कृष्णाया देशे मुख्यः प्रकीर्तितः ॥ ३९ ॥
तत्रैव वासकारी च भूदेवदेवलो भवेत् ।
तस्यापि पूर्वदेशोच अंतर्वेदीच जायते ॥ ४० ॥
केवलाः शिवभक्ताश्च सर्वबुद्धिविशारदाः ।
तस्य चोत्तरभागे तु उत्तमक्षेत्रराजसाः ॥ ४१ ॥
सर्वलोका महाश्रेष्ठा रामभक्ताश्च केवलाः ।
तस्याश्च पूर्वभागे च त्रिहोत्रपुरपट्टनम् ॥ ४२ ॥
तत्रै वासकरा विप्राः केवला देवरूपिणः ।
तस्याश्च पश्चिमे भागे गौडश्चैव तु जायते ॥ ४३ ॥
मानवास्तत्र लोकाश्च राजसाश्च प्रकीर्तिताः ।
अन्यत्र राक्षसा ज्ञेया ह्यभक्ता निर्दया जनाः ॥ ४४ ॥

पुरे वा नगरे वापि लोकाश्च भयदा ह्यपि ।
कर्नाटा निर्दयाश्चैव कौंकणाश्चैव दुर्जनाः ॥ ४५ ॥
तैलंगा द्रविडाश्चैव दयावंतो जना भुवि ।
पंचक्रोशे तु विविधा आचारविविधा स्थिताः ॥ ४६ ॥
भाषा च विविधा ज्ञेया सर्वत्र इति वर्तते ।
नानाविधानि मार्गाणि भक्तिश्चैव यथाक्रमम् ॥ ४७ ॥
एवं भक्तिविचारं च नात्रस्य च विचारणा ।
केचित्तु वैष्णवा भक्ता शिवभक्ताश्च केचन ॥ ४८ ॥
पाखंडा विविधाः सक्ताः सौरगाणेशपूजिताः ।
केचित्तु गुरुभक्ताश्च नवीना नामधारिणः ॥ ४९ ॥ Sikhs?
कलौ तु विविधा धर्मा भक्तिनाशककेवलाः ।
इदमग्रे भवेत्पुत्रः सर्वधर्मं च लोपयेत् ॥ ५० ॥
तन्मध्ये दुष्टक्षत्राश्च दुष्टलोका विशेषतः ।
इदं भविष्यं कथ्यंते ह्यग्रे भवत्यसंशयम् ॥ ५१ ॥

इति श्रीस्कंदपुराणे उत्तररहस्ये सह्याद्रिखण्डे ब्राह्मणोत्पत्तिर्नाम चतुर्थोऽध्यायः ॥ ४ ॥

अथ पंचमोऽध्यायः ।

हेरंबमीश्वरं चात्र नत्वा तातं जगद्गुरुम् ।
जातिनिर्णयवाक्यानां संग्रहो लिख्यते मया ॥ १ ॥
विष्णोर्ब्राह्मणजातिश्च जज्ञे ब्रह्मा चतुर्मुखः ।
वाय्वाद्याः क्षत्रियाः प्रोक्ता वैश्यो वैश्रवणादयः ॥ २ ॥
यमाद्याः शूद्रकाः प्रोक्ताः सनाद्या नैष्ठिका मताः ।
दुर्वासाद्यास्तु यतयो मन्वाद्या गृहिणो मताः ॥ ३ ॥

वैराग्यापरिपाके च वैन्याद्या वनगाश्रमाः ।
देवा ह्यपि चतुर्वर्णाश्चतुराश्रमभागिनः ॥ ४ ॥
मर्त्यास्त्रैसर्गिका एव वर्णाश्रमविभागिनः ।
ब्राह्मणाः क्षत्रिया वैश्याः शूद्रा वर्णचतुष्टयम् ॥ ५ ॥
द्राविडाः पंचगौडाश्च दश ब्राह्मणजातयः ।
गौडाश्चैव शतं पंच विविधा धर्मचारिणः ॥ ६ ॥
गंगादितीर्थराजानो गयातीर्थनिवासिनः ।
अयोध्यायां भवा विप्रा अंतर्वेदीगता अपि ॥ ७ ॥
कान्यकुब्जा जगन्नाथे तथा जायंतिजा अपि ।
प्रभासा मालवा वल्का अन्योन्यं ते विभागिनः ॥ ८ ॥
मालवास्तौलवाश्चैव तथा सौगंध्यवासिनः ।
शौल्का हैवाः पार्वताश्च पद्याः शैब्याश्च राष्ट्रगाः ॥ ९ ॥
अवंत्याः कांचिगाश्चैव गोमांततीरवासिनः ।
बादराः सिंधुजाश्चापि तथा वैभांडका द्विजाः ॥ १० ॥
देवर्षयश्चिताजातास्तथा संकरजातयः ।
क्रमुका देवलाश्चैव कांबोजा अंध्रजा द्विजाः ॥ ११ ॥
एकवेदा द्विवेदाश्च त्रिचतुर्वेदका अपि ।
मांसाशी मद्यपा विप्रा गोविंदपुरवासिनः ॥ १२ ॥
कोंकणो नाम कल्याणब्राह्मणा वेदपारगाः ।
सारस्वतास्तथा विप्रा मत्स्यादा इति कीर्तिताः ॥ १३ ॥
ते वै दशविधा प्रोक्ताः पूर्वापरसमुद्रगाः ।
शुद्धाशुद्धास्तथा सिद्धाः कापींढ्रा भीतचारिणः ॥ १४ ॥
श्रेणयः कौशिका नर्वा वडीका लज्जका अपि ।
नैगमाः खरपृष्ट्याश्च तथा प्रेतविलासिनः ॥ १५ ॥
ब्राह्मणायतताज्जाताः कुंडगोलकिनस्तथा ।
न विश्वस्यात्षडेते वै विश्वासाद्घातयंति यत् ॥ १६ ॥

प्रवासे वलयात्रायां सर्वेषां संगमो ह्यभूत् ।
सर्वैः संपूजितो रामो षडैतानां च गम्यते ॥ १७ ॥
आचारत्यागिनो विप्रा योनिसंनोमितोवराः ।
वैदिकं कर्म मार्गस्था अनाचारविवर्जिताः ॥ १८ ॥
ब्राह्मणा इति विज्ञेया ब्राह्मणीं योनिमाश्रिताः ।
गायत्रीमुखयतो मूलं वैश्वामैत्रीति नः श्रुतं ॥ १९ ॥
तत्राधिकारिणो ये वै ते वै विप्राः समीरिताः ।
अनधिकारिणां विप्रशब्दानां भार्गविरितः ॥ २० ॥
कारुकाणां च संस्कारैः शैवगायत्रीसंज्ञिताः ।
आचारत्यागिनः केचित्सत्कर्मत्यागिनः परे ॥ २१ ॥
विगुणां हरिणो विप्रास्तेषां शास्ता यमः स्वयं ।
अनादि सर्वतो ग्राह्यो दाने माने विभागशः ॥ २२ ॥
अपेयत्वाद्गुरौ सम्यग्गुरूपदेशपूर्वकं ।
सन्मार्गस्योपदेष्टारः स्वयं सन्मार्गशालिनः ॥ २३ ॥
सन्मार्गप्रतिहर्तारो गुरुवस्ते समीरिताः ।
सन्मार्गमुपदेश्यामि स्वयमुन्मार्गवर्तिनः ॥ २४ ॥
तस्करा इव निग्राह्या निर्वास्या विषयाद्बहिः ।
उक्तं नागरखंडे च गुरुणा धारितं महत् ॥ २५ ॥
जातीनां निर्णयश्चापि धर्माधर्मविवेचनं ।
भक्ष्याभक्ष्यविशेषश्च पात्रापात्रनिदर्शनं ॥ २६ ॥
अधिकारमनावृत्य कृतं कर्म विगर्हितं ।
महद्भिर्नैव दोषाय लोकोपकृतिहेतुना ॥ २७ ॥
अगस्त्यो भक्षयामास वातापिं जनकंटकं ।
द्वादशाब्दमनावृष्टौ तथा सारस्वता द्विज ॥ २८ ॥
ब्राह्मणा वारयामासुर्मत्स्यान्वेदानुभक्षकान् ।
वराहे च तथा प्रोक्तो गजभक्षो द्विजोत्तमः ॥ २९ ॥

द्रोहिचानुकृतो लोके मांसभक्षणकारणात् ।
उक्तवान्परमं धर्मं भूयसां भक्षणं कथं ॥ ३० ॥
धर्मो वो नियतः सत्यो हिंसा तु बहुला यतः ।
आकर्ण्य तद्वचो लोकादचिरादर्थवद्वचः ॥ ३१ ॥
यथाचारं यथाकालं स्वस्वधर्मानुवर्तिनः ।
जनास्तेनात्रमंतव्या दोषाः सर्वानुवर्तिनः ॥ ३२ ॥
गुणा एव विचेतव्या दोषा नैव च नैव च।
नचात्रातीव कर्तव्यं दोषदृष्टिपरं मनः ॥ ३३ ॥
दोषो ह्यविद्यमानोपि तत्पराणां प्रदृश्यते ।
दोषाः सत्ये बहुत्रस्तान्यथाशक्ति वदाम्यहं ॥ ३४ ॥
गुणात्ममात्मके देहे तथा स्वीयाभिमानिनः ।
ईशालयापिनः केचित्केचिद्धर्मपलायिनः ॥ ३५ ॥
साम्यभिस्तु तपः केचिदवमिथ्याभिमानिनः ।
दोषैकनिरताः केचिद्दिशतादात्म्यमानिनः ॥ ३६ ॥
स्त्रीत्वं पुंस्त्वं द्वयोर्जातिरितरा भ्रांतिमूलकाः ।
वेदाः प्रमाणं नेच्छंति ह्यागमं नैव चापरे ॥ ३७ ॥
सत्यक्षमे कृते चेति लोकायतमतानुगीः ।
शक्तिरेव सवित्रीति मतं जग्रिहिरे परे ॥ ३८ ॥
भैरवी तंत्रमालंब्य जातिसंकरकारिणः ।
जननीजनकान् जन्यान् धर्मपत्नीद्विषंति च ॥ ३९ ॥
देवान् द्विजान् गुरून्प्राज्ञान्धर्ममार्गानुवर्तिनः ।
अवम्यान्यमहं त्वं स्वं विविधा धिषणाः परे ॥ ४० ॥
ईशोहं बलभद्रोहं सिद्धोहं बलवानहं ।
आढ्योभिजलवानस्मि कोन्योम इति वादिनः ॥ ४१ ॥
भूताभिचारतो भक्षाः सर्वभक्षा विभक्षकाः ।
हरेरनार्पिताहारा अन्यदेवार्पिताशनाः ॥ ४२ ॥

पुत्रादीन्नैव पुष्णंति शिश्नोदररताः परे ।
परस्त्रीनिरताः सर्वे सल्लिकादल्पधर्मिणः ॥ ४३ ॥
स्वस्मिन् गुणित्वमंतारो देवाद्विजानुनिंदिनः ।
मांसाहारा मद्यपाश्च स्वदाराच्छिद्रवादिनः ॥ ४४ ॥
षंढामेकैकलिंगैश्च पाखांडशकुनेस्तथा ।
एतदुक्तमनुष्ठाय जनाः सर्वे विडंति हि ॥ ४५ ॥
ततो दोषा न वक्तव्या गुणग्राही भवेज्जनः ।
एकजन्या जनाः केचिन्नैकेजन्या जनाः परे ॥ ४६ ॥
संकीर्णबुद्धयः केचिद्योनिसंकरकारिणः ।
दोषा नैव विचिन्वंति कारणं ह्यत्र कारणं ॥ ४७ ॥
गरदा ब्राह्मणाः केचिद्विवाहस्य च कंटकाः ।
वृत्तिच्छेदकराः केचित्परदोषावमर्शिनः ॥ ४८ ॥
एवं जना बहुविधा दोषवार्तैकलोलुपाः ।
एककृच्छ्रादिकृच्छ्राश्च त्रिचतुःकृच्छ्रकाः परे ॥ ४९ ॥
एककूर्चा द्विकूर्चाश्च बहुकूर्चातिकूर्चकाः ।
मंत्रवादरताः केचिल्लोकोपकृतिहेतवे ॥ ५० ॥
नामभिर्जिनसंपन्नाः श्रुतिशास्त्रविवर्जिताः ।
लोकान्द्विषंति धर्मज्ञान् गरदा लोकगर्हिताः ॥ ५१ ॥
कूटसाक्षिप्रवक्तारः सस्नेहास्ताद्दशेषु च ।
पापक्षिपकलौ लोकान्सदोषा दोषवादिनः ॥ ५२ ॥
न तैः सह वसेद्धीमान्नावमन्येत कर्हिचित् ।
अनंता गणशो दोषा उदाहर्तुं नच क्षमः ॥ ५३ ॥
कृच्छ्रेशानां च वेदानां का तत्र परिवेदना ।
ग्रामे ग्रामे दुराचारा लोकाः संति ह्यनेकशः ॥ ५४ ॥
एवं महांतमालोक्य ग्राममाश्रयते जनाः ।
कंटकांकितवृक्षाणां महाफलजिघृक्षया ॥ ५५ ॥

आश्रयः क्रियते लोकैर्न तु तस्यज्यते वनं ॥
तीर्थे ध्वांक्षादयः पापाः पुण्यविध्वंसकारिणः ॥ ५६ ॥
उपेक्ष्यंते तीर्थगतं महत्त्वं समवेक्ष्यते ।
एवं सर्वपदार्थेषु गुणदोषाश्च संति हि ॥ ५७ ॥
तत्रैकं मनसादाय सर्वं ते सुजनाः सदा ।
तेषां च मूलपुरुषास्तत्र दोषस्य साक्षिणः ॥ ५८ ॥
स एव तत्प्रतीकारं कुर्युर्वंशाभिमानिनः ॥
ये लोकाः परदोषांश्च व्याहरंत्यविचारिणः ॥ ५९ ॥
मिथ्या च द्विगुणं पापं सत्यं चेत्समभागिनः ।
धर्मशास्त्राण्यथालोच्य कृतकृत्यं विविच्य च ॥ ६० ॥
तत्रैकं मनसादाय त्यज्यतेन्यदनर्थकं ।
एवं कुलेषु सर्वेषु दोषजात्यमनंतकं ॥ ६१ ॥
त्यक्त्वा गुणानुपादाय सर्वं ते सुजनाः सदा ।
तेषां च मूलसर्वेषु दोषजात्यमनंतकं ॥ ६२ ॥
धर्म्यान् ग्राम्यान् जनपदान्विरुद्धान्न तथा चरेत् ।
कालं शिष्टाननुमतं धर्मं चैवाचरेद् बुधः ॥ ६३ ॥
धर्मोपि स्यादधर्मो सावधर्मोपि हि धर्मकः ।
अग्निहोत्रं गवालंभं संन्यासं पलपैतृकं ॥ ६४ ॥
देवराच्च सुतोत्पत्तिः कलौ पंच विवर्जयेत् ।
सामान्यधर्मचारेण सर्वमुत्तममाचरेत् ॥ ६५ ॥
स्वमात्राधर्मचारेण कुलमेव समाश्रयेत् ।
कालग्राम्या जनपदा वैदिका लौकिकाश्च ये ॥ ६६ ॥
धर्मा निंद्या अनिंद्याश्च कुलग्रामावभेदकाः ।
जगन्नाथे मत्स्यभुंजी मद्यपीति सपूर्वगः ॥ ६७ ॥
उत्तरे मांसभागी च पश्चिमे जलजाहृतिः ।
मातुले च परीणाय नर्मदादक्षवासिनः ॥ ६८ ॥

यद्वा जनगृहीतत्वाद्धर्म एषोच्यते बुधैः ।
इतरेषामधर्मोसौ पातित्यात्पातको मतः ॥ ६९ ॥
स्वस्वकर्मण्यभिरताः सिद्धिं विंदंति मानवाः ।
समानकुलगोत्राणां कन्यासंबंधमाचरेत् ॥ ७० ॥
विषमाणां नैव कार्यं कुलक्षयकरोति यः ।
जन्मना जायते सोयं संस्काराद् द्विज उच्यते ॥ ७१॥
वेदाभ्यासाद्भवेद्विप्रो ब्रह्मः श्रोत्रियतामियात् ।
यत्र वेदस्तत्र कर्म तद्द्वयं नियतं मतं ॥ ७२ ॥
न निंद्यात् ब्राह्मणांल्लोके कथंचापि चरंति ते ।
गुरुरात्मवतां शास्ता राजा शास्ता दुरात्मनां ॥ ७३ ॥
इह प्रच्छिन्नपापानां शास्ता वैवस्वतो यमः ।
कलौ युगे संप्रवृत्तो धर्माधर्मविपर्ययः ॥ ७४ ॥
दाक्षिण्यादर्थलोभाद्वा भयाद्वापि भविष्यति ।
काहं कोहं कुलं किं मे संबंधः कीदृशो मम ॥ ७५ ॥
स्वस्वधर्मो न लुप्येत ह्येवं संचिंतयेद्बुधः ।
अभिमानेन वेद्यार्थे धर्माधर्मविनिर्णयः ॥ ७६ ॥
नारदो ब्रह्मबीजाय मम चेत्यूचिवान्बुधः ।
वर्णावरं जनं दृष्ट्वा लोकशिक्षार्थमुद्यतः ॥ ७७ ॥
यमोपि पापिनां शास्ता कर्माकर्मविकर्मणां ।
सनकादीन्प्रजायंते सभां द्रष्टुं न विक्रमन् ॥ ७८ ॥
इंद्रसृष्टा जातयस्तु पाखंडा इति कीर्तिताः ।
विश्वामित्रगर्गजाश्च अभिरंत्या इतीरिताः ॥ ७९ ॥
काश्यपा ब्राह्मणाः सर्वे मानजातिविभेदकाः ।
विभिन्नकर्ममतयो नानाभावाः कलौ युगे ॥ ८० ॥
भविष्यंति न चाप्येषां सर्वसंबंधिता-भवेत् ।
दृश्यंते कुलधर्माश्च संति तेषां पृथक् पृथक् ॥ ८१ ॥

न पात्रातीव वैपात्यं विद्वद्भिः समुदीरितं ।
वैपात्याद्भ्रंसितो येन कंसश्चागाद्‌दृशं मृतिं ॥ ८२ ॥
केचिद्द्रोणात्समुत्पन्नाः केचित्कुंभाच्च संभवाः ।
पण्याः कश्चिद्भुजंगाश्च शरादग्रेजनादपि ॥ ८३ ॥
जाता जननतद्वंशा निंदामूलं तु ये गताः ।
सद्वंशजा अयोग्याश्च निंद्या एव न संशयः ॥ ८४ ॥
धनुर्वंशो विशुद्धोपि निर्गुणः किं करिष्यति ।
योग्ये दुर्वंशजातोपि शस्यते सर्वसज्जनैः ॥ ८५ ॥
मुक्ताकस्तूरिकादीनि शक्त्या रजतकान्यपि ।
देवादिसर्वभोग्यानि योगश्चैवात्र कारणं ॥ ८६ ॥
योग्यो जनोपदेष्टा च योगो योग्यः सदैव हि ।
योगियोग्यत्वमन्विष्यन्स्वस्मिन्नेव हि सर्वदा ॥ ८७ ॥
जलूकास्तनसंसिक्ता रक्तं पिबति नामृतं ।
एवं भावा जनाः सर्वे दोषमात्रैकदृष्टयः ॥ ८८ ॥
किं ब्रूमः कस्य वा ब्रूमः कति ब्रूमो जना वयं ।
भगवद्धर्मविमुखास्तथा भागवतेषु च ॥ ८९ ॥
सच्छास्त्रदूषकाः सर्वे दुःखशास्त्रविचिंतकाः ।
विशिष्टद्रोहमापाद्य पतंति निरयेषु च ॥ ९० ॥
स्कांदे नागरखंडेपि प्रोक्तं लैंगेपि चादितः ।
जातीनां निर्णयः सम्यगुदाहरणपूर्वकं ॥ ९१ ॥
तत एव विशेषो हि द्रष्टव्यः सर्वसज्जनैः ।
जातिनिर्णयवाक्यानां संग्रहस्य विलेखनात् ॥ ९२ ॥
विश्वेशः प्रीयतां काश्यां तारकेश्वरसंज्ञितः ।

इति श्रीस्कंदपुराणे उत्तररहस्ये सह्याद्रिखंडे संग्रहसारे ब्राह्मणविचारो नाम पंचमोऽध्यायः ॥ ५ ॥

अथ षष्ठोऽध्यायः ।

महादेव उवाच । दानस्य कथनं वक्ष्ये शृणुष्व त्वं गजानन ।
येन दत्तेन देवास्ते भवंति प्रीणता नरैः ॥ १ ॥
हिरण्यकशिपोः पुत्रो विरोचन इति श्रुतः ।
तस्यात्मजो बलिः पूर्वमासीद्विष्णुपरायणः ॥ २ ॥
हृतं तेनाधिपत्यं यच्छक्रस्य तु शचीपतेः ।
तस्मात्स शक्रः शरणं जगाम परमेष्ठिनं ॥ ३ ॥
सह सर्वैः सुरगणैः क्षीराब्धिनिलयस्य च ।
लक्ष्मीपतेः पदांभोजं नत्वा कथयदात्मनः ॥ ४ ॥
स्वामित्वं त्हृतमस्माकमित्याकर्ण्य स माधवः ।
प्राह त्वं गच्छ भगवन्स्वधाममचिराच्च तत् ॥ ५ ॥
ध्वंसितं मां बलीराज्यादिति श्रुत्वा हरीरितं ।
स्वधाम प्रययुः सर्वे तदा लक्ष्मीपतिः स्वयं ॥ ६ ॥
कश्यपस्यात्मजो भूत्वा बटुर्वामनरूपधृक् ।
प्रययौ बलिराजस्य यज्ञमंडपमेव सः ॥ ७ ॥
पूजितस्तेन बलिना प्रोक्तः किं ते ददाम्यहं ।
तच्छ्रुत्वा वामनः प्राह त्रिपदं भूमिका मम ॥ ८ ॥
देहि राजन्बलिः प्राह किमल्पं याचयिष्यसि ।
वामनः प्राह कुहको स्वल्पा वै भूमिका मम ॥ ९ ॥
त्रैलोक्यमिति मन्वानो दत्ता ते वामनोत्तम ।
भूदेवरूपो हि मम भासितः पुरुषोत्तमः ॥ १० ॥
आगतोसि त्वहं धन्यो जातोसि भुवनत्रये ।
ततो वर्धितुमारेभे वामनोनंतरूपधृक् ॥ ११ ॥

मर्त्यलोके चैकपादं स्वर्गलोके द्वितीयकं ।
जातं तदा बलेः पृष्ठे पदं दत्तं तृतीयकं ॥ १२ ॥
पाताले स्थापितस्तत्र बद्धो वै नागपाशकैः ।
बलिः प्राह बटुं देवं भैक्ष्यं मे देहि माधव ॥ १३ ॥
तदा दत्तं तस्य भैक्ष्यं हरिणा विप्ररूपिणा ।
अन्यदत्तां हरेद्भूमिं यो विप्रस्य नरोत्तमः ॥ १४ ॥
तत्तद्दानं प्रदत्तं ते शुना दृष्टं तु वायसैः ।
रजस्वलाभिशूद्रैश्च भूदेवद्विषतस्तथा ॥ १५ ॥
असत्यवादिभिर्दुष्टमन्नं दत्तं तवासुर ।
इति दत्वा बलेर्भैक्ष्यं तदासौ वामनो हरिः ॥ १६ ॥
प्रददौ भूमिकां सद्यः कश्यपाय महात्मने ।
कश्यपो गौडविप्रेभ्यो द्राविडेभ्यः प्रयच्छति ॥ १७ ॥
दैवज्ञेभ्योऽर्थिभिश्चैव ज्ञानिभ्यो मतिमांस्तथा ।
आर्यावर्त्तः पुण्यभूमिर्मध्यं विंध्यहिमागयोः ॥ १८ ॥
तद्वासेभ्यः पंडितेभ्यः कर्मनिष्ठेभ्य एव च ।
ततस्त्रेतायुगे जाते कार्त्तवीर्यादिभिर्नृपैः ॥ १९ ॥
बलवद्भिर्धृता भूमिर्विप्राणामुत्धृतैः शठैः ।
ततोभवत्स भगवान् विप्रैस्तैः कश्यपादिभिः ॥ २० ॥
प्रार्थितो रेणुकायां स जमदग्योर्महौजसः ।
भार्गवो राम इति तत्तपश्चक्रे समाहितः॥ २१ ॥
कैलासाद्रौ शिवस्थाने तुष्टेन तपसा सदा ।
दत्तः स्वपरशुहस्तं मां रामः परशुपूर्वकः ॥ २२ ॥
कस्मिंश्चिदपरो देवपित्रप्रोक्तः स्वमातरं ।
जघान तेन तुष्टोभूद्वृणष्वि मनसेप्सितं ॥ २३ ॥
वर्त्तते तद्धिते माता जीवत्वेव मया पते ।
जीवयिष्यामि बंधुश्च जीविता तत्क्षणाद्विभुः ॥ २४ ॥

ततो रामो गतस्तीर्थयात्रां कर्त्तुं महीतले ।
पश्चान्मुनेराश्रमं स जगाम कृतवीर्यजः ॥ २५ ॥
अरिक्तना भूपतिर्नाम ययाचे धेनुमुत्तमां ।
न ददौ स तदा तं वै बलेन च जगाम सः ॥ २६ ॥
हते तस्मिन्स रामोथ जघान क्षत्रियान् बहून् ।
एकविंशतिवारं स शोधयित्वा पुनः पुनः ॥ २७ ॥
पृथ्वीं निक्षत्रियां चक्रे तर्पयामास तान्पितृन् ।
त्वद्देशे रुधिरेणाथ पूरितेषु समंततः ॥ २८ ॥
तदा स भूमिदानं स पितृणां मुक्तिहेतवे ।
आत्मानं क्षात्रिहत्यायाश्चक्रे शुध्यर्थमेव च ॥ २९ ॥
कश्यपाय वसिष्ठाय मुनीनां च महात्मनां ।
अस्मिन्क्षेत्रे भार्गवाप्राग् जामदग्न्येन ते शुभं ॥ ३० ॥
तदा स पर्वतं प्रायात्सह्याचलमनुत्तमं ।
ददर्शोदधिमाकाशं कुर्वाणं लहरीचयैः ॥ ३१ ॥
मुंचंतमिव विप्रेंद्राश्चिंतयामास भार्गवः ।
भवेत्कथमिदं कार्यं सागरे स्थानमद्भुतं ॥ ३२ ॥
इत्येवं चिंत्यमानस्य प्रययावब्जजोद्भवः ।
नारदः पूजितस्तेन विधानविधिपूर्वकं ॥ ३३ ॥
पृष्टस्तेन तु विप्रेंद्रो नारदेन महात्मना ।
किमर्थं चिंतयाविष्टस्तिष्ठति भार्गवोत्तमः ॥ ३४ ॥
भार्गवोप्याह तं विप्रं न मे वस्तुं महीतले ।
दानं दत्ता मया पृथ्वी कश्यपाय महात्मने ॥ ३५ ॥
ततस्तं नारदः प्राह निःसारय महोदधिं ।
शरेण कर्णपर्यंतमुद्धृतेन द्विजोत्तम ॥ ३६ ॥
ततो नारदवाक्येन पूजयित्वा नरोत्तमं ।
सह्याचलस्य शिखरे स्थितो रामस्तदाभयं ॥ ३७ ॥

प्राप्त:क्षणाज्जलनिधिं दृष्ट्वा वल्मीकवासिनः ।
प्राणिनः पूर्वमुदधिर्यानमज्जयमंत्रुनि ॥ ३८ ॥
प्राहुस्ते तव साहस्यं कुर्मो जलनिधे वयं ।
मा चिंतां कुरु पाथोधे मम बाणे यथानये ॥ ३९ ॥
पीडां करिष्यते चास्मन्निःसारय जलाद्बहिः ।
ततस्तेन समुद्रेण बहिर्निष्कासिताश्च ते ॥ ४० ॥
प्राणिनस्ते धनुर्मौर्वी त्रोटिता भक्षितास्तदा ।
सूर्योदये तथा जाते संदधे सायकोत्तमं ॥ ४१ ॥
निःसारयितुमंबूनामालयं सागरं तदा ।
ग्रामाणां द्वादशानां तु परिमाणेन भार्गवः ॥ ४२
ततः स सायकः पंच ग्रामं जलविधेवतं ।
निःसारयामास तदा समानग्रामपूर्वकं ॥ ४३ ॥
स्थलं जातं तदा रामो वासं चक्रे समाहितः ।
रामक्षेत्रमिति प्रोक्तमिषुपातसमुद्भवं ॥ ४४ ॥
सह्याधस्तात्त्वरा भूमिः पुण्यं तीर्थवती ह्यभूत् ।
नानाजनपदैर्युक्ता सा रामनगराकरा ॥ ४५ ॥
नानावृक्षवती रम्या नानापुष्पोपशोभिता ।
यत्र बाणः पतत्यत्र बाणवल्लीति विश्रुता ॥ ४६ ॥
पुरी जाता पुण्यतमा रामबाणसुनिर्मिता ।
केरलाश्च तुलंगाश्च तथा सौराष्ट्रवासिनः ॥ ४७ ॥
कोंकणाःकरहाटाश्च करनाटाश्च बर्बराः ।
इत्येते सप्त देशा वै कोंकणाः परिकीर्तिताः ॥ ४८ ॥
तत्र पूर्यो बहुविधा आसन् पुण्यपरैर्नरैः ।
अधिष्ठिताः सुरैश्चापि शक्रादिभिरनेकशः ॥ ४९ ॥
भूर्योजनशतायामा पंचयोजनविस्तृता ।
गोकर्ण इति विख्यातं पावनं भुवनत्रये ॥ ५० ॥

रामेण कृतमात्रैव यत्र देवोवसत्तदा ।
शिवो महाबल इति देवैः सार्धमुमापतिः ॥ ५१ ॥
रावणेन पुरा नीतः कैलासाद्गणनायकः ।
स्थापयामास तल्लिंगं महाबल इति स्मृतः ॥ ५२ ॥
तस्मादुत्तरतस्तिष्ठेद्दशयोजनमात्रतः ।
नारवेति च विख्याते सप्तकोटीश्वराव्हयं ॥ ५३ ॥
वसिष्ठादिभिरत्युग्रतपोभिर्निर्मितं पुरा ।
लिंगं परशुभं प्रोक्तं नानाभीष्टप्रदायकं ॥ ५४ ॥
तत्र रामस्तदा स्थित्वा जामदग्न्यो महामनाः ।
स विप्रानाव्हयामास नानादेशान्समादिशन् ॥ ५५ ॥
तत्क्षेत्रे पुण्यनिलये वसंति कुरुतानघाः ।
सुखेन निर्भयाः सर्वे विभज्य धरणीं ततः ॥ ५६ ॥
प्रददौ च विशेषेण वेदाविद्भ्यो विचक्षणः ।
वर्षाशनानि सर्वेषामग्रहाराणि भार्गवः ॥ ५७ ॥
आर्यावर्त्तोद्भवानां च वेदवेदांगपारगां ।
करहाटमहाराष्ट्रतैलंगानां द्विजन्मनां ॥ ५८ ॥
गुर्जराणां कान्यकुब्जचित्तपूतात्मनां तदा ।
पयोष्णीतीरसंस्थानामेतेषामार्यसंज्ञिनां ॥ ५९ ॥
कांचिकौशलसौराष्ट्रदेवराष्ट्रेंदुकच्छिनां ।
कावेरीतीरसंस्थानां मध्यमानां द्विजन्मनां ॥ ६० ॥
उदीच्याभिरसंस्थानां द्राविडानां तथानघ ।
दक्षिणापथसंस्थानामवंत्यानां तथैव च ॥ ६१ ॥
मागधानां द्विजातीनां यथादेशं यथाविधि ।
अहिक्षेत्रोद्भवानां च दैवज्ञानां द्विजन्मनां ॥ ६२ ॥
प्रददौ सविशेषेण चितपावनसंज्ञिनां ।
दिदेश भार्गवस्तेषामुपदेशं यदापदः ॥ ६३ ॥

भविष्यंति तदास्माकं कर्त्तव्यं स्मरणं द्विजाः ।
इत्युक्त्वा प्रययौ रामो महेंद्रेऽचलसत्तमे ॥ ६४ ॥
विप्राणां रक्षणार्थाय रामोयं चिरजीविनः ।
कस्मिंश्चित्समये विप्राः पूताश्चात्यंतगर्विताः ॥ ६५ ॥
अन्योन्यं परिपप्रच्छू रामवाक्यमृताकृतम् ।
स्याद्वा स्मरत तं राममस्मिन् रामोक्तमेव नः ॥ ६६ ॥
यदा स्मरत मां विप्रास्तदाहं प्रकटोस्मि वः ।
अतः कुर्युः स्मृतिः पश्येत्युक्त्वा रामं यथा स्मरन् ॥ ६७ ॥
स्मृतमात्रस्तदा रामः समीपमगमत्क्षणात् ।
अथ विप्रानुवाचेदं किमर्थं स्मरणं कृतं ॥ ६८ ॥
का वापदि समुद्भूता शीघ्रं वदत भूसुराः ।
तदा विप्रा भयोद्विग्नाः प्रोचू रामं जगत्पतिं ॥ ६९ ॥
देवास्माकं नचास्त्यापत्प्रत्ययार्थं तव प्रभो ।
आयाति वा न चायाति रामोस्माकं समीपतः ॥ ७० ॥
अतः कृतं ते स्मरणमपराधं क्षमस्व नः ।
इत्युक्तो विप्रसंघस्तु रामः क्रोधसमाकुलः ॥ ७१ ॥
सशापाथ द्विजवरानेकमतोद्विजन्मनः ।
भवेद्विद्यासु गर्विष्ठा ईर्ष्यान्योन्यं भविष्यति ॥ ७२ ॥
कष्टैव वृत्तिर्भवतु भर्जिते सद्विजैरपि ।
भूमिर्न दद्यात्सर्वस्य याचका भवताप्रियाः ॥ ७३ ॥
याचमानेन वो दानं शूद्रा ददतु सेवकाः ।
भवत क्षत्रियाणां च परप्रेष्यास्तथा द्विजाः ॥ ७४ ॥
भविष्यथाल्पविज्ञाना हतपूजापरायणाः ।
दरिद्रा बहुपुत्राश्च संपन्नाः पुत्रवर्जिताः ॥ ७५ ॥
कन्यावित्तगृहीतारः पुण्यविक्रयकारिणः ।
इति दत्वा स वै शापं महेंद्रं गंतुमुद्यतः ॥ ७६ ॥

इति रामवचः श्रुत्वा ब्राह्मणा भयशंकिताः ।
ऊचुः सर्वे समागत्य तं रामं गंतुमुद्यतं ॥ ७७ ॥
देवदेव जगन्नाथ भवान् भूदेवरक्षक ।
त्वयि रामे वदत्येवं कोस्मान् रक्षितुमर्हति ॥७८ ॥
विशापं देहि भो स्वामिन्सर्वज्ञोसि जगत्पते ।
इति तैरुक्तमाकर्ण्य वचनं चेदमब्रवीत् ॥ ७९ ॥
प्राप्ते कलियुगे घोरे स्वस्वधर्मविवर्जिते ।
मदुक्तं सत्यमेवं तु भविष्यति न संशयः ॥ ८० ॥
इत्युक्त्वा तान्समामंत्र्य महेंद्राद्रिमुपागतः ।
सुखेन वसतिं चक्रे तस्मिन्नद्रौ जगत्पतिः ॥ ८१ ॥
स्वस्वग्रामाणि प्राप्तास्ते रामदत्तानि भूसुराः ।
भोक्तारः क्षेत्रवृत्तीनि चाग्रहाराणि सर्वतः ॥ ८२ ॥

इति श्रीस्कंदपुराणे उत्तररहस्ये सह्याद्रिखंडे ईश्वरगणेशसंवादे
पृथ्वीदानप्रशंसानाम षष्ठोऽध्यायः ॥ ६ ॥

अथ सप्तमोऽध्यायः ।

ऋषिरुवाच । भगवन्सूत सर्वज्ञ पुराणेष्वतिकोविद ।
किमर्थं भार्गवो देशं चकाराद्भौ स्वयंविभुः ॥ १ ॥
उक्तं संक्षेपतः पूर्वं विस्तारं तद्वद प्रभो ।
सूत उवाच । शृणुध्वमृषयः सर्वे कथयाम्यद्य विस्तरात् ॥ २ ॥
यथा चकार देशं स जामदग्न्योमितप्रभः ।
इदमेव पुरा प्रश्नं नारदायाब्रवीद्गुहः ॥ ३ ॥
नारद उवाच । जामदग्न्योसृजद्वार्द्धिमुत्सार्य क्षेत्रमादरात् ।
इति प्रोक्तं त्वया पूर्वं कार्तिकेय महामते ॥ ४ ॥

अविंध किमर्थमुत्साद्य क्षेत्रं च कृतवान्मुनिः ।
एतत्सर्वं विस्तरेण श्रोतुं श्रद्धालवे वद ॥ ५ ॥
स्कंद उवाच । पुरा तु भार्गवो रामः क्षत्रियांतकरो विभुः ।
ईज्ये स हयमेधेन होतासौ तत्र काश्यपः ॥ ६ ॥
स रामोवभृथस्नातो दक्षिणार्थं भृगूद्वहः ।
सागरांतां वसुमतीं गुरवेऽदान्महामतिः ॥ ७ ॥
ततस्तु ऋत्विजः सर्वे राममूचुरिदं वचः ।
ब्राह्मणीया धरा सर्वा समुद्रांता भृगूद्वह ॥ ८ ॥
न वस्तव्यं त्वया राम त्वदत्ते वसुधातले ।
इति तेषां वचः श्रुत्वा तथेत्युक्त्वाथ भार्गवः ॥ ९ ॥
अर्णवस्थानमाकांक्ष्य प्रययौ पश्चिमां दिशं ।
चरन्स वसुधां कृत्स्नां सशैलवनकाननां ॥ १० ॥
क्रमादागत्य चाद्राक्षीत्सह्यं पर्वतमुत्तमं ।
नानागमतपोनिष्ठैर्मंत्रसिद्धैर्महर्षिभिः ॥ ११ ॥
अब्भक्षैर्वायुभक्षैश्च शीर्णपर्णाशनैरपि ।
जुष्टं किन्नरगंधर्वैरप्सरोभिश्च चारणैः ॥ १२ ॥
नानामणिमयैः शृंगैर्नाना धातुविचित्रितैः ।
नानाद्रुमलतागुल्मैर्नानापक्षिगणैरपि ॥ १३ ॥
नानामृगगणैश्चापि नानाप्रस्रवणैरपि ।
जंबुभिः पनसैश्चैव कपित्थैश्च रसालकैः ॥ १४ ॥
फलभारान्नम्रशाखैः शिखरैर्बहुभिर्वृतं ।
चांपेयैर्नागपुन्नागैर्बकुलैर्घ्राणतर्पणैः ॥ १५ ॥
सततं रक्तकंठानां कूजितैश्च पतत्रिणां ।
आहूयंतमिव श्रांतान्फलमाहरतेति च ॥ १६ ॥
व्रजंतमिव मातंगैर्गृणंतमिव निर्झरैः ।
क्रंदंतमिव पंचास्यैर्गायंतमिव षट्पदैः ॥ १७ ॥

आरुह्य स गिरेः शृंगं ददर्श ह्युदधिं हरिः ।
कल्लोलैर्द्विरदाकारैः प्रत्युद्यंतमिवांभसा ॥ १८ ॥
आवर्त्तनिकरैर्जुष्टं गंभीरं वरुणालयं ।
सशंखमौक्तिकाकीर्णं विमलोदकपूरितं ॥ १९ ॥
सचंद्रोडुगणाकीर्णमाकाशमिव निर्मलं ।
नानाभूधरजातीभिः सार्वभौममिवांबुधिं ॥ २० ॥
मत्स्यैश्च कच्छपैर्नक्रैस्तिमिभिश्च तिमिंगिलैः ।
यादोभिरन्यैर्विविधैः सेवितं जलमानुषैः ॥ २१ ॥
दृष्टवानंबुधिं रामः सांत्वपूर्वमभाषत ।
भो भो जलनिधे दूरमपसर्प त्यजाधुना ॥ २२ ॥
इमं देशमिति प्रोक्तः प्रत्युवाच सरित्पतिः ।
त्वदाज्ञयैव तिष्ठामि वेलामाकृष्य भार्गव ॥ २३ ॥
कियाद्देशान्परित्यज्य मया जाने न किंचन ।
मय्युत्सृज्य महाभाग परशुं त्वत्करे स्थितं ॥ २४ ॥
पतेद्यदि तदारभ्य त्यजामि स्थलमग्रतः ।
इत्याकर्ण्य वचस्तस्य सिंधोरमितविक्रमः ॥ २५ ॥
स्थित्वा सह्यगिरेः शृंगं चिक्षेप परशुं लघु ।
कुठारपतनात्स्थानं कृत्वा सीमां सरित्पतिः ॥ २६ ॥
अपसर्पत्प्रवृद्धांबुनदीव शरदागमे ।
ततोवतीर्य शैलेंद्रं शृंगाद्भृगुकुलोद्वहः ॥ २७ ॥
देशमालोकयामास त्यक्तं वारिधिना तदा ।
सह्यपर्वतमारभ्य योजनत्रितयावधि ॥ २८ ॥
कन्याकुमारीचैकत्र नासिकात्र्यंबकः परः ।
सीमारूपेण विद्येते दक्षिणोत्तरतः शुभौ ॥ २९ ॥
शतयोजनयामं च विभेदे सप्तधा तलं ।
आब्रह्मण्ये तदा देशे कैवर्त्तान्प्रेष्य भार्गवः ॥ ३० ॥

छित्वा सबडिशं कंठे यज्ञसूत्रमकल्पयत् ।
दाशानेव तदा विप्रान् चकार भृगुनंदनः ॥ ३१ ॥
क्षोणीतले यद्यदस्ति पुनस्तत्र ससर्ज तत् ।
वरं ददौ स्वदेशेभ्यो दुर्भिक्षं मा भवत्विति ॥ ३२ ॥
स्थापयित्वा स्वकीये स क्षेत्रे विप्रान्प्रकल्पयत् ।
जामदग्न्यस्तदोवाच सुप्रीतेनांतरात्मना ॥ ३३ ॥
बहुधान्यवती भूयान्भूरियं सस्यशालिनी ।
धनधान्यसमृद्धाश्च यूयं भवत सर्वदा ॥ ३४ ॥
यदा कदा वा युष्मांक विपत्तिर्जायते भुवि ।
तदाऽऽह्वयंतु मां सर्वे समवेताः सुखाप्तये ॥ ३५ ॥
आगत्याहं तदा विप्रा वः कार्यं साधये क्षणात् ।
इति दत्वा वरं तेभ्यो जामदग्न्यः कृपानिधिः ॥ ३६ ॥
गोकर्णं प्रययौ रामो महाबलदिदृक्षया ।
महाबलेशं संपूज्य विधिवद्भृगुनंदनः ॥ ३७ ॥
किंचित्कालं स चोवास गोकर्णेश्वरसन्निधौ ।
गते तु भार्गवे रामे तत्क्षेत्रस्था द्विजातयः ॥ ३८ ॥
धनधान्यसमृद्धार्थाः समवेताः कदाचन ।
रामवाक्यपरीक्षार्थं मंत्रयामासुरंजसा ॥ ३९ ॥
मीलितानां च युष्माकमाहूतिर्मे यदा भवेत् ।
तदाऽऽगच्छामीति पुरा भार्गवोप्युक्तवान् किल ॥ ४०
तत्सत्यमनृतं वेति परीक्षां कुर्महे वयं ।
इति सर्वे समालोच्य रामेत्युच्चैः प्रचुक्रुशुः ॥ ४१ ॥
आक्रंदितं तदा तेषां श्रुत्वा रामः कृपानिधिः ।
प्रादुरासीत्पुरो भागे देवर्षिभार्गवः स्वयं ॥ ४२ ॥
श्रीभार्गव उवाच । किमर्थं क्रंदितं विप्रा भवद्भिर्मीलितैरिह ।
किं दुःखं भवतामद्य नाशयाम्यचिरादहं ॥ ४३ ॥

स्कंद उवाच । इति तस्य वचः श्रुत्वा प्रत्यूचुस्ते भयान्विताः ।
न किंचिदपि संप्राप्तं दुःखं त्वत्कृपया विभो ॥ ४४ ॥
जल्पितं भवता सत्यमनृतं वेति शंकितैः ।
केवलं तु परीक्षार्थं क्रंदितं मीलितैः प्रभो ॥ ४५ ॥
इति तेषां वचः श्रुत्वा क्रोधसंरक्तलोचनः ।
निर्दहन्निव नेत्राभ्यामालोकयत भूसुरान् ॥ ४६ ॥
शशाप तान्तदा विप्रान् जमदग्निकुमारकः ।
कदन्नभोजिनो यूयं चैलखंडधरा भुवि ॥ ४७ ॥
असिप्रद्धावनीस्थाने श्लाघनीया भविष्यथ ।
शप्त्वेत्थं भार्गवो रामो महेंद्रं तपसे ययौ ॥ ४८ ॥
गते तु भार्गवे रामे तत्क्षेत्रस्था द्विजातयः ।
शापग्रस्ताः सुदुःखार्ताः शूद्रप्रायास्तदाभवन् ॥ ४९ ॥
गते तु कतिचित्काले रविवंशसमुद्भवः ।
मयूरवर्मा नृपतिस्तं देशं वै प्रशासह ॥ ५० ॥
शूद्रप्रायान् द्विजान्प्रेक्ष्य शिखिवर्मा स्वराष्ट्रजान् ।
अहिच्छत्रं समागत्य तत्रत्यान् द्विजपुंगवान् ॥ ५१ ॥
आनीय स्वपुरं तेभ्यो ददौ ग्रामान्मुदान्वितः ।
द्वात्रिंशद्ग्रामकान् सर्वान् शिखिवर्मा महीपतिः ॥ ५२ ॥
इति जलनिधितो भुवं च लब्ध्वा जनपदपत्तनदेवतालयैश्च ।
सहितममलदेशमाशु चक्रे तरुविटपैर्विविधैश्च पुष्पिताग्रैः ॥५३॥

इति श्रीस्कंदपुराणे उत्तररहस्ये सह्याद्रिखंडे परशुरामक्षेत्रोत्पत्तिर्नाम सप्तमोऽध्यायः ॥ ७ ॥

अथ अष्टमोऽध्यायः ।

नारद उवाच । मयूराख्यो महावीर्यः सूर्यवंशसमुद्भवः ।
कथं स्थापितवान् विप्रान् विस्तराद्वद सुव्रत ॥१॥

स्कंद उवाच । मयूरनामनृपतिर्हेमांगदकुमारकः ।
अहिक्षेत्रस्थितान्विप्रानागतान्द्विजपुंगवान् ॥ २ ॥
सपुत्रपौत्रसहितान् संपूज्य विविधान्नृपः ।
प्रसादयित्वा तान् विप्रान् धनसत्कारभोजनैः ॥ ३ ॥
अग्रहारान् चकारासौ द्वात्रिंशद्ग्रामभेदतः ।
तत्र तत्र द्विजवरान् स्थापयामास भूपतिः ॥ ४ ॥
कदंबकानने त्रीणि गोकर्णे वेदसंख्यया ।
शुक्तिमत्यास्तटे सम्यक् द्वयं ग्रामं चकार सः ॥ ५ ॥
सर्वशास्त्रेषु निरतानग्निहोत्रसमन्वितान् ।
स्थापयामास तान्विप्रान् रविवंशसमुद्भवः ॥ ६ ॥
ध्वजपूर्यां च संस्थाप्य सीताया दक्षिणे तटे ।
अजपूर्यां चतुर्ग्रामान् चकार विधिवन्नृपः ॥ ७ ॥
अनंतेशसमीपे तु दश ग्रामान् चकार सः ।
तच्छेषं च समाहूय नेत्रावत्युत्तरे तटे ॥ ८ ॥
ग्राममेकं चकारासौ संस्थाप्य विधिवन्नृपः ।
तन्मध्ये गजपूर्यां च नृसिंहश्च प्रतिष्ठितः ॥ ९ ॥
प्राच्यां सिद्धेश्वरो यत्र पश्चिमे लवणांबुधिः ।
उत्तरे कोटिलिंगेशो यत्र सीतास्ति दक्षिणे ॥ १० ॥
स वैकूटग्राममिति विख्यातं जगतीतले ।
तच्छेषमिति पूर्वोक्तं नेत्रावत्युत्तरे तटे ॥ ११ ॥
नवग्रामं चकारासौ श्रोत्रियेभ्यः प्रदत्तवान् ।
इत्थं निर्माय नृपतिरग्रहारान्पृथक् पृथक् ॥ १२ ॥

ब्राह्मणेभ्यः प्रदत्वाथ स्वस्थचित्तोभवत्तदा ।
एतेषु ग्राममुख्येषु स्थित्वा ब्राह्मणपुंगवाः ॥ १३ ॥
संतोषमावहन् राज्ञे वेदाध्ययनपारगाः ।
शिवपूजापरा नित्यं विष्णुपूजापरायणाः ॥ १४ ॥
महागणपतेश्चापि प्रसादाकांक्षिणस्तथा ।
षट्कर्मनिरताः शांताः सर्वशास्त्रेषु कोविदाः ॥ १५ ॥
मंत्रशास्त्रेषु निरता ज्योतिःशास्त्रविशारदाः ।
पंचयज्ञपरा नित्यं सच्चरित्रा दयालवः ॥ १६ ॥
श्रौतस्मार्तसदाचारा निष्ठाः सत्कर्मतत्पराः ।
वर्णाश्रमोदितान्धर्मान् नित्यं चक्रुरतंद्रिताः ॥ १७ ॥
मयूरवर्मनृपतौ क्षोणीं शासति धर्मतः ।
प्रहृष्टोभूत्तदा लोको यथा कृतयुगे पुरा ॥ १८ ॥
अथ कालेन महता शिखिवर्मा महीपतिः ।
कलिनाक्रांतमालोक्य जगत्सर्वं विचक्षणः ॥ १९ ॥
राज्यभारममात्येषु विन्यस्य तपसे ययौ ।
चंद्रांगदं स्वतनयं बालं संप्रेष्य नारद ॥ २० ॥
तदा तत्क्षेत्रनिलया ब्राह्मणास्त्वमितप्रभाः ।
मीलिता मंत्रयामासुर्द्वात्रिंशद्ग्रामवासिनः ॥ २१ ॥
राजपुत्रः शिशुरयं मन्त्रिवार्यास्तु प्रेक्षिकाः ।
तस्मात्पालनकृत्कोपि नास्त्यत्र विषये बत ॥ २२ ॥
वयमद्यैव गच्छामस्त्यक्त्वा देशमिमं पुनः ।
स्थितोचित्वमहीच्छत्रं माभूत्कालविपर्ययः ॥ २३ ॥
इति सर्वे समालोच्य जग्मुस्ते च यथागताः ।
ततस्तत्र स्थिता विप्राआगता ब्राह्मणैः सह ॥ २४ ॥
इत्याहुर्बंधुकृत्यं ते गोराष्ट्रनिलया यतिः ।
प्रत्याख्यातास्तु तैस्स्वै गोराष्ट्रादागता द्विजाः ॥ २५ ॥

तेषां ग्रामाद्बहिर्देशे वासं चक्रुः समेत्य ते ।
चिरकालगते तत्र शिखिवर्मासुतः सुधीः ॥ २६ ॥
चंद्रांगद इति ख्यातो विचारमकरोत्तदा ।
मत्पित्रा तु समाहूता ब्राह्मणाः क गता इति ॥ २७ ॥
चारैः सुबुबुधे विप्रान् यथापूर्वं गता पुनः ।
चंद्रांगदोपि राजासात्बहिच्छत्रं गतः पुनः ॥ २८ ॥
पूर्वमाकारितान्विप्रान्समेत्योवाच भूपतिः ।
चंद्रांगद उवाच । गत्वा मद्विषयं विप्राः किमर्थं पुनरागताः॥२९॥
इति निर्भयमेधावी इति चक्रे महामतिः ।
ग्रामेषु ग्रहभेदानि पुरश्चूडां तथैव च ॥ ३० ॥
इदं चिन्हं करोमीति तासां मतिमतां वरः ।
सचिवैः सह निश्चित्य पुरचूडां चकार सः ॥ ३१ ॥
तथैव ग्रहभेदानि चकार नृपनंदनः ।
कारेडरूग्रामके तु भेदान् चत्वारिसंख्यकान् ॥ ३२ ॥
तथा कर्काडिमध्ये तु ह्यष्टभेदान्चकार सः ।
तथैव मरणे ग्रामे द्वितीयं भेदविस्तरं ॥ ३३ ॥
कानुवीनां सुमध्ये च भेदौ द्वौ द्वौ च पार्थिवः ।
पाडिग्रामे वेदसंख्यास्तद्वत्कोडीलनामके ॥ ३४ ॥
मागवेतु ग्रामके तु वेदवद्भेदमंहसः ।
मित्रनाडुग्राममध्ये तद्वत्पार्थिवनंदनः ॥ ३५ ॥
निर्मार्गकग्राममध्ये चकार ऋषिसंख्यकं ।
सीमंतुरग्राममध्ये नव भेदान्चकार सः ॥ ३६ ॥
शिवबल्यां विशेषज्ञः त्रिंशद्भेदं शतोत्तरं ।
षष्ठादशादेतद्वच्च चत्वारिंशच्च मध्यमाः ॥ ३७ ॥
अथाष्टावजपूर्यां च तथा नीलावरे कृताः ।
कूटेष्टौ ग्रहभेदाश्च द्वयं स्कंदपुरे कृतं ॥ ३८ ॥

पश्चिमे षोडशे ग्राम एवं भेदान्विभज्य च ।
श्रीपाडिग्राममुख्ये तु पंच भेदान् चकार सः ॥ ३९ ॥
तथैव कौंडिलग्रामे द्वौ द्वौ भेदौ कृतौ मुदा ।
कारमूरुग्राममध्ये द्वौ भेदावाह पार्थिवः ॥ ४० ॥
तथैव चोज्जये ग्रामे भेदानाह स षोडश ।
तदर्धं कर्तुमार्गे तु भेदान्याह महीपतिः ॥ ४१ ॥
चीकोंडीग्रामके त्वन्यं सदसद्भेदमाह सः ।
वामीजुरुग्रामके तु द्वयं भेदं चकार सः ॥ ४२ ॥
पुरग्रामे च चत्वारि बल्लमंजे त्रयं तथा ।
हैनाडुग्रामके नाम वेदवद्भेदमाचरेत् ॥ ४३ ॥
तथैव इचुके ग्रामे षड्भेदानाह भूभुजः ।
केमिंजे भेदमेकं च पालिंजे द्वितयं तथा ॥ ४४ ॥
शिरिपाडिमहाग्रामे पंच भेदान् चकार सः ।
कोडिपाडिग्राममध्ये भेदं स ऋषिसंख्यकं ॥ ४५ ॥
पूर्वाषोडशमुख्ये तु ग्रामेषु नृपशेखरः ।
भेदानेवं विधायाथ स्वस्थचित्तोभवत्तदा ॥ ४६ ॥
एतेषां ग्रामभेदानि पूर्वषोडशकेषु च ।
संदेहो नात्र कर्त्तव्यस्त्रिसप्ततिरिति ध्रुवं ॥ ४७ ॥
तथैव पश्चिमे हस्ते षोडशैव न संशयः ।
ग्रामेषु गृहभेदानि षट् च तत्र शतद्वयं ॥ ४८ ॥
एवं च गृहभेदानि कृत्वा मतिमतां वरः ।
द्विजान्स्थापितवान् तत्र शांतचित्तोभवत्तदा ॥ ४९ ॥
अथ ते ब्राह्मणाः सर्वे वासं चक्रुरतंद्रिताः ।
द्वात्रिंशद्ग्राममुख्यं तु ख्यातिं ते लेभिरे परां ॥ ५० ॥

द्वात्रिंशद्ग्राममाहात्म्यं संक्षेपेणोदितं मया ।
इदानीं तु महाप्राज्ञ किमन्यच्छ्रोतुमिच्छसि ॥ ९१ ॥
इति श्रीस्कंदपुराणे उत्तररहस्ये सह्याद्रिखंडे ग्रामनिर्णयो नाम
अष्टमोऽध्यायः ॥ ८ ॥

अथ नवमोऽध्यायः ।

ऋषय ऊचुः । सूत सर्वपुराणार्थविज्ञान विजितेंद्रिय ।
तव मुखेंदोर्गलितं कथापीयूषमंगलं ॥ १ ॥
पीत्वा श्रुतिपुटैर्भूयः पिपासा वर्धते हि नः ।
अतः कथामृतं श्रोतुं पुण्यपापभयार्तिहं ॥ २ ॥
रहस्यं विविधं जन्मन् त्वया मतिमतां वर ।
श्रुतानि सकलान्यद्धा धर्माणि विविधानि च ॥ ३ ॥
द्वात्रिंशद्ग्रामनामानि गृहभेदानि यानि च ।
पूर्वमेव त्वयैवोक्तं पातित्यग्रामसंज्ञिकं ॥ ४ ॥
यदस्तीति विशेषं तच्छ्रोतुमिच्छामहे वयं ।
सूत उवाच । शृणुध्वमृषयः सर्वे सावधानेन चेतसा ॥ ५ ॥
इदमेव पुरापृच्छच्छौनकं धर्मकोविदं ।
जन्मेजयस्य तनयः शतानीको महीपतिः ॥ ६ ॥
व्यासोपदेशात्सततं पुराणश्रवणे युतः ।
कलिनाविष्टमालक्ष्य भारतं खंडमुत्तमं ॥ ७ ॥
क्षेत्रतीर्थैकनिरतो यज्ञकर्मकृतादरः ।
शिवपादारविंदैक्यः शिवभक्तिरतंद्रितः ॥ ८ ॥
शतानीक उवाच । सर्ववेदांततत्त्वज्ञः सर्वशास्त्रार्थकोविदः ।
तव वागमृतं पीत्वा न तृप्तिर्जायते कथं ॥ ९ ॥

भार्गवस्य प्रभावं च तस्य देशस्य विस्तरं ।
द्वात्रिंशद्ग्रामनामानि तथा तद्दैवतानि च ॥ १० ॥
विस्तरेण त्वया ब्रह्मन् श्रोतुं सर्वं समग्रतः ।
उपग्रामाणि संतीति पुरा यत्कथितं त्वया ॥ ११ ॥
तान्यहं श्रोतुमिच्छामि ग्रामाणां चाधिदैवतं ।
शौनक उवाच । पुरा क्रोडमुनिर्नाम सत्यवादी जितेंद्रियः ॥ १२ ॥
चिरकालं तपस्तप्त्वा शंकरं श्रीशमव्ययं ।
स्वाधीनं कारयित्वाथ स्वनामाकारितां पुरीं ॥ १३ ॥
स्वमुद्रांकिततीर्थं च निर्माय स्वमनोहरं ।
आश्रमं तत्र कृत्वाथ निनयेद्बहुवत्सरं ॥ १४ ॥
कलियुगे च संप्राप्ते नैमिषारण्यमाश्रितान् ।
संक्षेपेणात्र वक्ष्यामि सावधानमनाः शृणु ॥ १५ ॥
कदाचिद्भार्गवः श्रीमान् सर्वक्षत्रकुलांतकः ।
गोकर्णं गंतुकामश्च महेंद्राद्रौ जगाम सः ॥ १६ ॥
तत्र तत्र च तीर्थानि ऋषीणामाश्रमाणि च ।
शनैः पश्यन्नमेयात्मा देवतायतनानि च ॥ १७ ॥
ततः सह्याद्रिशिखरमदूरे दृष्टवान् मुनिः ।
दिव्यौषधितपोयोगं मंत्रसिद्धैर्महर्षिभिः ॥ १८ ॥
जुष्टं किन्नरगंधर्वैरप्सरोभिश्च चारणैः ।
नानारत्नमयैः शृंगैरिंद्रनीलैर्विचित्रकैः ॥ १९ ॥
नानाफलप्रस्रवणैर्नानाकंदरसानुभिः ।
रुचिरं विहिरंतीनां रमणैः सिद्धयोषितां ॥ २० ॥
मयूरकोकिलयुतं धातुभिश्चसमूर्छितं ।
अजस्रं रक्तकंठानां कूजितैश्च पतत्रिणां ॥ २१ ॥
आह्वयंतमिव श्रांतान् कांतैः कामदुघैर्द्रुमैः ।
व्रजंतमिव मातंगैर्गृणंतमिव षट्पदैः ॥ २२ ॥

मांदारैः पारिजातैश्च रसालैश्चोपशोभितैः ।
तमालैः शालतालैश्च कोविदारासनार्जुनैः ॥ २३ ॥
चूतैः कदंबनिंबैश्च नागपुन्नागचंपकैः ।
पाटलाशोकबकुलैः कुंदैः कुरबकैरपि ॥ २४ ॥
पनसोदुंबराश्वत्थप्लक्षन्यग्रोधतिंदुकैः ।
पुण्यैरौषधिभिः पूगै राजपूगैश्च जंबुभिः ॥ २५ ॥
आम्रातकैरग्निशिखैः प्रियालैर्मधुकाननैः ।
द्रुमजातिभिरन्यैश्च राजितं वेणुकीचकैः ॥ २६ ॥
शृंगैर्मृगैर्मृगेंद्रैश्च गजेंद्रैर्गजशल्यकैः ।
गवयैः शरभैर्व्याघ्रैरुरुभिर्महिषादिभिः ॥ २७ ॥
मृगनाभिभिराकीर्णं विशिष्टं चमरीमृगैः ।
कदलीखंडसंरुद्धनलिनीपुलिनस्तथा ॥ २८ ॥
निर्झरैश्चामरच्छत्रैः कदलीकेतुभिस्ततः ।
विराजमानं शैलेंद्रं दृष्ट्वा हृष्टमना मुनिः ॥ २९ ॥
अवतीर्य ददर्शाथ तौलवं देशमुत्तमं ।
तत्क्षेत्रे प्राप्तवान् रामो मेधावी भृगुनंदनः ॥ ३० ॥
ईशन्नारायणं सम्यक् पूजयामास शास्त्रतः ।
कमलैर्लक्षसंख्याकैः पूजयामास भार्गवः ॥ ३१ ॥
नानोपचारैर्विविधैर्वेदोक्तमंत्रराशिभिः ।
स्तोत्रं कर्त्तुं समारेभे शंकरं श्रीशमव्ययं ॥ ३२ ॥

परशुराम उवाच ।

स्वाराजपूर्वसुरकोटिकिरीटराजन्नीराजनीयनिजपादसरोरुहाय ।
शस्त्रास्त्रवेदपतये वरशंकरश्रीनारायणाय विमलाय नमः शिवाय ३३
माराहिताय मधुकैटभदारणाय ध्यानादरप्रतरकंठतनुप्रभाय ।
साराय सर्वजगतामपि शंकरश्रीनारायणाय० ॥ ३४ ॥

धारानुरागधरणीधरराजकन्या वाराकरेंद्रतनयावशमानसाय ।
सूर्येंदुवन्हिनयनाय च शंकरश्रीनारायणा० ॥ ३५ ॥
आधारनप्रणयिनामनिशंजनानांकाराग्रहैकलपतेकलिकल्मषानि ।
नारायणाय नरकच्छिदशंकरश्रीनारा० ॥ ३६ ॥
नम्रस्थिताकुलनपांचलदेतिमातानामात्रशेषितसुराचमहापुराय ।
नाथाय सर्वजगतामपि शंकरश्रीनारायणा० ॥ ३७ ॥
भूवारिवन्हिमरुदंबुदपूरुषार्कैजैवारकोष्टवपुषोदशविग्रहाय ।
ताराचराचरमयाय च शंकरश्रीनारा० ॥ ३८ ॥
कीनाशनक्रतुगृहीतिरटन्मृकंडुभूनागभीतिहरपादकरांबुजाय ।
आराधिताय सकलैरपि शंकरश्रीनारा० ॥ ३९ ॥
नानाविलासनगराजसुताप्रियायभोगप्रियायनरवाहनपुष्टिदाय ।
नाकर्दमाय नमतीमतिशंकरश्रीनारायणा ॥ ४० ॥
जयशंकरपंकजनाभविभोविभवप्रद पादकृपांबुनिधे ।
विधिपावकसेवित दैन्यहर हर माधव मानवमाररिपो ॥ ४१ ॥
रिपुदानवदानवचक्रधराधरजापारियूनलोलभुजा ।
भुजगाधिपकोमलभोगशया शयशोभितशूलविशालगदा॥ ४२ ॥
गदभेषजचित्रविचित्रगणा गणनायकमानसतोषकरा ।
करनीरजराजितश्रीकरा वरदाभयदानविधानपदा ॥ ४३ ॥
पदनम्रसुरासुरपूर्णकृपाकृपणाखिलकामनकल्पतरो ।
तरुणीमणिभूषितवामतनो तनुकांतिरनाकृतिनीलमणे ॥ ४४ ॥
मणिमौलिविषकंठितचंद्रकलाकरवेणुरवोन्मदगोपिजना ।
जनतादिविहीननिरिंदेरेदरकोटिविलासनिकासरुपे ॥ ४५ ॥
रुचिरं नवकौस्तुभजंबुगलं गललक्षितकालमहापरल ।
गरलायुधमस्तकसंनटनटनस्फाटितकाञ्जभवांसघट ॥ ४६ ॥
घटसंभवदतमहास्तृतते जगदीशरमेशरमेशभव ।
भवसागरतारककंवधनां धकितांधरैकक्रंधरद ॥ ४७ ॥

रदनच्छदविधृतविद्रुमभङ्गं मभयदनगर --------- ।
रदकेसरराजितपद्ममुख मुखरीकृतसद्गुणभाग्यनिधे ॥ ४८॥

विधिवंद्यविधेहिपदंत्ददयेत्ददयंगमकुंकुमालिप्तधर ।
धरजाकमलाकुचलोलकरा तरजाद्रितनिर्दयदैत्यपते: ॥ ४९ ॥

पतितासमहानगवज्रनुते नुतिमुक्तिदवेदपुराणगण ।
गणनाविषयानघपुण्यगुण गुणवर्णननतीवभूमिसुर ॥ ५० ॥

सुरभूरुहमूललसद्भुवनभवनाशनभाविनमंगलद्दगलमृदुलदिव्यतरो
प्रसवायुधतापनकृन्नयन नयनांबुजासाधितचक्रजय ॥ ५१ ॥

जयक्रोडपुरीशगिरीशजयजयदिग्विजयीभवदेवजय ।

एवं स्तुत्वा तदा रामः कृतांजलिपुटः सुधीः ।
नत्वा स्तुत्वाथ तं देवं प्रतस्थे वारुणीं दिशं ॥ ५२ ॥

तत्र शुक्तिमतीं दिव्यां विमलोदकपूरितां ।
मंदाकिनीप्रतिनिभामघौघपरिवर्जनीं ॥ ५३ ॥

तां ददर्श महाभागस्तस्यां स्नातुं प्रचक्रमे ।
विधाय नित्यकर्माणि सोहं ब्रह्मेति भावयेत् ॥ ५४ ॥

मंत्रमूर्तिं त्ददि ध्यायन्नांतरे भेजपं नमुं ।
एतस्मिन्नंतरे राजन् नाह्मग्युरतिदुःखिताः ॥ ५५ ॥

विश्वस्ताः पूर्णगर्भिण्यः क्षुत्पिपासेन पीडिताः ।
नदीकूलं ततः प्रापुर्नवसंख्यानवाकृति ॥ ५६ ॥

अविदूरे तपस्यंतं साक्षाद्वन्हिशिखोपमं ।
कोटिभानुप्रतीकाशं नासाग्रकृतलोचनं ॥ ५७ ॥

ददर्श भार्गवं त्दृष्टास्तस्यांतिकमुपाविशन् ।
पाहि पाहि महाबाहो सर्वभूतदयानिधे ॥ ५८ ॥

दुःखान्नस्तारय विभो ह्यंगभूतान्परंपरान् ।
उच्चैराक्रंदिताः प्रोचुः परप्रांतभुवस्थले ॥ ५९ ॥

त्वदयेत्यावयं ब्रह्मन् निंदिताः पापदूषिताः ।
उद्धारय कृपांभोधे मृतप्राया हतप्रियाः ॥ ६० ॥
शौनक उवाच । किमेतदिति ह्याश्चर्य विस्मयोत्फुल्ललोचनः ।
उद्धरन्निव नेत्राभ्यां ददर्श नृपनंदनः ॥ ६१ ॥
पतंति भूतले धीराः पालनायातिदुखिताः ।
सहजं हि तदा तासां मदभायतकीर्त्तयेत् ॥ ६२ ॥
अथ दत्वाभयं तेभ्यः कृपालुर्दीनवत्सलः ।
मेघगंभीरया वाचा ह्युवाच भृगुनंदनः ॥ ६३ ॥
भार्गव उवाच । धैर्यमालंब्यतां नार्यः केशं संत्यज्यतामिति ।
अभीप्सितं वरं ब्रूत दत्तमित्यवधार्यतां ॥ ६४ ॥
ततस्तद्वाक्यमाकर्ण्य सुधारसमिवोदितं ।
उत्तस्थुरथ विश्वस्ता अश्रुपूरितलोचनाः ॥६५ ॥
नार्य ऊचुः द्वात्रिंशद्ग्राममध्ये तु श्रोत्रियान्वयिनो वयं ।
बाल्ये भर्त्तुर्वियोगेन ललाटलिखितेन च ॥ ६६ ॥
इमामवस्थां संप्राप्ता जनैरतिविगर्हिताः ।
ग्रामणीभ्यः परित्यक्तास्तपस्विन्येवयं बत ॥ ६७ ॥
देहं त्यक्तुमधैर्यत्वाद्गच्छामो नियतैर्वशात् ।
पुण्यलेशेन महतात्वद्दर्शनमभूद्विभो ॥ ६८ ॥
कृपां कुरु दयासिंधो नः पालय कृपाकर ।
इति तासां वचः श्रुत्वा दत्तवानभयं मुनिः ॥ ६९ ॥
ताभिश्च सह संप्राप्तः क्रोडेशं भद्रदायकं ।
दर्शनं कारयामास यथाभक्तिर्भविष्यति ॥ ७० ॥
क्रियतामत्र संवासं किंचित्कालमतंद्रिताः ।
क्रमाच्छंकरन्यायेन तं देवः करुणानिधिः ॥ ७१ ॥
शं तनोति न संदेहो भविता कुलदैवतं ।
एवमुक्त्वा महायोगी गोकर्णं प्रययौ तदा ॥ ७२ ॥

शौनक उवाच। किंकरजनहितकरणं संततिकरणं शिवेंदिरारमणं ॥
पंकजवन्नूतनचरणं शंकरनारायणं सदा कलये ॥ ७३ ॥

इति श्रीस्कंदपुराणे उत्तररहस्ये सह्याद्रिखण्डे शिवगणेशसंवादे भार्गवेण कृता स्तुतिर्नामनवमोऽध्यायः ॥ ९ ॥

अथ दशमोऽध्यायः।

शतानीक उवाच। किं चक्रु रथविप्रेंद्र गर्भिण्यार्तानितांतव।
विस्तरेण वदस्वाद्य पंचग्राममभूत्कथं ॥ १ ॥
शौनक उवाच। संक्षेपेणात्र वक्ष्यामि शृणु पार्थिवसत्तम।
भार्गवस्य प्रभावं च पंचग्रामस्य वैभवं ॥ २ ॥
सूतिमासश्च संप्राप्तः शुचिवस्त्रादनंतरं।
निर्मितास्ताश्च विश्वस्ताः सुतान्सुषुविरे तदा ॥ ३ ॥
क्रमात्कन्याश्च संजाता पीनोन्नतपयोधराः।
संतोषमतुलं प्रापुः पप्रच्छुस्ता नृपोत्तम ॥ ४ ॥
तेषान्यतीयुर्बालत्वं तथा कौमारवार्षिकं।
गोलका इति तान् प्राहुस्ततश्चेन्मनुजेश्वर ॥ ५ ॥
सोदरावरणार्थाय चेतश्चक्रुरघौघगाः।
केचिज्जनाः कर्षतं च लांगलं च क्वचिज्जनाः ॥ ६ ॥
केचित्प्रापुर्भारविद्यां केचित्कुर्वंति भट्टिकां।
जघन्यजत्वं प्रज्ञाय किं ब्रूमस्त्वां नरेश्वर ॥ ७ ॥
वृत्त्या त्रिवर्णान्वैधायान् पशूनास्ता निराकृतान्।
नेत्रहीना यथा सेना यथेच्छं विचरंति हि ॥ ८ ॥
इत्थं प्रवृत्तमानस्य व्यतीयुर्बहुवत्सराः।
भार्गवः कृतगोकर्णं तथा तौलवमंडनं ॥ ९ ॥

महेंद्रं गंतुकामेन प्रपेदे क्रोडपत्तनं ।
ततो दूरे समायातं भास्करस्य समद्युतिं ॥ १० ॥
तं दृष्ट्वा भार्गवं वध्वः पेतुश्चरणयोस्तथा ।
तथोत्थाय स्ववृत्तांतमुक्त्वाखंडं पुनः पुनः ॥ ११ ॥
एतान्क्षेत्रमहाभाग त्राहि मां पापचारिणां ।
तदाकर्ण्य वचस्तासां कृपालुर्भृगुनंदनः ॥ १२ ॥
कृपां चकार कृपया पालयन्निव भूमिप ।
तथेत्याह महाबाहुरग्रीध्रं सोमपीठनं ॥ १३ ॥
वेदवेदांगतत्त्वज्ञं स्मार्त्तकर्मसुनिष्ठितं ।
अंगज्ञं च महाप्राज्ञं पश्चिमाब्धौ तटे स्थितं ॥ १४ ॥
संस्कारः क्रियतामद्य त्वया चैनसकारिणः ।
अवैदिकेन मंत्रेण नामग्रहणपूर्वकं ॥ १५ ॥
स्थानं कुरु तथा तेभ्यस्तत्र निक्षिप्यतामिति ।
कुठारपाणिरित्युक्त्वा माहेंद्रमगमत्तदा ॥ १६ ॥
शौनक उवाच । गुरुवाक्यमथाकर्ण्य सोमपीठिर्महामतिः ।
गोळकान्तान्समाहूय मंत्रपूतैर्जलैरपि ॥ १७ ॥
मृत्स्नानं भस्मस्नानं च तथा शुक्तिमतीजलैः ।
विधिवत्स्नापयामास गुरुवाक्यं सुगौरवं ॥ १८ ॥
नवानां नवपुत्राणां नव नामान्यकारयत् ।
गासीलयः कंनतं च वैद्यवचानिचातरः ॥ १९ ॥
हेरंबारयेलेदाळश्च नवैकेर्यपालकः ।
कोउगीहेम्णकल्कूरा पश्चात्संभावता भवान् ॥ २० ॥
चौलोपनीतिकर्माणि तथोद्वाहानि यानि च ।
लौकिकोक्तेन मार्गेण चक्रुर्वै भूसुरादयः ॥ २१ ॥
कार्याकार्यविचारज्ञो नातिकर्म्यगुरोर्गिरां ।
ग्रामं कुत्र करिष्येहमिति चिंतापरोभवत् ॥ २२ ॥

एतस्मिन्नंतरे राजन् व्योम्नि गीः समपद्यत ।
अत्रेयं कारयस्वेति विस्मयं विस्मयावहं ॥ २३ ॥
ततस्तद्वाक्यमाकर्ण्य स विप्रेंद्रो मुदान्वितः ।
उपत्यकायां कोपाद्रेः सह्यशैलस्य पश्चिमे ॥ २४ ॥
उत्तरे क्रियते सीमा याम्ये सह्यसमुद्भवा ।
सितानाम नदी पुण्या पर्वते विमलोदका ॥ २५ ॥
क्रोडाद्रेरीशभागे तु शुक्तिमत्याश्च पश्चिमे ॥
कुशाब्दात्परतः पारुशब्दग्रामं चकार सः ॥ २६ ॥
तत्रास्ते भगवान् शंभुपुत्रो गजमुखः सदा ।
शंखचक्रगदाशार्ङ्गपाणिना सह विघ्नराट् ॥ २७ ॥
तस्य चोत्तरदिग्भागे कारवेलति विश्रुतः ।
राजते तत्र देवेशः शार्ङ्गपाणिश्चतुर्भुजः ॥ २८ ॥
अतिवर्चस्वभक्तानां वांच्छितार्थप्रदायकः ।
तस्य पश्चिमदिग्भागे वामनेतिच विश्रुता ॥ २९ ॥
तत्रास्ते भगवान्साक्षादसुरांतकरो विभुः ।
अनारतं हि सुखकृत् भक्तानामभयप्रदः ॥ ३० ॥
शुक्तिमत्याः पुरोभागे उलूनामेति विश्रुता ।
करोति तत्र सान्निध्यं देवी भगवती हि सा ॥ ३१ ॥
महिषासुरनिर्नाशकारिणी चंडदर्पहा ।
चापशूलगदाखड्गधारिणी जगदंबिका ॥ ३२ ॥
तत्रैव पुंडरीकाक्षः प्रभुः सर्वत्र गोचरः ।
सर्वदा वामभागस्थो लक्ष्मीसंश्लिष्टविग्रहः ॥ ३३ ॥
कपित्थानात्र त्रिपर्गैः पुरारद्रेन धमिता ।
स्थापितोभून्महालिंगं चराचरसुखप्रदं ॥ ३४ ॥
अद्यापि लिंगरूपेण दृश्यते दृष्टिगोचरः ।
एवं च पंच ग्रामान्सः कारयित्वा द्विजाग्रणीः ॥ ३५ ॥

एकस्मिन्नेवमाज्ञाप्य तथैवाष्टौ जनांस्तथा ।
उभावुभौ पृथग्ग्रामे न्यधायीत ततो नरान् ॥ ३६ ॥
सुखेन स्थास्यतामत्र यावच्चंद्रदिवाकरौ ।
भार्गवस्य प्रसादेन तावत्तिष्ठंति बालकाः ॥ ३७ ॥
अत्रिगोत्राणि युष्माकं वर्द्धंतु कृपया विभो ।
इत्याशीर्वादमाकांक्षन्तैर्नुतः सिद्धयोत्तमः ॥३८ ॥
भूयो भूयो नमस्कृत्य क्रोडेशाय महात्मने ।
गुरवे भार्गवायाथ प्रययौ स्वाश्रमं प्रति ॥ ३९ ॥
शौनक उवाच । ततः कालांतरे राजन् नदीमारुरुहः क्वचित् ।
तत्र वाटं प्रकुर्वंती पिंडभृत्कुररो यथा ॥ ४० ॥
अधित्यकायां सह्याद्रेः पूगीवाटं न संशयः ।
उपत्यकायामेतेषां लांगलत्वं विधार्यते ॥ ४१ ॥
एतेषां गोलकानां च वाटिका च प्रशस्यते ।
अथवा भारविद्यां च सेवावृत्तिस्तथैव च ॥ ४२ ॥
पंचग्रामजना मूढाः कर्महीना निराकृताः ।
तेषां माता ब्राह्मणीका राजते राजशेखर ॥ ४३ ॥
सहभोज्यं सहावासं सहसंभाषणं तथा ।
सह यात्राप्रयाणं च न चेत्याहुर्विचक्षणाः ॥ ४४ ॥
तेषामन्नं प्रभुंजानो पातित्यमनुगच्छति ।
अग्निहोत्रं च संन्यासं पौरोहित्यं तथैव च ॥ ४५ ॥
श्रौतं च स्मार्त्तकर्म च पुराणपठनं तथा ।
स्वयंभूलिंगसंस्पर्शं तांत्रिकत्वं तथैव च ॥ ४६ ॥
यमाद्यष्टांगयोगत्वं नेत्याहुर्भृगुनंदनः ।
न चैते गोलकावृत्त्यो विवर्णाश्च निराकृताः ॥ ४७ ॥
विप्रत्वमनुगच्छंतः प्रचरंतु कलौ युगे ।
बहुनात्र किमुक्तेन किमन्यच्छ्रोतुमिच्छसि ॥ ४८ ॥

एतेषां दर्शनात्पुंसां पातित्यं संभविष्यति ।
प्रायश्चित्तविधिं वक्ष्ये मार्तंडस्य विलोकनं ॥ ४९ ॥
गणेश्वरं विष्णुमनादिशून्यं विष्णुं तथा त्रिष्णुमुदारविक्रमं ।
देवीमुपेंद्रं च महेंद्रलिंगं नमामि भूयः प्रणमामि भूयः ॥ ५० ॥

इति श्रीस्कंदपुराणे उत्तररहस्ये सह्याद्रिखंडे पातित्यग्रामे पंचग्राम निर्णयो नाम दशमोऽध्यायः ॥ १० ॥

अथ एकादशोऽध्यायः ।

शौनक उवाच । पातित्यग्राममस्त्यन्यच्छुक्तिमत्याश्च दक्षिणे ।
शूद्रदत्तं द्विजेभ्यश्च वाहकेभ्यः स्ववाहनं ॥ १ ॥
पुरा तु पादजैकश्चित्मद्रुकंदेति विश्रुतौ ।
रूपयौवनसंपन्नौ महाबलपराक्रमौ ॥ २ ॥
शिवपूजापरौ निष्ठौ द्विजभक्तिपरायणौ ।
तयोस्तु कतिचित्कालो व्यतीयुर्नृपनंदन ॥ ३ ॥
द्वात्रिंशद्ग्रामनिलयाः श्रेष्ठा वेदविदां वराः ।
अष्टौ द्विजाः समायाताः सभार्याः सहपुत्रकाः ॥ ४ ॥
तं वदंति समाकर्ण्य निर्भाग्यो धनलोभया ।
तयोः समीपमाजग्मुर्दरिद्रविनिवृत्तयः ॥ ५ ॥
आशीर्वादं ततः कृत्वा समवेता द्विजाधमाः ।
आशापूर्वकवाक्यानि ह्यूचुस्ते धनलोलुपाः ॥ ६ ॥
युवां धीरौ युवामाढ्यौ युवां पूज्यौ जगत्त्रये ॥
भवंतः सदृशौ नास्ति रूपौदार्यगुणान्वितौ ॥ ७ ॥
स्तुतिमित्थं बहुविधैर्वाक्यैर्वाक्यविशारदैः ।
समागतानामालोक्य ज्येष्ठो धर्मपरायणः ॥ ८ ॥

विधिवत् पूजयामास स तेभ्यो द्रविणं बहु ।
तथाष्टौ सत्कुटुंबिभ्यः कृत्वा सद्मानि शूद्रजः ॥ ९ ॥
तदा सर्वसमृद्धानि पशुधान्यानि यानि च ।
दासीजनयुता ह्याशु ददौ तेभ्यो मुदान्वितः ॥ १० ॥
तेन सन्मानिता विप्रा वासं चक्रुरतंद्रिताः ।
शुश्रूषां तस्य कुर्वंतो निन्युर्द्वादश हायनाः ॥ ११ ॥
जघन्यजोस्य संचिंत्य पुत्रहीनाश्च मेंगनाः ।
अन्यां सुलोचनां प्राप्स्ये पीनोन्नतपयोधरां ॥ १२ ॥
रूपयौवनसंपन्नां सर्वलक्षणलक्षितां ।
अस्मत्संततिवृद्ध्यर्थं वृणेहं वनितां शुभां ॥ १३ ॥
नापुत्रस्य च लोकोस्तीत्याहुर्मतिमतां वराः ।
इति निर्धार्य मनसा विवाहे कृतनिश्चयः ॥ १४ ॥
आमंत्र्य बांधवैः सार्धमुक्तवान्स मनोरथान् ।
शूद्रजाया उ० । क्रियतां मम चार्वंगि सखायः पुत्रकामिनी ॥ १५ ॥
अस्मिन्नर्थे महाराजा जातमाकुरुताधुना ।
अथ ते बांधवाः सर्वे समालोच्य परस्परं ॥ १६ ॥
काचित्कन्या शुभश्रेणी बिंबोष्ठी नवयौवना ।
दृष्ट्वा तामूचुस्ते सर्वे योजनार्धार्धसंस्थिताः ॥ १७ ॥
काप्यस्तत्र महाप्राज्ञा तव भार्या भविष्यति ।
इति तेषां वचः श्रुत्वा मेने स कृतकृत्यतां ॥ १८ ॥
श्वः काले परिणेतव्या इति निश्चित्य चेतसा ।
पाणिग्रहणसंभारान्संपाद्य स्वजनैः सह ॥ १९ ॥
शिबिकावाहकः कोपि नास्त्यत्र विषये बत ।
किं करोमि क्व गच्छामि कथं चिंतां तरिष्यसि ॥ २० ॥
ब्राह्मणान्तान्समाहूय विनयेनाब्रवीद्वचः ।
अहं च भवतां भृत्य मम कार्यं समग्रतः ॥ २१ ॥

मनोहितं कुलस्यास्य भवद्भिः क्रियतां लघु ।
तदा तस्य वचः श्रुत्वा विप्राः प्रेमनिमंत्रिताः ॥ २२ ॥
तथेत्यूचुर्द्विजाः सर्वे नानारत्नैरलंकृताः ।
अष्टपादेन रचितामष्टौ ते शिबिकां दधुः ॥ २३ ॥
शौनक उवाच । किं वक्तव्यं नरपते हेलया विधिचोदिताः ।
गुरून्बंधुजनान्सर्वान्त्यजंत्यर्थपरा नराः ॥ २४ ॥
वेश्यासक्ताः परस्त्रीणां द्यूतासक्तास्त्रयीमिव ।
अश्वासक्ता नरा भूप सततं गां त्यजंति हि ॥ २५ ॥
जघन्यः सहसागत्य शिबिकामारुरोह सः ।
शनैर्वधूगृहं प्राप्य कृतोद्वाहः सशूद्रजः ॥ २६ ॥
पत्न्यासह मुदं युक्तं प्रपेदे निजमंदिरे ।
अथ तेभ्यो द्विजेभ्यश्च वस्त्राण्याभरणानि च ॥ २७ ॥
एकैकस्य द्विजस्याथ प्रददौ स मुदान्वितः ।
शतप्रस्थानि निष्कानि किं न देयं महीपते ॥ २८ ॥
अथ ते ब्राह्मणाः सर्वे द्रव्याण्यादाय सत्वरं ।
भ्रातृवर्गं समादाय ग्रामं गंतुं प्रचक्रमुः ॥ २९ ॥
पतितानागतान्दृष्ट्वा ग्रामस्थाः क्रोधमूर्छिताः ।
दंडमादाय हस्तेन निजघ्नुस्तान्नरेश्वर ॥ ३० ॥
ते भयात्सहसा जग्मुर्दारुणं वृषलांगजं ।
तमूचुः पाहि पाहीति का गतिर्नो विधीयतां ॥ ३१ ॥
तदा तेषां वचः श्रुत्वा कृपयाविष्टचेतसा ।
जघन्यजाग्रणीभूय तानुवाच भयान्वितान् ॥ ३२ ॥
शोकं त्यजत हे विप्राः किमर्थं क्लेशकारणं ।
इमं ग्रामं च दास्यामि नवोढामंगनामिमां ॥ ३३ ॥
गोमहिष्यादि सर्वस्वं स्थीयतामत्र निर्भयाः ।
शौनक उवाच । यस्य द्रोहं च कुरुते यदापः करुणान्विताः ॥ ३४ ॥

अतीव दुःखसंतप्तस्तमेव शरणं व्रजेत् ।
मनसादुस्मरत्सोपि द्रोहस्तेन कृतः पुनः ॥ ३५ ॥
उद्धरिष्यति धर्मात्मा रामः शस्त्रभृतां वरः ।
तेषामसौ द्रोहकृतं चतुर्थे नरपुंगवः ॥ ३६ ॥
ते गात्रविस्मयः कार्यो न कश्चित्करुणात्मनः ।
अथ तेभ्यो द्विजेभ्यश्च शूद्रोसौ करुणार्दितः ॥ ३७ ॥
कांतां स्वकां च तां तां तु नवोढां नवयौवनां ।
विचित्रवसनोपेतां विचित्राभरणैर्युतां ॥ ३८ ॥
गोमहिष्यादि सर्वस्वं पूरितं भवनं तथा ।
स्नात्वा शुक्तिमतीतोये नृसिंहेशस्य सन्निधौ ॥ ३९ ॥
धरापूर्वं ददौ ग्रामं सुजनैरभिनंदितं ।
निर्भीताः संचरंत्यत्र स्थीयतां शाश्वतं द्विजाः ॥ ४० ॥
इत्युक्त्वा तर्थियात्रायां ययौ स वृषलात्मजः ।
शौनक उ० । अथ ते ब्राह्मणाः सर्वे त्दृष्टचित्ताभवंस्तदा ॥ ४१ ॥
ग्रामं च ह्यष्टौ भागानि कृत्वा स्वैःस्वैर्निवेशनं ।
तथैव भावयेत्यासं तथा नामानि यानि च ॥ ४२ ॥
हव्यकव्यशुभादीनि चक्रुः संकेतमार्गतः ।
तदाप्रभृति राजेंद्र ते विप्रा न्यवसन्सुखं ॥ ४३ ॥
द्वात्रिंशद्ग्रामसंस्थानं माहात्म्यं वृषलस्य च ।
नवोढायाश्च कांतायाः किं ब्रवीमि नरेश्वर ॥ ४४ ॥
कुलहीना परित्यक्ता गुरुबंधुजनैः सह ।
द्वात्रिंशद्ग्रामवासिन्यो निंदिताः पापचारिणः ॥ ४५ ॥
सदा शूद्रान्ननिरता राजंते भूतले बत ।
एतेषां दर्शनात्सद्यः पातित्यमनुगच्छति ॥ ४६ ॥
प्रायश्चित्तविधिं वक्ष्ये चंडांशोर्दर्शनं परं ।
बहुनात्र किमुक्तेन नात्र कार्या विचारणा ॥ ४७ ॥

हिरण्यहतारमनादिपूरुषं जगत्त्रये व्याप्तसुदारविग्रहं ।
सुरासुरैः पूजितपादपंकजं भजन्नृसिंहं च भजेन्नृसिंहं ॥ ४८ ॥

इति श्रीस्कंदपुराणे उत्तररहस्ये सह्याद्रिखंडे एकादशोऽध्यायः ११

अथ द्वादशोऽध्यायः ।

शौनक उवाच । पातित्यग्राममस्त्वन्यत्कोटिलिंगेशसन्निधौ ।
तत्र स्थितानां मर्त्यानां पापिनां क्रूरकर्मणां ॥ १ ॥
असत्यवादिनां तेषां माहात्म्यं च वदामि ते ।
लोकेऽतिवैचित्र्यकरं श्रोतॄणां विषयावहं ॥ २ ॥
पुरा तु पार्थिवः कश्चिदासीद्वरगुणान्वितः ।
नाम्ना वसुरिति ख्यातो यं विदुर्भूपुरंदरं ॥ ३ ॥
तस्मिन् शासति भूपाले क्षोणीं सर्वसमृद्धिनीं ।
अनृतत्वं पोषकत्वं नास्तीत्याहुर्मनीषिणः ॥ ४ ॥
इत्थं प्रवर्त्तमानस्य व्यतीयुर्बहवः समाः ।
कदाचिदभवद्वादं कूलस्थानां महात्मनां ॥ ५ ॥
तदा कोटीश्वरस्थानां सीमाव्यत्यस्तकारणं ।
तदा वैनेयसंबंधं षोडशप्रस्थहेतुके ॥ ६ ॥
कृत्वा विवादं बहुधा राज्ञे सर्वं न्यवेदयेत् ।
अथ राजा महाप्राज्ञो नीतिवाक्यविदां वरः ॥ ७ ॥
तदा कोटीश्वरस्थांस्तान् प्रचंडान्धूर्त्तपुंगवान् ।
जल्पंतः सर्वमनृतं सांत्वयन्नाह पार्थिवः ॥ ८ ॥
इत्थं प्रवदतस्तत्र वाक्यं च नृपतेः शुभं ।
तिरस्कृत्य नृपस्याग्रे न्यकुर्वंतो बभाषिरे ॥ ९ ॥
निजगाद विचिन्त्याथ हर्षयन्निव तां सभां ।
काश्यपीं प्रार्थयिष्यामो वदत्येषां शुभाशुभं ॥ १० ॥

कलुषं यत्र यत्रास्ति तत्र तत्र दहिष्यति ।
इति निश्चित्य मनसा चारानाज्ञापयत्तदा ॥ ११ ॥
द्वात्रिंशद्ग्रामनिलयान् स्वे स्वे धर्मे व्यवस्थितान् ।
भूषमानधनान्पूज्यान्क्षिप्रमानीयतामिति ॥ १२ ॥
पश्चाच्च साधयिष्येहमादिश्य नृपतिर्गृहं ।
शौनक उवाच । तस्मिन्नेव क्षपामध्ये धूर्ताः कोटीश्वरे स्थिताः १३
सीमोपांत्यं समागत्य खनित्रैरतिवेगतः ।
क्षोणीं खात्वा व्योममात्रां कुंडे कुत्सितकर्मणः ॥ १४ ॥
निक्षिप्य पुरुषं कश्चित् स्थीयंते ते प्रपूरयेत् ।
यथा स्वस्वगतं प्रापूराज्ञा एव व्यवस्थिताः ॥ १५ ॥
अथ चारैः समानीता द्वात्रिंशद्ग्रामवासिनः ।
आजग्मुर्नृपसान्निध्यमाशीर्वादपुरःसरं ॥ १६ ॥
तत्कालोचितवाक्यानि जुगुप्सुर्वै नरेश्वर ।
तदा वसुजनैः सार्द्धं सीमाप्रांतं ययुर्मुदा ॥ १७ ॥
संगृह्य पूजासंभारं दैवज्ञैस्तांत्रिकैः सह ॥
तौर्यत्रिकेण सहिताः कुटकोटीश्वरैः सह ॥ १८ ॥
स्थिरां पूजां करोति स्म गंधपुष्पाक्षतादिभिः ।
भक्ष्यभोज्यैस्तथा धूपैर्दीपैर्नैवेद्यचंदनैः ॥ १९ ॥
प्रार्थनामकरोत्तत्र पार्थिवो मनसेप्सितां ।
कृतांजलिपुटो भूत्वा विनयेनाब्रवीद्वचः ॥ २० ॥
राजोवाच । विधेहि देहि कल्याणं कलुषं यन्मया कृतं ।
अज्ञानाज्ज्ञानतो वापि क्षम्यतां क्षम्यतां त्वया ॥ २१ ॥
कूटस्थानमिदं क्षेत्रमन्यस्थानमथापि वा ।
वास्तव्यते त्वया सम्यक् बोधनाय इमां नृणां ॥ २२ ॥
इत्थमुक्त्वा महीपालस्तत्र तूष्णींबभूव सः ।
शौनक उवाच । शृण्वतां सर्वभूतानां कुंडस्थो विधिचोदितः ॥२३॥

परित्यागाय चैतेषां स्वनाशाय नृपात्मजाः ।
राजकीर्त्तिस्तथा ख्यात्यै गदतिस्म नराधमः ॥ २४ ॥
इदं कोटीश्वरं स्थानं ज्ञातव्यं नात्र संशयः ।
इमं शव्दं समाकर्ण्य पिशुनाः पापकारिणः ॥ २५ ॥
श्रूयतां मनुजाः सर्वे भवद्भिर्लोककंटकैः ।
अपहृत्य मदीयं च भवंतेभ्यो ददात्यसौ ॥ २६ ॥
इति संलापयंतस्ते मेनिरे कृतकृत्यतां ।
शौनक उवाच । एतस्मिन्नंतरे व्योम्नि जनमाश्चर्यकारिणी ॥२७॥
निजभर्तृस्नेह एव तथा कोटीश्वरस्य च ।
प्राप्नोति जनतापौघः शंकायैवामितप्रभौ ॥ २८ ॥
स्वप्रभावं दर्शयति निजगादाथ तान्प्रति ।
नत्वागीर्भूमिसंबंधा जाता नरसुखा ध्रुवं ॥ २९ ॥
कोटीशस्था जनाः सर्वे वंचकाः पापचारिणः ।
अस्मिन्नर्थे महाराजा शपामि शिवपादयोः ॥ ३० ॥
इत्युक्त्वा सा भगवती तत्रैवांतर्हिताभवत् ।
तदा तद्वाक्यमाकर्ण्य रोमांचितकलेवरः ॥ ३१ ॥
तस्थौ मुहूर्त्तं धर्मात्मा जडीभूतः सविस्मयः ।
ग्रामस्थानां पुरोभागे भूमिं खात्वा प्रदृष्टवान् ॥ ३२ ॥
कृमिसंकुलितं मांसं भूतं पुरुषविग्रहं ।
स राजा विस्मयो भूत्वा क्रोधात्संरक्तलोचनः ॥३३ ॥
ग्रामस्थानां पुरोभागे सर्वस्वपदहृत्य च ।
असाक्षिवादिनस्तत्र ग्रामस्तेभ्यः प्रदत्तवान् ॥ ३४ ॥
परित्यागात्सरीत्यागं तैरेव तु विधीयतां ।
इति निर्दिश्य भगवान् गच्छतिस्म पुरं प्रति ॥ ३५ ॥
अथ ते ब्राह्मणाः सर्वे कीलया नतमस्तकाः ।
असाक्षवादिनो यूनं पतिताः पापयंत्रिताः ॥ ३६ ॥

अनस्थानाः श्लाघनीयाः सर्वकर्मबहिष्कृताः ।
अस्मिन्ग्रामे विवाहादिर्वर्जनीयो भविष्यति ॥ ३७ ॥
शप्त्वेत्थमनृताद्भूप महाप्रज्ञा दृढव्रताः ।
ग्राममन्यं समासाद्य जग्मुस्ते स्वं निवेशनं ॥ ३८ ॥
परित्यक्तास्ततः सर्वे वार्धेस्तीरमुपाश्रिताः ।
स्थिताः षण्मासपर्यंतमदक्षा व्याकुलेंद्रियाः ॥ ३९ ॥
शौनक उवाच । यदृच्छयागतः श्रीमान् विमतस्थापितो महान् ।
ततो दूरे समायांतमहस्करमहद्युतिं ॥ ४० ॥
ऊर्ध्वपुंड्रांकितं शांतं ललाटे चोर्ध्वपुंड्रकं ।
आमूलमुद्रांकितबाहुदंडमध्ये समावेशितचैलखंडं ॥ ४१ ॥
वामे करे प्रोद्गतवेणुदंडमंते युगे माध्वमतप्रचंडं ।
पुनश्च मुद्रांकितसर्वगात्रं वामे करे संस्थितनीलपत्रं ॥४२॥
कृपासमालोकितवामनेत्रं ध्यायंतमीशं हृदि पक्षिपत्रं ।
कंठे समाश्लिष्टसुपद्ममालां ब्रह्मांडपिंडीकृतपिंडजालं ॥४३॥
ध्यायंति चेशस्य नृसिंहलीलां ध्यायंतमाद्यं त्वदादि लोकरूपं ।
तं दृष्ट्वा दंडवद्भूमौ मुनिं मंदारसंनिभं ॥ ४४ ॥
वदंतं स्वमतं सम्यक् पेतुश्चरणयोर्मुदा ।
ऊचुस्तेषां चरित्राणि ह्यसाक्षित्वेन निंदिताः ॥ ४५ ॥
पाहि पाहि महाभाग कृपालो दीनवत्सल ।
शौनक उवाच । इत्याकर्ण्य वचस्तेषां शोकपूरितदिङ्मुखं ॥ ४६ ॥
उद्धरिष्याम्यहं विप्राः क्षणादेव न संशयः ।
कृपाकरः स भगवानित्युक्त्वा चाभयं ददौ ॥ ४७ ॥
तप्तमुद्रांकितं कृत्वा मतं वेत्यं हराभिधं ।
तथाष्टाक्षरमंत्रं च विष्णुनामान्हिकं शुभं ॥ ४८ ॥
ऋषिश्च वामदेवाख्यश्छंदोनुष्टुप्प्रकीर्त्तितः ।
तथा नारायणो देवः कैवल्यार्थप्रदायकः ॥ ४९ ॥

पुरा चक्रधरः श्रीमान्हितमामुक्तवान्किल ।
कंठे च तुलसीदाम ललाटे चोर्ध्वपुंड्रकं ॥ ९० ॥
मुखे पंचाक्षरं यस्य विष्णुरेव न संशयः ।
बहुनात्र किमुक्तेन कुर्वंतु मम शासनं ॥ ९१ ॥
शौनक उवाच । स्थापयित्वा ततो योगी प्रययौ तैश्च सत्कृतः ।
निष्कलंकाश्च ते विप्रा गुरोर्वचनगौरवात् ॥ ९२ ॥
तस्मिन्ग्रामे निवासं च पुनश्च नृपशासनात् ।
वेदवाक्यात्परित्यक्ता निर्भीताः संचरंत्यहो ॥ ९३ ॥
तेषां दर्शनमात्रेण पातित्यं लभते नरः ।
प्रायश्चित्तमहं वक्ष्ये षष्ठकालशतं चरेत् ॥ ९४ ॥

इति श्रीस्कंदपुराणे उत्तररहस्ये सह्याद्रिखण्डे शिवगणेशसंवादे
पातित्यग्रामकथनं नाम द्वादशोऽध्यायः ॥ १२ ॥

अथ त्रयोदशोऽध्यायः ।

शतानीक उवाच । विचित्रमिदमाख्यातं विचित्रं त्वन्मुखोद्गतं ।
भूयोपि श्रोतुमिच्छामि वद माहात्म्यमुत्तमं ॥ १ ॥
शौनक उवाच । शृणु राजन्प्रवक्ष्यामि सकलत्रपुरपुनः ।
पुरा शतवितंतूनां गर्भिणीनां नरोत्तम ॥ २ ॥
नानादेशोद्भवानां च वृत्तांतं प्रवदामि ते ।
अंगवंगकलिंगेभ्यः सौराष्ट्राद्गुर्जरास्तथा ॥ ३ ॥
आंध्रद्राविडकर्नाटकाश्मीरेभ्यस्तथैव च ।
करहाटमहाराष्ट्रसिंधुमागधतैर्नरैः ॥ ४ ॥
गौडगोराष्ट्रदेशाभ्यां परित्यक्ता वितंतवः ।
संजाताः पूर्वगर्भिण्यः कृताः श्राद्धविगर्हिताः ॥ ५ ॥

कल्पनारहिता नार्यः क्षुत्पिपासातिपीडिताः ।
मिलित्वा ताः समायातास्तुंगभद्रादिकं नृप ॥ ६ ॥
तीरस्थमद्वयं शांतं विरूपाक्षं महेश्वरं ।
नार्यः सर्वाः समाविष्टाः स्तुतिं कर्तुं प्रचक्रमुः ॥ ७ ॥
तत्रापश्यन्महाभागं नासाग्रकृतलोचनं ।
कण्वं नाम महाभागं शतघस्त्रादिकं प्रभं ॥ ८ ॥
ऊचुः प्रांजलयः सर्वाः स्ववृत्तांतं पृथक् पृथक् ।
का गतिर्नो वद मुने निंदितानां च मादृशां ॥ ९ ॥
किं कुर्मः कुत्र गच्छामः श्रेयो मरणमेव नः ।
शौनक उवाच । गर्भिण्या वचनं श्रुत्वा कृपालुर्वाक्यमब्रवीत् ॥ १० ॥
उपत्यकायां क्रोडाद्रे आसाते शंकराच्युतौ ।
तयोः समीपे वाराही सह्यशैलसमुद्भवा ॥ ११ ॥
तस्याः कूले तपस्यंतं सर्वक्षत्रकुलांतकं ।
भार्गवं तं महाभागं शरणं व्रजत द्रुतं ॥ १२ ॥
इति तस्य वचः श्रुत्वा मुनिं नत्वा पुनः पुनः ।
यत्रास्ते करुणासिंधुस्तत्रैव समुपागताः ॥ १३ ॥
नदीकूले तपस्यंतं वैश्वानरसमद्युतिं ।
ईदृशं भार्गवं दृष्ट्वा तस्यांतिकमुपाविशन् ॥ १४ ॥
रक्ष रक्ष महाभाग सर्वभूतदयानिधे ।
दुःखान्नस्तारय विभो भंगमानेव दुःखदात् ॥ १५ ॥
इत्थमाक्रंदिताः पेतुः पादोपांते नृपात्मज ।
त्वया दत्ता वयं ब्रह्मन्दूषिताः पापकारिणः ॥ १६ ॥
उद्धारय दयासिंधो मृतप्राया हतश्रियः ।
शौनक उवाच । तासां वाक्यमथाकर्ण्य कृपालुर्भृगुनंदनः ॥ १७ ॥
दर्शयन्स्वप्रभावं च सांत्वयामास भार्गवः ।
उद्वहन्निव नेत्राभ्यामभयं दत्तवान्मुनिः ॥ १८ ॥

का विपत्तिश्च संप्राप्ता सर्वं वदत सुव्रताः ।
क्षणार्धेन तथा नश्ये भयं मा कुरुताधुना ॥ १९ ॥
कराभ्यामंजलिं कृत्वा प्रोचुर्भार्गवसंमुखे ।
भो भार्गव महाप्राज्ञ दयालो क्षत्रियांतक ॥ २० ॥
प्राग्जन्मचरितं वृत्तं भुंज्यतेस्माभिरीदृशं ।
स्वबंधुभ्यः परित्यक्ता मंदभाग्या निराकृताः ॥ २१ ॥
प्राणान्मोक्तुमधैर्यत्वाद्गच्छामो नियतेर्बलात् ।
पूर्वपुण्यप्रभावेन त्वद्दर्शनमभूद्विभो ॥ २२ ॥
कृपां कुरु भृगुश्रेष्ठ पालयास्मान्द्विजोत्तम ।
शौनक उवाच । इति तासां वचः श्रुत्वा चाभयं दत्तवान्किल॥२३॥
इतः षड्योजनाद्दूरे गोकर्णेशस्य सन्निधौ ।
तत्र न्यग्रोधवृक्षोस्ति योजनद्वयमंडितः ॥ २४ ॥
तत्र स्थानं प्रकुर्वंतु निर्भीत्या मम शासनात् ।
विवाहनासाभरणं विनापादांगुलीयकं ॥ २५ ॥
धार्यतां श्रेष्ठयो सम्यगाकल्पांतं भविष्यति ।
संजातानां च युष्माभिः संयुतानां च लक्षणैः ॥ २६ ॥
तनुजानां तु तनुजां वरं दत्वा महामुनिः ।
पश्यतां सर्वलोकानां तत्रैवांतरधीयत ॥ २७ ॥
अथ तस्य वचः श्रुत्वा न्यग्रोधं समुपाविशन् ।
तत्र स्थानं समासाद्य ग्रामस्थानाम राज्ञया ॥ २८ ॥
सुखेन न्यवसद्भूप भार्गवस्याज्ञया तदा ।
काश्चित्कन्याः सुषुविरे कांश्चित्पुत्रान्प्रपेदिरे ॥ २९ ॥
स्वेषु स्वेषु च संबंधं चक्रुरन्योन्यमार्गतः ।
तदाप्रभृति ते सर्वे राजंते भुवने बत ॥ ३० ॥
तासु जाता महाभागाः शूद्राएव न संशयः ।
तेषां संसर्गमात्रेण पातित्यमनुगच्छति ॥ ३१ ।

तत्पापविनिवृत्त्यर्थं मार्त्तंडमवलोकयेत् ।
बहुनात्र किमुक्तेन पुरेन्यं न वदामि ते ॥ ३२ ॥

इति श्रीस्कंदपुराणे सह्याद्रिखंडे उत्तररहस्ये शूद्रोत्पत्तिर्नाम
त्रयोदशोऽध्यायः ॥ १३ ॥

अथ चतुर्दशोऽध्यायः ।

शौनक उवाच ॥ द्वात्रिंशद्ग्रामवासिभ्यः परित्यक्ता नराधमाः ।
किरातकन्यासंसर्गात्प्रचरंति निराकृताः ॥ १ ॥
चतुर्विंशत्यर्भकानां डोलना सकुटुंबिनी ।
सततं दुश्चरित्राणां विभवं प्रवदामि ते ॥ २ ॥
पुरा ध्वजोत्सवे रम्ये चंद्रदत्ते नराधिपे ।
नानादेशात्समायाता नानावर्णा द्विजातयः ॥ ३ ॥
ब्राह्मणक्षत्रविट्शूद्रा विवर्णाः शबरादयः ।
सर्वे ते चोत्सवं दृष्ट्वा जग्मुस्तत्र यथागताः ॥ ४ ॥
जनसंमर्दितः काश्चित्कन्याः शबरसंभवाः ।
व्यत्यस्ताभूत्तदा भूप सुंदरी पंचहायना ॥ ५ ॥
गुर्जरग्रामगाः केचित् वंचयित्वाथ बालकीं ।
तस्मिन्नेव तदा रात्रौ तां गृहीत्वा ययुर्गृहान् ॥ ६ ॥
दुःखिता बांधवास्तस्या मातृभ्रात्रादयस्तथा ।
अदृष्ट्वा बालकीं सर्वे भृशं दुःखमवाप ते ॥ ७ ॥
दिनत्रयमथो गत्वा क्लेशयित्वा पुरं ययुः ।
अतीव धूर्तास्ते विप्राः पुपूषुस्तां पुलिंदजां ॥ ८ ॥
तामन्यग्रामवर्यस्य सूनोरुद्वाहः क्रियते ।
शबरी ते विधानेन चक्रदेवेन चोदिता ॥ ९ ॥

व्यतीते षोडशे वर्षे सा सुता शुभलक्षणा ।
तनया मंगलापांगी ताराधिपकलानना ॥ १० ॥
पुत्रान्प्राप क्रमात्सा तु सर्वावयवसुंदरान् ।
इत्थं प्रवर्त्तमानाया व्यतीयुर्बहवः समाः ॥ ११ ॥
ध्वजोत्सवं पुनर्द्रष्टुं तद्ग्रामस्था द्विजातयः ।
तथा नार्यः समायुक्तास्तत्पुत्रैः परिवारिताः ॥ १२ ॥
नानादेशस्थिता विप्रा उत्सवं द्रष्टुमागताः ।
व्याधः सोपि सबंधुभ्यः सभार्यः सहसागमत् ॥ १३ ॥
तत्रोत्सवदिने रात्रौ तान्बंधून् दृष्टवान्किल ।
सा तावन्मातरं दृष्ट्वा रुरोदातीव दुःखिता ॥ १४ ॥
उरश्च ताडयामास सा मातातीव दुःखिता ।
एतस्मिन्नंतरे मर्त्या हाहाकारं प्रचक्रमुः ॥ १५ ॥
अग्रजस्य वधूर्नीचा वंचयित्वा प्रहास्यति ।
इति ते बांधवाः सर्वे राज्ञे वार्त्तां निवेदयन् ॥ १६ ॥
भूपोति विस्मयो भूत्वा तामाहूय पुलिंदजां ।
किमर्थं द्विजपत्नी त्वमपहृत्य प्रयास्यसि ॥ १७ ॥
इति राजवचः श्रुत्वा तं प्रत्याह पुलिंदजा ।
पुलिंदजोवाच । एषा मदीया बाला तु विनष्टाभूद्ध्वजोत्सवे ॥ १८ ॥
इदानीं दैवयोगेन प्राप्ता मम कुमारिका ।
अस्मिन्नर्थे प्रमाणानि कुर्यां भवदनुग्रहात् ॥ १९ ॥
इत्थं विज्ञाप्य राज्ञे तु सुधीरा सा सुतान्विता ।
पुत्रभ्रातृसमायुक्तो ययौ व्याधः स्वमंदिरं ॥ २० ॥
तस्य वाक्यमथाकर्ण्य नृपतिर्विस्मयान्वितः ।
निर्दहन्निव नेत्राभ्यां क्रोधात्संरक्तविग्रहः ॥ २१ ॥
अब्रवीत्तान्सभामध्ये तथ्यं वदत भूसुराः ।
शौनक उवाच । तदा द्विजातयः सर्वान्यूचुर्भीतातिविह्वलः ॥ २२ ॥

कृतमस्माभिरागच्छ तत्सर्वं क्षम्यतां विभो ।
इत्युक्त्वा पादयोस्तस्य पेतुः पापरताधमाः ॥ २३ ॥

अथ राजा महाप्राज्ञः सत्यधर्मरतः सुधीः ।
स्वीकृत्य तेषां सर्वस्वं ग्रामस्थेभ्यः प्रदत्तवान् ॥ २४ ॥

परित्यागपरित्यागं तैरेवतु विधीयतां ।
इत्युक्त्वा नृपतिर्धीमान् जगाम निजपत्तनं ॥ २५ ॥

द्वात्रिंशद्ग्रामवासिभ्यो व्रीडावनतमस्तकः ।
समेत्य सहसा तत्र पापिनां ग्रामवासिनां ॥ २६ ॥

तेषां संपर्किणां राजन् चतुर्विंशत्कुटुंबिनां ।
चतुर्विंशत्यर्भकाणां डोलान्यादाय सत्वरं ॥ २७ ॥

तेषां जलेषु निक्षिप्य रक्तमाल्यानि यानि च ।
तेषां ग्रामाद्बहिर्देशे तद्द्रोमयवारिणा ॥ २८ ॥

तथा विसर्जयामास महाभाग दृढव्रताः ।
तेभ्यः श्राद्धं ततः कृत्वा विधिवत्कुंभसंज्ञितं ॥ २९ ॥

द्वात्रिंशद्ग्राममध्ये तु न देयं स्थानमीदृशां ।
इत्याभाष्य महाभागा ययुः सर्वे यथागताः ॥ ३० ॥

शौनक उवाच । किं वक्तव्यं महाराजन् द्वात्रिंशद्ग्रामवासिनां ।
इत्थं प्रतिज्ञायुक्तानां माहात्म्यं सत्यवादिनां ॥ ३१ ॥

ततस्ते पतिताः सर्वे प्रचरंति नराधमाः ।
स्थानहीनाः परित्यक्ताः सर्वकर्मबहिष्कृताः ॥ ३२ ॥

तेषां दर्शनमात्रेण पातित्यं प्राप्नुवंति हि ।
प्रायश्चित्तविधानं तु मया वक्तुं न शक्यते ॥ ३३ ॥

तत्रापि समकाले तु कोटिमार्तंडदर्शनात् ।
तदा पूता भविष्यंति नात्र कार्या विचारणा ॥ ३४ ॥

बहुनात्र किमुक्तेन ग्राममन्यं वदामि ते ।

इति श्रीस्कंदपुराणे सह्याद्रिखंडे उत्तररहस्ये पातित्यग्रामनिर्णयो नाम चतुर्दशोऽध्यायः ॥ १४ ॥

अथ पंचदशोऽध्यायः ।

शौनक उवाच । पातित्यग्राममन्यस्ति चक्रनद्यास्तटे शुभे ।
नानाग्रामात्तदित्याहुः सर्वकर्मबहिष्कृतं ॥ १ ॥
रामसृष्टास्तु ये पूर्वारध्यूषुः संस्थलं च ते ।
मयूरवर्मानीतानां विप्राणां करदायकः ॥ २ ॥
उल्लिखं तत्क्षणाः केचित्केचिद्दारामकारिणः ।
वेदबाह्याः कर्मशून्यास्तंतुमात्रा द्विजातयः ॥ ३ ॥
गायत्रीजपमात्रेण ब्राह्मणा इति तद्विदुः ।
ख्याता लोकेषु सर्वत्र स्वग्रामाविधयैव ते ॥ ४ ॥
देवताराधने चापि श्रुतिस्मृत्युदितेपि च ।
तेषां हारा मांसकेन भोजने प्रतिभोजने ॥ ५ ॥
मयूरवर्मा स पुरा मेधावी बलभीप्रति ।
बलभी नाम नगरी तस्यां किर्वंतनामतः ॥ ६ ॥
रामेण निर्मितैर्विप्रैर्वाहयित्वा च वाहनं ।
शिष्टान्वितान्समादाय पुनः स्वपुरमाययौ ॥ ७ ॥
ग्रामप्रदानसमये प्रोचुर्भार्गवनिर्मिताः ।
पुरा भार्गवरामेण साधिता भूरियं नृप ॥ ८ ॥
आहृत्य तत्कथं तेभ्यो ददाति वसुधामिमां ।
तथा वदतु मेधावी का गतिर्नो विधीयतां ॥ ९ ॥
शौनक उवाच । तेषां वाक्यमथाकर्ण्य सांत्वयन्नाह पार्थिवः ।
ग्रामं चतुष्टयं दास्ये स्थीयतां तत्र शाश्वतं ॥ १० ॥

इत्युक्त्वा नृपतिः श्रीमान् ददौ ग्रामचतुष्टयं ।
कुडालकं च पदिकं मट्टीनागाभिधं तथा ॥ ११ ॥
आगतेभ्यो द्विजेभ्यश्च शेषं भूमिं प्रदत्तवान् ।
रामेण निर्मिता विप्राः स्थित्वा ग्रामचतुष्टये ॥ १२ ॥
षट्कर्मरहिता ये तु राजंते भुवनेश्वर ।
वहुनात्र किमुक्तेन सर्वकर्मबहिष्कृताः ॥ १३ ॥

इति श्रीस्कंदपुराणे सह्याद्रिखंडे उत्तररहस्ये पातित्यग्रामनिर्णयो नाम पंचदशोऽध्यायः ॥ १५ ॥

अथ षोडशोऽध्यायः ।

शौनक उवाच । वक्ष्यामि राजशार्दूल ग्राममन्यं बहिष्कृतं ।
बेलंजीती तदित्याहुः सीतायाश्चोत्तररोधसि ॥ १ ॥
कृत्वा मिथुनहत्यां च प्रचरंति नराधमाः ।
विभवं प्रवदाम्यद्य सावधानमनाः शृणु ॥ २ ॥
आसीत्पुरा वीरभूपः पुरंदरसमद्युतिः ।
धन्विनामग्रणीः श्रेष्ठो यं विदुर्भूपुरंदरं ॥ ३ ॥
सर्वकामसमृद्ध्याढ्यां नगरीं रत्नमालिनीं ।
प्रज्वालयन् श्रिया दीप्त्या वांच्छतीमिव संस्थितां ॥ ४ ॥
जराशोकक्लमिहरां निष्कलंकां निराकुलां ।
अंतःसलिलयत्नाढ्यां उत्क्षिप्तध्वजतोरणां ॥ ५ ॥
दिव्यमूलफलैर्वृक्षैः फलपुष्पोपशोभितां ।
नीलपीतसितैः श्यामैर्लोहितैश्चमरैर्मृगैः ॥ ६ ॥
लतागुल्मैः परिवृतां रक्तमंजीरधारिभिः ।
पुष्पिताग्रमहाशाखाप्रवालांकुरधारिणः ॥ ७ ॥

लतावितानसंच्छन्ना नदीषु सरसीषु च ।
वृक्षा बहुविधास्तत्र राजंते केतवो यथा ॥ ८ ॥
केतकाशोकबकुलाः पुन्नागतिलकार्जुनाः ।
चूतनिंबाश्च बदरीकदंबबकुला ध्रुवं ॥ ९ ॥
प्रियंगुपाटलौ जंबुशाल्मल्यः प्लक्षवंजुलौ ।
सालतालतमालाश्च चंपकाश्च मनोरमाः ॥ १० ॥
संफुल्लपुष्पशिखरा ज्वलिताग्निशिखा इव ।
आम्रातकमधूकाश्च लकुटाः कुटजासनौ ॥ ११ ॥
खर्जूरनारिकेलाश्च पूगाः सप्तच्छदास्तथा ।
एते चान्येच बहवः शोभंते परितः पुरीं ॥ १२ ॥
गंधवंति च पुष्पाणि रसवंति फलानि च ।
निशितानि ततोद्यानि तत्र तत्र सरांसि च ॥ १३ ॥
भासंते पुण्यतीर्थानि रम्याणि विमलानि च ।
मेरुमांदरतुल्यानि सौधानि भुवनानि च ॥ १४ ॥
नगरीं तां विशेषज्ञः पालयामास भूमिपः ।
तस्य राष्ट्रे द्विजः कश्चिद्वेदवेदांगपारगः ॥ १५ ॥
यथार्थनाम्नो भगवान् आसीद्गुणनिधिः पुरा ।
तस्य ज्येष्ठा गुणवती द्वितीया गुणमालिनी ॥ १६ ॥
रूपयौवनसंपन्ना भार्या बालमृगेक्षणा ।
स्तनंधयीं कनिष्ठायां रक्षणं कुरुते सदा ॥ १७ ॥
आदरत्वाज्जेष्ठभार्या तां कंन्यामौरसीमिव ।
द्वितीया चक्रत्ददया मदं भर्त्तुश्च कुर्वती ॥ १८ ॥
अतीव नम्रभावेन चास्ते सा गुणमालिनी ।
शौनक उवाच । इत्थं प्रवर्ततस्तस्य द्विजस्य भवनं प्रति ॥ १९ ॥
गोराष्ट्रनिलयः कश्चिद्विप्रो वेदविदां वरः ।
शयनार्थमथायातस्तनयान्विन्नमानसः ॥ २० ॥

दुःखेन रात्रौ शयनमकरोज्जागरं मुनिः ।
तस्याः क्षपाया मध्ये तु कनिष्ठा वरवर्णिनी ॥ २१ ॥
उत्थाय शयनात्तूर्णमन्वगाच्छिशुसंनिधिं ।
मात्सर्यत्वातिदीर्घत्वादर्भकस्य च कंधरां ॥ २२ ॥
बभंज नृपशार्दूल धैर्यमालंब्य चेतसा ।
तान् शिशुं सहसा हत्वा भूयः पर्यंकमाविशत् ॥ २३ ॥
किं वक्तव्यं दुराचारः साक्षाद्देवाभवत्तदा ।
अथ प्रभाते ज्येष्ठा सा चोत्थाय शयनात्तदा ॥ २४ ॥
अंकगां बालकीं दृष्ट्वा रुधिरेणार्दितां तनुं ।
आः किमेतदिदं घोरं हा हतास्मीत्यत्रोचत ॥ २५ ॥
उदरं ताडयंती सा कराभ्यामतिविह्वला ।
जडीभूत्वा क्षणेनाथ विललापातिदुःखिता ॥ २६ ॥
आर्त्तस्वरं तदाकर्ण्य कनिष्ठा तीव्रभेषजं ।
वैचित्र्येण महाराज प्रलापं च तथाविधं ॥ २७ ॥
द्वयोर्विवादं श्रुत्वा तु द्विजः खिन्नमनाभवत् ।
राज्ञे निवेदयामास वृत्तांतं विस्तरात्तयोः ॥ २८ ॥
विप्रवाक्यमथाकर्ण्य सम्राट् स्मयमवाप सः ।
तदानीं मंत्रिभिः सार्द्धं निर्णेतुं न शशाक ह ॥ २९ ॥
समाहूय स मेधावी भूसुरं शयनार्थिनं ।
तथ्यं वद यथा दृष्टं शंकां मा कुरु मा कुरु ॥ ३० ॥
नृपतेर्वाक्यमाकर्ण्य भूसुरः प्राह सास्मितं ।
अहो प्रागल्भ्यसिंहोयं युवतीजनहास्यदं ॥ ३१ ॥
मतंगजं विहायाद्य मशकं हंतुमुद्यते ।
ध्यात्वा मुहूर्त्तं मनसा द्विजः सोपि दृढीकृतः ॥ ३२ ॥
मया प्रबोधितं वाक्यमतिक्रमितुमंजसा ।
राजेव शिक्षयिष्यामि न रक्षणफलं यथा ॥ ३३ ॥

इत्थं निर्धार्य विप्रोसौ सूनुमौरसिकं तदा ।
यद्वा भवतु मे पुत्रश्चेत्कृतं यदि निर्णयं ॥ ३४ ॥
विप्र उवाच । न जातमनयोः कर्म दुष्कृतं चातिगर्हितं ।
तथाप्युपायं वक्ष्यामो राजश्रेणीशिरोमणे ॥ ३५ ॥
प्रत्यगब्धितटे रम्ये विख्यातेति जयंतिका ।
तस्मिन् राष्ट्रे द्विजः कश्चिच्चतुर्भिः सूनुभिः सह ॥ ३६ ॥
ज्येष्ठो वेदविदां श्रेष्ठो द्वितीयः शब्दशास्त्रवित् ।
तृतीयो लीपिशास्त्रज्ञः कनिष्ठो न्यायविस्तरः ॥ ३७ ॥
गोराष्ट्रदेशाधिपतिः सर्वज्ञोपि महामतिः ।
करोत्तस्य पुरोभागे नित्यं नीतिजनैः कृतं ॥ ३८ ॥
तमानय महाबाहो प्रागल्भ्येष्वतिके विदुः ।
कलुषाकलुषं सम्यक् स करिष्यत्यसंशयः ॥ ३९ ॥
विना तेन त्रिभुवने निर्णेतुं कोपि नास्ति हि ।
तथेत्युक्त्वा नरपतिर्लेखयामास पत्रिकां ॥ ४० ॥
चारानाज्ञापयामास गोराष्ट्रनगरं प्रति ।
ते प्रापुः सत्वरं दूता ददूराज्ञे तु पत्रिकां ॥ ४१ ॥
लेख्यमालोकयांचक्रे गोराष्ट्राधिपतिः स्वयं ।
तं तार्किकं समाहूय गदतिस्म नृपोत्तमः ॥ ४२ ॥
इदानीं सार्वभौमस्य प्रेम्णा त्वं द्रष्टुमिच्छसि ।
विजयाख्यां पुरीं रम्यां त्वया श्वो गम्यतामिति ॥ ४३ ॥
तथा स बाढमित्युक्त्वा प्रतस्थे विप्रनंदनः
इति श्रीस्कंदपुराणे उत्तररहस्ये सह्याद्रिखंडे षोडशोऽध्यायः १६

अथ सप्तदशोऽध्यायः ।

शौनक उवाच । भाव्यवस्था महाज्ञातौ हेलया विधिचोदितः ।
गोत्रेभ्यः सहितस्तूर्णं निर्जगाम शनैः शनैः ॥ १ ॥
ततोत्पाताः समुद्भूता दिवि भूम्यंतरिक्षगाः ।
विपत्प्राप्तिकरा घोरा दारुणा रोमहर्षणाः ॥ २ ॥
ननादांतर्हिता भूमौ वृषदंसो जगर्ज च ।
अनेकशाखासंयुक्ता वृक्षाः पेतुः समंततः ॥ ३ ॥
विप्रस्य दक्षिणे भागे शिला घोरा च वासिरे ।
रुदंति वायसास्तस्य शशांकः समदृश्यत ॥ ४ ॥
एतान्योत्पातकादीनि मनसा न स्मरन् ययौ ।
शौनक उवाच । दिनान्यष्टादशातीते सार्वभौमं ददर्श सः ॥ ५ ॥
स राजा मतिमान्विप्रं मानयित्वा जगाद तं ।
शिशुहत्यामिदं सम्यक् विचारय महामते ॥ ६ ॥
तच्छ्रुत्वा द्विजशार्दूलः प्रविवेश सभांगणं ।
द्विजभार्यां समाहूय प्रोवाच द्विजपुंगवः ॥ ७ ॥
ब्राह्मण उवाच । विहाय वस्त्राभरणं तथा लज्जां विहाय यः ।
प्रदक्षिणं करोत्याशु सभां सम्यक् सुलोचने ॥ ८ ॥
सा निष्पापा भवत्येवं नात्र कार्या विचारणा ।
एवमुक्त्वा द्विजवरस्तूर्णीं तत्राभवत्किल ॥ ९ ॥
शौनक उवाच । श्रुत्वा ज्येष्ठा तदा वाक्यं हा कष्टं प्राप्तवानहं ।
मनसा न कृतं कर्म दुर्लंघ्या नियतेर्गतिः ॥ १० ॥
कथं कार्यप्रमाणं च त्वदि स्मर्त्तुं न शक्यते ।
कलुषं वा धारयामि न धार्यं निधनं मया ॥ ११ ॥

प्राणमेव परित्यज्य मानमेवाभिरक्षितुं ।
अनृत्यमध्रुवं प्राणान् मानमाचंद्रतारकं ॥ १२ ॥
उत्तमा मानमिच्छंति धनमानौ हि मध्यमः ।
अधमा धनमिच्छंति मानो हि महतां धनं ॥ १३ ॥
तस्मादहं प्रमाणानि कदाचिदपि नाक्रिये ।
पश्यंति सर्वभूतानि त्यक्ष्यामीदं कलेवरं ॥ १४ ॥
इत्युक्त्वा सा गुणवती तूष्णीमेवाभवत्तदा ।
द्वितीयोत्थाय त्वरया वस्त्रादिरहिता सती ॥ १५ ॥
तस्थौ तदा पुरोभागे निर्लज्जा भयवर्जिता ।
तां दृष्ट्वा मनुजाः सर्वे हाहाकारं प्रचुक्रुशुः ॥ १६ ॥
क्रूरया पापरतया बालकी चानया हता ।
अस्मिन्नर्थे महाराज शंकां मा कुरु मा कुरु ॥ १७ ॥
तस्याः स धैर्यतां दृष्ट्वा राजा विस्मयमागतः ।
दंडयित्वा शिशुघ्नां तां मानयित्वा द्विजोत्तमं ॥ १८ ॥
प्रेम्णा तस्मै धनं गाश्च ग्रामद्वयमदात्पुनः ।
अनेकवस्त्राभरणं वैजयंतीं मनोरमां ॥ १९ ॥
दत्वा प्रधानतां राजा विशतिस्म निकेतनं ।
तदाप्रभृति लोकोसौ प्रावर्धत दिने दिने ॥ २० ॥
शुक्लपक्षे शशांकस्य कलेव नृपनंदन ।
ग्रामद्वयं सगोत्रेभ्यो दत्तं च द्विजसत्तम ॥ २१ ॥
सुखेन निवसंस्तस्य महत्कालो न्यवर्त्तत ।
शौनक उवाच । अथैनं निग्रहं कर्त्तुं रंध्रान्वेषणतत्परः ॥ २२ ॥
समेत्य मंत्रिणं सर्वे प्राचीना बुद्धिजीविनः ।
अतीव मूर्खः संजातः सूनुस्तस्य दुरात्मवत् ॥ २३ ॥
तस्य भार्या वरारोहा रूपयौवनशालिनी
आयताक्षा शुभश्रोणी पीनोन्नतकुचद्वया ॥ २४ ॥

बिंबाधरी सुवदना विट्मार्गे च प्रवर्त्तिनी ।
कदाचिज्जारभर्त्रा वै विलासं कुर्वती सती ॥ २५ ॥
भर्ता तथाविधां दृष्ट्वा तां क्रोधाद्विवशं गतः ।
खड्गमुद्यम्य हस्तेन मिथुनीकृतविग्रहौ ॥ २६ ॥
स्मरग्रहेण विवशौ तदा निर्बद्धयंत्रितौ ।
कलाभिज्ञौ तु निपुणौ संभारमकरोत्क्रुधा ॥ २७ ॥
दैवादयं समायातः कालः स्वेनाशुभाप्तये ।
इदानीं दोषमारोप्य प्राचीना मंत्रसत्तमाः ॥ २८ ॥
राज्ञे निवेदयामास वार्त्तां मिथुनहत्यकां ।
परित्यागाय सर्वेषामुपायं चक्रुरंजसा ॥ २९ ॥
गोराष्ट्रजानां मूर्खाणां पापिनां क्रूरकर्मणां ।
आस्ते महाबलेनेति गोराष्ट्रे सिंधुसन्निधौ ॥ ३० ॥
दक्षिणस्था महाक्षेत्रमविमुक्तं वदंति हि ।
यात्रां कृत्वा महादेवं तथा क्रोडेश्वरं विभुं ॥ ३१ ॥
तथैव दर्शनं कृत्वा प्राप्नुवंति विशुद्धतां ।
शासयित्वा नृपेणैव मंत्रिणैर्मंत्रकोविदाः ॥ ३२ ॥
शौनक उवाच । अथ गोराष्ट्रजाः सर्वे दुःखान्निर्गत्य तत्परात् ।
पातित्यविनिकृत्यर्थं तीर्थयात्रां शनैः शनैः ॥ ३३ ॥
कुर्वन्तः सह्यमासाद्य नानामुनिगणैर्वृतं ।
अवतीर्य गिरेः शृंगं तौलवं देशमाविशन् ॥ ३४ ॥

---

१ स्वभार्यां कृतवान्शिक्षामस्य दोषो न कारयेत् । शिक्षा नार्याः सर्वथैव कर्त्तव्या इति शास्त्रतः इति चेच्छंकायामाह । अहिंसा परमो धर्म इति वचनात् । ब्राह्मणस्य तु सर्वथैव हिंसा निषिद्धा एवं तावत् । अत्र स्त्रीहत्या मैथुनहत्या च । एवंकृतस्य पुरुषस्य कथं दोषो नारोपणीयः । भार्यादंडं पृथक्शय्येति पृथक् शय्या च नारीणामशस्त्रवधमुच्यते परित्याज्यादुष्टभार्येति वा । अथ पुरुषाः सर्वथाऽदूष्याएवेत्यर्थः । प्रकृतमनुसरामः ॥

क्रमाद्गोकर्णमद्राक्षीत् तत्क्षेत्रस्थं महाबलं ।
गोकर्णेशं च संपूज्य विधिवन्नृपनंदन ॥ ३५ ॥
स्नात्वा शुक्तिमतीतोये सर्वाघौघविनाशिनी ।
विधिवत्पूजयामासुः स्वस्य पापनिवृत्तये ॥ ३६ ॥
पश्चात्तापेन संयुक्ता दक्षिणां दिशिमाययुः ।
द्वाभ्यां पिशाचरूपाभ्यां सुप्रग्रस्य दुरात्मनां ॥ ३७ ॥
पृष्ठभागे यत्र यत्र तत्र तत्र गमिष्यतः ।
अनंतेशसमीपे तु तपस्यंतं महामुनिं ॥ ३८ ॥
शंखचक्रगदापद्ममुद्रालांछितविग्रहं ।
तं दृष्ट्वा दंडवद्भूमौ पेतुश्चरणयोर्मुदा ॥ ३९ ॥
ऊचुस्तेषां चरित्राणि युग्महस्तेन दूषिताः ।
ध्यात्वा मुहूर्तं धर्मात्मा कृपयाविष्टमानसः ॥४० ॥
ददौ तीर्थोदकं तेभ्यः सूचयन्निव मंगलं ।
कस्यापि तीर्थमध्ये तु गुंजामात्रास्थितं शुभं ॥ ४१ ॥
जनार्दन इति ख्यातं शालग्राममभूत्किल ।
कृतार्थोस्मीति निश्चित्य मंजूषांते निबध्यतां ॥ ४२ ॥
आरुह्य सह्यशिखरं गंतुं सर्वे प्रचक्रमुः ।
मार्गे मध्यान्हवेलायां सीतायाश्चोत्तरे तटे ॥ ४३ ॥
गलितं पनसं दृष्ट्वा वृक्षमूलमुपाविशन् ।
फलं तत्सहसा भित्वा बुभुक्षुस्ते नरास्तदा ॥ ४४ ॥
वस्त्रेण मार्जनं कृत्वा हस्तमंतविवर्जिताः ।
ते सर्वे गाढमागत्य वृक्षमूलं व्यलोकयन् ॥ ४५ ॥
तत्र दृष्ट्वा महाश्चर्यं किमेतदिति शङ्किताः ।
आसीत्करंडपीठं च शालग्रामजनार्दनः ॥ ४६ ॥
गंतुं गृहीत्वा तं मूढाः खननायोपचक्रमुः ।
एतस्मिन्नंतरे भूप व्योम्नि गीः समपद्यत ॥ ४७ ॥

स्थीयतामत्र भो विप्रास्तेभ्यः स्थानं भविष्यति ।
एष एव न संदेहो भविष्यति जनार्दनः ॥ ४८ ॥
युष्माकं कुलदैवत्वं श्रेयः प्राप्तविवृद्धये ।
इत्युक्त्वा सा भगवती तत्रैवांतर्हिता शिवा ॥ ४९ ॥
कैषा सरस्वती केन कारणेनोदिता किल ।
इति सर्वे समालोच्य हर्षनिर्भरयंत्रिताः ॥ ५० ॥
अस्मिन्नेव महाग्रामे प्रवासं कुर्महे वयं ।
त्रिंशत्सद्मानि ये चक्रुर्ग्रामस्थानामनुज्ञया ॥ ५१ ॥
ऊषुस्ते कतिचित्कालं हव्यकव्यविवर्जिताः ।
न याताः पूर्वनिलया एतेषां भवनं प्रति ॥ ५२ ॥
किमेतदिति निश्चित्य स्वस्य पापेन शंकिताः ।
मुनिमालोकयामासुः पूर्वदृष्टं महाजनाः ॥ ५३ ॥
सोपि दृष्ट्वा महातेजा पावयामास शास्त्रतः ।
तप्तमुद्रांकितः कृत्वा मतं वैष्णवसंमतं ॥ ५४ ॥
तथैवाष्टाक्षरं मंत्रं परं चोपदिदेश सः ।
आनेभिरेति मंत्रेण मृदाहरणमुच्यते ॥ ५५ ॥
आमंद्रैरिति सूक्तेन मृदा लेपनमुच्यते ।
अक्षिभ्यांतेति मंत्रेण मृदा स्नानं विशिष्यते ॥ ५६ ॥
गुरोरनुज्ञां स्वीकृत्य वासं चक्रुरतंद्रिताः ।
तदाप्रभृति तद्ग्रामं बेलंजीति वदंति हि ॥ ५७ ॥
तत्र स्थितान्द्विजान्सर्वान्पतितान्प्रवदंति हि ।
बहुनात्र किमुक्तेन राजश्रेणिशिरोमणे ॥ ५८ ॥
तेषां दर्शनमात्रेण पातित्यं चानुयास्यति ।
प्रायश्चित्तं मया वक्तुं न शक्यं नृपनंदन ॥ ५९ ॥
साधारणेनैव वक्ष्ये कृच्छ्रचांद्रायणं चरेत् ।
तस्मिन्पनसवृक्षे तु महाकारुणिके स्थले ॥ ६० ॥

द्वंद्वमारोपयामास कूटस्थश्च महात्मभिः ।

सूत उवाच । इदमेव पुराख्यातं शौनको ऋषिसत्तमः ॥ ६१ ॥

शतानीकाय राज्ञे तु ह्युक्तवान्सकलं द्विज ।

शौनक उवाच । चरितमिदमशेषं दुर्वृतानां च वृत्तं

मिथुनहरजनानां सम्यगुक्तं नरेंद्र ॥

सकलकलुषनाशं यः शृणोतीह लोके

सकृदपि जनमध्ये साधनं मुक्तिहेतोः ॥ ६२ ॥

इति श्रीस्कंदपुराणे सह्याद्रिखंडे उत्तररहस्ये मिथुनहरब्राह्मण-कथनं नाम सप्तदशोऽध्यायः ॥ १७ ॥

अथ अष्टादशोऽध्यायः ।

शौनक उवाच । अन्यद्वृत्तं प्रवक्ष्यामि भूदेवस्य महात्मनः ।

कश्चिद्घोराष्टकस्याथ सावधानमनाः शृणु ॥ १ ॥

अभूत्कलिंगदेशे तु नाम्ना कांचनमालिनी ।

नारीनरसमायुक्ता हस्त्यश्वरथसंकुला ॥ २ ॥

तस्यां पुर्यां जगत्त्राता रविगोत्रसमुद्भवः ।

आसीत्पुरा हेममाली युधिष्ठिरसमप्रभः ॥ ३ ॥

धन्विनामग्रतः श्रेष्ठो महाबलपराक्रमः ।

युधि प्रख्यातकीर्तिश्च रथकुंजरवाजिमान् ॥ ४ ॥

दोर्दंडमंडलाग्रेण जितं सामंतमंडलं ।

उदयाद्रिसमारूढमार्त्तंडद्युतिमानयं ॥ ५ ॥

सोयं क्ष्मामंडलस्य चाखंडलसमप्रभः ।

महादाने चोपदाने ज्ञानिनं चेति तं विदुः ॥ ६ ॥

यस्य कीर्तिसुधाब्धेश्च संजातश्चंद्रमा इति ।

यस्य प्रतापात्संभूतो धनंजय इति स्फुटं ॥ ७ ॥

कामोप्यनंगतां नीतो रूपं दृष्ट्वा च लज्जितः ।
गांभीर्यमस्य दृष्ट्वाथ कृपालोतिभयान्वितः ॥ ८ ॥
वृद्धिक्षयत्वं संप्राप्तस्तरंगैः सह कूजति ।
इत्थं गुणविशिष्टो यो धीमान् राज्यं प्रशासति ॥ ९ ॥
अनावृष्टिभयं किंचिन्नास्ति दुर्भिक्षजं भयं ।
म्लेच्छतस्करशार्दूलबकसिंहादिजं भयं ॥ १० ॥
एवं प्रवर्ततस्तस्य व्यतीयुर्बहवः समाः ।
कदाचिदागतः श्रीमान् वेदवेदांगपारगः ॥ ११ ॥
ललाटनेत्रात्संभूतवैश्वानरसमद्युतिः ।
तथापि शांतिसंयुक्तो मूर्तिमानवलक्ष्यते ॥ १२ ॥
सुमत्या भार्यया युक्तः शिष्यैः सततमावृतः ।
अग्रजस्यानुरोधो यत् तद्वाक्यं प्राकृते पदे ॥ १३ ॥
प्रागुक्तात्तारकाच्छब्दात् परशब्दासनामवान् ।
समायातं द्विजं वीक्ष्य मधुपर्कासनादिभिः ॥ १४ ॥
पूजयामास विधिवत् हेममाली नृपोत्तमः ।
प्रागल्भ्यं चास्य पश्याम इति कृत्वा मतिं द्विजः ॥ १५ ॥
मंत्रपूता ह्यक्षताश्च प्रयच्छद्वामपाणिना ।
दृष्ट्वैनं राजशार्दूलः किंचिद्व्याकुलितेक्षणः ॥ १६ ॥
मंत्राक्षतमणीयंत्रं वाक्यं प्रष्टुं प्रचक्रमे ।
भो भो देव द्विजा लोके संति संवित्तमोत्तमाः ॥ १७ ॥
तेषां द्विजानां मध्ये तु नहि कोपि भवादृशः ।
ईदृशं कर्मकर्त्तारं न दृष्टं जगतीतले ॥ १८ ॥
तस्य तद्वाक्यमाकर्ण्य भितशून्यं द्विजाग्रणीः ।
उवाच क्रोधताम्राक्षो वाक्यं हेत्वर्थसंयुतं ॥ १९ ॥
अस्माभिः पार्थिवा दृष्टा बहवो नृपसत्तम ।
न दृष्टं त्रिषु लोकेषु विवेकानां भवादृशः ॥ २० ॥

तथा भवतु दास्यामो दक्षिणेन करेण च ।
गृह्यतां यदि शक्तिश्चेन्नोचेन्मूर्ध्नि क्षिपाम्यहं ॥ २१ ॥
भस्मीभवंतु ते सर्वे पश्यंत्वत्र महाजनाः ।
इत्थं वदति विप्रेंद्रे पार्थिवस्तु तदा नृप ॥ २२ ॥
किरीटमणिदीपेन पादपीठांतभूतलं ।
तदा नीराजनं चक्रे तं विप्रं हर्षयन्निव ॥ २३ ॥
उत्तिष्ठोत्तिष्ठ राजेंद्र भीतिं त्यज महामते ।
दर्शयामोस्य माहात्म्यं पटं विस्तारतामिति ॥ २४ ॥
उक्तवंतस्य विप्रस्य दूरे तिष्ठन्नृपोत्तमः ।
पटे विस्तारयामास प्रभावं द्रष्टुमुत्सुकः ॥ २५ ॥
द्विज उवाच । विप्रस्य दक्षिणे हस्ते शिखावानिति निश्चयं ।
पश्येदानीं महाराज ज्वलंतं हव्यवाहनं ॥ २६ ॥
इत्युक्त्वा सा तदा राज्ञे दर्शयामास भूसुरः ।
स्वीयं प्रभावं मंत्रस्य सारं सारान्विताय च ॥ २७ ॥
वैश्वानरास्त्रं संधाय यत्क्षिप्तं चाक्षतैः सह ।
जाज्वल्यमानस्तेजोभूत्कृशानः समुदैक्षत ॥ २८ ॥
तत्पटं भस्मसात्कृत्य तां सभां दग्धुमुद्यतः ।
शिखावंतं तदालोक्य सर्वे संतापयंत्रिताः ॥ २९ ॥
विप्रस्यांतिकमागम्य पेतुश्चरणयोर्मुदा ।
राजानमेनमस्मांश्च पाहि पाहि कृपाकर ॥ ३० ॥
हर संतापमस्माकमुपसंहर पावकं ।
तेषां वाक्यमथाकर्ण्य सस्मितः स द्विजोत्तमः ॥ ३१ ॥
तंकारंभोजकुहरे संमंत्र्य प्राहरं यथा ।
एवं कृते भगवति शांतोभूद्धव्यवाहनः ॥ ३२ ॥
अथ भूपो हि हर्षाब्धितरंगेषु ममज्ज सः ।
तदा द्विजातये प्रेम्णा चाष्टौ ग्रामानि दत्तवान् ॥ ३३ ॥

असंख्यातसुवर्णानि वस्त्राण्याभरणानि च ।
अनर्घ्यमणिसंयुक्तग्रैवेयकमदात्पुनः ॥ ३४ ॥
इंद्रनीलैः पद्मरागैः प्रतप्तं चांगदं ददौ ।
रूपौदार्यगुणैराढ्यं तस्मै दासीशतं ददौ ॥ ३५ ॥
तादृग्गुणविशिष्टस्य किं न देयं महीपते ।
तेन सन्मानितो विप्रः श्लाघयित्वा गुणादिकं ॥ ३६ ॥
स्वस्ति तेऽस्तु गमिष्यामो यावदाचंद्रतारकं ।
इत्युक्त्वा तु द्विजः श्रेष्ठः प्रतस्थे स्वपुरीं प्रति ॥ ३७ ॥

इति श्रीस्कंदपुराणे उत्तररहस्ये सह्याद्रिखंडे पातित्यग्रामकथनं नाम अष्टादशोऽध्यायः ॥ १८ ॥

अथ एकोनविंशतितमोऽध्यायः ।

शौनक उवाच । परेद्युरथ विप्रोसौ सह शिष्यैर्मुदान्वितः ।
सोपस्कराणि संगृह्य स्थानं गंतुं प्रचक्रमे ॥ १ ॥
पश्यन् रम्याणि तीर्थानि क्षेत्राणि विविधानि च ।
क्रमादगादमेयात्मा सह्यपर्वतमुत्तमं ॥ २ ॥
सा तत्र चंडिका नाम नदी कलिमलापहा ।
विमलोदकसंपूर्णा सिद्धर्षिगणसेविता ॥ ३ ॥
आनीलोत्पलकल्हारशतपत्रैरलंकृता ।
चकोरचक्रकारंडरथांगैः परिशोभिता ॥ ४ ॥
तां ददर्श महाभागस्तस्यां स्नातुं प्रचक्रमे ।
कृत्वा माध्यान्हिकं कर्म पंचयज्ञादिकाः क्रियाः ॥ ५ ॥
समाप्य नित्यकर्माणि सभार्यस्तटिनीतटे ।
अस्मात्परशुपातव्यमिति चक्रे मतिं द्विजः ॥ ६ ॥

ततः सायान्हसमये समीरो मंदमाववौ ।
स तदा पृष्टवान्काचित् कांतासि कदंबके ॥ ७ ॥
षोडशाब्दान्समानीतान् स्मरशक्तिरिवोत्थितान् ।
लसन्नासामायताक्षीं ताराधिपनिभाननां ॥ ८ ॥
द्वितीयचंद्रलेखेव दृश्यमानललाटिकां ।
संप्राप्तषट्पदानीव विलसत्कर्णकुंडलां ॥ ९ ॥
कंबुकंठायतभुजां पीनोन्नतपयोधरां ।
सूक्ष्ममध्यां शुभश्रोणीं नम्रांगीं नवयौवनां ॥ १० ॥
सुनितंबोज्ज्वलां सुभ्रूं पद्मिनीजातिसंभवां ।
दास्याः पुत्रीं च तां दृष्ट्वा सद्यः स्मरवशोभवत् ॥ ११ ॥
एनां दृष्ट्वा रतिपतिः संदृढीकृतकार्मुकः ।
त्रिलोकीविजयः सोपि मज्जयामास संशये ॥ १२ ॥
यशः कीर्तिं च धैर्यं च साहसिक्यमनो नृप ।
तस्यामेव क्षपायां तु योजयामास मार्गणान् ॥ १३ ॥
न्हियानंताहितां तन्वीं श्रीमंतं भूसुराग्रजं ।
युगपद्दंपतीभावं चंडिकाया नदीतटे ॥ १४ ॥

शौनक उवाच। काचित्तन्वी द्विजः कोयं चित्रादिनयनैर्गतिः ।
स तस्यां पर्णशालायां तया सह मुदान्वितः ॥ १५ ॥
निनाय गणरात्रं च चुंबनालिंगनादिभिः ।
अथ तस्य विशालाक्ष्याः स्नेहपात्रद्विजस्य च ॥ १६ ॥
सुकुमाराः क्रमेणैव चाष्टौ पुत्राभवन्किल ।
तान्विलोक्य मुदा प्राज्ञो ग्रामान्यष्टौ विभज्य च ॥ १७ ॥
पुत्रेभ्यः स्नेहयुक्तेभ्यो ददौ ग्रामान्यनुक्रमात् ।
एकस्यैकमथाज्ञाप्य शिक्षामित्थं चकार सः ॥ १८ ॥
यत्र यत्र शिवागारे तत्र तत्र ममाज्ञया ।
शिवनिर्माल्यभुंजानो छत्रवेत्राणि धारकाः ॥ १९ ॥

संमार्जनादिकं कृत्वा यथा गोमयलेपनं ।
अपांक्तेया विप्रसंघे संचरंतु ममाज्ञया ॥ २० ॥
कलिनाक्रांतमालोक्य तपसे कृतनिश्चयः ।
औरसं पुत्रमाहूय सुनीतं नाम कोविदं ॥ २१ ॥
आगमज्ञमभिज्ञं तं वाक्यमेतदुवाच ह ।
एते मम स्नेहपात्राः पुत्राः स्नेहे नियंत्रिताः ॥ २२ ॥
प्राज्ञेन भवता सम्यक् स्नेहेन परिपाल्यतां ।
इत्युक्त्वा विप्रवर्योसौ सभार्यस्तपसे ययौ ॥ २३ ॥
आगमोक्तेन स मुनिः पितुराज्ञा न लंघिता ।
चौलोपनीतिकर्माणि कारयामास तान्प्रति ॥ २४ ॥
शतानीक उवाच । कथं चकार विप्रेण संस्कारं विधिपूर्वकं ।
इति दासीतनूजानां शंकामाप्नोति मे मनः ॥ २५ ॥
शौनक उवाच । साधु पृष्टं त्वया राजन् शंकास्थानमिदं खलु ।
तादृग् निवर्त्तयिष्यामि संजातां तव चेतसि ॥ २६ ॥
जघन्यजस्य क्षेत्रे तु यदि भूमिस्पृशः शिवः ।
विप्रवर्याच्च संजातो गोत्रप्रवरपूर्वकं ॥ २७ ॥
गोत्रसूत्रविहीनानां गोत्रं काश्यपमुच्यते ।
आश्वलायनसूत्रेण कार्या जन्मादिसत्क्रियाः ॥ २८ ॥
कारयित्वाथ यो जन्मसंस्कारं विधिपूर्वकं ।
काश्यपं कौशिकं चैव तत्तत्प्रवरभेदतः ॥ २९ ॥
इत्यादिकैश्च गोत्राणि संदिदेश पृथक् पृथक् ।
इतरासां च चेटीनां संजातानां नृपात्मज ॥ ३० ॥
विवाहमण्डकन्यानां कारयामास शास्त्रतः ।
सांकर्यदोषविच्छित्यै त्रिभागं कृतवानयं ॥ ३१ ॥
पुरा पराशरः साक्षात् नाविकां प्राप्तवान्किल ।
साक्षात्कुठारपाणिस्तु गोलकानुद्दधार ह ॥ ३२ ॥

एवं महानुभावानां सहजं गुणकीर्त्तनं ।
इत्यादिविविधाः संति नात्र कार्या विचारणा ॥ ३३ ॥
एवं कृत्वा स भगवान् पुनः प्राह यथाक्रमं ।
नातिक्रामद्गुरोर्वाक्यं तथा कुरुत भूतले ॥ ३४ ॥
दासीकदंबमाहूय संबभाषे द्विजात्मजः ।
आगता हि पुरा यस्मात्पुरं तदनुगम्यतां ॥ ३५ ॥
इत्युक्त्वा द्विजवर्योसौ गच्छति स्वनिकेतनं ।
तदाप्रभृति ते दास्याश्चरंति पृथिवीतले ॥ ३६ ॥
स्वेषां वृत्तिमनादृत्य निरातंका निरंकुशाः ।
एतेषां दर्शनात्पुंसां पातित्यमनुगच्छति ॥ ३७ ॥
कर्मषट्कं च षट्पुच्छमुपवीतद्वयं तथा ।
स्वपंक्तिभोजनं चैव पुराणश्रवणं तथा ॥ ३८ ॥
रुद्राक्षधारणं चैव तथोष्णीषनिबंधनं ।
द्विजसंघप्रवेशं च नेत्याह भगवान्गुरुः ॥ ३९ ॥
बहुनात्र किमुक्तेन राजन् राजेंद्रनंदन ।
अपांक्तेयानिमे तेषां नराणां नीचवर्त्तिनां ॥ ४० ॥
भुंजानानामधर्मांश्च गंगास्नानं विधीयते ।
सदा तेषां समाश्रित्य वर्त्तंते ते नराधमाः ॥ ४१ ॥
द्वादशाब्दान्प्रवास्तव्ये वाराणस्यां न संशयः ॥ ४२ ॥

इति श्रीस्कंदपुराणे सह्याद्रिखंडे उत्तररहस्ये पातित्यग्रामे एकोनविंशतितमोऽध्यायः ॥ १९ ॥

अथ विंशतितमोऽध्यायः ।

शौनक उवाच । निमिषे नैमिषे क्षेत्रे ऋषयः सत्रमासने ।
शतसंवत्सरं दीर्घं ऋषिसंघसमावृतं ॥ १ ॥

तत्रासन्नृषयः सर्वे दिव्यभोगांश्च नित्यशः ।
यज्ञनारायणं साक्षाद्यज्ञदेवैर्महर्षिभिः ॥ २ ॥
देवैश्च स्तवनैः स्तोत्रैः शास्त्रैरस्त्रैश्च संयुते ।
मंत्रानुमंत्रितान्सर्वान्दैवतानि वसंति हि ॥ ३ ॥
त्रयाणामपि लोकानामुत्सवः समभूत्तदा ।
तानागतान्समालक्ष्य ऋषयश्च दयान्विताः ॥ ४ ॥
ततस्तु परमप्रीत्या शौनकं चेदमब्रुवन् ।
अहो धन्यतमो लोकात्स एव पुरुषो महान् ॥ ५ ॥
यस्यागमनमात्रेण सर्वे प्रमुदिता जनाः ।
वयमत्रसमासीनाः सत्रयागचिकीर्षया ॥ ६ ॥
कर्मावसाने चास्माकं कालो नैवातिवर्त्तते ।
कथाभिः सुविचित्राभिर्नीतिशास्त्रैः पुरातनैः ॥ ७ ॥
त्वं नः सुखवसत्कालमहोसि पुरुषोत्तम ।
इत्युक्तो मुनिशार्दूलैः शौनकः करुणानिधिः ॥ ८ ॥
द्वैपायनं पुरस्कृत्य वरमासनमास्थितः ।
कथयामास विविधाः कथाः सर्वमनोरमाः ॥ ९ ॥
धर्मान्देशाश्रितः कालो युगपर्वतसंस्थितान् ।
वर्णसंकरजातांश्च कर्माण्युच्चावचानि च ॥ १० ॥
एवं कथयतस्तत्र कालो बहुतरो गतः ।
कदाचिदागतस्तत्र ऋषिसंघसमावृतः ॥ ११ ॥
जामदग्न्यैर्मुनिवरैस्तपसा प्रज्वलन्निव ।
तं दृष्ट्वा मुनयः सर्वे ज्वलंतमिव पावकम् ॥ १२ ॥
प्रत्युत्थाय प्रणेमुस्ते ह्यर्घहस्ताः समुत्सुकाः ।
अस्तुवञ्जामदग्न्यं च कृतासनपरिग्रहं ॥ १३ ॥
त्वं राम जामदग्न्योसि ब्रह्मक्षत्रमुपाश्रितः ।
लवणाब्धिसुतस्तत्र तया दृष्टोभवत्किल ॥ १४ ॥

तत्र ये स्थापिता विप्रास्ते विद्याधर्मतत्परा: ।
तव नामांकितक्षेत्रे मिषुप्रांते समुद्भवं ॥ १५ ॥
तत्र लिंगान्यनेकानि क्षेत्राणि विविधानि च ।
दाल्भ्याद्या ऋषय: सर्वे जातास्त्वत्क्षेत्रवासिन: ॥ १६ ॥
त्वया संस्थापिता विप्रास्त्वं नामानि वसंति हि ।
अत्यल्पदानसंतुष्टाश्चित्तपूता इति श्रुता: ॥ १७ ॥
आर्यावर्त्ता इति ख्याता आर्यावर्त्तादुपागता: ।
प्राग्ज्योतिषां समाख्याता आर्यास्ते परिकीर्तिता: ॥ १८ ॥
मुहूर्तगुणदोषज्ञा दैवज्ञा इति विश्रुता: ।
अन्येपि करहाटास्ते खरपृष्ठसमुद्भवा: ॥ १९ ॥
अनुधाना: श्रोत्रियाद्यास्त्याज्यास्ते सर्वकर्मसु ।
परितो विंध्यदेशेया गरदा ब्राह्मणाधमा: ॥ २० ॥
अज्ञानाद्योनिसंबंधात्किंचिन्निंद्या: समागता: ।
अतस्त्वनार्यास्ते ज्ञेया विषदा ब्रह्मघातिन: ॥ २१ ॥
सुवर्णस्तेयनिरता ग्रामेषु नगरेषु च ।
शुभकार्येषु सर्वेषु वर्ज्यास्ते विप्र यत्नत: ॥ २२ ॥
यमलादागता विप्रा यमला: परिकीर्तिता: ।
वेदविद्याविहीनास्ते पांक्तेया: परिकीर्तिता: ॥ २३ ॥
अन्येपि कोंकणा विप्रा मरुदेशात्समागता: ।
श्रौतस्मार्त्तक्रियाचारा गिरिकूटनिवासिन: ॥ २४ ॥
वेदाध्ययनशीलाश्च मत्स्याशिनो दयालव: ।
कूटस्थका इति ख्याता: किंचिन्निंद्या: समागता: ॥२५ ॥
अन्येपि देवराष्ट्रीया देवराष्ट्रादुपागता: ।
अपांक्तियास्तु त्याज्यास्ते गिरिकांतारवासिन: ॥ २६ ॥
अन्येपि पदिका: प्रोक्ता: पदमात्रे पिपाठिन: ।
स्वाध्यायाध्ययने नार्हा: श्रौतकर्मविवर्जिता: ॥ २७ ॥

ब्राह्मणा इति ते ख्याता अभोज्यान्नादिसर्वशः ।
अन्ये वर्णाः संकराश्च सुखवासार्थमागताः ॥ २८ ॥
त्वत्क्षेत्रे निवसंति स्म निर्बाधा ह्यकुतोभयाः ।
त्वमनेनैव क्षेत्रेषु मुनिसंघसमावृताः ॥ २९ ॥
तेषां संरक्षणार्थाय वाससान्यनुशुश्रुमः ।
एवमादीनि ते राम चरितान्यद्भुतानि वै ॥ ३० ॥
श्रुत्वानुस्मृत्य संकीर्त्य तिष्ठामः सुचिरं मुने ।
त्वया विनिर्मिते क्षेत्रे तीर्थान्यायतनानि च ॥ ३१ ॥
मुनीनामाश्रमाश्चैव क्षेत्राणि विविधानि च ।
शिवलिंगानि यानीह विष्णुक्षेत्राणि सर्वशः ॥ ३२ ॥
गाणपत्यानि सौराणि शाक्तानि विविधानि च ।
सद्यः प्रत्ययकारिण्यै गुह्यानि विविधानि च ॥ ३३ ॥
तेषां फलं विधिं चैव माहात्म्यं वक्तुमर्हसि ।
सागरस्य च माहात्म्यं तत्र वासे च किं फलं ॥ ३४ ॥
स्नानदानविधिं चैव तर्पणादिविधिं तथा ।
ब्रूहि राम महाबाहो रेणुकेय नमोस्तु ते ॥ ३५ ॥
इति तेषां वचः श्रुत्वा जामदग्न्यो महामुनिः ।
शौनकं प्रेरयामास क्षेत्रमाहात्म्यमीरितुं ॥ ३६ ॥

इति श्रीस्कंदपुराणे उत्तररहस्ये सह्याद्रिखंडे क्षेत्रमाहात्म्यं नाम विंशतितमोऽध्यायः ॥ २० ॥

अथ एकविंशतितमोऽध्यायः ।

शौनक उवाच । भगवन् त्वन्मुखांभोजकथां पापप्रणाशिनीं ।
श्रुत्वा न तृप्तिं भगवान् पिबन्मर्त्यो यथामृतं ॥ १ ॥

पुनश्च श्रोतुमिच्छामि प्रभावं विप्रपुंगव ।
क्षेत्रस्यास्य महाभाग विस्तारं ब्रूहि मे मुने ॥ २ ॥
किं पुण्यमत्र स्नानेन नियमः कोत्र गृह्यते ।
उपवासफलं किं वा नृणां श्रेयः कथं भवेत् ॥ ३ ॥
एतच्चान्यच्च भगवन् मह्यं त्वं वक्तुमर्हसि ।
कीदृशं रूपमास्थाय शंभुर्वसति शौनक ॥ ४ ॥
शौनक उवाच । ततस्ते पांडवा राजन्नर्चयित्वा हरिहरौ ।
सर्वान्कामानवाप्याथ प्रसादाद्देवदेवयोः ॥ ५ ॥
शत्रूणां निधनं चैव स्वराज्यप्राप्तिमुत्तमां ।
वंशाभिवृद्धिकोशस्य धनमक्षय्यमेव च ॥ ६ ॥
देवदेवेशयोर्लब्ध्वा कृत्वा क्षेत्रस्य लक्षणं ।
लोके विधाय महता मुनींद्रैरपि पूजयेत् ॥ ७ ॥
प्रदक्षिणं प्रकुर्वतस्तीर्थस्नानं च भारत ।
स्ववासं पुनराजाग्म्या धर्मशीलादयः पराः ॥ ८ ॥
शतानीक उवाच । सोमवंशोद्भवो राजा ययातिर्नाम वीर्यवान्
तस्य पुत्रो वसुर्नाम रूपौदार्यगुणान्वितः ॥ ९ ॥
तपसा कामगं लब्ध्वा विमानं देववर्चसं ।
महेंद्रभवनं गत्वा देवशत्रून् जघान ह ॥ १० ॥
वैणवीं जयदान्यष्टिं ध्वजरूपान्मनोहरान् ।
सर्वैश्वर्यपदां दिव्यां वसनेदाच्छतक्रतुः ॥ ११ ॥
जिगाय तेन भूपालान् वसुः शक्रपराक्रमः ।
यज्ञैश्च बहुलैरीज्ये शंभवे महदुत्सवं ॥ १२ ॥
शुक्तिमत्यास्तथा नद्यास्तीरे मुनिगणान्विते ।
कैलासवासगौरीशो लिंगरूपी सदाशिवः ॥ १३ ॥
अर्चितो मुनिभिश्चास्ते महालिंगेशसंज्ञया ।
अत्र स्थित्वा मुनिवरास्तपस्तप्त्वा सुदुस्तरं ॥ १४ ॥

स्नात्वा नद्यां शुक्तिमत्यां प्रत्यहं च यथाविधि ।
महालिंगं पूजयित्वा गताः सिद्धिं सुदुर्लभां ॥ १५ ॥
तत्र तीर्थान्यनेकानि ऋषिभिः सेवितानि वै ।
तत्र स्नात्वा सर्वपापैर्मुच्यते भुवि मानवः ॥ १६ ॥
अगस्त्यतीर्थं देवस्य पूर्वस्यां दिशि संस्थितं ।
क्षिप्रं सिद्धिकरं नृणां स्नातानां मनुजाधिप ॥ १७ ॥
पुरागस्त्यः कुंभयोनिस्तपस्तप्त्वा सुदुश्चरं ।
स्वनाम ह्यकरोत्तीर्थं सर्वपापहरं शुभं ॥ १८ ॥
तत्तीर्थे प्रत्यहं स्नात्वा पूजयित्वा महेश्वरं ।
लोपामुद्राधरः सिद्धिमगमद्वृषभध्वजात् ॥ १९ ॥
वसिष्ठं तीर्थमाग्नेय्यां महालिंगात्तु संस्थितं ।
वसिष्ठोपि तपस्तप्त्वा निर्ममे तपसो वलात् ॥ २० ॥
सदाशिवं पूजयित्वा तस्माल्लेभे मुदान्वितां ।
महादेवाद्दक्षिणस्यां तीर्थं कण्वविनिर्मितं ॥ २१ ॥
तत्राभिषिक्तो यो मर्त्यो महालिंगं च पूजयेत् ।
सर्वपापविनिर्मुक्तो याति शिवपदं महत् ॥ २२ ॥
नैर्ऋत्यां दिशि पापघ्नं तीर्थं गालवनिर्मितं ।
सर्वपापहरं पुण्यं स्नातानां च नराधिप ॥ २३ ॥
वारुण्यां गौतमकृतं तीर्थं पापविनाशनं ।
क्षिप्रं सिद्धिकरं नृणां स्नातानां तत्प्रसादतः ॥ २४ ॥
वायव्यां वर्त्तते तीर्थं भारद्वाजेन निर्मितं ।
महालिंगेश्वरात्सर्वं पापहानि सुपुण्यदं ॥ २५ ॥
तत्र स्नात्वा नरो याति शिवलोकं च शाश्वतं ।
लिंगात्सोमस्य दिग्भागे तीर्थमांगीरसं स्मृतं ॥ २६ ॥
विहिताभिषवस्तत्र शिवलोके महीयते ।
वामदेवकृतं तीर्थमीशान्यां तस्य शूलिनः ॥ २७ ॥

तत्र स्नात्वा विप्रवराः प्राप्नुवंति परां गतिं ।
स्नात्वा सर्वेषु तीर्थेषु पूजयित्वा महेश्वरं ॥ २८ ॥

भुक्त्वा तु विपुलान्भोगानंते रुद्रमवाप्नुयुः।
वसोरागमने चैव महालिंगस्य वैभवं ॥ २९ ॥

तत्क्षेत्रस्य च सान्निध्यं वरं वसुविनिर्मितं ।
शुक्तिमत्यास्तथा नद्याः कथां पापप्रणाशिनीं ॥ ३० ॥

तत्रस्थानां च तीर्थानामुत्पत्तिं कथयामि ते ।
कैलासवासी भगवान् तत्र दृश्यो महामते ॥ ३१ ॥

न्यवसद्देवदेवेशः कुर्याल्लोकहिताय वै ।
यस्मात्त्वागमवेलायां कोटिलिंगात्मकः शिवः ॥ ३२ ॥

आविर्भूतो मया दृष्टस्तस्मादत्र वसाम्यहं ।
इति निश्चित्य मनसा पौरा जानपदैः सह ॥ ३३ ॥

पुरे च कारयामास वाराह्याश्च तटे शुभे ।
वसुना कारिता सा तु वासवीत्यभिधीयते ॥ ३४ ॥

चातुरंगबलोपेता पौरजानपदैर्वृता ।
निवासमकरोत्तत्र वासव्यां वसुभूपतिः ॥ ३५ ॥

कमंडलुकृतावासः शुक्तिमत्यापि भूसुरः ।
कदाचिन्नृपतिर्वस्तुं प्रार्थयामास वै सुराः ॥ ३६ ॥

वसुर्विप्रैर्महामंत्र्य वाराह्यामकरोत्स्थलं ।
तदाप्रभृति विप्रेंद्राः शुक्तिमत्यभिधानतः ॥ ३७ ॥

ख्याताः सर्वेषु लोकेषु पश्चिमाब्धिं गताश्च ते ।
पुण्यं शुक्तिमती कुब्जा खेटकी चक्रिणी नदी ॥ ३८ ॥

सौपर्णेयच विप्रेंद्राः पंचनद्यः प्रकीर्त्तिताः ।
एताः पुण्यतमा लोके प्रत्येकं पापनाशना ॥ ३९ ॥

मीलिताः संगमे यत्र पापहेति किमद्भुतं ।
कदाचित्कार्तिके मासि सोमवारे प्रदोषके ॥ ४० ॥
शुक्तिमत्यास्तटे स्थाप्य लिंगं वै वालुकामयं ।
पूजयामास विधिवदागमज्ञैर्द्विजैर्वसु ॥ ४१ ॥
धत्तूरैर्बिल्वपत्रैश्च पुन्नागैर्नागकेसरैः ।
सहस्रकमलैश्चापि माधवीजातिकेसरैः ॥ ४२ ॥
द्रोणकल्हारकाश्मीरैः सुगंधिकुसुमैः शुभैः ।
अलंकृत्य महादेवं भक्त्यावनतकंधरः ॥ ४३ ॥
नैवेद्यं विधिवत्कृत्वा भक्ष्यभोज्यादिभिर्नृप ।
नृत्यगीतैस्तवैश्चापि दंपतीपूजनैरपि ॥ ४४ ॥
तोषयित्वा शिवं सांबं दंडवत्प्रणनाम सः ।
प्रदक्षिणामनुव्रज्य पूजां तस्मै समर्प्य च ॥ ४५ ॥
नद्यां क्षिप्तुं महाराज यत्नं चक्रे द्विजोत्तमः ।
साहसं मा कुरुष्वेति वागश्रूयतखेदृता ॥ ४६ ॥
सर्वे वै विस्मिताः प्रोचूराजानं साधुसाध्विति ।
जागरेणैव सा रात्रिः सर्वेषामगमद्द्विजाः ॥ ४७ ॥
महत्त्वाच्चैव तल्लिंगं महादेवेति कीर्त्तितं ।
शुक्तिमत्या कृतं स्नानं महादेवार्चनं तदा ॥ ४८ ॥
इह संपत्समापेतो देहांते शिवतां ययौ ।
चिरकालं तपस्तप्त्वा महालिंगेशमव्ययं ॥ ४९ ॥
स्वाधीनं कारयित्वाथ स्वनाम्ना कारिता पुरी ।
आश्रमं तत्र कृत्वाथ निनयेद्बहुवत्सरं ॥ ५० ॥
कदाचिद्भार्गवः श्रीमान् सर्वक्षत्रकुलांतकः ।
गोकर्णं गंतुकामेन महेंद्राद्रौ जगाम सः ॥ ५१ ॥
तत्र तत्र च तीर्थानि ऋषिनामाश्रमाणि च ।
शनैः पश्यन्नमेयात्मा देवतायतनानि च ॥ ५२ ॥

ततः सह्याद्रिशिखरे ह्यदूरे दृष्टवान्मुनिः ।
दिव्यौषधितपोयोगैर्मंत्रसिद्धैर्महर्षिभिः ॥ ५३ ॥
जुष्टं किन्नरगंधर्वैरप्सरोभिश्च चारणैः ।
नानारत्नमयैः शृंगैरिंद्रनीलविचित्रितैः ॥ ५४ ॥
नानातरुलतागुल्मैश्चित्रैर्मृगविभूषितैः ।
नानाफलप्रस्रवणैर्नानाकंदरसानुभिः ॥ ५५ ॥
अवतीर्य ददर्शाथ तौलवं देशमुत्तमं ।
तत्क्षेत्रं प्राप्तवान् रामो मेधावी भृगुनंदनः ॥ ५६ ॥
महालिंगेश्वरं सम्यक् पूजयामास शाश्वतः ।
सूर्येंदुवन्हिनयन भस्मोद्धूलितविग्रह ॥ ५७ ॥
एवं स्तुत्वा तदा रामः कृतांजलिपुटः सुधीः ।
स्तुत्वा नत्वाथ तं देवं प्रतस्थे चोत्तरां दिशं ॥ ५८ ॥
तत्र शुक्तिमतीं दिव्यां विमलोदकपूरितां ।
मंदाकिनीप्रतिनिभामघौघपरिवर्जनीं ॥ ५९ ॥
तां ददर्श महाभाग तस्यां स्नातुं प्रचक्रमे ।
विधाय नित्यकर्माणि सोहं ब्रह्मेति भावयन् ॥ ६० ॥
ददर्श भार्गवं राजा चतुर्भिः सचिवैः सह ।
अविदूरे तपस्यंतं साक्षाद्वन्हिशिखोपमं ॥ ६१ ॥
कोटिभानुप्रतीकाशं नासाग्रकृतलोचनं ।
ददर्श भार्गवं हृष्टस्तस्यांतिकमुपाविशत् ॥ ६२ ॥
पाहि पाहि महाबाहो सर्वभूतदयानिधे ।
दुःखान्निस्तारय विभो रक्ष रक्ष करुणाकर ॥ ६३ ॥
पुण्यलेशेन महता त्वद्दर्शनमभूद्विभो ।
कृपां कुरु दयासिंधो मां पालय दयानिधे ॥ ६४ ॥
इति तस्य वचः श्रुत्वा प्रहृष्टोभूत्तदा मुनिः ।
तेनैव सह संप्राप्तो देवेशं भद्रदायकं ॥ ६५ ॥

दर्शनं कारयामास यथाभक्तिर्भविष्यति ।
क्रियतामत्र संवासं किंचित्कालमतंद्रित: ॥ ६६ ॥

इति श्रीस्कंदपुराणे सह्याद्रिखंडे उत्तररहस्ये महालिंगेशमहिमा
वर्णनं नाम एकविंशतितमोऽध्याय: ॥ २१ ॥

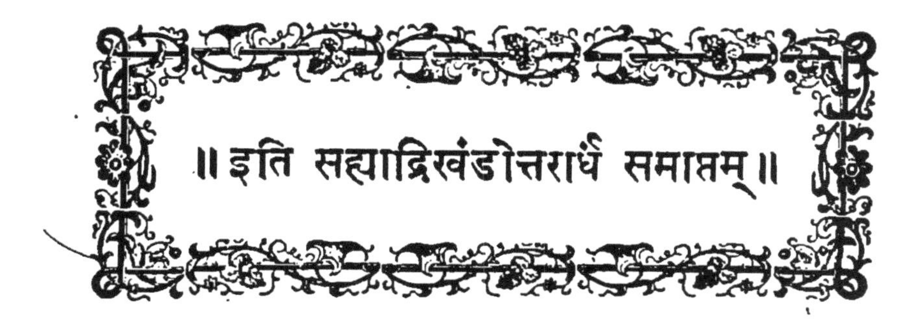

॥ ॐ नमो भगवते वासुदेवाय ॥

स्कंदपुराणांतर्गतरेणुकामाहात्म्यं प्रारभ्यते

अथ प्रथमोऽध्यायः ।

ऋषय ऊचुः । यत्त्वया कथितं स्कंद भुक्तिमुक्तिफलप्रदं ।
विरजं मेखलं तीर्थं तदस्माभिः श्रुतं प्रभो ॥ १ ॥
मातृतीर्थमिति ख्यातं प्रणीतादक्षिणे तटे ।
ऋणत्रयहरं पुण्यं विस्तराद् ब्रूहि षण्मुख ॥ २ ॥
का चैकवीरा सा देवी जमदग्निश्च को बभौ ।
यस्या गर्भे समुद्भूतः स रामः क्षत्रियांतकः ॥ ३ ॥
जमदग्निः क्व संभूतः को धेनुं तस्य चाहरत् ।
कार्तवीर्यः स रामेण कथयस्व कथं हतः ॥ ४ ॥
स्कंदः– देवानां दानवानां च समरोभूत्सुदारुणः ।
ते देवानजयन्दैत्या मायया बलिनः पुरा ॥ ५ ॥
ततः शक्रादयो देवा निर्जितास्तैर्महासुरैः ।
निराकृतास्ते त्रिदशा गोविंदं शरणं ययुः ॥ ६ ॥
क्षीरार्णवमथागम्य शेषशय्यास्थितं हरिं ।
तुष्टुवुस्ते प्रणम्यादौ कृतप्रांजलयः सुराः ॥ ७ ॥
देवा ऊचुः । स्वामिन्मत्स्यादिरूपैश्च हरे विश्वं त्वया धृतं ।
राक्षसेभ्योसुरेभ्यश्च सर्वान्नस्त्रातुमर्हसि ॥ ८ ॥
त्वं नस्त्राता जगत्कर्ता दानवांतकरः प्रभुः ।
लवणांतकरः श्रीश देवदेव नमोस्तु ते ॥ ९ ॥
त्वमेकः पुरुषो नित्यः शर्मदः परमेश्वरः ।
एकस्त्वनंतरूपोसि ब्रह्मरूप नमोस्तु ते ॥ १० ॥

स्कंदः— इत्येवं संस्तुतो देवैर्भगवान्गरुडध्वजः ।
प्रहस्य विकसद्वक्त्रसरोजः प्राह तानिदं ॥ ११ ॥
श्रीभगवानुवाच । कस्माद्भयमनुप्राप्ताः सर्वे दुःखं सुरोत्तमाः ।
ख्यायतामधुनैवाहं नाशयिष्यामि तद्भयं ॥ १२ ॥
देवा ऊचुः । निर्जिताः स्मो वयं दैत्यैरभिभूय त्रिविष्टपात् ।
निराकृताः शरण्यस्त्वं हंतुमर्हसि तान्प्रभो ॥ १३ ॥
श्रीभगवानुवाच । अदितेः संभविष्यामि यदा गर्भे सुरोत्तमाः ।
तदाहं द्विजरूपेण घातयिष्यामि दानवान् ॥ १४ ॥
त्रिःसप्तकृत्वः पृथिवीं कृत्वा निःक्षत्रियामहं ।
ब्राह्मणेभ्यः प्रदास्यामि दक्षिणार्थं मखे शुभे ॥ १५ ॥
एकवीरेति विख्याता सर्वकामप्रदायिनी ।
अदितिर्या मदंबा सा संभविष्यति भूतले ॥ १६ ॥
तथापि तां प्रार्थयध्वं गच्छध्वमधुना सुराः ।
ततस्तस्यां भविष्यामि यदि सा धारयिष्यति ॥ १७ ॥
स्कंदः— इत्युक्तास्तेन ते देवाः सर्वे संहृष्टमानसाः ।
तं प्रणम्य जगन्नाथमदितेः स्थानमाययुः ॥ १८ ॥
ते प्रणामं ततस्तस्यै कृत्वा देव्यै मुदान्विताः ।
स्तुत्याभ्यर्च्य जगद्धात्रीं तामूचुः प्रणताः स्थिताः ॥ १९ ॥
देवा ऊचुः— किं चिंतयसि मातस्त्वं सर्वकामप्रदायिनि ।
निर्जिताःस्मो वयं दैत्यैः सर्वान्नस्त्रातुमर्हसि ॥ २० ॥
विष्णुं त्वमुदरे देवि धृत्वा पाहि जगत्त्रयं ।
हतेषु दुष्टदैत्येषु त्वमेवैका भविष्यसि ॥ २१
अदितिः— न शक्तास्मि हृषीकेशं तं धर्तुं तपसा विना ।
विना बलेन वीर्येण स्वगर्भे गरुडध्वजं ॥ २२ ॥
अतर्क्यस्त्वप्रमेयश्च पद्मनाभः सुरारिहा ।
यस्योदरे जगत्सर्वमिदमास्तेखिलात्मनः ॥ २३ ॥

विश्वाधारः परोनंतस्त्वकल्पः परमेश्वरः ।
त्रैलोक्यधर्ता भगवान् स हरिः केन धार्यते ॥ २४ ॥
गच्छ देवि तपः कर्तुं सुरगंधर्वकिन्नराः ।
तव दास्यंति तेजांसि महात्मानो महर्षयः ॥ २५ ॥
स्कंदः— इत्युक्त्वा सुरगंधर्वसिद्धविद्याधरोरगाः ।
रुद्राश्च ऋषयस्तस्यै तेजांसि प्रददुस्तदा ॥ २६ ॥
सुरतेजोमयी देवी सादितिर्मुनिसत्तमाः ।
कैलासाद्रिं तपः कर्तुं जगाम त्रिदशैर्वृता ॥ २७ ॥
इति श्रीस्कंदपुराणे रेणुकामाहात्म्ये प्रथमोऽध्यायः ॥ १ ॥

अथ द्वितीयोऽध्यायः ।

स्कंदः— ततो ब्रह्मादिभिर्देवैऋषिभिः सिद्धचारणैः ।
एकवीरेति तस्यास्तन्नाम सर्वैः प्रतिष्ठितं ॥ १ ॥
ततः कैलासमागम्य सुरमाता शुभानना ।
अदितिस्तपसा देवं हरमाराधयेच्छुभा ॥ २ ॥
यस्य संकीर्तनादेव सर्वमंत्रफलं लभेत् ।
सर्वयज्ञफलं चैव सर्वतीर्थाभिषेकजं ॥ ३ ॥
अनेन कुसुमैर्दिव्यैश्चंदनैश्च सुगंधिभिः ।
फलैश्च विविधाकारैस्तोषयामास शंकरं ॥ ४ ॥
करांजलिपुटं कृत्वा ततस्तुष्टाव शंकरं ।
सादितिस्तपसाराध्य दिव्यरूपं मुनीश्वराः ॥ ५ ॥
अदितिः— प्रसीद देवदेवेश त्रिपुरांतकर प्रभो ।
नमस्ते ब्रह्मरूपाय विश्वरूपाय मीढुषे ॥ ६ ॥
नमः शिवाय शांताय गुह्याय परमात्मने ।
विश्वेश्वराय शुद्धाय भूताधिपतये नमः ॥ ७ ॥

स्कंदः– इति स्तुत्वा शिवं देवीं पार्वतीं लोकमातरं ।
तुष्टाव परया भक्त्या त्वदितिः सुरसंवृता ॥ ८ ॥
देवि पार्वति ते रूपमचिंत्यं देवदानवैः ।
प्रसादं कुरु मे भक्त्या प्रणमामि सुरेश्वरि ॥ ९ ॥
पार्वति त्वं जगन्माता गायत्री त्वं सरस्वती ।
अप्रतर्क्यासि देवि त्वं सर्वकामफलप्रदा ॥ १० ॥
नमस्ते सर्वदेवेशि वरं देहि हरप्रिये ।
त्वमीश्वरकला देवि ब्राह्मी त्वं चैव वैष्णवी ॥ ११ ॥

स्कंदः– पार्वत्या सहितस्त्वेवं संतुष्टो वृषभध्वजः ।
वरदः प्राह तां देवीमदितिं मुनिपुंगवाः ॥ १२ ॥

ईश्वरः– किं प्रार्थयसि देवि त्वं मत्तस्त्वं सुरवंदिनि ।
वरं दास्यामि ते भद्रे ब्रूहि यत्तेभिवांछितं ॥ १३ ॥

अदितिः– अयोनिसंभवं देहि देहं मे भक्तवत्सल ।
त्वं कश्यपान्वितो भर्ता तुष्टो भवितुमर्हसि ॥ १४ ॥
सुराणां रक्षणार्थाय धर्मसंरक्षणाय च ।
उत्पत्स्यामि सुरश्रेष्ठ पुत्रजन्मपरीप्सितं ॥ १५ ॥
संभविष्यति मे गर्भे हरिस्त्रिभुवनेश्वरः ।
तुष्टिं दास्यति ते रामः कृत्वा निःक्षत्रियां महीं ॥ १६ ॥

स्कंदः– तथैवं प्रार्थितो देवः शंकरः प्राह पार्वतीं ।
तस्यास्तु वरदानाय वचनं शशिशेखरः ॥ १७ ॥

ईश्वरः– दिव्यं त्वमात्मनो रूपमदित्यै सर्वकामिकं ।
देहि देहि प्रसन्नेन मनसा वरवर्णिनि ॥ १८ ॥

स्कंदः– इत्युक्तातिमुदा युक्ता हरेण गिरिकन्यका ।
तस्यै तुष्टा वरं प्रादाद्दत्त्वा तेजस्तथात्मनः ॥ १९ ॥

पार्वती– सर्वलक्षणसंपन्ना सर्वकामधुगुत्तमा ।
ईश्वरस्य प्रिया भार्या मद्रूपा त्वं भविष्यसि ॥ २० ॥

दर्शनेनैव लोकानां भुक्तिमुक्तिप्रदायिनी ।
सत्यं मद्वचनाद्देवि भविष्यसि महीतले ॥ २१ ॥

इति श्रीस्कंदपुराणे रेणुकामाहात्म्ये अदितिवरप्रदानं नाम द्वितीयोऽध्यायः ॥ २ ॥

अथ तृतीयोऽध्यायः ।

स्कंदः– ततः प्रसन्नवदनः शंकरो मुनिसत्तमाः ।
अदित्यै तं वरं प्रादाद्यथाभिलषितं शुभं ॥ १ ॥

ईश्वरः– भविष्यामि न संदेहो भर्ताहं सुरवंदिनि ।
देहमन्यद्गता त्वं हि देहमन्यद्गतो ह्यहं ॥ २ ॥
सर्वलक्षणसंपन्नान्सर्वशास्त्रविशारदान् ।
पुत्रानुत्पादयिष्यामि वस्वादीनमितप्रभान् ॥ ३ ॥
एकवीरेति नाम्ना त्वं मत्प्रसादाद्भविष्यसि ।
जनिष्यामि न संदेहः पंच पुत्रान्मनोरमान् ॥ ४ ॥
प्रयत्नं तु त्वमुत्पत्तौ कुरुष्व कमलानने ।
भर्तारं यदि मां भद्रे कर्तुमिच्छसि सुप्रभे ॥ ५ ॥

स्कंदः– इत्युक्ता शंकरेणाथ सा तु लब्धवरा शुभा ।
तं प्रणम्यादितिर्हृष्टा तत्रैवांतरधीयत ॥ ६ ॥

ऋषय ऊचुः । सुरमातादितिः स्कंद यत्रोत्पन्ना वरानना ।
एकवीरेति नाम्ना सा तद्व्यासेन वद प्रभो ॥ ७ ॥
तस्याः प्रभावमाचक्ष्व कथं सा वरदा नृणां ।
कर्मबंधं समुच्छिद्य कौतुकं परमं हि नः ॥ ८ ॥

स्कंदः– यस्याः प्रभावकथने शक्तोभून्न चतुर्मुखः ।
महेश्वरस्तथाप्यत्र मुक्तिदा तां वदामि वः ॥ ९ ॥

यस्या गर्भे समुत्पन्नो जनरूपः परः पुमान् ।
तस्याः संदर्शनादेव ज्ञानमुत्पद्यते नृणां ॥ १० ॥
कर्मबंधसमुच्छेदो ज्ञानादेव हि जायते ।
तस्मात्तद्दर्शने मोक्षः कौतुकेनात्र कारणं ॥ ११ ॥
कन्याकुब्जेति विख्याता पुरी पुण्यजनाकुला ।
रम्या भागीरथीतीरे सुरसिद्धर्षिसेविता ॥ १२ ॥
तस्यामासीन्नृपः कश्चिद्धार्मिकः सत्यसंगरः ।
इक्ष्वाकुरिति विख्यातः सर्वशास्त्रविशारदः ॥ १३ ॥
तस्य पुत्रो गुणज्येष्ठः सर्वधर्मभृतां वरः ।
रेणुनामाभवत्पुत्र इक्ष्वाकुकुलवर्धनः ॥ १४ ॥
सर्वलक्षणसंपन्नो देवद्विजहितो भृशं ।
निग्रहानुग्रहे शक्तः क्षमया पृथिवीसमः ॥ १५ ॥
बृहस्पतिसमो बुध्या तेजसा स रविप्रभः ।
श्रुतिशास्त्रार्थकुशलो विष्णुभक्तिपरायणः ॥ १६ ॥
राज्ञा तेनाभिभूतेशः कन्यार्थं तपसा पुरा ।
भार्यया सह तत्रैव भक्तया चाराधितः प्रभुः ॥ १७ ॥
तस्य तुष्टो वरं प्रादादीशानस्तूमया सह ।
प्रहस्य विकसद्वक्त्रसरोजः सुरसंस्तुतः ॥ १८ ॥

ईश्वरः– वरं वरय राजेंद्र यथाभिलषितं शुभं ।
प्रार्थितं ते प्रदास्यामि यद्यपि स्यात्सुदुर्लभं ॥ १९ ॥

राजोवाच– कन्यां मे रूपसंपन्नां सर्वलक्षणलक्षितां ।
एकां देहि शिव स्वामिन् पुत्रं सर्वहितं प्रभो ॥ २० ॥

ईश्वरः– भविष्यति न संदेहः कन्या रूपवती नृप ।
यस्याः संदर्शनादेव प्राणिनो यांति सद्गतिं ॥ २१ ॥
सर्वतीर्थवरिष्ठा हि सर्वशास्त्रैकसंमता ।
सर्वकामप्रदा नृणां मत्प्रसादाद्भविष्यति ॥ २२ ॥

शूरसेन इति ख्यातस्तत्र पुत्रो भविष्यति
कन्यार्थमिष्टिं कुरु गच्छ सारं
यदीच्छसि त्वं सुरविप्रपूजनं ॥
सुरांगनाभिः सह राज्यमुत्तमं
यशः श्रियं प्राप्स्यसि राजसत्तम ॥ २३ ।

इति श्रीस्कंदपुराणे रेणुकामाहात्म्ये रेणुकावरदानं नाम तृतीयोऽध्यायः ॥ ३ ॥

अथ चतुर्थोऽध्यायः ।

स्कंदः— ततः प्रणम्य भूतेशं राजा लब्धवरो महान् ।
उदये रेणुकोयागं कन्यायाश्चाकरोत्पुरे ॥ १ ॥
ततः क्रतुवरः पुण्यो बह्वन्नो भूरिदक्षिणः ।
राजा भागीरथीतीरे प्रारब्धः सुरवल्लभः ॥ २ ॥
वर्तमाने ततो यज्ञे तस्मिन्गंगातटे शुभे ।
आययुः सुरगंधर्वाः सोमपाः शंसितव्रताः ॥ ३ ॥
नागा यक्षाश्च देवाश्च ऋषयः सत्यसंगराः ।
अत्रिर्वसिष्ठो भगवान् गालवो जैमिनिस्तथा ॥ ४ ॥
जाबालिर्गौतमः कुत्सः कौंडिन्यो गार्ग्य एव च ।
भरद्वाजः शतानंदो विद्वान्पाराशरो मुनिः ॥ ५ ॥
दाल्भ्यः पुलस्त्यः शुनकः शौनको नारदो मुनिः ।
असितो देवलः कण्वो विदंभोथ सहस्रपात् ॥ ६ ॥
मार्कंडेयः शमीकश्च सर्वशास्त्रविशारदः ।
एते चान्ये च बहवो ऋषयः शंसितव्रताः ॥ ७ ॥
तथा राजर्षयः सर्वे तं यज्ञमगमन्मुदा ।
ॐश्रावयेति तत्रास्तु औौडित्यक्षरनिस्वनैः ॥ ८ ॥

त्रैलोक्यं सुस्वनं पुण्यैरभवद्यज्ञकर्मणि ।
तद्यज्ञमंडपस्थानं होमधूमसमाकुलं ॥ ९ ॥
ऋग्यजुःसामनिर्घोषैः स्वर्गोपममभून्महत् ।
एतस्मिन्नंतरे यज्ञे वन्हिकुंडान्निरैद्द्विजाः ॥ १० ॥
दिव्यरूपान्विता नारी दिव्याभरणभूषिता ।
दिव्यचंदनदिग्धांगी दिव्यांबरधरा शुभा ॥ ११ ॥
रत्नकुंडलजुष्टांगी श्रीरिवायतलोचना ।
रूपेण प्रतिमा गंगा गौरी तेजःसमन्विता ॥ १२ ॥
बहुशीतांशुबिंबास्या सहसा चादितिर्निरैत् ।
तां दृष्ट्वा चारुसर्वांगीं मुनयः सुरचारणाः ॥ १३ ॥
पुष्पवर्षं सुराश्चक्रुस्तुवंतो वरमूर्धनि ।
सुरदुंदुभयो नेदुर्मृदंगपणवास्तथा ॥ १४ ॥
तस्यां देव्यां च जातायां वीणावेणुकनिस्वनः ।
ततः प्रहृष्टमनसः सुरसिद्धमुनीश्वराः ॥ १५ ॥
एकवीरेति विख्याता गौरी गंगेति चाब्रुवन् ।
ऋषिभिर्देवगंधर्वैर्वंद्यमाना मुनीश्वरैः ॥ १६ ॥
रेणुरंके समादाय पूजयामास रेणुकां ।
वस्त्रैराभरणैर्दिव्यैर्गंधमाल्यानुलेपनैः ॥ १७ ॥
राजा सत्कारयामास रेणुकामघनाशिनीं ।
ततस्त्ववभृथं कृत्वा पूजयित्वा सुरद्विजान् ॥ १८ ॥
रत्नैरुच्चावचैर्वस्त्रैस्तोषयामास भक्तितः ।
एकवीरैवमुत्पन्ना रेणुकस्य गृहे शुभे ॥ १९ ॥
सर्वलक्षणसंपन्ना वन्हिकुंडादयोनिजा ।
यस्याः प्रभावस्ते वक्तुं शक्तोहं षण्मुखोपि न ॥ २० ॥
नान्ये ब्रह्मादयो देवाः स्वयं वा शशिशेखरः ।
यस्याः संदर्शनादेव माहात्म्यश्रवणान्मुदा ॥ २१ ॥

विपाप्मानो नरा नार्यः सर्वान्कामानवाप्नुयुः ।
ततो यज्ञे विनिवृत्ते मुनयः सुरपन्नगाः ॥ २२ ॥
प्रणम्य रेणुकां भक्त्या यथास्थानं ययुर्मुदा ।
इति श्रीस्कंदपुराणे रेणुकामाहात्म्ये चतुर्थोऽध्यायः ॥ ४ ॥

अथ पंचमोऽध्यायः ।

स्कंद उवाच । यथोदितैकवीरा सा रेणुका त्वघनाशिनी ।
अदितिः पार्वती गंगा प्रोक्ता वो वरवर्णिनी ॥ १ ॥
एवंप्रभावा सा देवी रेणुका मुनिसत्तमाः ।
वन्हिकुंडात्समुत्पन्ना रेणुका ह्यत्वयोनिजा ॥ २ ॥
ऋषयः:– अदितिर्देवमाता सा देवकार्यार्थसिद्धये ।
यथा रेणुगृहे वन्हेर्निरैगांगेय तच्छ्रुतं ॥ ३ ॥
विस्तरात्कथय स्कंद जमदग्निर्यथोदितः ।
यस्मिन्वंशेग्निघटितः कश्यपेश्वरतेजसा ॥ ४ ॥
स्कंदः– वरुणस्य भृगुर्नाम पुत्रोभूत्सुमहातपाः ।
पौलोम्यां च भृगोर्जज्ञे पुत्रश्च्यवनभार्गवः ॥ ५ ॥
शप्तस्तु भृगुणा वन्हिः सर्वभक्षी भव द्विजाः ।
कृतस्तेनैव मुनिना पवित्रः पापनाशनः ॥ ६ ॥
मनुयः– कथयस्व प्रसंगेन यथाग्निर्भृगुणा पुरा ।
सर्वदेवमयः शप्तो विस्तरेणाथ षण्मुख ॥ ७ ॥
स्कंद उवाच । भृगोः सुदयितां भार्यां पौलोमीं चातिशोभनां ।
ददर्श चारुसर्वांगीं तालजंघो महासुरः ॥ ८ ॥
भृगुरूपधरो दुष्टः क्रूरस्तामग्रतोसुरः ।
कांक्षमाणः स पप्रच्छ तानग्नींस्त्रीदिनं वचः ॥ ९ ॥

दैत्यः– कस्येयं चारुसर्वांगी भार्या पद्मनिभानना ।
ख्यायतामग्नयो देवाः सत्यं मे रससत्तमाः ॥ १० ॥
तेनैवमग्नयः पृष्टास्त्रयस्तस्मै मुनीश्वराः ।
शशंसुस्तां भृगोर्भार्यां सत्यलोपभयात्तदा ॥ ११ ॥
अग्नयः– भृगोरियमृषेर्भार्या पौलोमी नाम दानव ।
पतिव्रता महाभागा पतिभक्तिपरायणा ॥ १२ ॥
स्नानजाप्यादिकं कर्तुं गंगायां स गतो मुनिः ।
क्षणार्धात्स्वाश्रमं पुण्यमधुनैवागमिष्यति ॥ १३ ॥
अग्नीनां तद्वचः श्रुत्वा तालजंघो महासुरः ।
तामुत्क्षिप्याशु पौलोमीं निरैर्दुष्टो विहायसा ॥ १४ ॥
भार्या भृगोर्भाग्यवती पुलोमा सा दैत्यपृष्ठे भयविह्वलांगी ।
मुमोच गर्भं सच जायमानश्चक्रे गतासुं च्यवनोऽरिमाशु॥१५॥
ततो मुनिवरः श्रीमान्गंगायां स भृगुर्द्विजाः ।
स्नात्वा च विधिवज्जप्त्वा पुण्यं स्वाश्रममागमत् ॥ १६॥
भूमौ निपातितां भार्यां भस्मराशिं च बालकं ।
क्रंदमानं भृगुर्दृष्ट्वा पप्रच्छाग्नीनिदं वचः ॥ १७ ॥
भृगुरुवाच । त्वयि स्थिते सुरश्रेष्ठ गार्हपत्यात्र को बली ।
प्रविष्टो ब्रूहि मे तूर्णं शपामि त्वामथान्यथा ॥ १८ ॥
अग्निरुवाच– दैत्येन केनचित्पृष्टं सत्येन च मया मुने ।
सत्यभंगभयाद्भार्या तवेयं कथिता भृशं ॥ १९ ॥
अग्नेस्तद्वचनं श्रुत्वा स भृगुः क्रोधमूर्छितः ।
सर्वभक्षो भवस्वेति शशापाग्निं मुनीश्वराः ॥ २० ॥
ब्रह्मादिभिः सुरैः सर्वैर्मुनिभिस्तत्त्वदर्शिभिः ।
प्रार्थितः स भृगुर्वन्हिः सर्वशुद्धं चकार तं ॥ २१ ॥
कमंडलूदकेचाथ मूर्छितां भूतलान्मुनिः ।
भार्यामुत्थापयामास कुमारं चाददे भृगुः ॥ २२ ॥

एवं स भृगुणा शप्तः सर्वदेवमयोऽनलः ।
च्युतः स मातुरुदरात्तस्माच्चयवनभार्गवः ॥ २३ ॥
एवं भृगोर्महातेजा गुरुभक्तिपरायणः ।
पौलोमीगर्भसंभूतो जज्ञे च्यवनभार्गवः ॥ २४ ॥
च्यवनस्य सुतः श्रीमानृचीको नाम नामतः ।
स्वयं पितामहोत्पन्नः प्रसादाद्ब्रह्मणस्ततः ॥ २५ ॥
इति श्रीस्कंदपुराणे रेणुकामाहात्म्ये भृगुवंशानुकथनं नाम पंचमोऽध्यायः ॥ ५ ॥

अथ षष्ठोऽध्यायः ।

स्कंद उवाच । इक्ष्वाकुरिति विख्यातो राजासीत्पृथिवीपतिः ।
तस्य शंभुप्रसादेन भीमो नाम्नाभवत्सुतः ॥ १ ॥
श्रीमान्भीमस्य पुत्रोभूत्कांचनो नाम विश्रुतः ।
श्रीमान्हि कांचनस्यैकः सुहोत्रोभूत्सुतः शुभः ॥ २ ॥
सुहोत्रादभवज्जन्हुः केशिन्या गर्भसंभवः ।
परिरभ्य मुनिं गंगा वितते यज्ञकर्मणि ॥ ३ ॥
प्लावयामास सा देशं भाविनोर्थस्य दर्शनात् ।
गंगया प्लावितं दृष्ट्वा यज्ञवाटं समंततः ॥ ४ ॥
सहोत्रिरभवत्क्रुद्धो गंगां संरक्तलोचनः ।
अस्य गंगे फलं पश्य सद्यः फलमवाप्नुहि ॥ ५ ॥
एतत्ते विफलं यत्नं पिबत्त्वंभः करोम्यहं ।
राजर्षिणा ततः पीतां गंगां दृष्ट्वा सुरर्षयः ॥ ६ ॥
किमेतदिति चोक्त्वा ते विस्मयं परमं ययुः ।
उपनिन्ये महाभागां दुहितृत्वेन जान्हवीं ॥ ७ ॥

युवनाश्वः पवित्रां तु कावेरीं जन्हुराव्हयत् ।
युवनाश्वस्य शापेन गंगार्धेन विनिर्मितां ॥ ८ ॥
कावेरीं सरितां श्रेष्ठां जन्हुर्भार्यामनिंदितां ।
जन्हुः स दयितं पुत्रं सुहोत्रं नाम धार्मिकं ॥ ९ ॥
कावेर्यां जनयामास ह्यजकस्तस्य चात्मजः ।
अजकस्याभवत्पुत्रो बलाकाश्वो महायशाः ॥ १० ॥
बभूव मृगयाशीलः कुशस्तस्यात्मजः सुतः ।
कुशपुत्रा बभूवुस्ते चत्वारो देववर्जिताः ॥ ११ ॥
कुशांबः कुशनाभश्च शृंगामरसनो वसुः ।
कुशांबः स तपस्तेपे पुत्रार्थी राजसत्तमः ॥ १२ ॥
पूर्णे वर्षसहस्रे वै स तु शक्रमुपासत ।
तमुग्रतपसं दृष्ट्वा सहस्राक्षः पुरंदरः ॥ १३ ॥
समर्थः पुत्रजनने स्वयमेवास्य शाश्वतः ।
पुत्रत्वं कल्पयामास स्वयमेव पुरंदरः ॥ १४ ॥
गाधिनामाभवत्पुत्रः कौशांबः पापनाशनः ।
पौरुकुत्साभवद्भार्या गाधेस्तस्य महात्मनः ॥ १५ ॥
कन्यैका सा बभौ तस्य नाम्ना सत्यवती शुभा ।
तां गाधिर्भृगुपुत्राय ऋचीकाय ददौ द्विजाः ॥ १६ ॥
तस्याः प्रीतः स वै भर्ता भार्गवो भृगुनंदनः ।
पुत्रार्थे साधयामास चरुं गाधिस्तथैव च ॥ १७ ॥
उवाचाहूयतां भार्या ऋचीको भार्गवस्तदा ।
उपभोज्यश्चरुरयं तव मात्रा वरानने ॥ १८ ॥
तस्यां जनिष्यते पुत्रो दीप्तिमान् क्षत्रियर्षभः ।
अजेयः क्षत्रियो लोके क्षत्रियर्षभनंदनः ॥ १९ ॥
तवापि पुत्रं कल्याणि धृतिमंतं तपोधनं ।
शमात्मकं द्विजश्रेष्ठं चरुरेवं विधास्यति ॥ २० ॥

स्कंद उवाच । एवमुक्त्वा स तां भार्यां ऋचीको भृगुनंदनः ।
तपस्याभिरतो नित्यं तस्थौ गोदावरीतटे ॥ २१ ॥
इति श्रीस्कंदपुराणे रेणुकामाहात्म्ये षष्ठोऽध्यायः ॥ ६ ॥

अथ सप्तमोऽध्यायः ।

स्कंद उवाच । तीर्थयात्राप्रसंगेन सुतां द्रष्टुं नरेश्वरः ।
गाधिः सदारस्तु ततो ऋचीकाश्रममागमत् ॥ १ ॥
चरुद्वयं गृहीत्वा तु ऋचीकस्य प्रिया शुभा ।
भर्तुर्वचनमव्यग्रं मात्रे हृष्टा न्यवेदयत् ॥ २ ॥
माता तु तस्यै दैवेन दुहित्रेन्यं चरुं ददौ ।
तस्याश्चरुमथाज्ञात्वा ह्यात्मसंस्थं चकार सा ॥ ३ ॥
अथ सत्यवतीगर्भे क्षत्रियांतकरं द्विजाः ।
धारयामास दीप्तेन वपुषा घोरदर्शनं ॥ ४ ॥
तामृचीकस्ततो दृष्ट्वा योगेनाभ्यनुसृत्यज ।
वचोब्रवीन्मुनिश्रेष्ठः स्वभार्यां वरवर्णिनीं ॥ ५ ॥
ऋचीकः— मात्रासि वंचिता भद्रे चरुव्यत्ययहेतुना ।
तज्जनिष्यति ते पुत्रः क्रूरकर्मादिदारुणः ॥ ६ ॥
माता जनिष्यते वापि ब्रह्मभूतं तपोधनं ।
विश्वं हि तपसा यत्र मया सर्वं समर्पितं ॥ ७ ॥
एवमुक्त्वा महाभागा भर्त्रा सत्यवती तदा ।
प्रसादयामास पतिं सुतो मे नेदृशो भवेत् ॥ ८ ॥
ब्राह्मणापसदः स्वामिन्नित्युक्तो ऋषिरब्रवीत् ।
ऋषिः— नैषः संकल्पितः कामो मया भद्रे तथा त्वया ॥ ९ ॥
उग्रकर्मा भवेत्पुत्रः पितुर्मातुश्च कारणात् ।
ततः सत्यवती वाक्यमेवमुक्त्वाब्रवीत्पतिं ॥ १० ॥

इत्थं लोकानपि स्वामिन् सृजेथाः किं सुतः पते ।
त्वमात्मजमृजुं शांतं पुत्रं दातुं ममार्हसि ॥ ११ ॥
काम एवंविधः पौत्रो मम स्यात्तव च प्रभो ।
यद्यन्यथा न शक्यते कर्तुमेतन्मुनीश्वर ॥ १२ ॥
आत्मानं नाशयिष्यामि नाहं जीवितुमुत्सहे ।
ततः प्रसादमकरोत् स तस्यै तपसो बलात् ॥ १३ ॥
पुत्रे नास्ति विशेषो मे पौत्रे वा वरवर्णिनि ।
त्वया यथोक्तं वचनं तथा भद्रे भविष्यति ॥ १४ ॥
ततः सत्यवती पुत्रं जनयामास भार्गवं ।
तपस्यभिरतं नित्यं जमदग्निं शतात्मकं ॥ १५ ॥
पुनश्चरुविपर्यासे रौद्रवैष्णवयोः सुतः ।
प्राप्य ब्रह्मर्षिसमतां जगाम ब्राह्मणैर्वृतः ॥ १६ ॥
सा हि सत्यवती पुण्या सत्यव्रतपरायणा ।
कौशिकीति समाख्याता प्रवृत्ता हि महानदी ॥ १७ ॥
परिश्रुता महाभागा पुण्यतोया मुनीश्वराः ।
कौशिकी स्वेच्छया गंगा सर्वपापप्रणाशिनी ॥ १८ ॥
इति श्रीस्कंदपुराणे सह्याद्रिखंडे रेणुकामाहात्म्ये सप्तमोऽध्यायः ७

अथ अष्टमोऽध्यायः ।

स्कंद उवाच । अतःपरमृचीकस्य जमदग्निः सुतो द्विजाः ।
पतिर्भविष्यति श्रीमान् रेणुकायाः स्वयंवरे ॥ १ ॥
जामदग्न्यमिति ख्यातं हरिं त्रिभुवनेश्वरं ।
मुनिः परशुरामं तं रेणुकायां जनिष्यति ॥ २ ॥
ऋषय ऊचुः— कथयस्व कथां कांतामशेषाघौघनाशिनीं ।
उपयेमे यथा वंद्यां रेणुकां स स्वयंवरे ॥ ३ ॥

स्कंदः— गौतम्यां कोटितीर्थे तु ऋचीकस्याश्रमः शुभः।
ऋचीकः स तपस्तेपे सहितो जमदग्निना ॥ ४ ॥
ऋचीकस्य भयाद्यत्र द्विधा गोदावरी बभौ।
तत्र स्नानं च दानं च ह्यक्षयं च नृणां भवेत् ॥ ५ ॥
जमदग्निर्महातेजा ऋषिभिः परिवारितः।
कदाचिद्गौतमीं भक्त्या तुष्टाव स कृतांजलिः ॥ ६ ॥
जमदग्निः— विष्णोः पादारविंदाद्गलितजलमिदं केचिदित्याहुरन्ये
चंद्रज्योत्स्नावितानच्युतममृतमिदं धूर्जटेर्जूटबंधात्।
नैतन्मिथ्या तथापि प्रबलपटुतया गौतमि त्वां वदामि
सृष्टेरादिप्रदात्रा क्षयपटपयसामंजलिर्दत्त एषः ॥ ७ ॥
गौतम्युवाच। मत्प्रसादान्मुनिश्रेष्ठ मनेप्सितमवाप्स्यसि।
इत्युक्त्वा गौतमी देवी तत्रैवांतरधीयत ॥ ८ ॥
इति श्रीसह्याद्रिखंडे रेणुकामाहात्म्ये अष्टमोऽध्यायः ॥ ८ ॥

अथ नवमोऽध्यायः।

स्कंद उवाच। ततोचिरेण कालेन जमदग्निः प्रतापवान्।
मातरं पितरं गंगां मुनीनाराधयत्सुरान् ॥ १ ॥
स तताप तपस्तीव्रं वायुभक्षो जितेंद्रियः।
जमदग्निर्महातेजा ऋषिभिः परिवारितः ॥ २ ॥
तस्य वै तपसामर्थ्ये ब्रह्मलोकपुरःसराः।
लोकास्तापमवापुस्ते चुक्षुभुर्ज्यसुरर्षयः ॥ ३ ॥
ततः कालेन महता तपः कृत्वा सुदुष्करं।
जमदग्निर्महातेजा तस्थौ पुण्योदये व्रती ॥ ४ ॥
ततो भागीरथीं गंगां द्रष्टुं गोदातटाश्रितैः।
ऋषिः परमतत्त्वज्ञः पित्रा सह मुनीश्वराः ॥ ५ ॥

रम्ये भागीरथीतीरे तीर्थयात्रार्थमाययौ ।
ददर्श रेणुको धीमान् रूपेणाप्रतिमौ मुनी ॥ ६ ॥
तौ दृष्ट्वा गृहमानीय ताभ्यां स्वागतमादरात् ।
पाद्यार्घ्याचमनीयाद्यैरेणुश्चक्रे मुनीश्वराः ॥ ७ ॥
जमदग्निऋचीकौ तावभ्यर्च्याथ स रेणुकः ।
उवाच वचनं तत्त्वमिदं मधुरया गिरा ॥ ८ ॥
राजोवाच । कौ भवंताविह प्राप्तौ विश्वमोहनरूपिणौ ।
समुद्रौ क्षीरनिर्मुक्तौ किं चंद्रार्कौ सुरोत्तमौ ॥ ९ ॥
किमग्निवरुणौ देवौ किं भवंतौ शिवाच्युतौ ।
जमदग्निः– भार्गवौ वां विजानीहि पुण्याद्गोदावरीतटात् ॥ १० ॥
आगताविह राजेंद्र दर्शनार्थं तवानघ ।
अयं मे जनको राजन् ऋचीको नाम नामतः ॥ ११ ॥
निग्रहानुग्रहे शक्तो रुचिः परमतत्त्ववित् ।
च्यवनो भार्गवः पुत्रः सर्वशास्त्रविशारदः ॥ १२ ॥
यस्य शापभयाद्भिन्ना बभौ गोदावरी नदी ।
रेणुकः– धन्योस्म्यनुगृहीतोस्मि कृतकृत्योस्मि दर्शनात् ॥ १३ ॥
द्वयोः पूतोस्मि पुण्येन महता वचसंशयः ।
इयं मम सुता देवी रूपेणाप्रतिमा भुवि ॥ १४ ॥
कस्मै यत्नेन दातव्या तन्न जानामि तत्त्वतः ।
ऋचीकः– स्वयंवरं त्वया कार्यमेष धर्मः सनातनः ॥ १५ ॥
राज्ञा रूपवती कन्या यतो गुणवती तव ।
राजानो राजपुत्राश्च स्वयंवरदिदृक्षवः ॥ १६ ॥
आगमिष्यंति ऋषयो रूपेणाप्रतिमाः सुराः ।
इति श्रीस्कंदपुराणे रेणुकामाहात्म्ये नवमोऽध्यायः ॥ ९ ॥

अथ दशमोऽध्यायः।

स्कंद उवाच। तस्य तद्वाक्यमाकर्ण्य ऋचीकस्य मुनीश्वराः।
शिरसा वंद्य तमृषिं रेणुको वाक्यमब्रवीत् ॥ १ ॥
रेणुकः– सत्यमुक्तं त्वया विप्र वाचा संसज्जमानया।
स्वयंवरं त्वया श्लाघ्यं भविष्यति न संशयः ॥ २ ॥
दासोहं ते मुनिश्रेष्ठ पुत्रेणानेन सुव्रत।
स्वयंवरं त्वमागच्छ स्नेहेन मम चादरात् ॥ ३ ॥
इत्युक्त्वा गंधमाल्यैस्तु वस्त्रालंकरणैः शुभैः।
तावलंकृत्य सन्माय रेणुः प्रस्थापयन्मुनी ॥ ४ ॥
ततः पृष्ट्वैव राजानं तावृषी मुनिभिर्वृतौ।
हर्षेण महता युक्तौ जग्मतुः स्वाश्रमं तदा ॥ ५ ॥
ततो रेणुर्महातेजा कन्यायास्तु स्वयंवरं।
चक्रे भागीरथीतीरे जमदग्निमनुस्मरन् ॥ ६ ॥
विवाहमंडपं दिव्यं पताकाभिरलंकृतं।
सुरत्नालंकृतैः स्तंभैः शालाभिरुपशोभितं ॥ ७ ॥
तोरणैर्विविधैर्युक्तं पुत्तिकाभिरलंकृतं।
दिव्यगंधसमोपेतमन्यैरुच्चावचैस्तथा ॥ ८ ॥
तत्रासनानि रम्याणि रत्नवंति महांति च।
दोलाश्च विविधाकारा मृद्वास्तरणसंयुताः ॥ ९ ॥
तत्र कुड्येषु चित्राणि विचित्राणि चकार सः।
रेणुकः शिल्पिभिः सार्धं स्वयंवरमहोत्सवे ॥ १० ॥
एतस्मिन्नंतरे रेणू राज्ञः सर्वांस्तथादरात्।
ऋषीनाहूय चाभ्यर्च्य प्रोवाचेदं कृतांजलिः ॥ ११ ॥

राजोवाच । ऋषयः पार्थिवाः सर्वे ते शृण्वंतु वचो मम ।
मया गुणवती कन्या दातव्या प्रतिमित्वियं ॥ १२ ॥
रूपेणाप्रतिमः कश्चिदस्यास्त्रिभुवने पुमान् ।
नैवास्तीति मया ज्ञातं किं कर्तव्यं मयाधुना ॥ १३ ॥
ऋषयः— यस्त्वमिच्छसि राजानं ऋषिं वा रूपसंयुतं ।
तस्मै कन्यां प्रयच्छात्र संप्रधार्य नृपोत्तम ॥ १४ ॥
रेणुको मुनिभिः सर्वैरेवमुक्तोथ राजभिः ।
तावृषी सोस्मरद्दातुं रेणुकां जमदग्नये ॥ १५ ॥
ततस्तेन स्मृतौ वेगादृषिभिः परिवारितौ ।
जमदग्निऋचीकौ तौ जग्मतुस्तत्स्वयंवरं ॥ १६ ॥
तावायातावृषी दृष्ट्वा मंडपद्वारसंस्थितौ ।
ताभ्यां मुदान्वितो रेणुः प्रणाममकरोद्द्विजाः ॥ १७ ॥
पाद्यार्घ्याचमनीयाद्यैः स्वागतं कृतवान्नृपः ।
विचित्रे चासने दत्त्वा पूजयामास तौ मुदा ॥ १८ ॥
ततः प्रणम्य संपूज्य तावृषी रेणुकः स्वयं ।
आह्वयामास तां कन्यां रूपेणाप्रतिमां शुभां ॥ १९ ॥
तामाहूय जगद्धात्रीमेकवीरां नृपेश्वरः ।
शृण्वतां मुनिभूतानामिदं वचनमब्रवीत् ॥ २० ॥
रूपलक्षणसंपन्नं यमिच्छसि वरानने ।
एतेषां राजपुत्राणां मुनीनां पश्य तं पतिं ॥ २१ ॥
पितुस्तद्वचनं श्रुत्वा दिव्याभरणभूषिता ।
सर्वानालोकयामास जमदग्निमृषिं च तं ॥ २२ ॥
ज्येष्ठानपश्यत्पितृवत् कनिष्ठान्पुत्रवत्तथा ।
समानवयसश्चैव भ्रातृभिः सममैक्षत ॥ २३ ॥
एवं सर्वानृषीन्राज्ञः परित्यज्य शुभानना ।
एकवीरा स्वयं वव्रे जमदग्निं मुनीश्वरं ॥ २४ ॥

पित्रा सैवमनुज्ञाता रेणुका स्वयमादरात् ।
प्रक्षिपद्रत्नपुष्पाढ्यां मालां तु जमदग्नये ॥ २५ ॥
ततो हाहाकृताः सर्वे समुत्पेतुः सहस्रशः ।
राजानो ऋषयः केचिदमर्षेण प्रचोदिताः ॥ २६ ॥
इति श्रीस्कांदे रेणुकामाहात्म्ये दशमोऽध्यायः ॥ १० ॥

अथ एकादशोऽध्यायः ।

स्कंद उवाच । ततो मृदंगभेरीणां पणवानां च निस्वनः ।
सहसा चोत्थितस्तत्र पुष्पवर्षो बभौ महान् ॥ १ ॥
गंधर्वास्ते जगुर्हृष्टा ननृतुस्ताः सुरांगनाः ।
बभूवुर्विश्वसुखदास्ते वीणावेणुनिस्वनाः ॥ २ ॥
ऋषयस्ते सुराः सर्वे तुष्टुवुस्तां स्वयंवरे ।
एकवीरां महाभागां जमदग्निं मुदान्वितं ॥ ३ ॥
तन्महाकौतुकं दृष्ट्वा राजानः सर्वएव ते ।
शस्त्राण्यस्त्राणि मुमुचुर्वधार्थं रेणुकस्य च ॥ ४ ॥
रेणुकोपि रथैर्नागैस्तुरंगैश्च पदातिभिः ।
सहितो गजमारुह्य युद्धाय स बहिर्ययौ ॥ ५ ॥
ततो युद्धमभूद् घोरं तुमुलं रोमहर्षणं ।
रेणुकस्य महाजौ तद्राजभिः सह संकुलं ॥ ६ ॥
ते निर्भर्त्स्य तदा रेणुं राजपुत्रा महाबलाः ।
निजघ्नुर्विविधैः शस्त्रैः पद्मनालैर्यथाचलं ॥ ७ ॥
तेषां चास्त्राणि शस्त्राणि निर्ययुश्च पुनः पुनः ।
विव्याध निशितैर्वीरान् रेणुकोपि शरैर्मृधे ॥ ८ ॥
एतस्मिन्नंतरे विप्रो जमदग्निर्महातपाः ।
तूर्णं तद्रणमालोक्य जग्राह सशरं धनुः ॥ ९ ॥

तं दृष्ट्वा मर्षिताः सर्वे राजानो दृढविक्रमाः ।
निजघ्नुर्विविधैः शस्त्रैः शलभा इव पावकं ॥ १० ॥
स नानापतितान्क्रुद्धान्जमदग्निः सुरोत्तमैः ।
भित्त्वा निवारयामास मंत्रैराशीविषानिव ॥ ११ ॥
केचित्तस्य शरैर्घोरैर्विच्छिन्नास्तदयाभवन् ।
शरनिर्भिन्नसर्वांगाः केचिन्निपतिताः क्षितौ ॥ १२ ॥
विच्छिन्नशिरसः केचिद्विच्छिन्नविकृताननाः ।
दृश्यंते पतिताः केचित्पुष्पिता इव किंशुकाः ॥ १३ ॥
रथैर्विमर्दितैर्नागैरश्वैर्विनिहतैस्तदा ।
कृतं भयानकं सर्वं तद्रणं जमदग्निना ॥ १४ ॥
ततश्च दुर्जयं मत्वा हतशेषा हतप्रभाः ।
जमदग्निं भयात्त्यक्त्वा रेणुकं तमभिद्रवन् ॥ १५ ॥
ततः प्रकुपितो विप्रो जमदग्निर्महातपाः ।
चचार नृपसैन्येषु गहनोऽग्निरिवोत्थितः ॥ १६ ॥
योधैर्योधान्गजैर्नागानश्वैरश्वान् रथैरथान् ।
स ऋषिर्नाशयामास काननेऽग्निरिव द्रुमान् ॥ १७ ॥
तेषां क्षतजकल्लोलशोणितांबुतरंगिणी ।
प्रावर्तत नदी घोरा भीरूणां भयवर्धिनी ॥ १८ ॥
नरास्थिसिकतायुक्ता सर्वभूतभयावहा ।
मेदोमज्जाकर्दमिनी शब्दघोषवती तु सा ॥ १९ ॥
एवं तन्निहतं सैन्यं दृष्ट्वा ते जमदग्निना ।
हतशेषास्तु राजानो ययुः सर्वे दिशो दश ॥ २० ॥
इति श्रीस्कंदपुराणे रेणुकामाहात्म्ये एकादशोऽध्यायः ॥ ११ ॥

अथ द्वादशोऽध्यायः।

स्कंद उवाच। जितेषु नृपवर्येषु हतशेषेषु रेणुकः।
विवाहं कारयामास कन्यायाः सविधानतः॥ १॥
पुण्येऽहनि सुनक्षत्रे रेणुको विधिवत्तदा।
रेणुकां रूपसंपन्नां प्रददौ जमदग्नये॥ २॥
रथानां कांचनांगानां किंकिणीजालमालिनां।
तस्मै दशसहस्राणि प्रददौ रेणुकस्तदा॥ ३॥
गजानां मदमत्तानां सादिभिः समधिष्ठितां।
मेघाभानां ददौ भूपस्त्वयुतं तु विचक्षणः॥ ४॥
स श्रीमान् प्रददौ तस्मै गवामयुतमादरात्।
गवां माथुरदेश्यानां दोग्ध्रीणां हेमवर्चसां॥ ५॥
एकतः श्यामकर्णानामश्वानामयुतं तथा।
स्त्रीणां सहस्रं गौरीणां सुवेषाणां ददौ नृपः॥ ६॥
सुवर्णनिष्ककंठीनामरोगाणां सुवर्चसां।
परिचर्यासु दक्षाणां प्रददौ रेणुकः सुतां॥ ७॥
एवं रत्नानि वासांसि बहूनि विविधानि च।
विवाहे प्रददौ राजा प्रीत्यर्थं जमदग्नये॥ ८॥
एवं सत्कृत्य तं राजा जमदग्निं स रेणुकः।
अलंकृत्य ददौ कन्या विधिदृष्टेन कर्मणा॥ ९॥
ततः प्रणम्य विधिवदृचीकमृषिसत्तमं।
भक्त्या संपूजयामास वस्त्रालंकरणैः शुभैः॥ १०॥
ऋषेरत्नान्वितस्याथ रेणुकां पापनाशिनीं।
स तामंके समारोप्य रेणुको वाक्यमब्रवीत्॥ ११॥

स्नुषेयं ते मुनिश्रेष्ठ रूपेणाप्रतिमा भुवि ।
धर्मे पाहि प्रयत्नेन सर्वज्ञानविदां वर ॥ १२ ॥
ऋचीकः— धन्योस्मि कृतकृत्योस्मि यस्येयं मे स्नुषा वभौ ।
यस्याः संदर्शनादेव सर्वकर्मफलं लभेत् ॥ १३ ॥
यन्नामकीर्तनादेव विप्लुताखिलपातकाः ।
प्रयांति दुर्लभां सिद्धिं परमाममरैर्नराः ॥ १४ ॥
यथेयं रूपसंपन्ना गुणज्येष्ठा भविष्यति ।
आदावेव नृपश्रेष्ठ ज्ञातं तज्ज्ञानचक्षुषा ॥ १५ ॥
इयं पुत्रवती कन्या पतिभक्तिपरायणा ।
त्रैलोक्यवंदिता पुण्या भविष्यति न संशयः ॥ १६ ॥
राजोवाच । अद्य मे सफलं जन्म पुण्यैर्जातं मुनीश्वर ।
यस्येश्वरः स जामाता जमदग्निरभून्मम ॥ १७ ॥
त्वं हि सत्यव्रतश्चैव सत्यवादी जितेंद्रियः ।
ऋषे जातोसि पुण्येन पिता मम न संशयः ॥ १८ ॥
ऋचीकः— आश्रमं गंतुमिच्छामि स्वस्ति तेऽस्तु नराधिप ।
पुत्रेणानेन सहितस्तदनुज्ञातुमर्हसि ॥ १९ ॥
इति श्रीस्कंदपुराणे सह्याद्रिखंडे रेणुकामाहात्म्ये द्वादशोऽध्यायः ॥ १२ ॥

अथ त्रयोदशोऽध्यायः ।

स्कंद उवाच । ऋचीकेनैवमुक्तस्तु रेणुको मुनिपुंगवः ।
नानुजज्ञे महात्मानमृचीकं ससुतं तदा ॥ १ ॥
ततः स रेणुको राजा बलेन चतुरंगिणा ।
कांबोजदेशमगमत्सहितो जमदग्निना ॥ २ ॥

स तस्मै सुबहून्देशान्कौशलादीन्महायशाः ।
दर्शयित्वा मुदा युक्तो रेणुर्जामातृवत्सलः ॥ ३ ॥
दत्त्वा राज्यं पुरे रम्ये कन्याकुब्जे न्यवेशयत् ।
एकवीरां च सत्कृत्य वस्त्रालंकरणैः शुभैः ॥ ४ ॥
राजा स्वरथमारुह्य दृष्ट्वा स्वभुवनं ययौ ।
ततः शक्रः स्वयं प्रीत्या रेणुकायै सुरैर्वृतः ॥ ५ ॥
प्रादात्कल्पतरुं पुण्यं कामधेनुं मुनीश्वराः ।
स्पष्टचिंतामणिं स्पर्शं प्रददौ सिद्धपादुके ॥ ६ ॥
नानारत्नयुते दिव्ये वस्त्राण्याभरणानि च ।
रेणुकां जमदग्निं च सत्कृत्याभिप्रणम्य च ॥ ७ ॥
सर्वतीर्थोदकैः पुण्यैरभिषिंचत्सुरेश्वरः ।
नंदनात्पारिजातादींस्तरूनानीय देवराट् ॥ ८ ॥
फलपुष्पान्वितानिंद्रः स्थापयद्रेणुकाश्रमे ।
तथा चंदनवृक्षांश्च स्थापयामास चाश्रमे ॥ ९ ॥
प्रीत्या च परया युक्तो रेणुकायाः पुरंदरः ।
एवमभ्यर्च्य सन्मान्य वस्त्रालंकरणादिभिः ॥ १० ॥
रेणुकां जमदग्निं च शक्रः स्वभुवनं ययौ ।
ततो भागीरथीतीरे पुरे तस्मिन्महोदये ॥ ११ ॥
मुनिभिः संवृतस्तस्थौ जमदग्निः प्रियान्वितः ।
तस्याश्रमे द्विजश्रेष्ठा ऋषयः सुरकिन्नराः ॥ १२ ॥
सिद्धविद्याधराद्याश्च तस्थुराश्रित्य रेणुकां ।
नित्यमग्नित्रयोपास्तिं कुर्वन्भक्त्या महातपाः ॥ १३ ॥
जमदग्निः प्रियासार्धं गृहधर्ममपालयत् ।
देवान्हव्येन कव्येन पितॄनन्नादिकादिभिः ॥ १४ ॥
तर्पयामास दीनार्तान् रेणुका विकलेंद्रियान् ।
प्रणम्याभ्यर्च्य तां भक्त्या कामधेनुं मुनीश्वराः ॥ १५ ॥

नित्यं प्रार्थयते कामान् तस्यै सर्वान्प्रयच्छति ।
स्पर्शकल्पद्रुमाद्यास्ते ददुस्तस्मै महर्षये ॥ १६ ॥
तथाभिलषितार्थांस्तान् रेणुकाज्ञापितास्त्वरा: ।
कुर्वंतो जमदग्नेस्तु गृहं धर्मं मुनीश्वराः ॥ १७ ॥
त्रैलोक्यमगमत्तृप्त्यै ह्यातिथ्येन भृतं ततः ।
जमदग्नेस्ततस्तस्यां रेणुकायां सुरोत्तमाः ॥ १८ ॥
बभूवुः पंच पुत्रास्ते वन्हींद्रार्कानिलाच्युताः ।
वसुनामा नलो जज्ञे वायुर्विश्वावसुः सुतः ॥ १९ ॥
बृहद्भानुः स्वयं सूर्यो बृहत्कण्वः शतक्रतुः ।
इति नामानि पुत्राणां रेणुकायाः शुभानि च ॥ २० ॥
श्रुत्वा चैव नरा नार्यः सर्वपापैः प्रमुच्यते ।
गर्भाधानादिकं तेषां जमदग्निश्चकार सः ॥ २१ ॥
वस्वादीनां हि पुत्राणां वेदशास्त्रादिकं ततः ।
चत्वारस्ते महात्मानो गुरुभक्तिपरायणाः ॥ २२ ॥
विप्राणामग्निहोतॄणां शुश्रूषां चक्रिरे सुताः ।
कदाचिदास्थितामंबां कल्पद्रुमसमीपतः ॥ २३ ॥
नारायणसमादेशान्नारदस्तामुपागमत् ।
दृष्ट्वा तां रेणुतनयामशेषाघौघनाशिनीं ॥ २४ ॥
प्रणम्य शिरसा भूमौ कृतांजलिरभावत ।
नारद उवाच । देवि नारायणस्याद्य संदेशं शृणु मन्मुखात् ॥२५॥
जगतामुपकाराय तव गर्भं प्रयास्यतः ।
पुरा वामनरूपोहमुदराल्पतयादितेः ॥ २६ ॥
ज्ञातस्तस्मात्कियद्रूपमुदरे धारयिष्यसि ।
कथयस्व कियद्रूपं धर्तुं त्वमुदरे क्षमा ॥ २७ ॥
तावद्रूपसमायुक्तो भवामि तव गर्भगः ।
मद्रूपमखिलं गर्भे का धर्तुं क्षमतेंगना ॥ २८ ॥

यन्नाभिनालविस्तारं न वेद कमलोद्भवः ।
तस्मात्कथय सामर्थ्यमात्मनो धारणे क्षमं ॥ २९ ॥
श्रुत्वा तथैव तत्सर्वं करोमि कलुषापहे ।
ऋषिभाषितमाकर्ण्य नारायणसमीरितं ॥ ३० ॥
प्रहस्य वचनं प्राह जगदोद्धारकारक ।
श्रीदेव्युवाच । जानाति तत्पुनर्वक्तुं बालत्वादीश्वरस्य च ॥ ३१ ॥
त्वयापि ज्ञानिनां श्रेष्ठो न विचार्योक्तवानसि ।
पुत्रा मातरमापृछ्य भवेयुर्गर्भगामिनः ॥ ३२ ॥
कथेयं नूतनाऽश्रावि तत्त्वज्ञानवतां वर ।
न मया नान्यया स्त्रीणां श्रावितं तु कदाचन ॥ ३३ ॥
नारायणसमादेशाद्यत्त्वयाऽभाषि मे पुरः ।
तथाप्याकर्ण्य तद्वाक्यं त्वत्तो नारायणेरितं ॥ ३४ ॥
मद्भाषितमिदं तस्य नारदाद्य निवेदय ।
या शक्तिः परमा तस्य तया सह जनार्दनः ॥ ३५ ॥
प्रविश्यांतःप्रभावज्ञः प्रभुर्भवितुमर्हति ।
तद्भाषितमिदं वाक्यमाकर्ण्य द्विजसत्तमाः ॥ ३६ ॥
नारदः पादयोस्तस्याः प्रणामं शिरसाऽकरोत् ।
नारायणसमादेशादागतं नारदं तदा ॥ ३७ ॥
विसृज्य जगदानंदकंदभूताविशद्गृहं ।
तया विसर्जितो वेगान्नारदो वैष्णवं पदं ॥ ३८ ॥
आगम्य वेदयांचक्रे रेणुकायास्तथोदितं ।
आकर्ण्य रेणुकावाक्यं विस्मितो विससर्ज तं ॥ ३९ ॥
चिंतयामास परमां शक्तिं विश्वासमाश्रितां ।
तमात्मनि समाधाय तयायुक्तो जगत्पतिः ॥ ४० ॥
जगत्त्राणाय विष्णुस्तामेकवीरामचिंतयत् ।
चिंतयित्वा स्वयं विष्णुर्महामातां विश्वमातरं ॥ ४१ ॥

स रेणुकायास्तत्पुण्यादुदरं प्राविशत्तदा ।
स्वयं प्रकाशयन्विश्वं हरिस्त्रिभुवनेश्वरः ॥ ४२ ॥
यदा मातुःस्थितो गर्भे तदाभूत्कौतुकं महत् ।
धारयंती यदा गर्भे रामं कमललोचनं ॥ ४३ ॥
पदं प्रादात्सुललितं चचालोर्वी ससागरा ।
चेलुस्ते गिरयः सर्वे वनान्यपि चकंपिरे ॥ ४४ ॥
दिशो दशाभवन्पुण्याः सुप्रभाताऽभवन्निशा ।
ततस्त्वदितिनक्षत्रे तृतीयायां तु माधवे ॥ ४५ ॥
रेणुकायास्तदा गर्भादुदितः स हरिर्विभौ ।
पुष्पवृष्टिरभूत्तत्र रामदेवस्य मूर्धनि ॥ ४६ ॥
सुरदुंदुभयो नेदुर्मुदं जग्मुः सुरर्षयः ।
शंखतालनिनादाश्च वीणावेणुकनिस्वनाः ॥ ४७ ॥
बभूवुः सहसा तत्र गंधर्वास्ते जगुर्हरिं ।
क्षत्रियाः पृथिवीपाला निर्दग्धाइव वन्हिना ॥ ४८ ॥
सर्वे संत्रस्तमनसस्तेऽभवन्भयशंकिताः ।
सहस्त्रमेकं बाहूनामर्जुनस्य चचाल ह ॥ ४९ ॥
जाते रामे प्रचंडेन वातेनैव वनं महत् ।
तन्महत्कौतुकं दृष्ट्वा मातरं हैहयाधिपः ॥ ५० ॥
भयसंविग्नहृदयो वचनं चेदमब्रवीत् ।

अर्जुनः— अकस्मादेव मातर्मे कंपंते बाहवो भृशं ।
भयं हृदि समुत्पन्नं वेपथुर्मे महानभूत् ॥ ५१ ॥
बभ्रमुर्मे दिशः सर्वाः सूर्यो नैव प्रदृश्यते ।
पृथिवी दृश्यते सर्वा तिमिरेणैव संवृता ॥ ५२ ॥

जनन्युवाच— मा विषादं विशालाक्षिन्नहि ते विद्यते भयं ।
यस्य बिभ्यंति ते देवास्तस्य कस्माद्भयं भवेत् ॥ ५३ ॥
ब्राह्मणैः सह दर्पेण विरोधः कुपितैरपि ।

न कर्तव्यस्त्वया विप्रा वंदनीया विशेषतः ॥ ५४ ॥
ब्राह्मणो नावमंतव्यः कदाचित्केनचित्क्वचित् ।
यस्मिन्देवाश्च ऋषयः पितरश्च प्रतिष्ठिताः ॥ ५५ ॥
इत्युक्त्वा तं समाश्वास्य पुत्रं राकावती तदा ॥
निषसादासने रम्ये पुत्रेण सहिता शुभा ॥ ५६ ॥
इति श्रीस्कंदपुराणे सह्याद्रिखंडे रेणुकामाहात्म्ये परशुरामोत्पत्तिर्नाम त्रयोदशोऽध्यायः ॥ १३ ॥

अथ चतुर्दशोऽध्यायः ।

स्कंद उवाच । तस्मिन्जाते ततो रामे जमदग्निर्महातपाः ।
ब्राह्मणेभ्यो ददौ गावो रत्नानि सुबहूनि च ॥ १ ॥
ततोऽचिरेण कालेन ववृधेऽतीव सुंदरः ।
रूपेणाप्रतिमो रामो रेणुकायाः प्रभावतः॥ २ ॥
कालेन महता रामो पितरं मातरं बली ।
आनंदयद्गृहे बालो वर्धमानः शशी यथा ॥ ३ ॥
रामं कमलपत्राक्षमेकवीरां पतिव्रतां ।
राजानो ऋषयः सर्वे दृष्ट्वा ते विस्मयं ययुः ॥ ४ ॥
चारणानां तदा वाचः समंतात्सहसोत्थिताः ।
रामस्त्रिभुवनं पाहि कुरु निःक्षत्रियां महीं ॥ ५ ॥
कंदर्प इव रूपेण तेजसाऽग्निरिव प्रभुः ।
समुद्र इव गांभीर्ये क्षमया पृथिवीसमः ॥ ६ ॥
मातापित्रोः प्रसादेन रामः सर्वगुणाकरः ।
कालेन ववृधेऽतीव सितपक्षे शशी यथा ॥ ७ ॥
परिचर्यां पितुर्मातुः कुर्वन्रामः सुभक्तितः ।

पितॄणां मुनिदेवानां बभूव प्रियदर्शनः ॥ ८ ॥
ततः प्रणम्य तां भक्त्या रेणुकां पितरं तथा ।
उवाच प्रहसन् रामः कृतोपनयनोव्रतः ॥ ९ ॥
राम उवाच– शृणु मद्वचनं मातः स्वामिनि त्वं सुरेश्वरि ।
ऋषिणानेन सुव्यक्तमुत्पन्नोऽहं तवोदरे ॥ १० ॥
न चोत्पन्नस्य मे श्रेयो गुरुशुश्रूषया विना ।
मातापित्रोः परं तीर्थं त्रिषु लोकेषु न श्रुतं ॥ ११ ॥
अनुज्ञातस्त्वया मातः कैलासं पर्वतोत्तमं ।
तपः कर्तुं गमिष्यामि स्वस्ति तेऽस्तु शुभेक्षणे ॥ १२ ॥
तपसाऽऽराधितस्तत्र शूलपाणिरुमापतिः ।
समग्रां मे धनुर्विद्यां सरहस्यां प्रदास्यति ॥ १३ ॥
एकवीरा– पुत्र गच्छ मुनिं दृष्ट्वा पितरं भूरिवर्चसं ।
क्षिप्रमागम्यतां ज्ञात्वा धनुर्विद्यां करांतिकाम् ॥ १४ ॥
इति श्रीस्कंदपुराणे सह्याद्रिखंडे रेणुकामाहात्म्ये चतुर्दशोऽध्यायः ॥ १४ ॥

अथ पंचदशोऽध्यायः ।

स्कंद उवाच । जगन्मात्रा स रामस्तु प्रहितः पितरं मुदा ।
दृष्ट्वा प्रणम्य कैलासमगमन्मुनिपुंगवः ॥ १ ॥
तमागतमभिप्रेक्ष्य प्रमत्तास्ताः सुरांगनाः ।
निपेतुः स्रस्तवसनास्ता रामेण विमोहिताः ॥ २ ॥
कामबाणहताः सद्यो रूपवत्यः सुरांगनाः ।
रामस्यावाहनं चक्रुर्नेत्राकारैस्तु शंकिताः ॥ ३ ॥
ब्रह्मचारी जितक्रोधो वेदवेदांगपारगः ।
पार्वत्या सहितो यत्र रामस्तत्रागमद्धरः ॥ ४ ॥

हरांतिकमुपागम्य रामः सत्यव्रतस्थितः ।
हरमाराधयद्भक्त्या वायुभक्षो जितेंद्रियः ॥ ५ ॥
ऊर्ध्वपादस्तु पंचाग्नीन्प्रज्वाल्याधस्ततोंबरे ।
तपसाऽऽराधयद्देवमिदं स्तोत्रमुदीरयन् ॥ ६ ॥
नमः शिवाय सकलाय महेश्वराय
विश्वेश्वराय वरदाय जगद्धिताय ।
गौरीश्वराय गिरिजांगविभूषणाय
शर्वाय कामदलनाय हराय तुभ्यं ॥ ७ ॥
भस्मांगरागभुजगाधिपभूषणाय
गंगाशशांकगिरिजाहिजटाधराय ।
गौरीप्रियाय वरदाय महाव्रताय
दैत्यांतकाय वरदाय नमो नमस्ते ॥ ८ ॥
स्कंदः— तेनैवं संस्तुतो देवस्तपसाऽऽराधितो हरः ।
वरदः प्राह तं रामं प्रत्यक्षः प्रहसन् द्विजाः ॥ ९ ॥
शिव उवाच । यत्प्रार्थयसि विप्रेंद्र तपसानेन सुव्रत ।
तुष्टोहं तत्प्रदास्यामि ब्रूहि यत्तेऽभिवांछितं ॥ १० ॥
राम उवाच । धनुर्वेदं समग्रं हि शस्त्राण्यस्त्राणि शंकर ।
त्वत्तोहं ज्ञातुमिच्छामि त्वं शिक्षापय मां प्रभो ॥ ११ ॥
शंकरः— को भवानिह संप्राप्तः साक्षादिव हरिः स्वयं ।
धनुर्वेदं किमर्थं त्वं मत्तः प्रार्थयसे वद ॥ १२ ॥
रामः— भृगुवंशसमुत्पन्नं विद्धि मां ब्राह्मणं प्रभो ।
जमदग्निसुतं रामं रेणुकायाः प्रियंकरं ॥ १३ ॥
ब्रह्मक्षत्रं सदा ज्ञेयमिति निश्चित्य शंकर ।
आराधितोसि तपसा धनुर्विद्यार्थसिद्धये ॥ १४ ॥

ईश्वरः– जातोसि न मया वाच्यं योसि सोसि द्विजेश्वर ।
धनुर्वेदं समग्रं त्वां राम शिक्षापयाम्यहं ॥ १५ ॥
इति श्रीसह्याद्रिखंडे रेणुकामाहात्म्ये पंचदशोऽध्यायः ॥ १५ ॥

अथ षोडशोऽध्यायः ।

स्कंदः– सकंकणभुजाभ्यां च राममुत्क्षिप्य सुंदरं ।
हरः प्रीत्या परिष्वज्य धनुस्तस्य करे ददौ ॥ १ ॥
पिनाकं स धनुर्दिव्यं सर्वरत्नपरिष्कृतं ।
दत्त्वा शिक्षापयद्रामं धनुर्विद्यां यथाक्रमात् ॥ २ ॥
सरहस्यां सकल्पां च धनुर्विद्यां मुनीश्वराः ।
शंकराज्ज्ञातवान्रामः समस्तामचिराद्बली ॥ ३ ॥
हरः पाशुपतादीनि शस्त्राण्यस्त्राणि चैव हि ।
प्रददौ रामदेवाय ततः प्रीत्यर्थमादरात् ॥ ४ ॥
हरमाराधितुं याते रामदेवे शुभव्रते ।
प्रौढपुत्रा ऋषिश्रेष्ठा रेणुका बालमैक्षत ॥ ५ ॥
पतिशुश्रूषणादूर्ध्वं निर्व्यापारा शुभानना ।
कालं गमयितुं चक्रे चेतो बालकखेलने ॥ ६ ॥
ततोचिरेण कालेन दिव्याभरणभूषिता ।
क्रीडाकुमारीं त्रिकुलां रेणुका मनसाऽकरोत् ॥ ७ ॥
कुलं मम च पत्युर्मे स्वभर्तुरपि पुत्रिका ।
पावयिष्यति लोके वै त्रिकुलेति भविष्यति ॥ ८ ॥
तया कुमार्या संक्रीडन्त्यात्र्वद्रेणुसुता स्थिता ।
तावदागमने बुद्धी रामस्यासीद्द्विजोत्तमाः ॥ ९ ॥
ततोचिरेण कालेन रामः सत्यपराक्रमः ।
स तां ज्ञात्वा धनुर्विद्यां समग्रां हरमब्रवीत् ॥ १० ॥

दर्शनार्थं पितुर्मातुर्गच्छामि त्रिपुरांतक ।
धनुर्विद्या मया ज्ञाता त्वत्प्रसादान्न संशयः ॥ ११ ॥
पुनरेष्यामि देवेश नमस्कृत्य गुरून्क्रमात् ।
गुरूणां चैव सर्वेषां जननी जनको गुरुः ॥ १२ ॥

स्कंदः– एवमुक्त्वा प्रणम्येशं गणेशं रेणुकासुतः ।
गुरूणां दर्शनाकांक्षी मातुर्गृहमुपागमत् ॥ १३ ॥
स स्नेहाद्रेणुकां क्षिप्रं पितरं परिरभ्य च ।
नमस्कृत्य ततो भ्रातॄन् पितरं वाक्यमब्रवीत् ॥ १४ ॥
त्वत्प्रसादेन हे तात गत्वा कैलासपर्वतं ।
सरहस्या मया प्राप्ता धनुर्विद्या हरार्पिता ॥ १५ ॥
शस्त्राण्यस्त्राणि दिव्यानि कवचानि महांति च ।
तुष्टेनैव प्रदत्तानि तात तेन हरेण मे ॥ १६ ॥
सुप्रसन्नो हरः साक्षाज्ज्ञानगम्यः स मां प्रति ।
येन स्नेहेन गुरुणा धनुर्विद्या समर्पिता ॥ १७ ॥

जमदग्निः– तव रूपं बलं धैर्यं तपः परमदारुणं ।
केन तद्वर्ण्यते वत्स त्वं हि ज्ञानवतां वरः ॥ १८ ॥
क्षत्रियाणां च दुष्टानां क्षत्रमुत्सादयिष्यति ।
गमिष्यंत्यरयो नाशं शलभा इव पावके ॥ १९ ॥

स्कंदः– स्नेहाकुलेन मनसा रेणुका पापनाशिनी ।
राममंके समारोप्य परिष्वज्येदमब्रवीत् ॥ २० ॥

रेणुकोवाच । वत्स मद्वचनात्स्वस्थश्चिरंजीव सुखी भव ।
वर्धस्व प्रजया राम त्वयाहं सुखिनी सदा ॥ २१॥
ते धन्यास्ते महात्मानः पुण्यवंतो न संशयः ।
येषामेकोभवेत्पुत्रस्त्वत्तुल्यो गुणाकरः ॥ २२ ॥

रामः– देवि त्वां मातरं प्राप्य न तच्चित्रतमं मम ।
जमदग्निं च पितरं धन्यः को मे समो भवेत् ॥ २३ ॥
इति श्रीस्कांदे सह्याद्रौ रेणुकामाहात्म्ये षोडशोऽध्यायः ॥ १६ ॥

अथ सप्तदशोऽध्यायः ।

स्कंदः– एवमुक्त्वा प्रणम्याथ पितरं मातरं तथा ।
शंभोर्दर्शनमाकांक्षन् रामः पप्रच्छ ताविदं ॥ १ ॥

रामः– गच्छामि तात तन्मातः शंभोर्भवनमुत्तमं ।
आराधयामि विघ्नेशं ज्ञानार्थं परशोरिति ॥ २ ॥

इत्युक्त्वा स तयोः कृत्वा नमस्कारं प्रदक्षिणां ।
रामस्ताभ्यामनुज्ञातः कैलासमगमज्जवात् ॥ ३ ॥

ततः कैलासमागम्य रामः सत्यव्रते स्थितः ।
हरं प्रणम्य विघ्नेशं तपसाऽऽराधयत्तदा ॥ ४ ॥

ततस्तुष्टाव तं देवं गणेशं वरदं शुभं ।
ऊर्ध्वपादस्थितो रामः पंचाग्नीनभितोमुखी ॥ ५ ॥

रामः– विघ्नेश्वराय वरदाय सुरप्रियाय
लंबोदराय सकलाय जगद्धिताय ।
ईभाननाय श्रुतियज्ञविभूषिताय
गौरीसुताय गणनाथ नमो नमस्ते ॥ ६ ॥

भक्तार्तिनाशनपराय गणेश्वराय
सर्वेश्वराय सुखदाय सुरेश्वराय ।
विद्याधराय विकटाय च वामनाय
देवप्रसन्नवदनाय नमो नमस्ते ॥ ७ ॥

त्वां देव विघ्नदलनेति च सुंदरेति
भक्तप्रियेति सुखदेति फलप्रदेति ।
विद्याप्रदेत्यघहरेति च ये स्तुवंति
तेभ्यो गणेश वरदो भव नित्यमेव ॥ ८ ॥
खंडद्विजेति वरसर्पविभूषणेति
भक्तिप्रियेति शशिशेखरनंदनेति ।
सर्वेश्वरेति विमलेति च ये स्तुवंति
तान्देव नित्यमघहन्परिपाहि सर्वान् ॥ ९ ॥

स्कंदः— तेनैवं संस्तुतो भक्त्या तपसाऽऽराधितस्तथा ।
रामेण वरदः प्राह गणेशश्च मुनीश्वराः ॥ १० ॥

गणेश्वरः— तुष्टोहं तव विप्रेश वरं वरय सुव्रत ।
प्रार्थितं तव दास्यामि ब्रूहि यत्तेऽभिवांछितं ॥ ११ ॥
मया ज्ञानेन विप्रेश सोयं विष्णुरिति स्वयं ।
ज्ञातोसि दर्शनादेव प्रार्थयस्व यथेप्सितं ॥ १२ ॥

रामः— शंकरात्स धनुर्वेदो मया सम्यगुपार्जितः ।
दिव्यां मे परशोर्विद्यां देही देव नमोस्तु ते ॥ १३ ॥

विघ्नराजः— गृहाण परशुं दिव्यमनेने गिरयोरयः ।
गमिष्यंति क्षयं विप्र निहताश्चैव तत्क्षणात् ॥ १४ ॥
ततस्तां परशोर्विद्यां रामदेवं गणेश्वरः ।
तुष्टः शिक्षापयामास तं कृत्वात्मस्वरूपिणं ॥ १५ ॥
लंबोदरस्वरूपेण रामो जग्राह तत्त्वतः ।
गणेशात्परतो विद्यां सरहस्यां हरांतिके ॥ १६ ॥

इति श्रीस्कंदपुराणे सह्याद्रिखंडे रेणुकामाहात्म्ये सप्तदशोऽध्यायः ॥१७ ॥

अथ अष्टादशोऽध्यायः ।

स्कंदः— ततः प्रीतमना रामं परिष्वज्य महेश्वरः ।
प्रहस्योवाच वचनमिदं मधुरया गिरा ॥ १ ॥

ईश्वरः— शृणु राम कथां रम्यामशेषाघौघनाशिनीं ।
यस्याः श्रवणमात्रेण नरः सिद्धिमवाप्नुयात् ॥ २ ॥
पूर्वमासीदिदं विश्वं दह्यमानं च वन्हिना ।
ज्वालामालाकुलं सर्वं घोररूपं भयावहं ॥ ३ ॥
ततोचिरेण कालेन ज्वलनाग्निसमप्रभा ।
काचिद् दृष्टा मया नारी सर्वाभरणभूषिता ॥ ४ ॥
सा तु पृष्टा मया राम कासि त्वमसि सुंदरि ।
किमर्थमाश्रितो वन्हिर्ब्रूहि किं करवाण्यहं ॥ ५ ॥
सा प्रोवाचानवद्यांगी किंचिन्मां जलजानना ।
विशालोत्फुल्लनयना ज्वलनेन समावृता ॥ ६ ॥
कालकूटसमो वन्हिर्ज्वालामाली तनोपमा ।
भक्षितस्तत्क्षणात्तत्रिः सा तु विस्मयमागता ॥ ७ ॥
प्रहस्य मामुवाचेदं वचनं श्लक्ष्णया गिरा ।
नारी सर्वगुणोपेता द्वितीया गिरिजा इव ॥ ८ ॥

नारी— किमिदं साहसं स्वामिन् भक्षितोयं त्वयाऽनलः ।
येन दग्धमिदं विश्वं जगत् स्थावरजंगमं ॥ ९ ॥
विश्वमेकं त्वमेवैकः किमात्मानं न बुध्यसे ।
जमदग्निरिति ख्यातिं गमिष्यति न संशयः ॥ १० ॥
त्वत्कृतेऽहं तपस्तप्तुमागतास्मीह सुंदर ।
तेजस्त्वदुदरं मत्वा प्रविष्टं यत्तपोर्जितं ॥ ११ ॥

तन्मे भव पतिः क्षिप्रं यदि जानासि मां प्रभो ।
इति प्रार्थयतीं राम मयोक्तमिदमुत्तरं ॥ १२ ॥
त्वां करिष्याम्यहं भार्यां पितृदत्तां स्वयंवरे ।
हिमवान् रेणुको भूत्वा विचरिष्यति भूतले ॥ १३ ॥
तपसाऽऽराधयन्नित्यं मां तथोग्रेण सुव्रत ।
राज्ञस्तस्य गृहे पुण्ये ह्यनेकमणिशोभने ॥ १४ ॥
मत्कृते वन्हिकुंडे तु तव जन्म भविष्यति ।
भार्गवोहं भविष्यामि जमदग्निरिति श्रुतः ॥ १५ ॥
पुण्ये गंगातटे रम्ये ऋचीकस्य गृहे शुभे ।
इत्युक्ता सा मया नारी तत्रैवांतरधीयत ॥ १६ ॥
तस्याः श्रवणमात्रेण नरः पापात्प्रमुच्यते ।
सेयं ते जननी देवी रेणुका पापनाशिनी ॥ १७ ॥
जमदग्निरयं राम ऋचीकस्यात्मजः प्रियः ।
वसुर्वन्हिस्तव भ्राता बृहत्कण्वः शतक्रतुः ॥ १८ ॥
बृहद्भानुर्दिनकरो वायुर्विश्वावसुः स्मृतः ।
चत्वारो भ्रातरस्त्वेते जघन्यस्त्वं सुरेश्वरः ॥ १९ ॥
सर्वे वेदविदः शूराः सर्वे शास्त्रविशारदाः ।
पंचमो भगवान् राम क्षत्रमुत्सादयिष्यसि ॥ २० ॥
इत्येवं नारदेनोक्तं पुरा कृतयुगागमे ।
अजः परात्परस्त्वेको जगद्धाता जगन्मयः ॥ २१ ॥
पुरुषस्त्वमनंतश्च शाश्वतश्च चिदात्मकः ।
रामः— किं मोहयसि मां देव हरिस्त्वमिति चाब्रुवन् ॥ २२ ॥
न मे मोघमभूज्ज्ञातं त्वत्प्रसादात्सुरेश्वर ।
अविद्यया जितो नाहं जानन्नात्मानमात्मना ॥ २३ ॥
कारणं प्रसमीक्ष्येव कोपि मोहेन गृह्यते ।
स्कंदः— एवं ब्रुवति रामे च नारदो भगवान् प्रभुः ॥ २४ ॥

कैलासमगमद्यत्र संस्थितौ रामशंकरौ ।
तयोः प्रदक्षिणां कृत्वा प्रणम्याभ्यर्च्य नारदः ॥ २५ ॥
उवाच वचनं तत्त्वमिदं मधुरया गिरा ।
नारदः— कृतेन सुकृतेनाद्य दृष्टौ रामहरौ मया ॥ २६ ॥
धन्यो न मत्तः पुरुषः सुरेष्वप्यसुरेषु च ।
ब्रह्मापि ध्यानयुक्तस्तु ययोः स्थानं महात्मनोः ॥ २७ ॥
चिंतयन्न विजानाति दृष्टौ तौ रामशंकरौ ।
इति श्रीस्कांदे सह्याद्रिखंडे रेणुकामाहात्म्ये नारदागमनं नामाष्टादशोऽध्यायः ॥ १८ ॥

अथ एकोनविंशतितमोऽध्यायः ।

ईश्वरः— आगतोसि मुनिश्रेष्ठ कुतः स्थानात्त्वरान्वितः ।
ब्रूहि सर्वमशेषेण त्वं हि ज्ञानविदां वरः ॥ १ ॥
नारदः— आगतोहं महादेव जमदग्नेर्महात्मनः ।
आश्रमाद्यत्र सा देवी रेणुका कामधुक् स्वयं ॥ २ ॥
अष्टाशीति सहस्राणां मुनीनां भावितात्मनां ।
यक्षगंधर्वसिद्धानां चारणानां सदाश्रमे ॥ ३ ॥
अतिथीनागतानेका दिव्याभरणभूषिता ।
भोजयत्यादराद्देवी तापसान् शंसितव्रतान् ॥ ४ ॥
अन्नैरुच्चावचैः पेयैः पायसैर्मधुसर्पिभिः ।
लेह्यचोष्यगुडाद्यैश्च भोजयत्यतिथीन्बहून् ॥ ५ ॥
तस्याग्निहोत्रशालायां येऽभिप्रायाः पृथक् पृथक् ।
दृश्यंते बहवः शंभो यत्र देवषयोमलाः ॥ ६ ॥
ऋग्यजुःसामसंपूर्णा होमधूमसमाकुलाः ।
ऋषेस्तस्याश्रमे रम्ये तापसैरुपशोभिते ॥ ७ ॥

नानाद्रुमलताकीर्णे स्वादुमूलफलावृते ।
ऋतुमंडपसंघाते नानामृगसमाकुले ॥ ८ ॥
स तस्मिन्नाश्रमे पुण्ये जमदग्नेर्महात्मनः ।
यथार्तुवर्षा पर्जन्यः सस्यानि सुबहूनि च ॥ ९ ॥
सुरसिद्धर्षिगंधर्वविद्याधरगणैः सदा ।
पूज्यते कामधुक् पुण्या सा कामान्दुदुहे ऋषेः ॥ १० ॥
तत्र कल्पद्रुमः पुण्यश्चिंतामणिरकल्मषः ।
संतानः पारिजातश्च तथा कामलताः प्रभो ॥ ११ ॥
रेणुकायाः प्रभावेण जमदग्नेर्महात्मनः ।
जगत्प्रमोदमगमत् प्राणिनः सुखिनोऽभवन् ॥ १२ ॥
ईश्वरः– शृणु नारद वक्ष्यामि किंचिच्चित्रं महाद्भुतं ।
पुरुषस्यास्य तत्पुण्यं येन विश्वमिदं ततं ॥ १३ ॥
पुरा कृतयुगे प्राप्ते दैत्यदानवराक्षसैः ।
परिभूय सुरान् सर्वान् जितं त्रिभुवनं बलात् ॥ १४ ॥
विषादमगमन्देवास्तथा सर्वे महर्षयः ।
शरणं मामनुप्राप्ता मया चाश्वासिता भयात् ॥ १५ ॥
मया पुरुषसूक्तेन चिंतितो यो जगत्पतिः ।
प्राप्तः क्षीरार्णवात्तूर्णमिदमाह प्रतोहि मां ॥ १६ ॥
आहूतोहं महादेव किं निमित्तं महर्षयः ।
नष्टसंज्ञाभवन्सर्वे ब्रूहि किं करवाण्यहं ॥ १७ ॥
मयोक्तोयं हरिः क्षिप्रं रामो भूत्वा महीतले ।
घातयस्व दितेः पुत्रान् राक्षसान्पिशिताशिनः ॥ १८ ॥
तथेति चोक्त्वा भगवांस्तत्रैवांतरधीयत ।
पश्यतां सर्वदेवानामृषीणामूर्ध्वरेतसां ॥ १९ ॥
सोयं रामः समुत्पन्नश्चतुर्भिर्भ्रातृभिः सह ।
असुराणां विनाशाय रेणुकायाः शुभोदरे ॥ २० ॥

नारद उवाच । न जानेहमिमं रामं तत्त्वतो वृषभध्वज ।
पश्यन्नपि न पश्यामि नित्यमात्मानमात्मना ॥ २१ ॥
पुरुषस्य मनो यादृग्विषयैर्व्यावृतं भवेत् ।
तादृग्यजति तद्ध्यानात्तादृग्वदति नान्यथा ॥ २२ ॥
सर्वभूतेषु गूढो यः सर्वदाऽऽस्ते सनातनः ।
ज्ञातव्यः स कथं विष्णु एकेन मनसा विभो ॥ २३ ॥
चंचलं तन्मनो बुध्या सम्यगुच्चारणं नहि ।
ज्ञातव्यः सोऽच्युतः शांतश्चैकेन मनसा कथं ॥ २४ ॥
इंद्रियाणि तु सर्वाणि व्यापृयंते सदा बहिः ।
योगिभिर्भक्तियोगेन पूज्यते यः सदा प्रभो ॥ २५ ॥
सोयं रामः समुत्पन्नः समुद्धर्तुं जगत्त्रयं ।
रामः– किं नारद वृथा भक्त्या मां भ्रामयसि संस्तुवन् ॥ २६ ॥
नाहं स भगवान्विष्णुर्ब्रह्मचारी सवाडवः ।
यत्त्वया प्रार्थितं मत्तस्तत्तथा न तदन्यथा ॥ २७ ॥
त्रयाणामपि लोकानां पूजनीयो भविष्यसि ।
इति श्रीस्कांदे सह्याद्रौ रेणुकामाहात्म्ये एकोनविंशातितमोऽध्यायः ॥ १९ ॥

अथ विंशातितमोऽध्यायः ।

स्कंदः– इति स्तुत्वाथ तं रामं नारदो भगवान्मुनिः ।
परिरभ्य प्रणम्याशु यथास्थानं जगाम ह ॥ १ ॥
ततो वैश्रवणो नाम गंधर्वः स्मररूपधृक् ।
दिव्यं विमानमारुह्य क्रीडार्थं स निरैर्वनं ॥ २ ॥
भ्रममाण इमां पृथ्वीं प्रमदाभिः समावृतः ।
रम्यां भागीरथीं गंगां स ददर्शालकेश्वरः ॥ ३ ॥

अनेकवनदुर्गम्यां तापसैरुपशोभितां ।
हंसबर्हिणकारंडभेरुंडशुकमंडितां ॥ ४ ॥

पुष्पकादवतीर्याथ प्रमदाभिर्विभूषितः ।
भागीरथ्यां जलक्रीडां चकार द्विजसत्तमाः ॥ ५ ॥

काश्चित्कुंकुमदिग्धांग्यः प्रमदाः प्रेमलालसाः ।
परिरभ्य बलाद्बालास्तं गायंत्योभितः स्थिताः ॥ ६ ॥

सिषिंचुस्तं मुदा काश्चिद्वारिणा पापहारिणा ।
सिषिंचुश्चंदनैः काश्चित्कर्पूरैश्च सुगंधिभिः ॥ ७ ॥

वंशवीणादिवाद्यानि वादयंत्यस्तथापराः ।
अपरा हारकंठ्यश्च ननृतुस्तास्तदग्रतः ॥ ८ ॥

प्रेम्णा संत्यक्तवसना व्याकुलीकृतलोचनाः ।
चलितांग्यः प्रियेत्येवमूचुः शशिनिभाननाः ॥ ९ ॥

इति चित्तचमत्कारास्तन्वंग्यो जलजेक्षणाः ।
सिषिंचुश्चंदनोन्मिश्रैर्वारिभिस्तं पतिं मुदा ॥ १० ॥

स कंदर्पवपुर्धारी कुबेरो नरवाहनः ।
संहृष्टो वचनं श्रीमानुवाचैतत्प्रहर्षयन् ॥ ११ ॥

कुबेरः— इयं भागीरथी गंगा सिद्धगंधर्वसेविता ।
क्रीडार्थं तापसारण्ये निर्मिता हरिणा पुरा ॥ १२ ॥

ते धन्यास्ते महात्मानो विपाप्मानः सुरूपिणः ।
प्रमदाभिर्जलक्रीडां कुर्युर्गंगाजले तु ये ॥ १३ ॥

देवपत्न्यः— सुरदुंदुभिनिर्घोषः श्रूयते क्वापि शोभनः ।
वीणातालस्वनैर्मिश्रैर्भूषणानांच निस्वनः ॥ १४ ॥

स्फुरत्प्रभामणिशतैर्नीलैः पश्य विवस्वतः ।
बिंबमेतद्दधौ काष्ठ्यं लज्जयैव सुखेचर ॥ १५ ॥

कुबेरः– योयं मृदंगनिर्घोषः श्रूयते सहसा महान् ।
सवाद्यभूषणानां च व्यक्तं हरिहरांतिके ॥ १६ ॥
हरस्पृष्टजटाजूटघंटिकाभिरलंकृतः ।
शूली व्याली शिरोमाली नूनमत्रागमिष्यति ॥ १७ ॥
अथ चैव हरिः साक्षाद्यस्मादेषाघनाशिनी ।
तयोर्विहारदेशोयं नूनमत्रागमिष्यति ॥ १८ ॥
स्कंदः– ततस्तस्य वचः श्रुत्वा कुबेरस्य वरस्त्रियः ।
वीक्षमाणा दिशः सर्वास्तिर्यगूर्ध्वमधःस्थिताः ॥ १९ ॥
कुबेरेण प्रेर्यमाणाः प्रेक्षमाणा दिशः स्त्रियः ।
ददृशुर्यन्महद्रूपं तद्वाक्यं श्रूयतां द्विजाः ॥ २० ॥
इति श्रीस्कंदपुराणे सह्याद्रिखंडे रेणुकामाहात्म्ये विंशतितमोऽध्यायः ॥ २० ॥

अथ एकविंशतितमोऽध्यायः ।

स्कंदः– कैलासाद्रिं गते रामे जमदग्नेर्वराश्रमे ।
विश्वक्षोभकरं घोरमभवत्कौतुकं महत् ॥ १ ॥
ऋषयः– कीदृशं तदभूत्स्वामिन्परं कौतूहलं प्रभो ।
ब्रूहि तच्छ्रोतुमिच्छामो रेणुकन्याकथामृतं ॥ २ ॥
स्कंदः– ततः कालेन महता रेणुकाघौघनाशिनी ।
बभौ रजस्वला सांबा रामदेवस्य वै शुभा ॥ ३ ॥
ततो दिनत्रयस्यांते गंगायामुदिते रवौ ।
रेणुका स्नातुमगमत्सा दिव्यांबरधारिणी ॥ ४ ॥
दिव्यचंदनदिग्धांगी दिव्याभरणभूषिता ।
स्नात्वा तस्थौ भागीरथ्यां रेणुका स्त्रीभिरावृता ॥ ५ ॥

सा ददर्श ऋतुस्नाता क्रीडमानं जले शुभे ।
तदा चित्ररथं देवी प्रौढनारीशतावृतं ॥ ६ ॥
दृष्ट्वा तं चारुसर्वांगी विस्मयोत्फुल्ललोचना ।
चिंतयामास भर्तारं जमदग्निं पतिव्रता ॥ ७ ॥
यद्यस्माभिः परिवृतो जमदग्निर्मुनीश्वरः ।
क्रीडत्यस्मिन्जलक्रीडां गंगायां विमले जले ॥ ८ ॥
तदा स्यात्सार्थकं तीर्थमिति सा मनसाब्रवीत् ।
ब्रुवत्येवं तदा देवी जगत्स्था जगदंबिका ॥ ९ ॥
परिधाय दुकूलं तद्वस्त्रं स्नात्वांगनावृता ।
भीता सा त्वरिता भर्तुस्ततः स्वाश्रममागमत् ॥ १० ॥
गृहद्वारे स्थितां दृष्ट्वा जमदग्निः प्रियां शुभां ।
रोषेण महताऽऽविष्टो युगांताग्निसमोभवत् ॥ ११ ॥
एकवीरां महाभागामृषिः प्रस्फुरिताधरः ।
रक्तपर्याप्तनयनः क्रोधादिदमुवाच ह ॥ १२ ॥

जमदग्निः— निर्गच्छ भवनादस्मात्स्वैरिणि त्वं न संशयः ।
मया दुश्चारिणी दृष्टा न त्वं हंतुं स्वयं क्षमा ॥ १३ ॥
अग्निहोत्रस्य कालोयं व्यतीतश्चाभवच्छुभः ।
देवतातिथिपूजा मे बभौ मोघा न संशयः ॥ १४ ॥
त्वं ज्ञातासि मया मूढे नूनं सव्यभिचारिणी ।
नहि मे धर्ममुद्दिश्य भार्या भवितुमर्हसि ॥ १५ ॥
कुलं संप्राप्तया पुण्यं कुले महति जायते ।
अकार्यं किं त्वया कार्यमेव पत्न्या विगर्हितं ॥ १६ ॥

स्कंदः— भर्तुस्तद्वचनं श्रुत्वा रेणुका सा पतिव्रता ।
शनैरुवाच भर्तारं भीता मधुरया गिरा ॥ १७ ॥

एकवीरा— भवंतएव मे नित्यं त्हृदि तिष्ठंति नापरं ।
मनसापि न वांछामि भवद्भ्योन्यतरं प्रभो ॥ १८ ॥

मम नारायणः पुत्रः पौत्रो ब्रह्मान्यजंतवः ।
प्रपौत्रास्तेषु कस्मान्मे ह्यभिलाषः प्रवर्तते ॥ १९ ॥
भर्ता मान्यो गुरुः श्लाघ्यो गुरूणां परमो गुरुः ।
तद्धते का गतिः स्वामिन्नारीणामिह जायते ॥ २० ॥
सर्वदेवमयो भर्ता पूज्यः स्त्रीणां गृहे गृहे ।
तस्मिंस्तुष्टे भवेयुस्ते संतुष्टाः पितरः सुराः ॥ २१ ॥
भर्ता नाम परं स्त्रीणां भूषणं भूषणैर्विना ।
न कदाचिद्भवेत्तासां विना भर्त्रा भवेद्दिवि ॥ २२ ॥
भर्ता गुरुः सदा मान्यो भर्ता धर्मः सनातनः ।
भर्तरि प्रीतिमाने वै प्रीताः स्युः सर्वदेवताः ॥ २३ ॥
न कामयेऽहं मनसापि चापरं
पूज्या भवंतो मम विश्वरूपिणः ।
सत्यं मया चोक्तमिदं न चान्यथा
यथोचितं तत्क्रियतां स्वधर्मतः ॥ २४ ॥

इति श्रीस्कांदे सह्याद्रिखंडे रेणुकामाहात्म्ये एकविंशतितमोऽध्यायः ॥ २१ ॥

अथ द्वाविंशतितमोऽध्यायः ।

स्कंदः– तयैवं मधुरेणापि जमदग्निः प्रसादितः ।
वचसा धर्मयुक्तेन रेणुकां कुपितोऽब्रवीत् ॥ १ ॥
जमदग्निः– वधार्होऽसि न संदेहस्त्वमनार्या सती मम ।
किं ब्रवीषि वचो धर्म्यं कृत्वा कर्म विगर्हितं ॥ २ ॥
इत्युक्त्वा रेणुकां हंतुं जमदग्निर्महातपाः ।
क्रोधेन महताविष्टो ज्येष्ठं पुत्रमथाब्रवीत् ॥ ३ ॥

वत्स मद्वचनात्तूर्णं रेणुकां व्यभिचारिणीं ।
शिरश्छिन्ध्यविचारेण गृहीत्वा चलतामित्र ॥ ४ ॥
इयं दुश्चारिणी दुष्टा कुलधर्मबहिष्कृता ।
प्रत्यक्षेण मया शस्त्रैर्हंतव्या पुत्र नान्यथा ॥ ५ ॥
वसुरुवाच । एतत्तव वचस्तात न करिष्याम्यहं ध्रुवं ।
अस्वर्ग्यं लोकविद्विष्टमधर्म्यं निरयावहं ॥ ६ ॥
कस्तु स्वजननीं हन्यान्मादृशः क्रूरकर्मकृत् ।
रेणुकां तु विशेषेण देवीमव्यभिचारिणीम् ॥ ७ ॥
जनको जननी तीर्थं भुक्तिमुक्तिफलप्रदं ।
पुत्रस्य नापरं किंचित्त्रिषु लोकेषु विद्यते ॥ ८ ॥
दुर्लभा जननी लोके दुर्लभो जनकः प्रियः ।
दुर्लभा साधवस्तात बांधवाश्चातिदुर्लभाः ॥ ९ ॥
एतेषामपि पुत्रस्य निस्नेहा निर्गुणापि सा ।
न दुष्टापि भवेद्वंध्या भर्तुश्चापि विशेषतः ॥ १० ॥
स्वगर्भे जननी देवी या धारयति यत्नतः ।
यं पुत्रं स कथं तात मातरं तां जिघांसति ॥ ११ ॥
पिबेद्यस्याः पयो नित्यं पातालाच्च विवर्धते ।
स पुत्रो मातरं हन्यात्तस्माद्दुष्टो न चापरः ॥ १२ ॥
स्कंदः— ततः पुत्रस्य वचनात्क्रोधसंरक्तलोचनः ।
वसुं पुत्रमुवाचेदं जमदग्निर्मुनीश्वराः ॥ १३ ॥
जमदग्निः— पिता मान्यः पिता पूज्यः पिता पुत्रस्य दैवतं ।
न कुर्याद्यः पितुर्वाक्यं रौरवं नरकं व्रजेत् ॥ १४ ॥
जीवतो वाक्यकरणात्प्रत्यब्दं भूरिभोजनात् ।
गयायां पिंडदानाच्च त्रिभिः पुत्रस्य पुत्रता ॥ १५ ॥
इत्युक्त्वा तूर्णमुत्थाय शप्त्वा क्रोधयुतः सुतं ।
जमदग्निर्वसुं तीव्रं पातयामास भूतले ॥ १६ ॥

शप्तोथ ऋषिणा तेन पपात सहसा भुवि ।
स वसुः प्रथमः पुत्रश्छिन्नमूलइव द्रुमः ॥ १७ ॥
निश्चेष्टो भूतले दीनो रेणुकायास्तदा सुतः ।
पपात मुनिशापात्तः शीघ्रमग्निर्वसुर्भुवि ॥ १८ ॥
ततस्तं पवनं पुत्रं मुनिर्विश्वावसुं द्विजाः ।
आदिदेश वधे तस्या रेणुकायाः स भार्गवः ॥ १९ ॥
जमदग्निः । वत्स घातय शस्त्रेण निशितेन ममाग्रतः ।
शीघ्रं दुश्चारिणीमेव भक्त्या मद्वचनादिमां ॥ २० ॥
पुत्रः:- गुरूणामेव सर्वेषां जननी परमो गुरुः ।
तां हत्वा मातरं पुत्र कां गतिं तात गच्छति ॥ २१ ॥
पितुरभ्यधिका माता गौरवेण प्रशस्यते ।
आत्मानं सृजते गर्भे भर्ता यस्याः सचात्मनः ॥ २२ ॥
जमदग्निः । न जानासि परं धर्ममधर्मं च ममाग्रतः ।
कस्माद्वदसि मूढ त्वं नृशंस पितृनिंदक ॥ २३ ॥
तमप्यपातयच्छीघ्रं भूमावेव मुनीश्वराः ।
पुत्रं विश्वावसुं शप्त्वा वज्राहतमिवाचलं ॥ २४ ॥
इति श्रीस्कंदपुराणे सह्याद्रौ रेणुकामाहात्म्ये द्वाविंशतितमोऽध्यायः ॥ २२ ॥

अथ त्रयोविंशतितमोऽध्यायः ।

स्कंदः- देवश्रेष्ठौ सुतौ शप्त्वा नष्टसंज्ञौ ततो मुनिः ।
पातयित्वा धरापृष्ठे तयोरनुजमाह्वयत् ॥ १ ॥
बृहत्कण्वमुवाचेदं वचनं क्रोधमूर्छितः ।
वधार्थं चैकवीराया पुत्रं चैव शतक्रतुं ॥ २ ॥

सत्यसंधोसि धर्मज्ञ गुरुभक्तोसि पुत्रक ।
स्वहस्तेनासिना दुष्टां रेणुकां हंतुमर्हसि ॥ ३ ॥
अहं तव गुरुः पूज्यः पिता मान्यो न संशयः ।
क्षिप्रं घातय मद्भक्त्या रेणुकां व्यभिचारिणीं ॥ ४ ॥
पुत्र उवाच । मनसापि न शक्तोस्मि मातरं हंतुमुत्तमां ।
यस्याः पादाब्जयुगलं नित्यं ध्यायंति योगिनः ॥ ५ ॥
वंदनीया सदा मान्या जननी पापनाशिनी ।
यस्याः संदर्शनादेव पुत्रः पापात्प्रमुच्यते ॥ ६ ॥
इमां गुणवतीं देवीमेकवीरां पतिव्रतां ।
स्वहस्तेन कथं तात हंतुमिच्छामि चासिना ॥ ७ ॥
स्कंदः— तस्यापि च वचः श्रुत्वा चुकोप मुनिपुंगवः ।
त्रिशिखां भृकुटीं चक्रे सुतं प्रति मुनीश्वराः ॥ ८ ॥
अथ शप्त्वा ऋषिः क्रोधान्मध्यमं पुत्रमुत्तमं ।
अग्रतो रेणुकायाश्च पातयामास भूतले ॥ ९ ॥
बृहद्भानुरिति ख्यातं पुत्रमाहूय सत्वरः ।
जमदग्निस्ततः क्रोधादिदं वचनमब्रवीत् ॥ १० ॥
जमदग्निः— कुरुष्व वचनं पुत्र यदि भक्तिर्ममास्ति ते ।
घातयस्व सुतीक्ष्णेन खड्गेनानेन रेणुकां ॥ ११ ॥
विहाय चैकवीरेयं गृहे मां जननी तव ।
ऋतुस्नाता त्वसौ मूढा गंधर्वंप्रति लालसा ॥ १२ ॥
सर्वथेयं निहंतव्या सुदुष्टा व्यभिचारिणी ।
न शक्ष्याम्यग्रतो द्रष्टुमिमां घातय पुत्रक ॥ १३ ॥
पुत्रः— धिगिदं वचनं तात परुषं वक्तुमर्हसि ।
मातेयं जगतोप्येका सा हंतव्या कथं मया ॥ १४ ॥
सुरमौलिभिर्यद् घृष्टं पादाब्जयुगलं सदा ।
नित्यं विधिर्हृदि ध्यायेत्सा हंतव्या कथं मया ॥ १५ ॥

सर्षिद्वीपवनां पृथ्वीं या बिभर्ति कलंकवत् ।
एकवीरा महाभागा सा हंतव्या० ॥ १६ ॥
तामेकां वेदवेद्यां च स्वयं ब्रह्मापि रेणुकां ।
चिंतयन्न विजानाति सा हंतव्या० ॥ १७ ॥
रेणुकस्य सुता राज्ञस्तव भार्या महात्मनः ।
एकवीरा महाभागा सा हंतव्या० ॥ १८ ॥
यस्या दानोदकान्नेन तृप्तिं यांति महर्षयः ।
नित्यं सर्वाणि भूतानि सा हंतव्या० ॥ १९ ॥
अद्वैतवादिनां विद्या हृद्यानंदकला नु किं ।
कल्पवृक्षस्य शाकेयं सा हंतव्या० ॥ २० ॥
या वंद्या जननी देवी योगिनां हृदयेषु या ।
सर्वभूतयुते युक्ता सा हंतव्या० ॥ २१ ॥
त्यक्ष्यामि देहमिममाशु न संशयोऽत्र
देवीं तु मातरमिमां न तु घातयामि ।
अग्निं विशामि जलधिं च चतुर्विधं वा
तिग्मं पिबामि च विषं जननीं न हन्मि ॥ २२ ॥
तीक्ष्णेन देहमधुना तिलशः करिष्ये
शस्त्रेण मातरमिमां न तु घातयामि ।

इति श्रीस्कंदपुराणे सह्याद्रिखंडे रेणुकामाहात्म्ये त्रयोविंशतितमोऽध्यायः ॥ २३ ॥

अथ चतुर्विंशतितमोऽध्यायः ।

स्कंदः— ततस्तस्यापि पुत्रस्य तदेवं वचनं मुनिः ।
श्रुत्वा न्यपातयद्भूमौ तं शप्त्वात्रैव तत्क्षणात् ॥ १ ॥

सुरश्रेष्ठास्ततः पुत्राश्चत्वारो जमदग्निना ।
शप्ताः सर्वगुणैर्युक्तास्तेऽभवन् भस्मराशयः ॥ २ ॥
ततो हाहाकृताः सर्वे मुनयः सुरचारिणः ।
चिंतामवापुः पश्यंतस्तद्दषेश्चरितं महत् ॥ ३ ॥
स शप्तेषु चतुर्ष्वेव पुत्रेषु प्रमृतेषु च ।
जमदग्निर्हरिं रामं दध्यौ कैलाससंस्थितं ॥ ४ ॥
रामरामेति रामेति त्रिभिरुच्चैः स्वयं मुनिः ।
जमदग्निः प्रियं पुत्रं कैलासात्क्षिप्रमाह्वयत् ॥ ५ ॥
सप्लुतस्वरसंयुक्तं पितुः शब्दं मुनीश्वराः ।
रामस्तमशृणोद्वीरः कैलासाचलसंस्थितः ॥ ६ ॥
रामः प्रणम्य तं दृष्ट्वा कैलासपतिमीश्वरं ।
स्कंधे परशुरामो हि धनुर्गृह्य निरैर्बली ॥ ७ ॥
ततः संधाय नाराचानाकृष्य विपुलं धनुः ।
स रामस्तत्क्षणादेव पितुः स्थानं ययौ जवात् ॥ ८ ॥
सकंकणभुजाभ्यां च स्नेहादुत्क्षिप्य मातरं ।
पितरं च परिष्वज्य रामस्तामभ्यवादयत् ॥ ९ ॥
स ददर्श ततो भ्रातॄन् गतासून्पतितान्क्षितौ ।
क्रुद्धं च पितरं रामः प्रसन्नां चैव रेणुकां ॥ १० ॥
करांजलिपुटं कृत्वा विनयेन मुनीश्वराः ।
प्रसाद्यैव च तं रामस्ततो वचनमब्रवीत् ॥ ११ ॥

रामः— तवाद्य वचनात्तात कैलासादागतोस्म्यहं ।
त्वमाज्ञापय मां तूर्णं ब्रूहि किं करवाणि ते ॥ १२ ॥
पितुर्वचनकर्तारः सर्वे ते गुरवो मम ।
त्वं मत्तुल्यो गुरुः साक्षात्स्वयं देवः पिनाकभृत् ॥ १३ ॥
न त्वया सदृशः कश्चित्त्रिषु लोकेषु विद्यते ।
त्वं ब्रह्मा सत्यमोंकारस्त्वमग्निस्त्वं च चंद्रमाः ॥ १४ ॥

सर्वदेवमयस्त्वं च नास्ति किंचित्त्वया विना ।
ब्रूहि तात यदर्थं मे तूर्णमावाहनं कृतं ॥ १९ ॥
तव तत्संप्रदानाय क्षोभये भुवनत्रयं ।

इति श्रीस्कंदपुराणे सह्याद्रिखंडे रेणुकामाहात्म्ये चतुर्विंशतितमोऽध्यायः ॥ २४ ॥

अथ पंचविंशतितमोऽध्यायः ।

स्कंदः— ततः पुत्रस्य वचनात्संप्रहृष्टतनूरुहः ।
जमदग्निः प्रियं पुत्रं रामं वचनमब्रवीत् ॥ १ ॥

जमदग्निः— त्वं मे पूर्वं सखा वत्स हरिस्त्रिभुवनेश्वरः ।
स्वर्गे राम सुपुत्रस्त्वं संप्राप्तोसीह भूतले ॥ २ ॥
त्वदृते देह आत्मा च जीवितं च मुधा भवेत् ।
शंभुतेजःसमुद्भूतं ऋषयः सुराकिन्नराः ॥ ३ ॥
ब्रूयुर्मां कश्यपं गंगामदितिं रेणुकामुमां ।
इयं तु जननी राम यस्या गर्भे तवोद्भवः ॥ ४ ॥
अनया स भागीरथ्यां गंधर्वः स्मररूपधृक् ।
अवेक्षित इति ज्ञातं मया भावेन नान्यथा ॥ ५ ॥
देवतातिथिदीनार्ततृप्तिकालोऽनया सुत ।
त्यक्तस्तस्माच्च हंतव्या नूनं नास्त्यत्र संशयः ॥ ६ ॥
त्वमिमां रेणुकां वत्स राम स्वच्छधनुर्धर ।
क्षिप्रं दुश्चारिणीं दुष्टां शस्त्राग्रेणैव घातय ॥ ७ ॥
इत्युक्तः स तदा रामः पित्रा तेन मुनीश्वराः ।
तत्क्षणादेकवीरां तामंबां परशुनाऽच्छिनत् ॥ ८ ॥
ततः पपात सा देवी रेणुका पापनाशिनी ।
निहता ऋषिपुत्रेण छिन्नेव कदली यथा ॥ ९ ॥

ततोंबरात्पुष्पवर्षः सहसा ह्यपतच्छुभः ।
रेणुकायां हतायां च रामदेवस्य मूर्धनि ॥ १० ॥
जमदग्निर्महातेजाः सुतं धर्मभृतां वरं ।
प्रशशंस मुदा रामं भक्तिं दृष्ट्वाऽतुलां तदा ॥ ११ ॥
ऋषिः— रामराम महाबाहो भृगुवंशविवर्धन ।
तव तुष्टोस्म्यहं वत्स ब्रूहि यत्तेऽभिवांछितं ॥ १२ ॥
प्राकृतं नहि मन्ये त्वां पुत्रं गुणवतां वरं ।
धन्योस्मि कृतकृत्योस्मि यस्य मे त्वं सुतो महान् ॥ १३ ॥
यः करोति पितुर्वाक्यं नित्यं मातृहिते रतः ।
स पूज्यो वंदनीयश्च देवानां पितृवद्भवेत् ॥ १४ ॥
त्वं हि सत्यव्रतश्चैव गुरुभक्तिपरायणः ।
अचिंत्योसि न संदेहः सुराणामपि चेश्वरः ॥ १५ ॥
वरं दास्यामि ते राम गुरुभक्तिपरायण ।
तत्त्वं ब्रूहि महाबाहो यत्ते मनसि वर्तते ॥ १६ ॥
रामः— यदि तुष्टोसि मे तात सह मात्रा मुनीश्वराः ।
उत्तिष्ठंत्वनघाः क्षिप्रं भ्रातरो भस्मराशयः ॥ १७॥
इत्युक्तस्तेन रामेण जमदग्निर्महातपाः ।
शीघ्रमुत्थापयामास पुत्रान्क्षिप्त्वाऽमृतेन तान् ॥ १८ ॥
सिक्तास्तेनामृतेनाशु वस्वाद्यास्ते सुतादयः ।
उत्थिताः सहसा दृष्ट्वा पितरं चाभ्यवादयन् ॥ १९ ॥
बाहुभ्यां संपरिष्वज्य स्वांके चारोप्य तान्सुतान् ।
पुनरेव सुतं स्नेहाद्रामं वचनमब्रवीत् ॥ २० ॥
जमदग्निः— अन्यं वरय भद्रं ते यमिच्छसि वरं सुत ।
वांछितं ते प्रदास्यामि यद्यपि स्यात्सुदुर्लभं ॥ २१ ॥
रामः— इयं मे जननी देवी रेणुकाऽव्यभिचारिणी ।
अज्ञात्वा स्ववधं तात क्षिप्रमुत्तिष्ठतु स्वयं ॥ २२ ॥

यस्याः पादाब्जयुगलं ध्यायंति मुनयः सदा ।
योगिनश्च जगन्मातुस्त्वद्भक्त्या सा हता मया ॥ २३ ॥
तथा मातृवधो घोरो न भविष्यति मे प्रभो ।
मया हतेति मातेयं न जानाति तथा कुरु ॥ २४ ॥

जमदग्निः– यथा वदसि धर्मज्ञ तत्तथा न तदन्यथा ।
क्रोधेनेदं कृतं वत्स दुष्कृतं वै मयाऽशुभं ॥ २५ ॥

स्कंदः– एवमुक्त्वा महातेजा जमदग्निः प्रियं सुतं ।
पीयूषेणाथ तां सिक्त्वा क्षिप्रमुत्थापयत्स्वयं ॥ २६ ॥
सर्वभूषणसंपन्नां सर्वाभरणभूषितां ।
उत्थाय भूतलात्स्वस्था सा पुत्रान्परिषस्वजे ॥ २७ ॥
ततः प्रणम्य तामंबां पंच पुत्रा मनोरमाः ।
पप्रच्छुरमलां देवीं परिष्वज्येदमुत्तमाः ॥ २८ ॥

पुत्रा ऊचुः– मातस्त्वं ब्रूहि केनाथ कारणेन चिरं शुभे ।
पुत्रान्विहाय नः सर्वान्सुप्तासि धरणीतले ॥ २९ ॥
न मुहूर्तमपीच्छामो जीवितं च त्वया विना ।
त्वया जीवंति भूतानि धार्यते च त्वया जगत् ॥ ३० ॥
एतस्मिन्नंतरे तत्र पुष्पवर्षो महानभूत् ।
रेणुकायास्तदा मूर्ध्नि दुंदुभीनां च निःस्वनः ॥ ३१ ॥
दृष्ट्वा तामुत्थितां देवीमृषयः सुरकिन्नराः ।
स्तुवंतो योगिनः सर्वे परं हर्षमुपागमन् ॥ ३२ ॥

इति श्रीस्कंदपुराणे सह्याद्रिखंडे रेणुकामाहात्म्ये पंचविंश-
तितमोऽध्यायः ॥ २५ ॥

अथ षड्विंशतितमोऽध्यायः ।

स्कंदः– ततः समुत्थितां देवीमेकवीरां पतिव्रतां ।
ऋषिः सत्कारयामास वस्त्रालंकारभूषणैः ॥ १ ॥
त्यज देवि प्रिये सर्वं दुःखं दैन्यं च भामिनि ।
भद्रे क्रोशव्रतादेतत्तव कष्टं मया कृतं ॥ २ ॥
ध्रुवं गुणवती चासि पुत्रिण्यव्यभिचारिणी ।
पतिभक्तिरता चासि त्वमेव मम वल्लभा ॥ ३ ॥
जननी सर्वदेवानां त्वमेव सकलेश्वरि ।
मया ज्ञातासि सा नूनं वंदनीया पतिव्रता ॥ ४ ॥
इत्युक्त्वा तां परिष्वज्य स्नेहान्मुनिरुदारधीः ।
स्वांके पुत्रैर्वृतां हृष्टो देवीमारोपयत्तदा ॥ ५ ॥
ततस्ते सुरगंधर्वाः सिद्धाश्च परमर्षयः ।
वस्त्रालंकरणैः पुष्पै एकवीरामपूजयन् ॥ ६ ॥
ततः क्रोधमुवाचेदं जमदग्निर्महातपाः ।
क्रोधेन महताऽऽविष्टो मुनिः संसदि संस्थितः ॥ ७ ॥

जमदग्निः– रे रे क्रोध दुराचार क्रूर चांडाल निर्घृण ।
मच्छरीराच्च त्वं गच्छ स्त्रीवधोयं कृतस्त्वया ॥ ८ ॥
पितृमातृवधो नूनं स्त्रीवधश्चापि तिष्ठति ।
बालब्रह्मवधो घोरो भविष्यति न संशयः ॥ ९ ॥
असंभाष्यस्त्वमस्पृश्यः क्रूरः प्राणिवधोद्यतः ।
न कदाचित्त्वया दुष्ट मम कार्यं भविष्यति ॥ १० ॥

स्कंदः– इत्युक्तः स तदा क्रोधः प्रहस्यांतर्गतस्थितः ।
जमदग्निमुवाचेदं वचनं श्लक्ष्णया गिरा ॥ ११ ॥

क्रोधः— त्रैलोक्यमखिलं ब्रह्मन्वर्तते न मयाविना ।
अहं यज्ञेषु दानेषु संस्थितेषु तपस्विषु ॥ १२ ॥
मयेदं धार्यते विश्वं शीघ्रं संव्हीयते प्रभो ।
अहं देवेषु सर्वेषु नास्ति किंचिन्मयाविना ॥ १३ ॥

जमदग्निः— त्वं मत्कलेवराद्दुष्ट नृशंस प्राणिहिंसक ।
क्षिप्रं निर्गच्छ चांडाल त्वया मे न प्रयोजनं ॥ १४ ॥

क्रोधः— त्वच्छरीरान्न गच्छामि सत्यमेतन्मयोदितं ।
भविष्यति तव ब्रह्मन् किंचित्कार्यं मयाग्रतः ॥ १५ ॥
त्यक्तुं नार्हसि मां विप्र न सिद्धिश्च मयाविना ।

जमदग्निः— त्वया रे क्रूर पापिष्ठ न मे किंचित्प्रयोजनं ।
शरीरान्मे विनिर्गच्छ ब्रूहि यत्ते हृदि स्थितं ॥ १६ ॥

स्कंदः— तेनैवमुक्तो ऋषिणा मुनेर्देहान्निरैर्मुदा ।
काककोकिलकृष्णांगः क्रोधस्ताम्रारुणेक्षणः ॥ १७ ॥
नीलकौपीनवासाश्च क्रूरदृष्टिर्भयंकरः ।
करालरूपदेहश्च लंबौष्ठो विकृताननः ॥ १८ ॥
ततः परिलिहन्वक्रं जिव्हया विकृतेक्षणः ।
स ऋषेरग्रतः क्रोधस्तस्थौ दग्धनगोपमः ॥ १९ ॥
ततः करांजलिं कृत्वा नमस्कृत्य मुनीश्वरं ।
प्रविश्योवाच स क्रोधः प्रश्रयावनतो वचः ॥ २० ॥

क्रोधः— अवश्यमेव गंतव्यमिति बुध्याविचिंतितं ।
त्वया तद् ब्रूहि मां सत्यं गच्छाम्यहमसंशयः ॥ २१ ॥
सत्यं सत्यं न चासत्यं नास्ति किंचिन्मया विना ।
सर्वोहं सर्वभूतस्थो देवानामहमीश्वरः ॥ २२ ॥

इति श्रीसह्याद्रिखंडे रेणुकामाहात्म्ये स्कंदपुराणे जमदग्निक्रोधसंवादो नाम षड्विंशतितमोऽध्यायः ॥ २६ ॥

अथ सप्तविंशतितमोऽध्यायः ।

स्कंदः— एतद्वचनमाकर्ण्य क्रोधस्तस्य मुनीश्वराः ।
जमदग्निस्ततः शांतः कोपं वचनमब्रवीत् ॥ १ ॥

जमदग्निः— नृशंस क्रूर पापिष्ठ क्षिप्रं क्रोध ममाश्रमात् ।
निर्गच्छ तव पंथानं प्रोक्षयामि कुशवारिणा ॥ २ ॥

क्रोधः— क्वचित्किंचित्त्वया कार्यं भविष्यति तव प्रभो ।
अत्याज्यं मां मुनिश्रेष्ठ न त्वं त्यक्तुमिहार्हसि ॥ ३ ॥
सिध्यंति सर्वकार्याणि क्रोधेन मुनिसत्तम ।
स क्रोधो बलवाञ्छूरः क्रोधो हंति रिपून् रणे ॥ ४ ॥

जमदग्निः— न कदाचित्त्वया कार्यं क्वचित्किंचिद्भविष्यति ।
नूनं निर्गच्छ चांडाल शपामि त्वामसंशयं ॥ ५ ॥

क्रोधः— उत्पन्नोस्मि मुनिश्रेष्ठ त्वं जानासि महेश्वरात् ।
योगिनां संस्थितोस्म्येको देवानां हृदयेष्वपि ॥ ६ ॥
अत्याज्योहं न संदेहः किल्बिषोपि मुनीश्वर ।
न बली मत्समः सत्यं यत्कृत्यं तद्विधीयतां ॥ ७ ॥

जमदग्निः— त्वया क्रूरेण घोरेण त्रैलोक्यमखिलं बलात् ।
मोहितं क्रूर चांडाल शीघ्रं निर्गच्छ मद्गृहात् ॥ ८ ॥
अपकृष्टस्तु तेनैवं निसृतश्च मुहुर्मुहुः ।
ऋषिणा तत्क्षणात्कोपस्तत्रैवांतरधीयत ॥ ९ ॥
ऋषिः क्रोधेन संत्यक्तो जमदग्निः प्रियान्वितः ।
मुनिभिः संवृतः पुत्रैर्न्यवसच्चाश्रमे सुखी ॥ १० ॥
कैलासमगमद्रामः तृप्तिं स भगवान्मुनिः ।
त्रैलोक्यमखिलं निन्ये रेणुकायाः प्रसादतः ॥ ११ ॥

रामदेवप्रसादेन कामधेनोः स्वतेजसा ।
त्रैलोक्यभुवने प्राप्ता ख्यातिरत्यद्भुता मुने: ॥ १२ ॥
तस्मिन्नेव ततः काले मुनिः पद्मोद्भवात्मजः ।
नारदो वादयन्वीणां ययौ महिष्मतीं पुरीं ॥ १३ ॥
नर्मदायास्तटे रम्ये नानारत्नैश्च शोभिते ।
पुरी माहिष्मती रम्या गजवाजिसमाकुला ॥ १४ ॥
दृश्यते भवनैः पुण्यैर्देवतायतनैः शुभैः ।
तोरणैर्विविधाकारैः पुरी पुण्यजनाकुला ॥ १५ ॥
तस्यां स हैहयो नाम राजाऽऽसीद्विश्वविश्रुतः ।
बभौ तस्य सुतः श्रीमान् कृतवीर्य इति श्रुतः ॥ १६ ॥
तस्य राकावती नाम कृतवीर्यस्य सा शुभा ।
रूपेणाप्रतिमा भार्या पतिं वचनमब्रवीत् ॥ १७ ॥

राकावती– उदितो हि मनोमोहः कंदर्पः स्मरणापहः ।
नाथ देहि रतिं तूर्णं नोचेत्त्यक्ष्यामि जीवितं ॥ १८ ॥

कृतवीर्यः– शृणु राके त्वया कालः क्रूराणां दैत्यरक्षसां ।
क्षणमेकं प्रतीक्षस्व प्रदोषो वर्तते प्रिये ॥ १९ ॥
कृतवीर्येण तेनैवमुक्तापि स्मरमोहिता ।
न शशाक नियंतुं तं कालं राकावती तदा ॥ २० ॥
ततो रराम सा तेन पतिना सह सुंदरी ।
बलात्प्रदोषसमये तद्वीर्यादसुरोभवत् ॥ २१ ॥
मधुनामाऽसुरः क्षिप्रं प्रविश्यानुपलक्षितः ।
पूर्ववैरं स्मरन्नित्यं राकावत्यामभूत्तदा ॥ २२ ॥
कृतवीर्यात्समुत्पन्नः कार्तवीर्य इति श्रुतः ।
कुमारः करहीनोथ दत्तात्रेयाश्रमं ययौ ॥ २३ ॥
दत्तात्रेयं समाराध्य तपसोग्रेण दैत्यराट् ।
कार्तवीर्यः शिवं ताभ्यां लब्धवान्वरमुत्तमं ॥ २४ ॥

स सहस्रभुजत्वं च तस्मै प्रादान्महेश्वरः ।
दत्तात्रेयोददच्छौर्यमवध्यत्वं द्विजाह्वने ॥ २५ ॥
ऋषयः— उत्पन्नः स मधुर्दैत्यो यो महीश्वररूपधृक् ।
कृतवीर्यात्कार्तवीर्यः करहीनः कथं बभौ ॥ २६ ॥
स्कंदः— शिखेः पुत्रो बृहद्वत्यां समुत्पन्नो मधुर्यदा ।
तदा सहस्रं पूजानामीश्वरस्य बभंज सः ॥ २७ ॥
दैत्यः क्रुद्धेन गर्भेण तदा शप्तो मुनीश्वराः ।
करहीनो भवस्वेति पूजाध्वंसान्ममासुर ॥ २८ ॥
इति शप्तः स हरिणा ततो दैत्यः स्वयं मधुः ।
चक्रायुधेन चोत्पन्नः कृतवीर्यान्नृपेश्वरात् ॥ २९ ॥
सर्वं निष्कंटकं राज्यं पित्रा दत्तं चकार सः ।
कार्तवीर्यार्जुनो नाम शौर्यशुल्को यतोभवत् ॥ ३० ॥
स सहस्रकरः श्रीमान् माहिष्मत्यां महासुरः ।
कुर्वन्निष्कंटकं राज्यं त्रैलोक्यमजयद्बलात् ॥ ३१ ॥
सुरांस्त्रिविष्टपे जित्वा पाताले दैत्यपन्नगान् ।
नृपान्सर्वान्क्षितौ क्षिप्रं माहिष्मत्यां स्थितः सुखी ॥ ३२ ॥
अथ कालेन महता कर्तुं दिग्विजयं द्विजाः ।
लंकाद्वीपान्निरैश्छीघ्रं रावणः सगणो बली ॥ ३३ ॥
भ्रममाणो दशग्रीवः कुर्वन्दिग्विजयं ततः ।
स सहस्रार्जुनस्याथ ययौ माहिष्मतीं पुरीं ॥ ३४ ॥
तत्र देवार्चनं यावत् कृतवान्स दशाननः ।
नर्मदायां जलक्रीडां स चक्रे हैहयाधिपः ॥ ३५ ॥
संप्रसार्य करान्पादौ कार्तवीर्यो यदा जले ।
स्थितः पुण्योदकं नद्यास्तदूर्ध्वमगमद् द्विजाः ॥ ३६ ॥
कार्तवीर्यशरीरेण यदूर्ध्वमगमज्जलं ।
तद्दशानन देवानां तूर्णं पूजां समाहरत् ॥ ३७ ॥

तद् दृष्ट्वा महदाश्चर्यमाहूय सचिवानिदं ।
रावणः स तु पप्रच्छ वचनं सचिवांस्ततः ॥ ३८ ॥

रावणः— नार्मदेयमधः केन निर्बंधाज्जलमद्भुतं ।
प्रवृद्धमभवत्कस्मात्पश्यंतु त्वरितं भटाः ॥ ३९ ॥
इत्युक्तास्तेन ते सर्वे दशग्रीवेण राक्षसाः ।
पश्येयुर्नर्मदां तावत्पश्येयुर्हैहयाधिपं ॥ ४० ॥
तैस्तु कोसि त्वमित्युक्तः सोब्रवीदर्जुनोस्म्यहं ।
स तु किं कार्यमित्युक्तो रावणात्सोब्रवीदिदं ॥ ४१ ॥

अर्जुनः— नार्मदीये जले रंतुं सुखं स्त्रीभिः समावृतः ।
यूयं के कस्य वा ब्रूत किं कार्यं कर्तुमागताः ॥ ४२ ॥
केन वा प्रेषिताश्चात्र इत्युक्तास्तेऽब्रुवन्भटाः ।

भटाः— लंकेशो मृधि जेतुं त्वां कार्तवीर्यमिहागतः ॥ ४३ ॥
तच्छ्रुत्वाऽमर्षितः शूरः कार्तवीर्योतिसत्वरः ।
आगम्य रावणं दृष्ट्वा क्रोधादिदमुवाच ह ॥ ४४ ॥

अर्जुनः— उत्तिष्ठोत्तिष्ठ शूर त्वं तूर्णं लंकापते मम ।
स्वबाहुबलमद्याजौ दर्शयस्व पराक्रमं ॥ ४५ ॥
इत्युक्तस्तेन लंकेशः शस्त्रास्त्रैर्विविधैर्द्विजाः ।
तत्सहस्रार्जुनं वीरमहनद्गगने स्थितः ॥ ४६ ॥
ततो रोषेण महता कंपयन्भुवनत्रयं ।
कार्तवीर्योथ शस्त्रास्त्रैस्तस्य शस्त्राणि चाच्छिनत् ॥ ४७ ॥
ततो युद्धमभूद्घोरं रावणार्जुनयोर्महत् ।
पश्यतां मुनिदेवानां शस्त्रवृष्टिर्निरंतरं ॥ ४८ ॥
राक्षसास्ते नृपाञ्जघ्नुर्नृपास्ते राक्षसान् रणे ।
रावणार्जुनयोर्युद्धे शस्त्रास्त्रैर्वधकांक्षिणः ॥ ४९ ॥
स सहस्रार्जुनस्तस्य रावणस्याभिनद्बलं ।
राक्षसानां सितैर्बाणैः शलभा इव पावके ॥ ५० ॥

निवार्यास्त्राणि तैरस्त्रैः शस्त्रैः शस्त्राणि तं बली ।
विव्याध रावणं बाणैर्विविधैरर्जुनस्ततः ॥ ५१ ॥
सितास्त्रैस्त्र्यंबकान्बाणान्स्वर्णपुंखान्दशाननः ।
छित्वा त्र्यंबकैरेव बाणैस्तस्य तमाहनत् ॥ ५२ ॥
तौ रावणार्जुनौ वीरौ युध्यमानौ मुनीश्वराः ।
जग्मतुर्विविधान्देशान्स्वर्गं तोयनिधिं तथा ॥ ५३ ॥
तं भ्राम्य रावणं वीरं कार्तवीर्योऽतिदुर्जयः ।
माहिष्मत्यां समानीय शंभुशक्त्याऽहनद्रुषा ॥ ५४ ॥
सा शक्तिरतुला तस्य शतघंटाकृतस्वना ।
निर्भिद्य रावणं वीरं पातालमगमज्जवात् ॥ ५५ ॥
शक्तिनिर्भिन्नहृदयः शोणिताक्तः स रावणः ।
मर्दितः पतितो भूमौ वज्राहत इवाचलः ॥ ५६ ॥
रणे निपतितं दृष्ट्वा रावणं राक्षसाधिपं ।
राक्षसा हतशेषास्ते ययुः सर्वे दिशो दश ॥ ५७ ॥
कार्तवीर्यः समुत्पाद्य दोर्भिः शक्तिं द्विजोत्तमाः ।
दशाननस्य हृदयात्तं मंत्रैः समजीवयत् ॥ ५८ ॥
तं समुत्क्षिप्य लंकेशं रथमारोप्य चार्जुनः ।
बध्वा दिगंबरं कृत्वा ययौ माहिष्मतीं पुरीं ॥ ५९ ॥
तां प्रविश्य पुरीं तूर्णं स सहस्रार्जुनो बली ।
भर्त्सयामास तं बध्वा शालस्तंभेऽथ रावणं ॥ ६० ॥
सहस्रार्जुनः– कत्थसे यन्मुधा मूढ शूरोहमिति रावण ।
सोहं सुरारिर्लंकेश तत्सर्वं क्व गतं बलं ॥ ६१ ॥
द्विजोहं तव दासोहं किंकरोहमहं शिशुः ।
एतैर्वचोभिस्ते मुक्तिर्नोचेन्मे न विमोक्ष्यसे ॥ ६२ ॥
स्कंदः– इति निर्भर्त्सितस्तेन कार्तवीर्येण रावणः ।
तूष्णींभूतस्थितस्तत्र व्रीडयावनतोऽब्रवीत् ॥ ६३ ॥

ततो वसुश्रवास्तत्र जनकश्चतुराननः ।
पुलस्त्यो मुनयो देवाः पुरीं माहिष्मतीं ययुः ॥ ६४ ॥
तानागतांस्ततो दृष्ट्वा स सहस्रार्जुनः स्वयं ।
ब्रह्मादिसुरसिद्धर्षीन्पूजयामास भक्तितः ॥ ६५ ॥
पाद्यार्घ्याचमनीयाद्यैरर्हणैर्विविधैर्नृप: ।
तानभ्यर्च्य मुनीन्देवान् प्रोवाचेदं कृतांजलिः ॥ ६६ ॥

कार्तवीर्यः— किं भवंतः समुद्दिश्य कार्यं किं हृदयेषु वः ।
कथयंतु तदव्यग्राः किमागमनकारणं ॥ ६७ ॥

ब्रह्मोवाच । यदर्थं यत्समुद्दिश्य वयमत्रागताः प्रभो ।
तच्छृणुष्व नृपश्रेष्ठ त्रैलोक्याधिपतेर्जुन ॥ ६८ ॥
अज्ञानतिमिरांधं तमेकमुन्मत्तमातुरं ।
अदृश्यमभवल्लोकं तव पुर्यां श्रुतं मया ॥ ६९ ॥
तस्य शुद्धिस्त्वया कार्या यदि मां मन्यतेऽर्जुन ।
सत्यं त्वमेव जानासि तन्मे त्वं दातुमर्हसि ॥ ७० ॥

अर्जुनः— तस्य कन्याभिधानानि शिशोर्ब्रूहि पितामह ।
यैर्मत्पुर्यां कृता शुद्धिस्तस्य को जनकः कुलं ॥ ७१ ॥
एवं पृष्टश्चतुर्वक्त्रः कार्तवीर्येण भो द्विजाः ।
तूष्णींभूतश्चिरं ध्यात्वा नोत्तरं प्रतिपद्यत ॥ ७२ ॥
तूष्णींभूते ततस्तस्मिंश्चतुरास्ये द्विजोत्तमाः ।
पुलस्त्यः खिन्नवद्वाक्यं प्रोवाचेदं नृपोत्तमं ॥ ७३ ॥

पुलस्त्यः— कस्यापि मंदभाग्यस्य कुले जातो दशाननः ।
रावणो नाम लंकायाः पतिर्दुष्टतमः सदा ॥ ७४ ॥
तस्याद्य स्वयमेव त्वं कुरु शुद्धिं नृपेश्वर ।
तस्य तद्वचनं श्रुत्वा पुलस्त्यस्य स हैहयः ।
दूतान्सहस्रशो मिथ्या प्रतारन्वाक्यमब्रवीत् ॥ ७५ ॥

हैहयः— शिशुं पितामहस्येह पुरे पृच्छ कथंचन ।
प्रनष्टं वा निबद्धं वा सुप्तं वा मृतमेव वा ॥ ७६ ॥
ते सहस्रार्जुनेनाथ कौतुकात्सचिवा त्वरं ।
आदिष्टा शिशुशुध्यर्थं चुक्रुशुस्तत्पुरे भृशं ॥ ७७ ॥

सचिवाः— अज्ञानमल्पकं बालमभिधानविवर्जितं ।
यैः श्रुतं दृष्टमस्माकं कथयंत्विह ते जनाः ॥ ७८ ॥
ते दंड्याश्चैव वध्यास्ते राज्ञः पुरनिवासिनः ।
नष्टं धृत्वा परापत्यं लोभान्न कथयंति ये ॥ ७९ ॥
सिंहासनोपविष्टस्तु कार्तवीर्यः प्रहस्य सः ।
ब्रह्मणे दर्शयामास बद्धं नग्नं च रावणं ॥ ८० ॥
ब्रह्मादींस्तान्सुरान्दृष्ट्वा ऋषीन्सर्वान्स रावणः ।
व्रीडितः प्रसभं दीनः स स्तंभांतरितो बभौ ॥ ८१ ॥
ततः स्वयं प्रहस्याशु समुत्थाय वरासनात् ।
निगडादीन्नृपो बंधान् रावणस्यासिनाऽच्छिनत् ॥ ८२ ॥
धात्रे सत्कृत्य सन्मान्य रावणं हैहयाधिपः ।
वस्त्रालंकरणाद्यैस्तं तस्मै दानमिवाददत् ॥ ८३ ॥
प्रभग्नं रावणं दृष्ट्वा प्रत्दृष्टं हैहयाधिपं ।
स्वयं व्रीडान्वितो ब्रह्मा प्रोवाचेदं कृतांजलिः ॥ ८४ ॥

ब्रह्मोवाच— कृष्णकंबोर्यथाच्छस्य कंबोरंतरमुच्यते ।
कार्तवीर्यस्य शूरस्य तद्वद्रावण त्वांतरं ॥ ८५ ॥
यथा स्यंदनिकायास्तु क्षीराब्धेरंतरं महत् ।
सहस्रार्जुनबाहोस्तदंतरं तव रावण ॥ ८६ ॥
यथा पुष्करवृक्षस्य पारिजाततरोः श्रुतं ।
तदंतरं दशग्रीव कार्तवीर्यस्य ते महत् ॥ ८७ ॥
जात्यश्वखरयोर्दृष्टं यथा काकसुपर्णयोः ।
महाश्चर्यमिदं मूढ दशास्य शृणु मे वचः ॥ ८८ ॥

कार्तवीर्येण यद्युद्धे त्वं बद्धोसि दिगंबर ।
प्रतिग्रहं गृहीतोऽस्मि त्वं मया कुलपांसनः ॥ ८९ ॥
किं व्रीडयाऽनया वत्स देवत्वं मयि तिष्ठति ।
अहं पद्मोद्भवः पूज्यः सुरश्रेष्ठो न रावण ॥ ९० ॥
ननु त्वं सांप्रतं विद्धि त्वत्कृतेऽहं प्रतिग्रही ।
किं किं रावण बालिश कृतमहो मूढ त्वयेदं महद्
दुःखं मत्कुलपांसनात्र बहुना किं त्वं क्रियत्ते बलं ।
नो जानासि सहस्रबाहुमतुलं त्रैलोक्यनाथं नृपं
यो दैत्यः स मधुः स एव बलवान् श्रीकार्तवीर्योर्जुनः ॥ ९१ ॥
इति श्रीस्कंदपुराणे सह्याद्रिखंडे रेणुकामाहात्म्ये रावणपराजयो
नाम सप्तविंशतितमोऽध्यायः ॥ २७ ॥

अथ अष्टाविंशतितमोऽध्यायः ।

स्कंदः— पितामहस्य वचनमाकर्ण्य स दशाननः ।
व्रीडान्वितश्चिरं ध्यात्वा न किंचित्प्राह तं वचः ॥ १ ॥
पुलस्त्यः—किं लंका सुरदेवदुर्जयपुरी प्राकारयंत्रान्विता
किं त्वद्बाहुबलं तथा प्रतिहतं सामर्थ्ययुक्तोसि किं ।
किं शस्त्रं तव दुर्निवार्यमतुलं पौलस्त्यवाशांतक
त्वं किं हैहयवंशमंडनममुं जेतुं समर्थो रणे ॥ २ ॥
नहि तं खलु पश्यामि त्रिषु लोकेषु रावण ।
गृहीतशस्त्रं समरे जेष्यते योर्जुनं रणे ॥ ३ ॥
इति निर्भर्त्सितं तत्र रावणं चतुराननः ।
दृष्ट्वाऽर्जुनं प्रशंस्याथ गमने चाकरोन्मतिं ॥ ४ ॥
ततस्तं प्रस्थितं दृष्ट्वा स सहस्रकरोर्जुनः ।
करांजलिपुटं कृत्वा ब्रह्माणमिदमब्रवीत् ॥ ५ ॥

अर्जुनः— पद्मोद्भव न ते तुल्यः कश्चिदस्त्यमितप्रभः ।
त्रिषु लोकेषु यस्यैते पुलस्त्याद्याः सुतोत्तमाः ॥ ६ ॥
विग्रहं मा कुरु त्वं हि बलिभिः सह रावणं ।
बलिभिर्विग्रहं कुर्वन् क्षिप्रं नाशमवाप्स्यसि ॥ ७ ॥
इत्युक्त्वा ब्रह्मणे दत्त्वा कार्तवीर्यो दशाननं ।
लंकां प्रस्थापयामास तं शिक्षाप्य द्विजोत्तमाः ॥ ८ ॥
तं प्रस्थाप्य ततो ब्रह्मा रावणं जनकान्वितं ।
लंकां स्वभुवनं सर्वैर्द्विजैः सार्धं ययौ जवात् ॥ ९ ॥
एवंप्रभावो दैत्येंद्रः कार्तवीर्यः स वीर्यवान् ।
येनावमानितः संख्ये रावणः सगणो द्विजाः ॥ १० ॥
सिंहासनोपविष्टं तं ब्रह्मपुत्रोथ नारदः ।
स्वस्तीत्युक्त्वार्चितो राजा कार्तवीर्यं वचोब्रवीत् ॥ ११ ॥

नारदः— शृणु किंचिन्नृपश्रेष्ठ हैहयाधिपते प्रभो ।
तत्प्रवक्ष्यामि माहात्म्यं कस्यचित्तदृषेः शुभं ॥ १२ ॥
राजन्त्रैलोक्यराज्यांते तावल्लक्ष्मीस्तवातुला ।
यावन्न दृश्यते पुण्यो जमदग्नेर्वराश्रमः ॥ १३ ॥
तावदेताः स्त्रियः सर्वास्तन्वंग्यः कमलाननाः ।
यावन्न दृश्यते देवी रेणुकाऽघौघनाशिनी ॥ १४ ॥
त्रैलोक्यमखिलं यस्याः प्रसादाद्धैहयाधिप ।
दानमानोदकान्नाद्यैरतुलां तृप्तिमागमत् ॥ १५ ॥
तस्याश्रमो नृपश्रेष्ठ तापसैरुपशोभितः ।
अनेकभूतसंघैश्च सेवितस्त्वघनाशनः ॥ १६ ॥
जमदग्नेरहं तस्मादाश्रमादागतोस्म्यहं ।
राजन्त्वद्दर्शनाकांक्षी तत्पृष्टोसि व्रजाम्यहं ॥ १७ ॥
एवं ब्रुवाणं देवर्षिं नारदं हैहयाधिपः ।
प्रणम्याभ्यर्च्य विधिवत्ततः प्रस्थापयद् द्विजाः ॥ १८ ॥

स तु प्रस्थापितस्तेन कार्तवीर्येण नारदः ।
पश्यतस्तस्य भगवांस्तत्रैवांतरधीयत ॥ १९ ॥
स सहस्रार्जुनः श्रुत्वा नारदाचरितं महत् ।
जमदग्नेर्निरीक्षितुं क्षिप्रमाश्रममुत्तमं ॥ २० ॥
सपुत्रबंधुभृत्यैस्तैः सर्वसेनासमावृतः ।
मृगयां पर्यटन्भूपस्तमृषेराश्रमं ययौ ॥ २१ ॥
स मृगान्महिषान्क्रोडान् सृगालान्शशकान्बहून् ।
जघान जमदग्नेस्तानाश्रमे हैहयाधिपः ॥ २२ ॥
ततस्ते कार्तवीर्येण सर्वे क्रोडादयो मृगाः ।
हन्यमानाः शरैस्तीक्ष्णैः क्रोशंतः पतिताः क्षितौ ॥ २३ ॥
उत्पतंतः पतंतश्च दनंतो भैरवान् रवान् ।
शृण्वतः कार्तवीर्येण जमदग्नेर्हता मृगाः ॥ २४ ॥
हन्यमानान्हतान् श्रुत्वा गतासून्पतितान्पशून् ।
तेनार्जुनेन न क्रोधं जमदग्निर्महातपाः ॥ २५ ॥
नृपं तमागतं श्रुत्वा परं हर्षमुपागमत् ।
सोपि तस्याश्रमं दृष्ट्वा जमदग्नेर्महात्मनः ॥ २६ ॥
तं त्रैलोक्याधिकं पुण्यं राजा विस्मयमागमत् ।
अहो किमेतदाश्चर्यमद्भुतं प्रतिभाति मे ॥ २७ ॥
अत्राश्रमे ह्यवैराणि दृश्यंते श्वापदानि किं ।
दिव्यरत्नप्रभाभासः फलपुष्पसमन्विताः ॥ २८ ॥
दृश्यंते तरवः सर्वे जमदग्नेर्वराश्रमे ।
एतैर्महद्भिरव्यग्रैस्तापसैरुपशोभितः ॥ २९ ॥
आश्रमो द्विजशालाभिर्वन्हिकुंडैरलंकृतः ।
स्कंदः– एवं तमाश्रमं दृष्ट्वा विस्मयोत्फुल्ललोचनः ॥ ३० ॥
प्रशंस्य चार्जुनः श्रीमानिदं वचनमब्रवीत् ।
पश्यंतु सचिवाः सर्वे मंत्रिभिः सर्वतो द्विजाः ॥ ३१ ॥

जमदग्नेर्महद्रम्यं निवासस्थानमुत्तमं ।
इत्यादिष्टास्ततस्तेन मंत्रिभिः सचिवास्तदा ॥ ३२ ॥
विश्रामस्थानमेकं तत्पश्येयुर्भार्गवाश्रमे ।
मंत्रिणः— रमणीयमिदं स्वामिन्नाश्रमस्थानमुत्तमं ॥ ३३ ॥
आश्रमस्तापसानां हि विश्रामः क्रियते कथं ।
सर्वत्र ह्यग्निशालाभिः सर्वतस्तापसान्वितः ॥ ३४ ॥
जमदग्नेरयं पुण्यो दृश्यते ह्याश्रमः प्रभो ।
वेदशास्त्रपुराणानि पठद्भिर्ब्रह्मवादिभिः ॥ ३५ ॥
आश्रमे जमदग्नेस्तत्किंचिद्राजन्न शुश्रुमः ।
इति श्रीस्कांदे सह्याद्रिखंडे रेणुकामाहात्म्ये अष्टाविंशतितमोऽध्यायः ॥ २८ ॥

अथ एकोनत्रिंशत्तमोऽध्यायः ।

स्कंदः— मंत्रिभिस्त्वेवमुक्तोसौ हैहयाधिपतेर्द्विजाः ।
अनादृत्य च तद्वाक्यं न निरैराश्रमाद्बहिः ॥ १ ॥
मृगयायटमानस्तु सबलः सहवाहनः ।
जमदग्नेर्नृपः श्रांतश्चक्रे विश्राममाश्रमे ॥ २ ॥
ससैन्यमर्जुनं वीरं ससुनामात्यबांधवं ।
स ददर्श महातेजा जमदग्निर्मुनीश्वरः ॥ ३ ॥
तमागतमभिप्रेक्ष्य राजानं मुनिसत्तमः ।
एकवीरां प्रहर्षेण जमदग्निर्वचोब्रवीत् ॥ ४ ॥
ऋषिः— आगतोयं महाभागो देवीभूतस्तवाश्रमं ।
मृगयामटमानस्तु परिश्रांतो न संशयः ॥ ५ ॥
हैहयाधिपतिर्वीरः कंदर्प इव मूर्तिमान् ।
देवि यत्करणीयं ते नृपायातिथये गृहे ॥ ६ ॥

तच्छीघ्रं ब्रूहि जानासि धर्ममत्र त्वमेव च ।

रेणुका— अभ्यागतोतिथिर्मान्यः पूजनीयो विशेषतः ॥ ७ ॥

स्वागतेनार्हणीयोयं स्वामिन्नत्र भवेद्ध्रुवं ।

अर्हणीयोर्जुनः श्रीमानयं धर्मो गृहाश्रमे ॥ ८ ॥

क्षुधितः सगणो राजा पूजनीयो न संशयः ।

शीघ्रमाहूयतां स्वामिन्नन्यैरुच्चावचैरपि ॥ ९ ॥

दास्यामि भोजनं राज्ञे ससैन्यायादरेण च ।

इति श्रीस्कांदे सह्याद्रौ रेणुकामाहात्म्ये एकोनत्रिंशत्तमोऽध्यायः ॥ २९ ॥

अथ त्रिंशत्तमोऽध्यायः ।

स्कंदः—इत्युक्तः स तया देव्या जमदग्निर्महेश्वराः ।

शीघ्रमागम्य राजानमिदं वचनमब्रवीत् ॥ १ ॥

ऋषिः— स्वागतं ते नृपश्रेष्ठ ह्येहि शीघ्रं ममाश्रमे ।

सगणेन त्वया कार्यं भोजनं मद्गृहे नृप ॥ २ ॥

राजोवाच । विप्राणां भोजनं श्रेष्ठं राज्ञो भोजनमादरः ।

किं तद्विशिष्यते तस्मात्कर्तव्यं त्वद्गृहे मया ॥ ३ ॥

पवित्रं कर्तुमात्मानमागच्छामि तवाश्रमं ।

ऋषिः— तापसानां गृहे स्वामिन्कंदमूलफलानि च ॥ ४ ॥

नित्यमेव हि भोज्यानि नान्यान्यन्नानि भूपते ।

कंदमूलफलैरेव स्वामिन्नो देहि भोजनं ॥ ५ ॥

एवमुक्त्वा तु राजानं जमदग्निः स्वमाश्रमं ।

आगम्य रेणुकां देवीमिदं वचनमब्रवीत् ॥ ६ ॥

देवि त्वं पाकनिष्पत्तिं कुरु तूर्णं शुभानने ।

अस्मिन्नेव क्षणे स्नात्वा क्षिप्रमेष्याम्यहं शुभे ॥ ७ ॥

आदरेण मया राजा प्रार्थितः सगणोर्जुनः ।
ध्रुवमेष्यत्पदं देवि भोजनार्थं तवाश्रमं ॥ ८ ॥

देवी— कृतमेव मया पूर्वं प्रसादाद्वो न संशयः ।
अन्नपानादिकं किंचित्क्षिप्रमेवावधार्यतां ॥ ९ ॥

स्कंदः— एवमुक्तस्तया देव्या जमदग्निर्मुदान्वितः ।
स्नातुं भागीरथीं गंगां स जगाम द्विजैर्वृतः ॥ १० ॥
ततो मध्यंदिने प्राप्ते राज्ञाऽऽदिष्टैर्मुनीश्वराः ।
चारितं तद्गृहं चारैः क्षुत्पिपासार्दितैस्तदा ॥ ११ ॥
समाहूय ततश्चारानपृच्छ स नृपेश्वरः ।

राजा— जमदग्नेर्गृहं रम्यमन्नानि सुरभीणि च ॥ १२ ॥
भवद्भिः कानि दृष्टानि मृदून्यन्नानि तद्गृहे ।
गोमहिष्यादिकं यच्च मुनेस्तत्ख्यायतां खलु ॥ १३ ॥

चाराः— न पाकपरिणामोस्ति नाग्निधूमोपि दृश्यते ।
न फलान्यपि राजेंद्र तेनावहसितोसि किं ॥ १४ ॥
न धान्यानि गृहे तस्य गौरेकैव हि विद्यते ।
सर्वथा नास्ति संदेहो वंचितोसि महर्षिणा ॥ १५ ॥
अत्रांतरे महातेजा जमदग्निर्मुनीश्वराः ।
भक्त्या स्नात्वा च गंगायां क्षिप्रं स्वाश्रममागमत् ॥ १६ ॥
मुनिः संमार्जनं कृत्वा देवानभ्यर्च्य भक्तितः ।
कामधेनुमुपागम्य सर्वान्कामानयाचत ॥ १७ ॥

ऋषिः— देहि देवि नमस्तेऽस्तु सर्वान्कामान्ममाधुना ।
त्वत्प्रसादान्मया राज्ञे कर्तव्यं स्वागतं हि वै ॥ १८ ॥
स्वामिनींद्रेण दत्तासि मातर्मे सुरवंदिनि ।
देवतातिथितृप्त्यर्थमानीतासि त्रिविष्टपात् ॥ १९ ॥
तेनैवं प्रार्थिता देवी सर्वान्कामान्हृदि स्थितान् ।
यथेप्सितान्ततः कामान् प्रादात्तस्मै महर्षये ॥ २० ॥

उच्चावचानि चान्नानि शाकानि विविधानि च ।
चैलकांबलवेश्मानि साऽददज्जमदग्नये ॥ २१ ॥
ततस्तानानयत्तूर्णमेकवीरा स्वमाश्रमं ।
दध्यर्णवाज्यकुंडानि क्षीरार्णवगुडार्णवः ॥ २२ ॥
सुरास्ते ऋषयः सर्वे सिद्धविद्याधरादयः ।
देव्यादिष्टास्ततोऽन्नादि दातुमभ्युद्यताऽभवन् ॥ २३ ॥
सुबहूनि वरान्नानि वस्त्राण्याभरणानि च ।
भोजनानि विचित्राणि भोज्यपात्राणि चैव सा ॥ २४ ॥
कामधेनुस्ततः प्रादात्तस्मै हृष्टा महात्मने ।
स्कंदः— एतस्मिन्नंतरे शीघ्रं मध्यं प्राप्ते दिवाकरे ॥ २५ ॥
जमदग्निः शुचिर्भूत्वा कार्तवीर्यं समाह्वयत् ।
सकरांजलिमादाय विनयेनाभिगम्य च ॥ २६ ॥
तमाहूयार्जुनं श्रीमान्मुनिः स्वाश्रममागमत् ।
तेनाहूतोऽथ ऋषिणा सभार्यः सगणस्त्वरन् ॥ २७ ॥
ऋषेस्तस्याश्रमं पुण्यं कार्तवीर्यार्जुनो ययौ ।
पाद्यार्घ्याचमनीयाद्यैर्नृपं संपूजयदृषिः ॥ २८ ॥
स्वगृहे भोजनं प्रादाज्जमदग्निः प्रियान्वितः ।
सुरभीणि ततोऽन्नानि पानानि विविधानि च ॥ २९ ॥
भुंजन्ददर्श रत्नानि वस्त्राण्याभरणानि च ।
तानि दृष्ट्वा तथान्नानि कामधेनुं च रेणुकां ॥ ३० ॥
सुंदरां सगणो भुंजन् राजा विस्मितमानसः ।
अहोरूपमहो धैर्यमहो सौंदर्यमुत्तमं ॥ ३१ ॥
अहो गंभीरता चास्यास्तुल्या स्त्री नापरा क्वचित् ।
सुरगंधर्वसिद्धास्ते संति सर्वे महर्षयः ॥ ३२ ॥
तेषामातिथ्यसामर्थ्यं नेदृशं दृष्टमद्भुतं ।
तपसा यशसा कीर्त्या चातिथ्येनेदृशेन च ॥ ३३ ॥

जमदग्ने न ते तुल्यस्त्रिषु लोकेषु विद्यते ।
किं ते मंत्रफलं स्वामिन्नाहोस्वित्तपसो बलं ॥ ३४ ॥
किमिंद्रजालविद्येयं किं वा त्रैलोक्यमोहनं ।
केन सिद्धेन देवेन तवैताः सर्वसिद्धयः ॥ ३५ ॥
दत्ताः समृद्धयो यस्माद्बभूवुस्तव मंदिरे ।
कामधेनुरियं शश्वच्चिंतामणिरयं मुने ॥ ३६ ॥
कल्पवृक्षादिकं किंचित्कथं प्राप्तोसि शंस मे ।
जमदग्निः— शृणु राजन्यथा सर्वं प्राप्तोस्म्यहमरिंदम ॥ ३७ ॥
कदाचिदाश्रमं द्रष्टुमागतः पाकशासनः ।
तेन मेऽतिथिपूजार्थमियं धेनुः समर्पिता ॥ ३८ ॥
अस्याः प्रसादादातिथ्यं मया तव कृतं प्रभो ।
इति श्रीस्कंदपुराणे सह्याद्रिखंडे रेणुकामाहात्म्ये त्रिंशत्तमोऽध्यायः ॥३० ॥

अथ एकत्रिंशत्तमोऽध्यायः ।

स्कंदः— एवं निर्वर्ण्य तां देवीं कामधेनुं च सत्वरः ।
उत्तस्थौ स नृपो भुक्त्वा तदन्नममृतोपमं ॥ १ ॥
पश्यमानस्तदा राजा कामधेनुं मुहुर्मुहुः ।
निषसादासने रम्ये निःश्वसन्नुरगो यथा ॥ २ ॥
विधिवद्भोजनं दत्त्वा राज्ञे तस्मै मुनीश्वराः ।
प्रादाद्वस्त्राणि दिव्यानि रत्नान्याभरणानि च ॥ ३ ॥
ऋषिणा तेन दत्तानि न जग्राह तदाऽर्जुनः ।
ततः प्रव्यथितोत्यर्थं जमदग्निः प्रियान्वितः ॥ ४ ॥
शिरस्यंजलिमादाय प्रार्थयामास तं नृपं ।
जमदग्निः— कृपां कुरुष्व मे राजन्नातिथ्यं सफलं कुरु ॥ ५ ॥

मद्गृहाणार्हणं प्रीत्या त्वं हि ज्ञानविदां वरः ।
स्कंदः- इत्येवं प्रार्थितस्तेन मुनिना हैहयाधिपः ॥ ६ ॥
कामधेनुमभीप्सन्वै मुनिं वचनमब्रवीत् ।
राजोवाच । तवायुतं गवां ब्रह्मन्दोग्ध्रीणां हेमवर्चसां ॥ ७ ॥
प्रयच्छामि न संदेहः कामधेनुं प्रयच्छ मे ।
ऋषिः- कामधेनुमिमां राजन् पुराणीं सुरवंदिनीं ॥ ८ ॥
किं प्रार्थयसि दीनां हि त्वन्यत्प्रार्थयतां विभो ।
राजा- राज्यार्थं ते प्रदास्यामि सत्यमेव मयोदितं ॥ ९ ॥
कामधेनुमिमां देहि नान्यदिच्छामि किंचन ।
ऋषिः- देवतातिथितृप्त्यर्थं मम दास्यात्पुरंदरः ॥ १० ॥
कामधेनुं मुनिश्रेष्ठाः सत्यमेतन्न संशयः ।
नित्यमग्र्याः पयो वन्हेर्गोमयं गृहमार्जनं ॥ ११ ॥
पवित्रार्थं च गोमूत्रं कथं तां धेनुमिच्छसि ।
राजोवाच । इयं त्वातिथ्ये ब्रह्मन् वंचनीया न गौर्मम ॥ १२ ॥
प्रीतियोगेन दातव्या नान्यदिच्छामि किंचन ।
दुर्वासाः- किं प्रार्थयसि भूपः सन् जमदग्निं मुनीश्वरं ॥ १३ ॥
त्वयैव विप्रमुख्येभ्यो दातव्यं दानमुत्तमं ।
ब्राह्मणाश्च सदा रक्ष्याः सापराधाश्च राजभिः ॥ १४ ॥
ब्राह्मणा हि विषं घोरं संतानक्षयकारकं ।
ब्राह्मणो हि विषं घोरं सहस्रार्जुन मा पिब ॥ १५ ॥
सहस्रार्जुनः- यद्यप्येवं मुनिश्रेष्ठ तथाप्येका च गौर्मम ।
दातव्या प्रीतियोगेन देव्या च जमदग्निना ॥ १६ ॥
जमदग्निः- श्रुतमेव त्वया देवि कार्तवीर्यस्य भाषितं ।
यन्मे धेनुं प्रयच्छामि किं ते मनसि वर्तते ॥ १७ ॥
देवी- किंचित्कार्यं समुद्दिश्य कार्तवीर्येण गौः प्रभो ।
प्रार्थिता किं मया वाच्यं यतोयं गृहमागतः ॥ १८ ॥

गृहागतायातिथये कृतातिथ्याय धर्मतः ।
न चातिविप्रियं कर्तुमयुक्तं दुष्टभाषणं ॥ १९ ॥

राजा– सर्वं निष्कंटकं राज्यं तव दास्याम्यहं मुने ।
कामधेनुमिमां देहि बहुना किं प्रयोजनं ॥ २० ॥

स्कंदः– कार्तवीर्यस्य तद्वाक्यमाकर्ण्य ऋषयोऽमलाः ।
विषादमगमन्सर्वे शल्यविद्धा मृगा इव ॥ २१ ॥
ततोत्थायासनाद्धीमानृचीको वाक्यमब्रवीत् ।
जमदग्नेश्च तां धेनुं प्रार्थयंतं तमर्जुनं ॥ २२ ॥

ऋचीकः– मैवं ब्रूहि नृपश्रेष्ठ किं त्वं धेन्वा करिष्यसि ।
अक्रोधनः शुचिः शांतो मुनिर्ज्ञानविदां वरः ।
जमदग्निर्नृपश्रेष्ठ तस्य धेनुं किमिच्छसि ॥ २३ ॥

राजा– मुधा ते भाषितं विप्र गौतमीया यथा तथा ।
द्विधा शापभयाद्विप्र त्रासिता सा न तद्भवेत् ॥ २४ ॥

विश्वामित्रः– यद्बलात्पौरुषं राजन् विप्राणामस्ति तेजसा ।
तन्निदर्शनमत्युग्रं शृणु किंचिद्ब्रवीमि ते ॥ २५ ॥
तुरंगं मृगयत्पूर्वं त्रैलोक्ये सगरान्वयः ।
ज्वलत्कपिलकोपेन प्राप्तो वै भस्मराशितां ॥ २६ ॥

अर्जुनः– द्रक्ष्यंतु मुनयः सर्वे तेऽपि सर्वे सुरासुराः ।
एकतो मद्बलं धेनुं मुनेर्नेष्याम्यहं बलात् ॥ २७ ॥

अगस्त्यः– निदर्शनमिदं राजन् विप्राणां तन्महात्मनां ।
सामर्थ्यं यत्प्रवक्ष्यामि शृणुष्व त्वमथाद्भुतं ॥ २८ ॥
वेणुर्यैरवनीपतिस्त्वकुशली जातो वसुः पातितो
दुष्टश्चेष्टितविग्रहेण नहुषो रोषात्सशापोक्षितः ॥ २९ ॥
यत्कोपाद्बलवानलोद्भुतमुखस्त्रैलोक्यभुग् वै विभो
कस्तान्ब्राह्मणपुंगवानगणयन्गंता सुखं भूपतिः ॥ ३० ॥

राजा– नृपान्नृपाः प्रशंसंति विप्रान्विप्रा न संशयः ।
ब्राह्मणादित्रयो वर्णास्ते राज्ञामनुवर्तिनः ॥ ३१ ॥
दानशूराश्च राजानः क्षत्रशूराः सदा युधि ।
ब्राह्मणानां च किं शौर्यं तेजोदानबलादिकं ॥ ३२ ॥

दुर्वासाः– भार्या भृगोर्भाग्यवती पुलोमा
सा दैत्यदृष्टे भयविह्वलांगी ।
मुमोच गर्भं स च जायमानश्
चक्रे गतासुं च्यवनोऽरिमाशु ॥ ३३ ॥

अर्जुनः– पश्यंतु मुनयः सर्वे जमदग्नेर्गृहाश्रमं ।
अभ्यागताय यद्धेनुं पुराणीं न प्रयच्छति ॥ ३४ ॥
कामधेनुमिमां तूर्णं भवद्भिर्मे मुनीश्वराः ।
जमदग्निस्तथा वाच्योऽयथा त्वदृष्टः प्रयच्छति ॥ ३५ ॥

वसिष्ठः– नैष धर्मस्तव प्रोक्तो यद्बलादर्जुन त्विमां ।
नेतुमिच्छसि धेनुं त्वं मुनेर्नाशमवाप्स्यसि ॥ ३६ ॥
शूले त्वज्ञातप्रोतस्त्वं चोरश्चौरशंकया ।
मांडव्यो दंडयामास दंडिनं च सुजन्मना ॥ ३७ ॥

अर्जुनः– चैलरत्नानि कांताश्च गोमहिष्यादिकं द्विजाः ।
गृहागतेभ्यो राजभ्यस्तद्दातव्यं द्विजैर्मुदा ॥ ३८ ॥
धेनुरत्नमिदं दिव्यं दातव्यं मुनिना मम ।
यदीच्छेदभयं विद्वान् तूर्णीभूतः कथंचन ॥ ३९ ॥
बहुना किमिमां धेनुं यदि मे न प्रयच्छति ।
भवद्भिः सह तस्याथ मुनेर्नाशो भविष्यति ॥ ४० ॥
इति श्रुत्वा वचो राज्ञस्त्वेकवीराऽघनाशिनी ।
प्रहस्य वचनं प्राह नृपं मधुरया गिरा ॥ ४१ ॥

एकवीरा– त्रैलोक्यनाथ धर्मज्ञ हैहयाधिपते प्रभो ।
विप्रनाशवचो युक्तं नैव त्वय्युपपद्यते ॥ ४२ ॥

ब्राह्मणा हि महात्मानो येषां चरणरेणुभिः ।
विपदो विपदं यांति संपदो यांति संपदं ॥ ४३ ॥
विप्रप्रीत्याऽस्मि सुप्रीता पूजितस्तद्धि पूजितैः ।
विप्रे दानाच्च मे दत्तं मानो मे विप्रमानतः ॥ ४४ ॥
तद्धितं मद्धितं सर्वं तत्कृतं मत्कृतं भवेत् ।
तन्मतं मन्मतं राजंस्तदरिर्मदरिर्भवेत् ॥ ४५ ॥
अमरनरतिरश्चां मूर्तयो ये द्विजाश्च
त्रिजगदवनहेतोः संचरंति त्रिसंध्यं ।
जनयति परितोषं तासु मे ब्रह्ममूर्ति
स्त्रिगुणविकृतसृष्टः सात्त्विकी सोऽभिवंद्यः ॥ ४६ ॥
स्कंदः— एतद्वचनमाकर्ण्य रेणुकायाः सुरर्षयः ।
विश्वप्रीतिकरं धर्म्यं परां प्रीतिमुपागमन् ॥ ४७ ॥
तत्पीयूषमिदं स्वादु ह्यमेयं रेणुकावचः ।
न जग्राहार्जुनो रोषान्मृत्युकाल इवौषधं ॥ ४८ ॥
गौतमः— शृणुष्व नृपशार्दूल द्विजसामर्थ्यमुत्तमं ।
येषां सचिन्हमद्यापि चरित्रमनुगीयते ॥ ४९ ॥
लक्ष्मीपीनपयोधरस्थललुठन्मुक्तालतामालिका
लीलालंकृतचारुवक्षसि यदा निद्राजुषि श्रीपतौ ।
एकः कश्चिदुपागमद् द्विजवरो दौवारिकैर्वारितः
श्रीवत्सः स्वपदा जघान हृदि तद्देवस्य लक्ष्माभवत्॥५०॥
अर्जुनः— किं गौतम मुधा सर्वे मां वक्ष्यंति महर्षयः ।
कामधेनुमिमां तूर्णं जमदग्ने प्रयच्छ मे ॥ ५१ ॥
मांडव्यः— आतापिर्यः सवातापि च सुरमुनिद्वेषिणा बिल्वलश्च ।
श्रीनेतान्यश्चखाद प्रसरितवदनः स्तूयमानः सुराद्यैः ।
कुंभादुद्भूतमूर्तिश्चुलकविलुलितं वारिधेर्वारि पीत्वा ।
चक्रे पेयं पयोधेः शृणु नृपतिवर प्रागगस्त्यो मुनींद्रः॥५२॥

स्कंद:— इत्याकर्ण्य मुनिश्रेष्ठाः कार्तवीर्यस्त्वरान्वितः ।
जमदग्निमिदं वाक्यमुवाचातिरुषान्वितः ॥ ५३ ॥
सर्वं निष्कंटकं राज्यं गृहीत्वेयं ममार्जुनी ।
दातव्याऽतिथये विप्र मानीनां मा वचः कुरु ॥ ५४ ॥
इमां सर्वगुणैर्युक्तामेकवीरां पतिव्रतां ।
दृष्ट्वेमां देहि मे धेनुं त्रैलोक्यं ते ददाम्यहं ॥ ५५ ॥

स्कंद:— सहस्रार्जुनात्तु तद्वाक्यं श्रुत्वा ते मुनयोऽमलाः ।
इदमूचुर्वचः सर्वे मार्कंडेयादयस्ततः ॥ ५६ ॥
मैवं प्रार्थय भो राजन्कार्तवीर्य बलादिमां ।
कामधेनुं स्वभवनं गच्छ तूर्णं सुखी भव ॥ ५७ ॥
नाशं गमिष्यसि क्षिप्रं यदि धेनुमिमां बलात् ।
नेष्यासि त्वमधर्मेण सत्यमेतन्न संशयः ॥ ५८ ॥

अर्जुन:— तिष्ठतां तद्वचस्तावद्यद्भवद्भिरुदाहृतं ।
पौरुषं मे मुनिश्रेष्ठा हृदि शल्यमिवार्पितं ॥ ५९ ॥
चिंतामणिरयं स्पर्शः कल्पवृक्षादयोऽमलाः ।
कामधेनुरियं त्वेतद्वस्तु प्राप्तः कथं मुनिः ॥ ६० ॥
गवां शतसहस्राणि प्रयच्छामि मुने तव ।
कामधेनुमिमां देहि नोचेन्नेष्याम्यहं बलात् ॥ ६१ ॥

जमदग्नि:— विनेष्यसि बलाद्राजन्कामधेनुमिमां यदि ।
त्रैलोक्यविजयी शूरस्ततः किं ते करोम्यहं ॥ ६२ ॥
मान्यस्त्वमतिथिः पूज्यस्त्रिषु लोकेषु विश्रुतः ।
यत्करिष्यसि तत्तूर्णं कुरुष्व नृपपुंगव ॥ ६३ ॥

स्कंद:— जमदग्नेर्वचः श्रुत्वा कार्तवीर्यस्य तद्वचः ।
प्रहस्य चैकवीरा सा प्रोवाचेदं वचोर्जुनं ॥ ६४ ॥

एकवीरा—सहस्रार्जुन वत्स त्वं स्वस्थः शृणु वचो मम ।
यदीच्छसि शुभां धेनुं कल्पवृक्षादिकं नय ॥ ६५ ॥

यदि त्वमिच्छसि सहस्रभुजत्वमद्य
धेन्वादि सर्वमहमत्र ददामि तुभ्यं
आतिथ्यकालसदृशं तव नास्ति सत्यं
वस्तु प्रियं त्रिभुवने किल दीयते यत् ॥ ६६ ॥
राजंस्त्वमिच्छसि यदि कामधेन्वादिकं च यत् ।
तत्सर्वं संप्रदास्यामि तुभ्यं नादेयमद्य वै ॥ ६७ ॥
अर्जुनः– प्रतिग्रहं त्वया दत्तं जगृहीष्याम्यहं शुभे ।
दानधर्मेण धेन्वादि सत्यमेतन्न संशयः ॥ ६८ ॥
कामधेनुरियं देवि कौतुकात्प्रार्थ्यते मया ।
न हि प्रतिग्रहं घोरं गृहीष्याम कदाचन ॥ ६९ ॥
रेणुकोवाच । अश्वमेधसहस्रैस्तैर्यज्ञैर्वत्स त्वया कृतैः ।
राजसूयादिभिश्चैव ययुस्तृप्तिं सुरादयः ॥ ७० ॥
त्वया दत्तान्यनेकानि दानानि विविधानि च ।
श्रद्धया वेदविद्भ्यश्च कार्तवीर्यं श्रुतं मया ॥ ७१ ॥
सुरसिद्धेषु यक्षेषु गंधर्वेषूरगेषु च ।
त्रैलोक्ये त्वत्समो नास्ति त्वमेव सकलेश्वरः ॥ ७२ ॥
स्कंदः– एवं श्रुत्वैकवीरायास्तद्वाक्यममृतोपमं ।
स सहस्रार्जुनः किंचिद्वाक्यं नोवाच दुर्मतिः ॥ ७३ ॥
एतस्मिन्नंतरे धेनुस्तं विलोक्य नृपाधमं ।
प्रविश्य कामधेनुस्तां होमशालां मुनीश्वराः ॥ ७४ ॥
वचः सा गार्हपत्यादींस्तानग्नीनिदमब्रवीत् ।
धेनुरुवाच । भवद्भिरस्य दुष्टस्य श्रुतमग्निभिरुत्तरं ॥ ७५ ॥
यद्वै बलादिमां धेनुं तां नेष्यामीति भाषितं ।
भवदीयाहममरा न गच्छाम्यर्जुनालयं ॥ ७६ ॥
वसंति ऋषयो देवा वेदा यज्ञा ममोदरे ।
न शक्याऽहं बलान्नेतुं कार्यवीर्येण भूसुराः ॥ ७७ ॥

अक्रोधनोयं निर्वीर्यो जमदग्निर्महातपाः ।
किं कर्तव्यं मया देवाः ख्यायतां प्रतिभाति यत् ॥ ७८ ॥
ध्रुवमद्याधुना राज्ञः कर्तव्यो निग्रहः किल ।
अग्नयः– न जानीमो वयं देवि किं कर्तव्यमिति ध्रुवं ॥ ७९ ॥
त्वमेव सर्वं जानासि सर्वदेवमये शुभे ।
धेनुः– मां नेतुमिच्छति क्रूरः कार्तवीर्योयमर्जुनः ॥ ८० ॥
तस्मादहं करिष्यामि यन्मया ह्यनुष्ठितं ।
अग्नयः– जमदग्निमृषिं दृष्ट्वा कुरु देवि यथोचितं ॥ ८१ ॥
ऋषेरस्यातिथिर्मान्यः कार्तवीर्योयमर्जुनः ।
सुराणामपि पूज्योयं दुर्जयः समरेऽर्जुनः ॥ ८२ ॥
विशेषादतिथिर्मान्यः पूजितो जमदग्निना ।
स्कंदः– एवमुक्ताऽग्निभिर्विप्राः कामधेनू रुषान्विता ।
जमदग्निमुपागम्य रुरोदोच्चैर्भयातुरा ॥ ८३ ॥
अक्रोधनं ततः शांतं जमदग्निं प्रहस्य सा ।
कामधेनुरिदं वाक्यमब्रवीद्रुषिता सती ॥ ८४ ॥
धेनुः– स्वामिंस्त्वमस्य दुष्टस्य कार्तवीर्यस्य मन्युना ।
न करिष्यसि संहारं कथं मां प्रेरय प्रभो ॥ ८५ ॥
जमदग्निः– नैष धर्मो भवेद्देवि गृहाश्रमनिवासिनां ।
न केनाप्यतिथिर्दुष्टोप्यागतः स्वगृहे हतः ॥ ८६ ॥
त्रैलोक्याधिपतिर्मान्यो विशेषाद्धैहयाधिपः ।
गृहागतोतिथिर्मान्यः कथं घातयितुं क्षमः ॥ ८७ ॥
स्कंदः– ऋषेस्तद्वचनं धर्म्यमप्याकर्ण्याथ तत्क्षणात् ।
तदनादृत्य सा धेनू रुषिता चासृजन्नरान् ॥ ८८ ॥
होमधेनुकृतहुंकृतस्वनान्निर्ययुर्विविध शस्त्रपाणयः ।
ते नराः प्रलयवान्हिसन्निभाः कालमृत्युसदृशास्तथोद्धताः ८९

धेनोर्मुखात्किरातास्ते चक्षुर्भ्यां म्लेच्छजातयः ।
बर्बराः श्रोत्रदेशाभ्यां निर्ययुः शस्त्रपाणयः ॥ ९० ॥
तन्मूत्ररंध्राद् द्रविडास्ततो दग्धनगोपमाः ।
निर्ययुर्गोमयाद्वीराः पुंड्रकास्ते सहस्रशः ॥ ९१ ॥
रोमरंध्रप्रदेशेभ्यो निर्गतैः शस्त्रपाणिभिः ।
धेनोस्तैरमितैरुग्रैरर्जुनस्त्रासितो भृशं ॥ ९२ ॥
ततो निजघ्नुः संक्रुद्धाः शतशोऽथ सहस्रशः ।
ससैन्यमर्जुनं वीरं नानाशस्त्रैर्द्विजोत्तमाः ॥ ९३ ॥
कार्तवीर्यस्ततः क्रुद्धः शस्त्रास्त्रैर्विविधैर्भृशं ।
जघान सचिवैः सार्धं धेनुसृष्टान्धनुर्धरान् ॥ ९४ ॥
विव्यधुस्तेऽर्जुनं वीरा राजानं वा रथान्बहून् ।
धेनुसृष्टास्तथा क्रुद्धास्ते नरा ह्यमितास्त्वरन् ॥ ९५ ॥
शस्त्रास्त्रैर्निहताः शूरैर्म्लेच्छैः कालसमप्रभैः ।
कार्तवीर्योतिरोषेण कालानलसमो बभौ ॥ ९६ ॥
ते प्रसार्याथ वक्त्राणि मृत्युवक्त्रनिभाननाः ।
गजानश्वान् रथान्मेषान् चिक्षिपुः स्वमुखे सुरान् ॥ ९७ ॥
कामधेनुरतिक्रुद्धा कार्तवीर्यस्य पश्यतः ।
तस्य बंधून्सुतामात्यान्सा शृंगाभ्यां व्यदारयत् ॥ ९८ ॥
एवं धेनुशरीरोत्थैः सिंहवीर्यैर्धनुर्धरैः ।
स्वसैन्यं निहतं दृष्ट्वा क्रोधं चक्रे नरेश्वरः ॥ ९९ ॥
म्लेच्छैर्विदारितं सैन्यं ससुतामात्यबांधवं ।
किंचित्तद्ग्रसितं दृष्ट्वा जमदग्निं नृपोब्रवीत् ॥ १०० ॥
राजोवाच । कामधेनुहतं विप्र ससुतामात्यबांधवं ।
स्वसैन्यमतुलं दृष्ट्वा तूष्णींभूतः स्थितोसि किं ॥ १ ॥
एवं ब्रुवाणं राजानं म्लेच्छाद्यास्ते सहस्रशः ।
निजघ्नुरर्जुनं शस्त्रैः सोपि तान्निजघान ह ॥ २ ॥

जमदग्निः— मत्कृतेऽस्याः परं तीव्रमभूत्कष्टं न संशयः ।
यस्याः संदर्शनादेव सर्वकामफलं लभेत् ॥ ३ ॥
तव वध्यो ममाप्येषः सत्यमेतत्सुरेश्वरि ।
कार्तवीर्योर्जुनः संख्ये किं कर्तव्यं मयाऽधुना ॥ ४ ॥

एकवीरा— गृहागतोयमतिथिः पूज्यस्त्विति विचार्य च ।
नावाहयामि परशुरामदेवं शिवांतिकात् ॥ ५ ॥

धेनुरुवाच । याहि याहि परित्यज्य त्वं सहस्रार्जुन द्रुतं ।
मुनिमेनं सुवृत्तं तु दांतं स्वनपराधिनं ॥ ६ ॥

अर्जुनः— किं त्वया त्वरितोऽयं मे कच्चिज्जीवन्विमुंचति ।
जमदग्निर्मुनिर्धनो यच्छ तन्मद्बलं हतं ॥ ७ ॥
स्वशरीरेण धेनो त्वमिमं प्रच्छाद्य तिष्ठसि ।
मुनिं तथाप्यहं त्वां च घातयिष्यामि चासिना ॥ ८ ॥
त्यज मे जमदग्निं त्वं विचरस्व यथासुखं ।
मया हताऽस्यपि क्षिप्रं कथं नाशं गमिष्यसि ॥ ९ ॥
इत्युक्त्वा खड्गमुत्पाद्य रोषेण महताऽऽवृतः ।
अभ्यधावत्ततो हंतुं तावद्धेन्वा निवारितः ॥ १० ॥
तन्मेरुशिखराकारं विबुधानां शिरो महत् ।
तमप्येवं मुनिं शांतं कामधेनुरतिष्ठत ॥ ११ ॥

जमदग्निः— अपसर्प शुभे धेनो त्यज मां हैहयाधिपः ।
यत्करिष्यति तत्तूर्णं करोतु मुखमीश्वरः ॥ १२ ॥

स्कंदः— जमदग्नेरिदं वाक्यं श्रुत्वा ते मुनयः सुराः ।
चकंपिरे भृशं विप्राः शल्यविद्धा इवार्दिताः ॥ १३ ॥

ऋषयः— कार्तवीर्य नृपश्रेष्ठ सर्वेषां नो वचः शृणु ।
त्यज ह्यघ्यामिमां धेनुं मा नाशं व्रज नाज्ञवन् ॥ १४ ॥
अस्माभिर्नीतिशास्त्रेण सर्वैरुक्तोसि चार्जुन ।
न करिष्यसि चेद्वाक्यं तत्कर्तुमपि वांछसि ॥ १५ ॥

मा त्वं ब्रह्मवधं घोरं गोवधं मा कुरुष्व हि ।
ब्रह्महत्यासमं पापं न भूतं न भविष्यति ॥ १६ ॥

पंचेभ्यः पातकेभ्यो वा ब्रह्मगुरुतल्पगौ ।
निषिद्धौ तेन धेनुं त्वं हंतुं किं विप्रमिच्छसि ॥ १७ ॥

गोहत्याब्रह्महत्याभ्यामेताभ्यां त्वमथार्जुन ।
किं करिष्यसि तद् ब्रूहि का गतिस्ते भविष्यति ॥ १८॥

नूनं केयमिति ज्ञातुं तव ज्ञानं न विद्यते ।
रेणुकां जमदग्निं च न जानासि रुषान्वितः ॥ १९ ॥

इति श्रीस्कंदपुराणे सह्याद्रिखंडे रेणुकामाहात्म्ये एकत्रिंशत्तमोऽध्यायः ॥ ३१ ॥

अथ द्वात्रिंशत्तमोऽध्यायः ।

स्कंदः– मुनिभिस्त्वेवमुक्तोपि कार्तवीर्यो मुनीश्वराः ।
रोषेण महता युक्तस्त्विदं वचनमब्रवीत् ॥ १ ॥

राजोवाच । ऋषिणाऽऽदिष्टया धेन्वा ससैन्याः पुत्रबांधवाः ।
सचिवा मे हताः सर्वे मंत्रिणः किमतः परं ॥ २ ॥

यद्यनेन परित्यक्त अमर्षो मुनिना द्विजाः ।
कथमेषा त्वियं धेनुः सक्रुद्धा न निवार्यते ॥ ३ ॥

ऋषयः– अक्रोधनोऽयं जमदग्निश्च सत्यं
नास्यापराधोस्ति सहस्रबाहो ।
शुचिः सदाचाररतो महात्मा
तवोचितं तत्प्रकुरुष्व राजन् ॥ ४ ॥

यस्याः प्रसादात्सुरसिद्धसंघास्
त्वत्वार्थिनो ये वयमत्र विप्राः ।
सर्वे गतास्तृप्तिमखंडितां भो
विध्येकवीरां त्वमचिंत्यरूपां ॥ ५ ॥

या देवमाता त्वदितिश्च गौरी
या गौतमी या च भगीरथी च ।
या धर्मदेवर्षिमहाध्वराणां
तेजो महद्विद्धि त्वमेकवीरा ॥ ६ ॥

या ब्रह्मविद्याऽखिलयोगिनां या
तिष्ठत्यचिंत्या त्वृदयेषु नित्यं ।
या देवमाता त्रिपदा पवित्रा
सा चैकवीरा नृपतिर्विकल्पा ॥ ७ ॥

ब्रह्मा मुखं तद्धृदयं तु यस्या
विष्णुश्च सर्वे मुनयोंगरोमाः ।
कुक्षिप्रदेशादखिलाः समुद्रा
मेरुः शिरोभूः क्रतवोंघ्रियुग्मं ॥ ८ ॥

शिवः स्वयं यो जमदग्निरेषः
सकश्यपस्यापरवेदरूपः ।
या वन्हिकुंडादुदिता सहस्र-
बाहो न जानासि सुराधिनाथ ॥ ९ ॥

इति श्रीस्कंदपुराणे सह्याद्रिखंडे रेणुकामाहात्म्ये द्वात्रिंशत्तमोऽध्यायः ॥ ३२ ॥

अथ त्रयस्त्रिंशत्तमोऽध्यायः ।

स्कंदः– मुनीनां तद्वचः श्रुत्वा कार्तवीर्यो महाबलः ।
रोषेण महताऽऽविष्टस्तूष्णींभूतो बभौ क्षणं ॥ १ ॥
धेनुरत्नहृतश्चैता क्रोधाकुलितविग्रहः ।
विचाराचारनिर्मुक्तः प्रलयाग्निसमोऽभवत् ॥ २ ॥
ततः कृपाणमतुलं परिमार्ज्य मुहुर्मुहुः ।
हैहयाधिपतिस्तूर्णमुत्पपातांबरं जवात् ॥ ३ ॥
कामधेनुरपि क्रुद्धा सहसोत्पत्य चांबरं ।
अवधूय शिरः पद्भ्यां शृंगाभ्यामहनन्नृपं ॥ ४ ॥
स कामधेनुमहनद्रोषेण महतासिना ।
शृंगाभ्यामहनत् खड्गं कामधेनुर्नृपस्य सा ॥ ५ ॥
दैत्येन महता धेनुर्हता धेन्वा स चार्जुनः ।
द्वयोः परस्परं मृत्युर्नास्तीत्येवं शिवोऽब्रवीत् ॥ ६ ॥
ततो विहाय तरसा कामधेनुं मुनीश्वराः ।
हंतुमभ्यगमत्खड्गमुद्यम्य सहसाऽर्जुनः ॥ ७ ॥
मंत्रयित्वा हरन्धेनुं पश्यतस्तमृषेर्बलात् ।
ततस्ते सचिवास्तस्य राज्ञः सर्वे च मंत्रिणः ॥ ८ ॥
तूर्णं गृहीत्वा तां धेनुं निर्ययुस्तत्पुराद्बहिः ।
ततस्ते मुनयः सर्वे सुरगंधर्वकिन्नराः ॥ ९ ॥
जमदग्नेर्हृतां धेनुं ते दृष्ट्वा चुक्रुशुर्भृशं ।
तस्मिन्नेव ततः काले जमदग्नेस्तदग्रतः ।
क्रोधो विग्रहवान्स्थित्वा प्रहसन्वाक्यमब्रवीत् ॥ १० ॥

क्रोधः— यत्त्वयाऽहं परित्यक्तस्तस्येदं कर्मणः फलं ।
तूष्णींभूतोसि किं ब्रह्मंस्त्वं दीनोसि मयाविना ॥ ११ ॥
प्रभवंति न शास्त्राणि वीर्यं तेजश्च पौरुषं ।
अस्त्राणि विविधान्येव पुरुषस्य मयाविना ॥ १२ ॥
किं करोमि मुनिश्रेष्ठ त्यक्तोऽहं सर्वथा त्वया ।
किंचिद्गृहाण मां तूर्णं राज्ञा नीताऽर्जुनी बलात् ॥ १३ ॥
दुःखं दैन्यं भयं घोरं त्वं प्राप्तोसि मया विना ।
ममाद्यापि गृहाणाशु यदि जीवितुमिच्छसि ॥ १४ ॥
शस्त्रास्त्रैर्विविधैरेनं राजानं सगणं रणे ।
निर्दलिष्यसि सर्वांस्तान्यदि मामनुवर्तसे ॥ १५ ॥
इति श्रीस्कंदपुराणे सह्याद्रिखंडे रेणुकामाहात्म्ये त्रयस्त्रिंशत्तमोऽध्यायः ॥ ३३ ॥

अथ चतुस्त्रिंशत्तमोऽध्यायः ।

स्कंदः— इत्युक्तोपि महातेजा क्रोधेन स मुनिस्तदा ।
तूष्णींभूतोऽभवत्तत्र जमदग्निर्मुनीश्वराः ॥ १ ॥
काककोकिलकृष्णांगः क्रोधस्ताम्रारुणेक्षणः ।
जमदग्निं प्रणम्याथ तत्रैवांतरधीयत ॥ २ ॥
नीयमाना तु सा धेनुरर्जुनेन बलीयसा ।
हंबाशब्दं पुनः कृत्वा जमदग्निमुपागमत् ॥ ३ ॥
साऽश्रुपातमुखी दीना कशादंडाश्मभिर्हता ।
जमदग्नेर्निधायाशु ग्रीवां स्कंधे रुरोद सा ॥ ४ ॥
पुनरागम्यत तस्य राज्ञः सर्वे च दौतिकाः ।
दाम्ना बध्वा च तां धृत्वा निर्ययुः शस्त्रपाणयः ॥ ५ ॥

कशादंडप्रहारैस्तैस्ताडिता सा मुहुर्मुहुः ।
रुरोद विस्वरं दीना स्मरमाणा च तं मुनिं ॥ ६ ॥
सा विमुक्ता ततस्तेभ्यो जमदग्नेस्तदग्रतः ।
स्थित्वा मूर्ध्नि मुखं कृत्वा रुरोदातीव दुःखिता ॥ ७॥
ततस्तां दुःखितां दृष्ट्वा कामधेनुं मुनीश्वराः ।
प्रणम्याश्वासयामास जमदग्निः कृपान्वितः ॥ ८ ॥
जमदग्निः– न क्रोधेन विना देवि शक्तोऽहं सुरवंदिनि ।
जेतुं रणाजिरे शत्रुं शस्त्रास्त्रैर्दुष्टचेतसं ॥ ९ ॥
रोषेण चात्रशक्तोऽहं न शक्तो रक्षणेऽधुना ।
किं करोमि बलाद्धीनां त्वामादाय प्रयास्यति ॥ १० ॥
परीक्ष्यातिथिमातिथ्यं नायं घातयितुं क्षमः ।
एतस्मिन्नंतरे क्रुद्धः स सहस्रार्जुनो बली ॥ ११ ॥
मंत्रिभिः प्रेरितः खड्गमुत्पाद्याग्रत आगतः ।
तस्य क्रुद्धस्य राज्ञश्च किल्बिषे सा मतिर्बभौ ॥ १२ ॥
कामधेनुं मुनिं हत्वा नेष्यामीति मुनीश्वराः ।
दाम्ना बध्वा स्वहस्तेन कामधेनुं मुनीश्वराः ॥ १३ ॥
देहि शीघ्रं त्वमप्येनां यदि जीवितुमिच्छसि ।
जमदग्निः– स्वयं नय बलादेनां न दातुं तत्र वै क्षमः ॥ १४ ॥
करोमि किं नृपश्रेष्ठ यन्नैषा गौर्न गच्छति ।
स्कंदः– इत्युक्तो मुनिना तेन संक्रुद्धो हैहयाधिपः ।
भर्त्सयामास तं विप्रं खड्गमुत्पादयन्लघु ॥ १५ ॥
ततो रोषेण महता जमदग्निं मुनीश्वराः ।
तेनासिनाऽतितीक्ष्णेन कार्तवीर्यस्तमाहरत् ॥ १६ ॥
ततश्चुक्रोश सा देवी रेणुकाऽघविनाशिनी ।
अर्जुनेन हतं दृष्ट्वा पतिं च पतिवल्लभा ॥१७ ॥

जमदग्नेः प्रिया भार्या तस्योपर्यपतच्छुभा ।
एकवीरा जगद्धात्री माऽर्जुनेति वचोऽब्रवीत् ॥ १८ ॥
ततः पुनरसौ रोषादसिना मुनिसत्तमं ।
तं जघान तया सार्धमुपस्थित्वैकवीरया ॥ १९ ॥
त्रिःसप्तवारं संक्रुद्धो जमदग्निमथार्जुनः ।
हत्वा तस्य मुनेः क्षिप्रमसिना कायमच्छिनत् ॥ २० ॥
ततस्ते सुरगंधर्वाः सिद्धाश्च परमर्षयः ।
रुरुदुस्तं हतं दृष्ट्वा क्रोशंतस्तेन भार्गवं ॥ २१ ॥
सा त्रिःसप्ताक्षतांगी च रेणुका पतिवत्सला ।
चुक्रोश सुबहूंश्छब्दान्स रामः शृणुयाद्यथा ॥ २२ ॥
एकवीरा जगन्माता मुनिभिः परिवारिता ।
इदमाहार्जुनं देवी वचनं प्रहसन्निव ॥ २३ ॥

रेणुका— ब्रह्मघ्नार्जुन पापिष्ठ किमिदं साहसं कृतं ।
कामधेनुमिमामिच्छन् पापं निरयसाधनं ॥ २४ ॥
हत्वेमं ब्राह्मणं शांतं क्व गतिस्तव मूढ रे ।
को ह भुक्त्वा परान्नं हि हर्तुमिच्छति तद्धनं ॥ २५ ॥

इति श्रीस्कंदपुराणे सह्याद्रिखंडे रेणुकामाहात्म्ये जमदग्निवधो नाम चतुस्त्रिंशत्तमोऽध्यायः ॥ ३४ ॥

अथ पंचत्रिंशत्तमोऽध्यायः ।

स्कंदः— तस्यास्तद्वाक्यमाकर्ण्य तूष्णींभूतो मुनीश्वराः ।
निरैद्रामभयाद्राजा समंतादवलोकयन् ॥ १ ॥
मुनींद्रे निहते तेन कामधेनुर्मुनीश्वराः ।
जगाम स्वर्गमेवासौ क्रंदमाना सुदुःखिता ॥ २ ॥

एकवीरा जगद्वंद्या साध्वी पतिपरायणा ।
यानुच्चैरकरोच्छब्दान् रामस्तानशृणोत्तदा ॥ ३ ॥
तातमातृस्वनान्श्रुत्वा प्रणम्येशं गणेश्वरं ।
पृष्ट्वा तद्धनुरादाय मातुर्गृहमुपागमत् ॥ ४ ॥
स ददर्श ततो रामः पितरं निहतं भुवि ।
तां त्रिःसप्तक्षतांगीं च रेणुकां मातरं सुतः ॥ ५ ॥
तं मृतं पितरं दृष्ट्वा बाष्पव्याकुललोचनः ।
पप्रच्छ मातरं रामः कारणं पितरं वधे ॥ ६ ॥

रामः— मातर्देवजगद्वंद्ये केनेदं दुष्कृतं कृतं ।
त्वयि तिष्ठति तद् ब्रूहि मा शुचस्त्वं मयि स्थिते ॥ ७ ॥
अधुनैव हतः शत्रुर्मया परशुना शरैः ।
क्रव्यादमेदलुब्धैश्च नूनं विपरिकृष्यते ॥ ८ ॥
ससैन्यस्य रणे गृध्राः श्येना गोमायुवायसाः ।
भक्षयिष्यंति मांसानि मातस्त्वं ब्रूहि तं रिपुं ॥ ९ ॥

स्कंदः— ततः परशुरामस्य श्रुत्वा तद्वचनं शुभा ।
प्रहस्य रेणुका तस्य कथयामास तं रिपुं ॥ १० ॥

देवी— आगतोऽत्र नृपो राम कार्तवीर्य इति श्रुतः ।
तस्मै सम्यङ् मयाऽऽतिथ्यं कृतवानादरेण च ॥ ११ ॥
कामधेनुः शुभा तेन भुक्त्वा चैवार्थिता बलात् ।
नीयमानाऽपि सा तेन न जगाम नृपालयं ॥ १२ ॥
कशादंडप्रहारैश्च सचिवैर्निहता शुभा ।
न सा जगाम तद्देशं यत्रासौ सहस्रार्जुनः ॥ १३ ॥
ततः प्रकुपितः शीघ्रमर्जुनो मुनिसत्तमं ।
आकृष्य किल तां राजा जघान पितरं तव ॥ १४ ॥
नहि मे जीवितुं शक्यमनेन पतिना विना ।
मां त्रिःसप्तक्षतांगीं च पश्य राम धनुर्धर ॥ १५ ॥

रामः— त्रिःसप्तकृत्वः पृथिवीं देवि निःक्षत्रियामहं ।
करिष्यामि न संदेहो मातस्त्वत्कृतकौतुकं ॥ १६ ॥
शतानि दश बाहूनामर्जुनस्य सुरेश्वरि ।
पश्यतां सर्वदेवानां छेदयिष्यामि सायकैः ॥ १७ ॥
शिरस्तालफलाकारमर्जुनस्य रणे शुभे ।
अधुनैव हनिष्यामि मातः परशुना लघु ॥ १८ ॥
एकवीरा— सत्यमुक्तं त्वया वत्स प्रतिज्ञातं च यद्गिरा ।
पितृभक्त्या च संस्कारं कृत्वा तत्सफलं कुरु ॥ १९ ॥
राम तिष्ठति चाकाशे पृथिव्यां यत्र पुत्रक ।
श्रोष्यसि त्वं यदा वाचं तत्र संस्कर्तुमर्हसि ॥ २० ॥
पितरं चैकतः क्षिप्त्वा मां तुलायां तथैकतः ।
गृहीत्वा नय तत्राशु श्रोष्यसि त्वं सतां गिरं ॥ २१ ॥
यत्राचार्यो भवेद्वत्स सर्वशास्त्रविशारद ।
तेनैव सहितो भक्त्या प्रतिष्ठां तं कुरु द्वयोः ॥ २२ ॥
इति श्रीस्कंदपुराणे सह्याद्रिखंडे रेणुकामाहात्म्ये पंचत्रिंशत्तमोऽध्यायः ॥ ३५ ॥

अथ षट्त्रिंशत्तमोऽध्यायः ।

स्कंद उवाच । इत्युक्तो रामदेवस्तु तया मात्रा द्विजोत्तमाः ।
आरोपयत्तुलायां तां मातरं पितरं तथा ॥ १ ॥
तामादाय तुलां स्कंधे रामो धर्मभृतां वरः ।
संस्कर्तुं पितरं भक्त्या कन्याकुब्जाश्रमान्निरैत् ॥ २ ॥
जगाम विरजादीनि तीर्थान्यायतनानि च ।
पर्वतान्विविधाकारान्द्वीपांस्तोयनिधिस्थलान् ॥ ३ ॥

जगाम रामस्त्वरितः संस्कर्तुं पितरं क्षणात् ।
स क्षणादलर्कीग्रामे दत्तात्रेयाश्रमं शुभं ॥ ४ ॥
मुनिभिः संवृतो रामः क्षिप्रमागमदच्युतः ।
सुरसिद्धमुनींद्रैस्तैः किन्नरोरगचारणैः ॥ ५ ॥
वृतः संस्तूयमानस्तु रामो मातरमीक्षयत् ।
ततः सह्याद्रिं संप्राप्य गुरुभक्तिपरायणः ॥ ६ ॥
सा खे परशुरामं तं वागुवाचाशरीरिणी ।
भो भो परशुराम त्वमत्रैव विधिवत्कुरु ॥ ७ ॥
दत्तात्रेयेण सहितः पितुः संस्कारमादरात् ।
रामः सह्याचले रम्ये श्रुत्वा तां वाचमंबरे ॥ ८ ॥
अवतीर्य तुलां तत्र समंतादवलोकयत् ।
स ददर्श ततो रम्यमाश्रमं मुनिभिर्वृतं ॥ ९ ॥
दत्तात्रेयस्य तं रामः कंदमूलफलान्वितं ।
स तं दृष्ट्वाभिवाद्याथ पानपात्रधरं मुनिं ॥ १० ॥
प्रमदैकं विवस्त्रं च प्रार्थयामास भार्गवः ।

रामः— कृपां कुरुष्व मे स्वामिन्यदि त्वं भक्तवत्सलः ।
आगतोस्म्यत्र संस्कर्तुं पितरं ब्रूहि मे विधिं ॥ ११ ॥

दत्तात्रेय उवाच । न जानामि विधिं ब्रह्मन्धर्मं वाऽधर्ममेव वा ।
यथेष्टं धर्ममाश्रित्य स्थितोहमतिदुःखितं ॥ १२ ॥

रामः— धर्माधर्मौ विजानासि त्वमेव मुनिसत्तम ।
त्वमेव सर्वदेवानां योगिनां परमो गुरुः ।
योगीश्वरस्त्वमेवैकस्त्राता त्वमिति मे मतिः ॥ १३ ॥

दत्तात्रेयः— दिगंबरेयं प्रमदा ममाहं च दिगंबरः ।
न जानामि विधिं नूनं मदिरास्वादलालसः ॥ १४ ॥
अस्पर्श्योहमसंभाव्यो दुर्वृत्तः कुलपांसनः ।
संस्कारं विधिवत्कर्तुं न जानामि द्विजोत्तम ॥ १५ ॥

स्कंदः— इत्युक्त्वा तूर्णमुत्थाय दत्तात्रेयो वरासनात् ।
प्रणम्य रेणुकां भक्त्या संतुष्टाव कृतांजलिः ॥ १६ ॥
दत्तात्रेयः— देवि मातस्त्वमेवैका वंदनीया सुरेश्वरि ।
त्वं हि वाणीसु दुर्लक्ष्या योगिनां हृदयेषु च ॥ १७ ॥
त्वं नौर्विश्वातिमां लोके प्राणिनां भवसागरे ।
एकवीरा त्वमेवैका त्रैलोक्ये सचराचरे ॥ १८ ॥
एकैवानेकरूपेषु या स्थिताऽसि नमोस्तु ते ।
इति स्तुत्वैकवीरां तां जमदग्नेर्मृतस्य च ॥ १९ ॥
पादौ प्रणम्य शिरसा राममाह ऋषिर्वचः ।
दत्तात्रेयः— त्वं कृत्वैवाधुना स्नानं सर्वतीर्थजलेषु च ।
मया तु शासितः स्वामिन्संस्कारं विधिवत्कुरु ॥ २० ॥
इति श्रीस्कंदपुराणे सह्याद्रिखंडे रेणुकामाहात्म्ये जमदग्निसंस्कारो नाम षट्त्रिंशत्तमोऽध्यायः ॥ ३६ ॥

अथ सप्तत्रिंशत्तमोऽध्यायः ।

स्कंदः— तेनैव मुनिना रामः सर्वधर्मभृतां वरः ।
विनम्य तद्धनुर्दिव्यं संदधे विपुलं शरं ॥ १ ॥
रामस्तेन शरेणाथ भित्त्वा सह्याचलं क्षणात् ।
आनयत्सर्वतीर्थानि भुक्तिमुक्तिप्रदानि च ॥ २ ॥
तत्र गोदावरी गंगा यमुना च सरस्वती ।
देवी भागीरथी गंगा तुंगभद्रा च नर्मदा ॥ ३ ॥
प्रयागं पुष्करं तत्र पुण्यं चैव गयात्रयं ।
एतान्यन्यानि तीर्थानि रामस्तत्रानयद्द्रुतं ॥ ४ ॥
स्वामितीर्थे ततः स्नात्वा रामः कृत्वा प्रदक्षिणं ।
संस्कारं च पितुश्चक्रे समिद्धे जातवेदसि ॥ ५ ॥

रेणुका सा जगन्माता सर्वाभरणभूषिता ।
दत्तात्रेयमथाहूय रामं वचनमब्रवीत् ॥ ६ ॥
एकवीरोवाच– स्वस्थानं गंतुमिच्छामि सह भर्त्रा सुरेश्वर ।
गुरुदेवद्विजान्याहि प्रतिज्ञां सफलां कुरु ॥ ७ ॥
स्कंदः– इत्युक्तः स तया मात्रा रामः शस्त्रभृतां वरः ।
स्नेहगद्गदया वाचा रेणुकामिदमब्रवीत् ॥ ८ ॥
रामः– नहि शक्ष्याम्यहं मातस्त्वदृते वस्तुमुत्तमे ।
अस्मिन्सह्याचले रम्ये शोभितेऽपि सुरर्षिभिः ॥ ९ ॥
रेणुका– सर्वतीर्थैः सुरैः सर्वैर्मुनींद्रैः सिद्धकिन्नरैः ।
सहिताऽत्रैव विश्रामं करिष्यामि न संशयः ॥ १० ॥
एवमुक्त्वा जगन्माता रेणुका सा पतिव्रता ।
पश्यतां मुनिदेवानां प्रविवेश हुताशनं ॥ ११ ॥
पुष्पवर्षोऽभवत्तत्र रेणुकायास्तदोपरि ।
सहसा शंखभेरीणामंबरे निनदो महान् ॥ १२ ॥
सुगंधचंदनैर्दिव्यैः सिषिंचुश्चाप्सरोगणाः ।
तुष्टुवुर्मुनयो देवाः प्रसन्नमनसोऽबरे ॥ १३ ॥
गंधर्वास्ते जगुर्हृष्टास्तस्याश्चरितमद्भुतं ।
मृदंगशंखवीणास्तु वादयंतः कलस्वनाः ॥ १४ ॥
रामः कृत्वाऽपि संस्कारेन पितृमात्रोर्मुनीश्वराः ।
दत्तात्रेयेण सहितस्त्वाह्वानमकरोत्तयोः ॥ १५ ॥
साऽचिरेणैव कालेन स्वयं तत्रैव रेणुका ।
उदतिष्ठत्सुरैः सार्धं जमदग्निर्मुनीश्वराः ॥ १६ ॥
रामो गणेश्वरो भूत्वा गृहीत्वा परशुं करे ।
रूपेणैकेन सोतिष्ठद्रेणुकायाः समीपतः ॥ १७ ॥
सह्याचलस्थितां देवीं रामः प्रत्यक्षरूपिणीं ।
कार्तवीर्यवधार्थं मे ह्यनुज्ञां बांधवान्वितः ॥ १८ ॥

मात्राऽऽदिष्टोऽथ पित्रापि रामः शस्त्रभृतां वरः ।
दृष्ट्वा तानभिवाद्याशु देवर्षीनभिवादयन् ॥ १९ ॥
सुरर्षिदेवयक्षास्ते रामादिष्टास्ततो मुदा ।
तस्थुर्लिंगमये दिव्ये रेणुकापुण्यविग्रहे ॥ २० ॥
तस्थौ मेरुर्महाशैलो हिमवान्मलयस्तथा ।
श्रीशैलपर्वताः सर्वे तस्थू रेणुकलेवरे ॥ २१ ॥
तस्मिन्सर्वाणि तीर्थानि मातुर्देहेऽद्भुतानि च ।
रेणुकायास्तदा स्थित्वा ह्युपासांचक्रिरे मुदा ॥ २२ ॥

इति श्रीस्कंदपुराणे सह्याद्रिखंडे रेणुकामाहात्म्ये सप्तत्रिंशत्तमोऽध्यायः ॥ ३७ ॥

अथ अष्टत्रिंशत्तमोऽध्यायः ।

स्कंदः— एवं परशुरामोऽथ तयोः कृत्वा विधानतः ।
आवाहनं च संस्कारं प्रणाममकरोन्मुदा ॥ १ ॥
पूजां कृत्वा तयोर्भक्त्या ब्राह्मणैः स्वस्ति वाच्य च ।
भोजयित्वा ऋषीन्देवान्दत्तात्रेयमपूजयत् ॥ २ ॥
ब्राह्मणेभ्योऽथ रत्नानि वासांसि रुचिराणि च ।
गजानश्वान् रथान्देशान्प्रादात्तेभ्योऽथ भार्गवः ॥ ३ ॥
कोशरत्नानि सर्वाणि शुभान्याभरणानि च ।
ब्राह्मणेभ्यो धनं रामः सर्वं प्रादान्महायशाः ॥ ४ ॥
गोमहिष्यादिकं सर्वं ब्राह्मणेभ्यो मुनीश्वराः ।
मातापित्रोस्तदा भक्त्या रामः प्रादात्सुरेश्वरः ॥ ५ ॥
एवं पूज्य द्विजान्भक्त्या ब्रह्मेंद्रप्रमुखान्सुरान् ।
तर्पयित्वा पितॄन्रामो रेणुकामिदमब्रवीत् ॥ ६ ॥

रामः— देवि स्वामिनि गच्छामि पुरीं माहिष्मतीमहं ।
हंतुं तमधुना दुष्टमर्जुनं सगणं रणे ॥ ७ ॥
अनुज्ञातस्त्वया मातः पापात्मपितृघातकं ।
पश्यतां मुनिदेवानां हनिष्याम्यर्जुनं रणे ॥ ८ ॥
देव्युवाच— त्वं ज्ञातोसि मया नूनं ज्ञानगम्यः परात्परः।
स्वयं त्वमुच्यते रामो गुरुभक्तिपरायणः ॥ ९ ॥
हत्वा तमर्जुनं संख्ये तूर्णमागंतुमर्हसि ।
कार्यमारभ्य भो राम त्वया किंचिद्भविष्यति ॥ १० ॥
धन्योसि कृतकृत्योसि येन मातृगृहे शुभं ।
न पुमांस्त्वत्समः सत्यं यत्कृत्यं तत्कुरु द्रुतं ॥ ११ ॥
स्कंदः— तयैकवीरया रामस्त्वनुज्ञातः प्रणम्य तां ।
धनुः परशुमादाय सोत्पपातांबरं जवात् ॥ १२ ॥
ततो मातृगृहाद्रामः संक्रुद्धः परवीरहा ।
निरैर्माहिष्मतीं हतुं सहस्रार्जुनमाहवे ॥ १३ ॥
स्कंदः— स ददर्श ततो रामः पथि नारदमंबरात् ।
अवनीतलमायातमुद्यंतमिव भास्करं ॥ १४ ॥
तं परिष्वज्य बाहुभ्यां नारदो भगवानृषिः ।
अभिवंद्य प्रणम्याशु रामं वचनमब्रवीत् ॥ १५ ॥
नारदः— राम राम शृणुष्वेदं यद्ब्रवीमि शुभेक्षण ।
तच्छ्रुत्वैवाधुना किंचित्कर्तुमर्हसि सुव्रत ॥ १६ ॥
गंगां तु नर्मदां पुण्यां सुरसिद्धर्षिसेवितां ।
कुणपैर्दूषितां राम कुरुष्व निरुपद्रवां ॥ १७ ॥
अर्जुनेन यदा शंभुस्तपसाऽऽराधितः पुरा ।
प्रार्थितश्च तदा तेन प्रेतानि गिरिजापतेः ॥ १८ ॥
तत्प्रेतान्यर्जुनेनैव विकृतान्यशुभानि च ।
तान्यभिद्रुत्य भूतानि पातयंती बिभीषया ॥ १९ ॥

भेदयित्वा तु वक्षांसि ह्यसृङ्मेदोवसादिकं ।
भक्षयंति सुरश्रेष्ठ मांसमेतद्यथासुखं ॥ २० ॥

रामः— क्व निवासोस्ति भूतानां यैरियं दूषिता नदी ।
यदि जानासि देवर्षे तानि तूर्णं प्रदर्शय ॥ २१ ॥

स्कंदः— इत्युक्तो नारदस्तेन रामेण भगवानृषिः ।
तं देशमगमद्यत्र कुणपानि वसंति वै ॥ २२ ॥
गम्यमानौ ततः क्षिप्रमुभौ तौ रामनारदौ ।
प्रदह्शुर्दिशः सर्वाः समीरैणातिसंवृताः ॥ २३ ॥
जग्मतुर्विस्मयं दृष्ट्वा तौ तस्मिन्गिरिगव्हरे ।
तत्पयोधिवनं घोरमद्भुतं रोमहर्षणं ॥ २४ ॥
क्रूरपक्षिभिराकीर्णं क्रव्यादैर्वनचारिभिः ।
मांसलुब्धनिनादैश्च व्याघ्रसर्पवृकादिभिः ॥ २५ ॥
सघोषं भैरवं भाति प्रतिशब्दकृतं यथा ।
शिलाशिखरबद्धैश्च बलैः प्रेतावलंबितैः ॥ २६ ॥
यथाकालसुखं घोरं निर्जलं तद्वनं महत् ।
प्रविश्य नारदं रामः प्रहस्येदमुवाच तं ॥ २७ ॥

रामः— पश्य नारद देवर्षे मद्बाहुबलमीदृशं ।
येनाहं नाशयिष्यामि प्रेतानि गिरिकंदरे ॥ २८ ॥
एवं संभाषमाणं तं न्यग्रोधादशुभानि च ।
बलाद्धर्षयितुं राममाजग्मुरवतीर्य च ॥ २९ ॥
बिभीषिकाभिरुग्राभिरभिद्रुत्याथ बाहुभिः ।
यावद्रामो गृहीतस्तैस्तावत्परशुमाददे ॥ ३० ॥
स तान्प्रक्षिप्य सहसा कुठारेण बलीयसा ।
चकार विलयं कोपात्सुपर्णः पन्नगानिव ॥ ३१ ॥
तानि शतसहस्राणि प्रेतानि मुनिसत्तमाः ।
हतान्येकेन रामेण पश्यतो नारदस्य च ॥ ३२ ॥

विकृतानि च घोराणि पतितानि महीतले ।
ससृजुर्विकृतान्नादान् राम पाहीति चाब्रुवन् ॥ ३३ ॥
तिष्ठ तिष्ठेति संप्रोचुः कानिचिद्विकृतानि वै ।
तथान्यान्यपि तान्येवं राम रामेति चुक्रुशुः ॥ ३४ ॥
अंबरात्पुष्पवर्षोऽभूद्रामदेवस्य मूर्धनि ।
सुरदुंदुभयो नेदुर्मृदंगपणवादयः ॥ ३५ ॥
स्तुवंति रामं स्तुतिभिः सुरसिद्धर्षिकिन्नराः ।
स्कंदः— ततो विस्मयमापन्नस्तं दृष्ट्वा रामविक्रमं ।
नारदो राममाश्लिष्य प्रणम्याह तदग्रतः ॥ ३६ ॥
नारदः— राम देव निबोध त्वं यद्ब्रवीमि सुरेश्वर ।
न हि तं खलु पश्यामि त्वत्प्रतीमबलोऽभवत् ॥ ३७ ॥
ज्ञातोसि स मया नूनं हरिस्त्रिभुवनेश्वरः ।
राक्षसानसुरान्हत्वा येनेयमवनी धृता ॥ ३८ ॥
मत्स्यकूर्मादिभिर्येन रूपैस्त्रैलोक्यमुत्धृतं ।
रामदेवस्त्वया वीर लीलयाच विचार्यते ॥ ३९ ॥
स्कंदः— एवमभ्यर्च्य तं रामं परिष्वज्य मुहुर्मुहुः ।
रामेण सहितः प्राप्तो नारदोऽथाऽऽशु नर्मदां ॥ ४० ॥
गंगां प्रणम्य तौ भक्त्या तटमासाद्य संस्थितौ ।
ददर्शतुरुभौ रम्यं तापसाश्रममुत्तमं ॥ ४१ ॥
मार्कंडेयमृषिं दृष्ट्वा तत्र तौ रामनारदौ ।
हृष्टौ बभूवतुः प्रेम्णा तं प्रणम्याभितस्थतुः ॥ ४२ ॥
धन्योहमिति तत्त्वज्ञः प्रणम्याभ्यर्च्य भक्तितः ।
रामं प्रदक्षिणं कृत्वा मार्कंडेयोऽब्रवीदिदं ॥ ४३ ॥
मार्कंडेयः— स्वागतं ते मुनिश्रेष्ठ ज्ञातोहं राम दर्शनात् ।
यस्त्वं ममाश्रमं प्रेम्णा नारदेन समागतः ॥ ४४ ॥

स्मरंतस्त्वां हृषीकेश वयं सर्वे त्वहर्निशं ।
रम्ये गंगातटे पुण्ये संस्थिताःस्म पृथक् पृथक् ॥ ४५ ॥
रामः— किं मोहयसि मामत्र प्रभो सन्मुनिसत्तमाः ।
नारदं स्तुहि देवर्षिं ब्रह्माणमथवा हरिं ॥ ४६ ॥
नारदः— त्वां यजंति महात्मानस्त्वां ध्यायंति च योगिनः ।
त्वदृते नापरं किंचिद्रामदेव नमोऽस्तु ते ॥ ४७ ॥
मार्कंडेयः— ममाश्रमपदं नाथ सत्यकामवचः शृणु ।
अभिभूय बलाद्भग्नमर्जुनेन बलीयसा ॥ ४८ ॥
त्रैलोक्यमखिलं देवदैत्यदानवराक्षसैः ।
अभिभूतं च बलिभिस्त्वयि नाथे स्थिते प्रभो ॥ ४९ ॥
तदेको नवदुर्गेऽस्मिन् राक्षसो विकृतेक्षणः ।
क्रव्यादः किल्बिषः क्रूरो मांसपुष्टोतिभीषणः ॥ ५० ॥
भयक्षन्मुनिमांसानि शूलपाणिर्निशाचरः ।
निरुध्यैनं बलान्मार्गं सदा तिष्ठति खेचरः ॥ ५१ ॥
तदद्यैव मम प्रीत्या नारदेन सहाधुना ।
अंतरिक्षचरं घोरं राक्षसं हंतुमर्हसि ॥ ५२ ॥
इत्युक्तः स तु रामोऽथ मार्कंडेयेन धीमता ।
उत्पत्य गगनं तूर्णमाव्हयामास राक्षसं ॥ ५३ ॥
तच्छब्दश्रवणात्तूर्णमाजगाम निशाचरः ।
भ्रामयन् शूलमत्युग्रं यत्र रामः सुरेश्वरः ॥ ५४ ॥
तं दृष्ट्वाऽचलसंकाशं राक्षसं विकृतेक्षणं ।
क्षिप्रं परशुरामोऽथ संदधे विपुलं शरं ॥ ५५ ॥
तं विव्याध ततः क्रूरो राक्षसं रेणुकात्मजः ।
लीलयैवोरसि क्षिप्रं शरेणैकेन भो द्विजाः ॥ ५६ ॥
स विद्धस्तेन बाणेन रामेणोरसि राक्षसः ।
भ्रममाणोऽचिरं क्षिप्रं नीतो माहिष्मतीं पुरीं ॥ ५७ ॥

त्वत्प्रदेशस्थितेनासौ रामबाणेन राक्षसः ।
तं ददर्शार्जुनो व्योम्नि भ्रममाणं यथाऽचलं ॥ ५८ ॥
स विस्मितमनाः क्रूरं राक्षसं हैहयाधिपः ।
दृष्ट्वा किमेतदाश्चर्यमुवाच सचिवान्प्रति ॥ ५९ ॥
राजा तैरेवमप्युक्तो न विद्मः किं त्विदं त्विति ।
स तु रामेषुणा तूर्णं भ्राम्यमाणो निशाचरः ॥ ६० ॥
निपपात पुरद्वारे वज्राहत इवाचलः ।
पतता तेन विप्रेंद्राः पुरी माहिष्मती तदा ॥ ६१ ॥
चचाल साच भूः सर्वा भग्नप्रासादमंदिरा ।
तदत्यद्भुतमत्युग्रमनिष्टमिदमेव सः ॥ ६२ ॥
कार्तवीर्यस्ततो मत्वा ध्यानमेवागमच्चिरं ।

इति श्रीस्कंदपुराणे सह्याद्रिखंडे रेणुकामाहात्म्ये अष्टत्रिंशत्तमोऽध्यायः ॥ ३८ ॥

अथ एकोनचत्वारिंशत्तमोऽध्यायः ।

स्कंदः— दृष्ट्वा परशुरामस्य तत्कौतुकमहाद्भुतं ।
सुरगंधर्वऋषयस्तुष्टुवुः पुष्पवृष्टयः ॥ १ ॥
नारदोपि मुदा रामं परिष्वज्य सुहृत्तया ।
प्रणम्य चाग्रतः स्थित्वा प्रोवाचेदं कृतांजलिः ॥ २ ॥

नारदः— इतः स्थानांतरं राम गंतव्यमविलंबितं ।
क्षिप्रमेष्यामि तां दृष्ट्वा हैहयाधिपतेः पुरीं ॥ ३ ॥
इत्युक्त्वा नारदो रामं प्रणम्य स निरैत्पुरीं ।
स रामो नर्मदायां च चक्रे स्नानादिकाः क्रियाः ॥ ४ ॥
ततोऽनिष्टं महद् दृष्ट्वा क्षिप्रं माहिष्मतीश्वरः ।
समाहूय नृपान्सर्वान्प्रोवाचेदं त्वरान्वितः ॥ ५ ॥

अर्जुनः– उत्तुंगशैलसंकाशैर्गजैरश्वैर्नरैर्नृपाः ।
रथैः समन्विताः शूरैस्तूर्णमागम्यतामिह ॥ ६ ॥
दृढबंधकपाटानि महापरिघवंति च ।
द्वारेषु क्षिप्यतां तूर्णं प्राकारेष्ववरुध्यतां ॥ ७ ॥
के वयं के परे दुष्टास्त्विति पश्यंत्वहर्निशं ।
पुरस्यांतर्बहिर्देशे चाराग्त्रिभुवनेऽपि ये ॥ ८ ॥
ततो दृष्ट्वाऽथ ते सर्वे राजानो दृढविक्रमाः ।
स्वबलैः संवृतास्तस्थुः कार्तवीर्यस्य सन्निधौ ॥ ९ ॥
सोपि सिंहासनारूढो गृहीतपरमायुधः ।
कार्तवीर्यस्ततः सर्वा दिशः समवलोकयत् ॥ १० ॥
अवलोक्य दिशः सर्वाः स सुरासुरदुर्जयः ।
कार्तवीर्यस्ततः सुप्तः कुतुकं तन्निवेदयत् ॥ ११ ॥
निशायामद्य यत्सुप्ते कौतुकं भो द्विजोत्तमाः ।
दृष्टं वक्ष्यामि तत्सर्वं श्रूयतां सचिवैः सह ॥ १२ ॥
दृष्टं निर्भुजमात्मानं भो छिन्नशिरसं तथा ।
मुंडं दिगंबरं विप्राः ख्यायतां मे यथा तथा ॥ १३ ॥
इयं राकावती नग्ना कंठे बद्धा च भो द्विजाः ।
क्रंदमाना च जननी दिशं याम्यां जगाम भो ॥ १४ ॥
पुरी माहिष्मती चेयं गजवाजिसमाकुला ।
निमग्ना सागरे घोरे भग्नप्राकारमंदिरा ॥ १५ ॥
आसने शयने याने भोजने नारीसंगमे ।
तमेव विप्रं पश्यामि यो मया निहतः पुरा ॥ १६ ॥
क्षीरवारिघृताब्धेषु तं छिन्नशिरसं द्विजाः ।
पश्यामि प्रमदायुक्तं स्वप्ने त्वासिविदारितं ॥ १७ ॥
विप्रा ऊचुः– यदि त्वत्तो भयं राजन् सर्वेषां नो भविष्यति ।
स्वप्नार्थं कथयिष्यामः सर्वे शृणुत जनेश्वराः ॥ १८ ॥

अर्जुनः– कथयंतु भवंतो मे स्वप्नार्थं निर्भयं द्विजाः ।
ईश्वराज्ञामिमां विप्राः सत्यमेतन्मयोदितं ॥ १९ ॥
विप्राः– अपराधविहीनोपि जमदग्निः प्रियाऽन्वितः ।
यत्त्वया निहतो राजन्स्वप्नोयं तस्य कर्मणः ॥ २० ॥
ब्रह्महत्यासमं पापं न भूतं न भविष्यति ।
जमदग्निर्हतो राजंस्तस्य चेदं निदर्शनं ॥ २१ ॥
श्रूयते तस्य पुत्रैकस्त्रिषु लोकेषु विश्रुतः ।
बली परशुरामेति क्षिप्रमत्रागमिष्यति ॥ २२ ॥
तद्रक्षस्वात्मनाऽऽत्मानं नूनं नास्त्यत्र संशयः ।
बलमादेशत क्षिप्रं पुरस्यास्य समंततः ॥ २३ ॥
विप्राणां तद्वचः श्रुत्वा स सहस्रार्जुनो बली ।
समादिश्य सुतान्चारान्नानामार्गेषु सत्वरम् ॥ २४ ॥
गजानां नित्यमत्तानां तिस्रः कोट्यः समादिशत् ।
अश्वानां पंच कोट्यस्तु रथानां षट् तथा द्विजाः ॥२५॥
दश कोट्यः पदातीनां तस्याः कोट्यस्तु रक्षणे ।
चाराः– क्षिप्रं त्रैलोक्यमस्माभिश्चरितं हैहयाधिप ॥ २६ ॥
कश्चिन्नास्ति बलं शत्रुर्दृश्यते मत्सरी क्वचित् ।
इदं त्वयैव भोक्तव्यं त्रैलोक्यं नाऽत्र संशयः ॥ २७ ॥
शत्रुमूर्ध्नि पदं दत्वा स्वामिन्बाहुबलेन च ।
स नास्ति त्रिषु लोकेषु यस्त्वया निहतो रणे ॥ २८ ॥
त्वमेवैकः परः शूरस्त्रैलोक्ये सचराचरे ।
अर्जुनः– सद्गुरुः शूलपाणिर्वा दत्तात्रेयोपि वा रणे ॥ २९ ॥
न शक्नोति रणे जेतुं सेंद्रा देवा निशाचराः ।
एवं संभाषमाणस्तु कार्तवीर्यो बहूनि च ॥ ३० ॥
अनिष्टान्यद्भुतान्यग्रे ददर्श मुनिसत्तमाः ।
देवः शोणितवर्षेण ववर्ष भवनोपरि ॥ ३१ ॥

कबंधान्यंतरिक्षे च शिरांसि विकृतानि च ।
भ्रमंति चक्रवेगेन क्रंदमानानि भो द्विजाः ॥ ३२ ॥
एकव्याघ्रवराहादिशिवा गोमायुवायसाः ।
कार्तवीर्यपुरद्वारि व्याहरंत्यशुभानि च ॥ ३३ ॥
एतानि दृष्ट्वा चान्यानि ह्यनिष्टान्यशुभानि च ।
कार्तवीर्यः स्वरोषाद्वै प्रलयाग्निसमोऽभवत् ॥ ३४ ॥
सहस्रदोर्भिर्दिव्यानि शस्त्राण्यादाय सत्वरः ।
स दिव्यबद्धसन्नाहसन्नद्धोऽभवदर्जुनः ॥ ३५ ॥
ततो माहिष्मतीं क्षिप्रमागम्यांतः प्रविश्य च ।
पुरीमालोकयामास रामचारः स नारदः ॥ ३६ ॥
चारिता नगरी तेन नारदेन महात्मना ।
सर्वेऽपि च कदाप्येतन्न जानीयुर्विचक्षणाः ॥ ३७ ॥
पुरीं निरीक्ष्य सजनां स सहस्रार्जुनोग्रतः ।
नारदस्त्वरितो राममागम्येदं वचोब्रवीत् ।

नारदः— राम स्वामिन्प्रभो क्षिप्रमागंतव्यं धनुर्धर ।
धनुषः स्वननिर्घोषं कुरुष्व त्वं वने स्थितः ॥ ३८ ॥

स्कंदः— स्नानं कृत्वा च गंगायां तेनोक्तो मुनिना द्विजाः ।
गुरुदेवद्विजानां च पूजयामास भक्तितः ॥ ३९ ॥
ततोऽचिरेण कालेन हैहयाधिपतेः पुरीं ।
प्राप्य रामो वने स्थित्वा धनुर्गुणमवादयत् ॥ ४० ॥
सहसा धनुषः शब्दमशृणोद्धैहयाधिपः ।
स्थितः सिंहासने रम्ये विस्फाटमशनेरिव ॥ ४१ ॥
ततो घोरतरः शब्दः स बभूव मुहुर्मुहुः ।
रामस्य धनुषो येन त्रैलोक्यमगमद्भयं ॥ ४२ ॥
श्रुत्वा तं धनुषः शब्दं समीपे सहसाऽर्जुनः ।
उत्पपातासनात्तूर्णं खड्गमादाय सत्वरः ॥ ४३ ॥

मंत्रिणः सचिवानन्यान्सुहृत्पुत्रान्सुहृत्सखीन् ।
तानाहूयार्जुनः क्षिप्रं पप्रच्छ धनुषः स्वनं ॥ ४४ ॥
अर्जुनः— बहवो धनुषः शब्दाः स्वयं घोराः श्रुता मया ।
एतस्य धनुषः शब्दाः सर्वे शृण्वंतु तत्त्वतः ॥ ४५ ॥
इत्युक्तास्तेन ते सर्वे मंत्रिणः सचिवा दयाः ।
श्रुत्वा तद्धनुषः शब्दं राजानमिदमब्रुवन् ॥ ४६ ॥
मंत्रिणः— धुन्वतेयं मही राजन् भ्रमणाच्चानुमीयते ।
तद् ध्रुवं नास्ति संदेहो महानयमुपप्लवः ॥ ४७ ॥
आत्मनो लंघितां चेत्थमुल्लंघ्य जलधिः स्वयं ।
गर्जन् गंभीरनादैश्च त्रैलोक्यं नेष्यति क्षयं ॥ ४८ ॥
वादयन् शूलपाणिर्वा हृषितः सोऽसुरान्प्रति ।
पिनाकं तद्धनुर्दिव्यं कैलासं तिष्ठति स्वयं ॥ ४९ ॥
अथवा देवराजस्य भुवने श्रोत्रघंतिनः ।
नगांताः सरितः क्षिप्रमासने सहसोत्थितः ॥ ५० ॥
अस्माभिरधुना नूनं लक्षितो धनुषः स्वनः ।
शार्ङ्गपाणिर्नृपश्रेष्ठ त्वषितस्यासुरान्प्रति ॥ ५१ ॥
स्कंदः— इत्युक्तो मंत्रिभिः सर्वैर्बंधुभिर्हैहयाधिपः ।
शृण्वंस्तु धनुषः शब्दं तूर्णं प्राकारमारुहत् ॥ ५२ ॥
त्वरितस्तमथारुह्य प्राकारं गगनोन्नतं ।
मंत्रिभिः सहितो भूपः समंतादवलोकयत् ॥ ५३ ॥
स ददर्शार्जुनः श्रीमान्द्विजमप्रतिमं ततः ।
जमदग्निसुतं रामं मंडलीकृतकार्मुकं ॥ ५४ ॥
बद्धगोधांगुलित्राणं शितबाणं धनुर्धरं ।
दृष्ट्वा तं सहसा रामं राजा विस्मयमागमत् ॥ ५५ ॥
प्राकाराग्रे स्थितं रामो दृष्ट्वा तं हैहयाधिपं ।
युद्धाय हैहयो धन्वी करेण बहिराऽह्वयत् ॥ ५६ ॥

रामः– ब्रह्मघ्नार्जुन पापिष्ठ पश्य विप्रस्य मे बलं ।
करानुत्पाटयिष्यामि कथं वै ब्राह्मणो हतः ॥ ५७ ॥
अद्य मद्बाणभिन्नस्य पतितस्य तवार्जुन ।
भक्षयिष्यंति मांसं ते गृध्रडांबूकवायसाः ॥ ५८ ॥
श्वापदाः सर्वगात्राणि भक्षयिष्यंति तेऽधुना ।
विभक्तानि कुठारेण मया समरमूर्धनि ॥ ५९ ॥
जमदग्नेरहं पुत्रो ब्रह्मघ्नं त्वां न संशयः ।
पश्यतां सर्वदेवानां घातयिष्यामि सायकैः ॥ ६० ॥
मद्दृष्टिमार्गणैर्भिन्नस्त्वं पापिष्ठ न मोक्ष्यसे ।
अधुनैव हनिष्यामि युद्धं देहि ममार्जुन ॥ ६१ ॥
इति श्रीस्कंदपुराणे सह्याद्रिखंडे रेणुकामाहात्म्ये एकोनचत्वारिंशत्तमोऽध्यायः ॥ ३९ ॥

अथ चत्वारिंशत्तमोऽध्यायः ।

स्कंदः– ततः परशुरामस्य तद्वाक्यं जलदोपमं ।
श्रुत्वा चुकोप बलवान् शल्यविद्ध इवार्जुनः ॥ १ ॥
अनादृत्य च तद्वाक्यं बालं मत्वाऽर्जुनः स्वयं ।
अशक्तमिति मत्वा तं रामं क्रोधाद्ब्रवीदिदं ॥ २ ॥
अर्जुनः– गर्जितं ते वृथा मूढ बटो कस्ते पराक्रमः ।
कर्मणा दर्शयस्वाशु किं बहु त्वं विकत्थसे ॥ ३ ॥
न मां योधयितुं शक्तः स्वयं रुद्रोपि संगरे ।
पिनाकपाणिर्भगवान् किं पुनस्त्वं शिशुर्मृधे ॥ ४ ॥
ब्रह्मापि त्रिदशैः सार्धमपि विष्णुः स्वयं मृधे ।
किं शिशुस्त्वमशक्तो मामेकः संकये विजेष्यसे ॥ ५ ॥

यदंगुल्याग्रभागेन बिभेति प्रसभं सदा ।
स किं शक्नोतिबालः स्याद्बटो जेतुं रणे रिपुं ॥ ६ ॥
मुष्टिनैकेन मूढ त्वामधुनैव च पाटये ।
बटोस्ते चक्षुषी हत्वा पातयिष्यामि भूतले ॥ ७॥
राक्षसाः समरे दैत्याः सिद्धा विद्याधरोरगाः ।
इंद्राग्निप्रमुखाः सर्वे निर्जितास्ते मयाऽधुना ॥ ८ ॥
न शिशु त्वां हनिष्यामि सत्यमेतन्मयोदितं ।
मा भैस्त्वं गच्छ गच्छाऽऽशु यदि जीवितुमिच्छसि ॥ ९ ॥
स्कंदः— इत्युक्तं पौरुषं तेन रामः सत्यपराक्रमः ।
घोरांधकारमसृजद्बाणैः प्राच्छादयन्दिशः ॥ १० ॥
ततस्तां नगरीं दिव्यामर्जुनस्य मुनीश्वराः ।
आग्नेयेनाहनद्रामः शरेण क्रोधमूर्च्छितः ॥ ११ ॥
ततो हाहाकृताः सर्वे दह्यमानाः समंततः ।
निर्ययुर्नगरात्तस्मान्नागरास्ते सहस्रशः ॥ १२ ॥
गजैरश्वैर्भटैश्चैव युद्धार्थं बहुरर्जुनः ।
आगम्य यत्र रामोऽसौ दृष्ट्वा रामपराक्रमः ॥ १३ ॥
ततस्तैः सचिवैस्तस्य रेणुकातनयो बली ।
शस्त्रास्त्रैर्निहतः शूरो न चचालाचलोपमः ॥ १४ ॥
सतानापततः क्रुद्धो धनुराकृष्य सायकैः ।
विध्वा न्यपातयद्रामः पंतगानिव पावके ॥ १५ ॥
ततो विव्याध मातंगानिषुभिर्वेगवत्तरैः ।
शरनिर्भिन्नसर्वांगाः पदाति गजवाजिनः ॥ १६ ॥
निपतंति क्षणाद्भूमौ वज्रपातादिवाचलाः ।
हन्यमानान्महाबाणैः प्रहसन्निव भार्गवः ॥ १७ ॥
रामः प्रहरतां श्रेष्ठः सपताकध्वजांस्तथा ।
केचिन्निर्भिन्नशिरसः शरनिर्भिन्नविग्रहाः ॥ १८ ॥

निपेतुर्भूतले भग्नाः सैनिकास्ते गतासवः ।
हतैरश्वै रथैर्नागैर्योधैश्चैव पदातिभिः ॥ १९ ॥
अकरोत्तद्रणं रामो घोररूपं भयावहं॥।
ततः प्रावर्तत नदी शोणितांबुतरंगिणी ॥ २० ॥
मेदोमज्जाकर्दमिनी शब्दघोषवती हि सा ।
तद् दृष्ट्वा निहतं सैन्यं रामेण स तदाऽर्जुनः ॥ २१ ॥
शस्त्रास्त्रैर्हनद्रामं रथमारुह्य सत्वरः ।
ततोधिगम्य नाराचैः प्रगृह्य विपुलं धनुः ॥ २२ ॥
विव्याध समरे रामं दुर्जयं हैहयाधिपः ।
रामोपि लीलया चैकः सहस्रार्जुनमाहवे ॥ २३ ॥
अहनत्प्रसभं बाणैः पतंगमिव पावकैः ।
स्मृत्वा नमस्कृत्य महेश्वरं तं विघ्नेशरूपैरमितैर्द्विजेंद्रैः ।
त्रैलोक्यमावृत्य जघान रामस्तं कार्तवीर्यं सगणं कुठारैः २४
नरांश्च मातंगरथांश्च निघ्नान्विदारयन्वै ऋषिभिः स रामः।
जघान रामं स तु कार्तवीर्यो दंतैश्च मूढाभिरजः कुठारैः २५
सहस्रदोर्भिस्तु सहस्रबाहुरनेकरूपैरतुलैरनंतैः ।
शस्त्रास्त्रवर्षेण ववर्ष रामं बलाहको मेरुमिवांतरिक्षात् २६

शस्त्राणि तस्याप्रतिमानि तानि
दिव्यास्त्रयुक्तानि सहस्रबाहोः ।
गणेशरूपैर्विविधैः कठारैश्
चिच्छेद रामोऽसुरदुष्टहंता ॥ २७ ॥
गजैस्तुरंगैः पतितैश्च शूरैर्
विमर्दितैश्चैव रथैः सुदिव्यैः ।
हतैस्तु रामेण गणेशरूपैस्
तद्घोररूपं तु रणं बभूव ॥ २८ ॥

गजेषु रामस्तुरगेषु रामो
रथेषु रामस्तु रणेषु रामः ।
रामात्मकं विश्वमिदं बभूव
गणेशरूपैर्गिरिसन्निकाशैः ॥ २९ ॥

गायंति देवा ऋषयः स्तुवंति
वीणादिवाद्यानि च वादयंति ।
गंधर्वमुख्याः प्रमदाः सुराणां
नृत्यंति रामं गणपं समीक्ष्य ॥ ३० ॥

तदद्भुतं युद्धमभूत्सहस्रबाहो – – – – हतांतरिक्षे ।
तद्योगिनीवृंदसहस्रभूतं वेतालशब्दैः पिशिताशलुब्धैः ।३१॥

घोरं बभूवाथ रणं – – – सहस्रबाहोश्च ततो मुनींद्राः ।
दैत्यराक्षससिद्धाद्यैर्हैहयाधिपतिर्बली ।
रूपैर्जघान शस्त्रास्त्रै रामं रामोपि चार्जुनं ॥ ३२ ॥

तिसृभिश्चैव हरिणां तिसृभिर्द्विजसत्तमाः ।
सकोटिशतसंख्याभिः शक्तिभिस्तान्गणेश्वरान् ॥ ३३ ॥

जघान सोऽर्जुनः संख्ये रामं विघ्नेशरूपिणं ।
शस्त्रास्त्रैरहनद्रामः सहस्रार्जुनमाहवे ॥ ३४ ॥

शुंडादंडप्रहारैस्तैरर्जुनं रेणुकात्मजः ।
वराहरूपैरहनत्सैन्यं तस्य व्यदारयत् ॥ ३५ ॥

रामो नृसिंहरूपैस्तैर्गदाचक्रादिभिर्नरैः ।
सैन्यं विदारयत्तीक्ष्णैः शस्त्रैरर्जुनमाहनत् ॥ ३६ ॥

शुंडादंडैःपरशुभिर्दंतैस्तं हैहयाधिपं ।
नृसिंहरूपैरहनत्सैन्यं तस्य व्यदारयत् ॥ ३७ ॥

स रामरूपैर्विविधैश्च शस्त्रैर्विष्णोश्च रूपैरपि कार्तवीर्यं ।
जघानरामःपरशत्रुतापनोव्यदारयत्तान्नृपतीन्समस्तान् ।३८।

ये त्वंतरिक्षे सुरसिद्धयक्षास्
ते विस्मयंतः प्रसभं प्रहृष्टाः ।
स्तुवंति गायंति सुरांगनास्ता
रामं समीक्ष्यामितरूपयुक्तं ॥ ३९ ॥

इति श्रीस्कंदपुराणे सह्याद्रिखंडे रेणुकामाहात्म्ये अगस्त्यस्कंद-संवादे परशुरामसहस्रार्जुनयोर्युद्धे सहस्रार्जुनवधो नाम चत्वारिंशत्तमोऽध्यायः ॥ ४० ॥ श्रीप्रयागमाधवार्पणमस्तु ॥

॥ इति रेणुकामाहात्म्यं समाप्तम् ॥

॥ ॐ नमो भगवते वासुदेवाय ॥

चंद्रचूड (चंद्रेश्वर) माहात्म्यं प्रारभ्यते

अथ प्रथमोऽध्यायः ।

ऋषिरुवाच । सर्वज्ञनन्दन स्कन्द सर्वशास्त्रविदां वर ।
त्वया कथयता चोक्तं माहात्म्यं हाटकेश्वरम् ॥ १ ॥
चन्द्रचूडाभिधं[1] क्षेत्रं हाटकेश्वरदक्षिणे ।
परमं पावनं लोके नानाख्यानसमन्वितम् ॥ २ ॥
चन्द्रचूडाभिधः[2] कोऽसौ कथं नामास्य विश्रुतं[3] ।
कदाप्रभृति तत् क्षेत्रं ख्यातं त्रैलोक्यपावनम् ॥ ३ ॥
को वाऽस्य महिमा प्रोक्तः प्रादुर्भावोस्य वै कथम् ।
तत्सर्वं नः समासेन कथयस्व प्रसादतः ॥ ४ ॥
स्कन्द उवाच । शृणु त्वं मुनिशार्दूल चन्द्रचूडाभिधस्य तु ।
महिमानं पुराणेषु बहुधा परिकीर्तितम् ॥ ५ ॥
पुरातनमिदं क्षेत्रं ऋषिवृन्दाधिवासितम् ।
पश्चिमे कुशावत्याद्याः[4] नद्योऽनन्तफलप्रदाः ॥ ६ ॥
यस्य क्षेत्रस्य पुरतो नदी मुनिनिषेविता ।
ख्याता कुशवती लोके ह्यवग्राहो[5] ह्यभूत्तदा ॥ ७ ॥
ब्रह्मपादसमुद्भूता देवतारूपिणी शिवा ।
ऋषिप्रिया कुशवती यथार्थं नाम धारिणी ॥ ८ ॥

---

१ वधीरिति गो. न. क. पु. पा. २ वधीकोशी इति सि. न. मु. क. को. चि. पु. ३ विभूतमिति न. गो. पाठः ४ त्याद्यैनघानन्तेति को. चं. न. सि. पाठः ५ वग्रहोपीति को. वा. गो. पाठः.

अस्यास्तु महिमा लोके जायते परमर्षिणा ।
हाटकेशं द्रष्टुकामस्त्वरया निःसृतो यदा ॥ ९ ॥
दृष्ट्वा मुनिस्तस्य तनुमगास्तिर्लोकविश्रुतः ।
कृत्वा सव्यविभागे तु ह्येकदेशेन सा शुभा ॥ १० ॥
ऋषेस्तु वचनात्सा तु शंखेशमभिवारिधिं ।
एकदेशेन संगत्य यतो वै हाटकेश्वरम् ॥ ११ ॥
आटतां देवदेवेशो ख्याता पञ्चनदीति च ।
इयं कुशवती पुण्या जाता चोभयतोमुखी ॥ १२ ॥
शृण्वानः परमां पुण्यां लवणोदधिगर्जनाम् ।
सेव्यमाना कुशवती ह्यघसंचयहारिणी ॥ १३ ॥
अवग्रहः पुरा चाऽसीदेकदा लोकशासनः ।
समाश्चायुतपर्यन्तं न ववर्ष बलाहकः ॥ १४ ॥
तदा वै ऋषयः सर्वे शंसितास्त्वमिवाहिनीम् ।
केचिद्वनं नदीं जग्मुस्तथा चैव मरुद्वधां ॥ १५ ॥
केचित् कुशवतीं प्राप्य ज्ञात्वाऽक्षय्यजलामिति ।
निवसन्मुनिशार्दूला जलाधारा धृतव्रताः ॥ १६ ॥
नियुतं परिसंख्याताः क्षुधिताः सपरिग्रहाः ।
संस्तुवन् देवमीशानं संवृत्तिपरिकर्षिताः ॥ १७ ॥
ऋषय ऊचुः । जय शम्भो मृडानीश प्रणतार्तिप्रभंजन ।
जय जय जगन्नाथ कैलासशिखरालय ॥ १८ ॥
भालदेशे समुद्भ्राजचंद्रांक जगतां गुरो ।
जीवयास्मान्महादेव दुःखितान्वृत्तिकर्षितान् ॥ १९ ॥
स्कन्द उवाच । एवं स्तुतस्तदा देवः शर्वः सर्वाघनाशनः ।
प्रादुरासीत्पुरो भागे पर्वताकारवर्ष्मभृत् ॥ २० ॥

---

१ तस्यतमं गस्ति लाकेति मु. को. न. सि. चं. क. पु. पा. २ संश्रीतस्त्वेति न. गो. मु. पु. पा. ३ केचिद्दंनदीति क. न. भु. सि. पा.

अनेकरत्ननिचयः सोमकान्तिशिवालयः ।
योजनोच्छ्रायसंयुक्तो वपुषा योऽप्यनूपमः ॥ २१ ॥
मेघगम्भीरया वाचा ह्युवाच मुनिपुंगवान् ।
मद्देहक्लेशनोद्भूतैरद्भिर्वो जीवनं भवेत् ॥ २२ ॥
अमृतांशोः सुसंपर्कात्सम्भूतान्भूरिशो ह्यपान् ।
जीवनं कल्पयिष्यन्ति भवतां चाघनाशनम् ॥ २३ ॥
एवं वदंति ते सर्वे ह्युदीर्योत्सार्यमानुजाः ।
इति श्रीस्कान्दे उत्तररहस्ये सह्याद्रिखण्डे सह्याचलोपाख्याने
चन्द्रचूडमाहात्म्ये प्रथमोऽध्यायः ॥ १ ॥

अथ द्वितीयोऽध्यायः ।

स्कन्द उवाच ।

सोमकान्तशिला लोके दृष्ट्वा सोमस्य मस्तके ।
अद्यापि स्रवते वारि सा शिला नश्यते नहि ॥ १ ॥
तदा पर्वतसम्भूता आपो वै सर्वतो ऋषीन् ।
जीवयामास सुरसं किल राममरात्यथ ॥ २ ॥
भवग्रहान्ते ऋषयो धूर्जटिं ते विजिज्ञपुः ।
धूर्जटिं देवदेवेशं प्रार्थयामः सुतर्पिताः ॥ ३ ॥
तव वर्ष्मसमुद्भूतैर्जीवनैः परमाद्भुतैः ।
वरं दत्त्वा मृडानीशो भक्तानां च हितप्रदम् ॥ ४ ॥
शिव उवाच । वृणुध्वं भो मुनिवरा मत्तो यद्वांछितं वरम् ।
नादेयमस्ति जगति त्वियि मे निश्चितं वचः ॥ ५ ॥
स्कन्द उवाच । भवस्य वचनं श्रुत्वा ऋषयः संशितव्रताः ।
ऊचुः सर्वे महेशानं लोकानां हितकाम्यया ॥ ६ ॥

ऋषय ऊचुः । अनेन वपुषा देव स्थातव्यं चन्द्रशेखर ।
तं दृष्ट्वा जन्तवः सर्वे मुच्यंते सर्वतो भयात् ॥ ७ ॥
न चांगक्लेशसम्भूता आपो लोकान् पुनंति हि ।
पंचतीर्थानि पर्यंतभूम्यां तिष्ठंति सर्वतः ॥ ८ ॥
पावनार्थं हि लोकानां पपौ गङ्गाचिताम्नाम् ।
सरितस्तव संभूताः सन्तु सा लोकपावनी ॥ ९ ॥
तव नाम्ना सुविख्यातं क्षेत्रं भवतु धूर्जटे ।
स्कन्द उवाच । तेषां वचः समाकर्ण्य तथेत्युक्त्वा जगत्पतिः॥ १०॥
शिखरे लिंगरूपेण स्थितस्त्रैलोक्यपावनः ।
तं दृष्ट्वा च नमस्कृत्वा स्मृत्वा भावेन हर्निशम् ॥ ११ ॥
नरो मुच्येत दुरितैः पैर्याप्स्यैव परां गतिम् ।
तद् दृष्ट्वा महदाश्चर्यं देवाश्चापि दिवौकसः ॥ १२ ॥
अद्यापि परितिष्ठन्ति सिद्धपीठे मनोरमे ।

इति श्रीस्कान्दे उत्तररहस्ये सह्याद्रिखण्डे चन्द्रचूडप्रादुर्भावो नाम द्वितीयोऽध्यायः ॥ २ ॥

अथ तृतीयोऽध्यायः ।

स्कन्द उवाच । अत्र स्थिते त्र्यंबके वै तदा पर्वतवर्ष्मणम् ।
भैरवः प्रमतानाथो ह्यागतस्तत्र पर्वते ॥ १ ॥
उवाच प्राञ्जलिर्भूत्वा कृतं किं पार्वतीपते ।
त्यक्त्वा कैलासशिखरं तथा मन्दरपर्वतम् ॥ २ ॥

---

१ वेनहनृतः इति गो. क. को. न. पु. पा. २ प्रायसेव परां गतिमिति सि. गो. क. पु. पा.

हित्वा[1] हिमवतं रम्यं सांप्रतं त्वामिहागतः ।
न शक्तो वै त्वया तत्र विना स्थातुं कृपाकर ॥ ३ ॥
अद्यैव सह गच्छामः कैलासं पर्वतोत्तमम् ।
तस्य तद्वचनं श्रुत्वा जहास गिरिजाधवः ॥ ४ ॥
त्वयापि चात्र वस्तव्यं भक्तानामभयप्रदम् ।
अत्र स्थितानां पुण्यानां वरदानां च योगताम्[2] ॥ ५ ॥
मत्पुरे स्थीयतां भूतसंघैश्चापि समन्वितः ।
ते प्रत्यूहैः परित्यक्ता लभंते परमेप्सितम् ॥ ६ ॥
स्कन्द उवाच। तदाप्रभृति वै तत्र भैरवो भूतनायकः ।
सोमेशं शम्भुमीशानं भक्तानामभयप्रदम् ॥ ७ ॥
अनुपम्यमिदं क्षेत्रं क्षेत्राणां पावनं द्विजाः ।
अनेकाश्चर्यसंयुक्तं ऋषिजुष्टं पुरातनम् ॥ ८ ॥
अनेकऋषयश्चात्र यथा क्षेत्रेयसत्तमाः ।
क्षेत्रस्यास्य प्रभावेन सिद्धिं प्राप्ताः परां गताः ॥ ९ ॥
येन येनाधिष्ठितं यत् समन्तात्पर्वतस्य च ।
तीर्थेन सेवितं नाम्ना विख्यातं पावनं परम् ॥ १० ॥
कपिलं गौतमं सोमं भारद्वाजं तथैव च ।
चन्द्रोदयं सुशर्मिष्ठमबाष्ठं कामदं नृणाम् ॥ ११ ॥
एतान्यन्यानि तीर्थानि सिद्धिदानि युगे युगे ।
न जानन्ति जना मूढाः पापोपहतचेतसः ॥ १२ ॥
सर्वभावेन वै[3] सद्यो भावहीना नराधमाः ।
तस्माद्भावात्पुनन्तीमे लोकाः सर्वे न संशयः ॥ १३ ॥
व्रतैः शुद्धिर्द्विजातीनां पदं प्राप्तिस्तथैव च ।
शूद्राणां द्विजशुश्रूषा स्त्रीणां स्वपतिसेवनम् ॥ १४ ॥

---

१ हिमवंतं रमणंकंसामिति मु. को. सि. न. पु. पा. २ योघतः इति पु. पा. ३ सर्वभावे वस्मथमिति मु. को. न. पु. पा.

अशक्यास्ते कलौ यज्ञा इति मत्वा स्वयंभुवा ।
पुण्यतीर्थावगाहं वै यज्ञानां फलदं कृतम् ॥ १५ ॥
महाव्रतानां फलदं पुण्यतीर्थनिषेवणम् ।
तस्मात्तीर्थं नृभिः सेव्यं पुण्यकाले विशेषतः ॥ १६ ॥
कर्मणामविरोधेन सर्वयज्ञाधिकं यतः ।
तस्मात्सर्वप्रयत्नेन तीर्थं सेव्यं द्विजातिभिः ॥ १७ ॥
इति श्रीस्कान्दे उत्तररहस्ये सह्याद्रिखंडे चन्द्रचूडमाहात्म्ये तीर्थ-
प्रशंसा नाम तृतीयोऽध्यायः ॥ ३ ॥

अथ चतुर्थोऽध्यायः ।

स्कन्द उवाच । श्रूयतामद्भुतमिदमाख्यानं सुमहत्तरम् ।
अंबष्ठचरितं लोके शृण्वतां रोमहर्षणम् ॥ १ ॥
अंबष्ठोनाम पापाब्धिः कुशावत्याः समीपतः ।
निवसन् चौरवृत्त्या वै कुटुंबपरिपोषकः ॥ २ ॥
मृगान्हत्वा तु सततं निर्दयः पिशिताशनः ।
तया वृत्त्या सुसंतुष्टस्तत्रैव जरठोऽभवत् ॥ ३ ॥
कदाचिद्विस्मयाविष्टो दृष्ट्वा कुशावतीं शुभाम् ।
ह्यागतश्चंद्रचूडस्य[1] पौर्णमास्यां नभस्य च ॥ ४ ॥
इन्दोर्वै वासरे लोका मीलिताश्चाप्यनेकशः ।
तद् दृष्ट्वा महदाश्चर्यं पूजोत्सवसमन्वितम् ॥ ५ ॥
यावद्दिनावसानं हि स तत्र संस्थितः खलः ।
क्षुधितैश्चातिदुःखार्तो[2] दुर्गं हित्वा दिनांतिके ॥ ६ ॥

---

१ ह्यागतश्चंद्र मुढाच इति मु. गो. क. न. पु. पा. २ अद्भमनं सुदुखा दुर्गंहित्वा तुनिशामुखे इ मु. सी. न. कों. क. पु. पा.

आगतो वै परिसरे दीपं प्रज्वाल्य वर्णकं ।
शिवमुद्दिश्य बुभुजे क्षुधया परिबाधितः ॥ ७ ॥
कंठलग्नेन ग्रासेन मृतो वै मृत्युना तदा ।
स्मरन्कृतानि पापानि पश्चात्तापसमन्वितः ॥ ८ ॥

यमदूतास्तदा प्राप्ता नेतुं तं पापिनां वरम् ।
बत्ध्वा तु सुदृढैः पाशैः कशाघातैश्च ताडयन् ॥ ९ ॥
तदानीमेव संप्राप्ताः सेवाशिवनियोजिताः ।
अम्बष्ठं नेतुकामास्ते रुद्राक्षांकितवक्षसः ॥ १० ॥
विमानवरसंयुक्ता निनेर्युर्यमकिंकराः[1] ।
अंबष्ठमूचुस्ते ताभ्यामेव वायातनानुगाः ॥ ११ ॥
अस्य तीर्थस्य निकटे मृतो याति शिवालयं ।
पापनाशनकं तीर्थं शिवसन्निधिमात्रतः ॥ १२ ॥
मृगान् हत्वा तु सततं निर्दयः पिशिताशनः ।
शिखरात्पूर्वदिग्भागे कुशवत्याश्च पश्चिमे ॥ १३ ॥
पापौघनाशनं लोके सेवितं यदि मानवैः ।
यदा कदा तु पूर्णा वै चेंदुवारेण संयुता ॥ १४ ॥
तदा[2]ऽघं संपरित्यज्य याति शीघ्रं परां गतिं ।
इति श्रुत्वा वचस्तेषां सुबुद्ध्या यमकिंकराः ॥ १५ ॥
ज्ञात्वा सुतीर्थमहिमा प्रस्तुवंतः पुरीं गताः ।
दिव्यं विमानमारुह्य गतोऽसौ शिवमन्दिरम् ॥ १६ ॥

तदाप्रभृति तत्तीर्थमंबष्ठमिति विश्रुतम् ।
धर्मदं सर्वजंतूनां पापाद्रिकुलिशोपमम् ॥ १७ ॥

इति श्रीस्कान्दे उत्तररहस्ये सह्याद्रिखण्डे चंद्रचूडमाहात्म्ये
अंबष्ठातिर्थमहिमवर्णनं नाम चतुर्थोऽध्यायः ॥ ४ ॥

---

१ निर्बेदुर्यमकिंकार इति मु. गो. न. पा. २ तद्योगेसोदयनादियात्य-
जतुपरांगतिमिति सी. क. का. न. चं. मु. पु. पा.

अथ पंचमोऽध्यायः ।

स्कन्द उवाच । कापिलं परमं तीर्थं सेवितं परमर्षिणा ।
रजस्तमःस्वभावा ये ज्ञानलेशास्तु विस्मिताः ॥ १ ॥
ते यान्ति कापिलं भावं तस्मात्तत् कपिलं विदुः ।
कपिलो नाम वै पूर्वं राजा शत्रुपराजितः ॥ २ ॥
त्यक्त्वा सर्वं सहायान् वै निर्वेदं परमं गतः ।
अत्रागत्य महेशानमाराध्य परिचर्यया ॥ ३ ॥
तीर्थत्रिषवणस्नायी मिताहारो विमत्सरः ।
जगाम परमां सिद्धिं वरदानात्तु धूर्जटेः ॥ ४ ॥
जित्वा शत्रुगणान् सर्वान् स्वधर्मे दृढनिश्चयः ।
तीर्थस्य च प्रभावेन जातो धर्मपरायणः ॥ ५ ॥
तस्मादिदंकापिलंनामचास्यजातंसुराणामपिकामदंभुवि ।
जानन्तिलब्धाहित्वरामहेशाद्भवंतिसर्वाशिषभाजनानि॥ ६॥
ततोऽधिकतरं पुण्यं गौतमं गौतमस्य तु ।
शिखराद्दक्षिणे भागे परमं पावनं नृणाम् ॥ ७ ॥
गौतमो वै पुरा विप्रो युगचर्यां पुरास्थितः ।
तपसा भावितः शंभुः परिक्षीणकलेवरः ॥ ८ ॥
नित्यमायाति पूजार्थं व्योमकेशस्य वै ऋषिः ।
शतरुद्रीयसूक्तेन सद्योजातेन वै तथा ॥ ९ ॥
मृडं पशुपतिं देवं नत्वा याति स्वमालयम् ।
तस्य तं नियमं घोरं दृष्ट्वा देवो वृषध्वजः ॥१० ॥
आविरासीत्तु तत्तीर्थे गुहाद्वारेण वै मृडः ।
दृष्ट्वा देवं पशुपतिं वरदानाय चोद्यतम् ॥ ११ ॥

अस्तौषीत्परया भक्त्या स्तवैः परमपावनैः ।
ततः प्रसन्नो भगवानुवाच ऋषिसत्तमम् ॥ १२ ॥
वरं वृणुष्व भो विप्र सिद्धोऽसि तपसाऽचिरम् ।
श्रुत्वा स वचनं तस्य गौतमो लोकविश्रुतः ॥ १३ ॥
उवाच वचनं धीरो स्वकर्मफलहेतुकम् ।
मन्नाम्नाऽऽख्याहि तं मायाकामरूपं नृणां कुरु ॥ १४ ॥
तथेति च शिवेनोक्तो ऋषिर्योगपरायणः ।
अवाप परमां सिद्धिं सर्वयोगोपबृंहितां ॥ १५ ॥
तदाप्रभृति तत्तीर्थं तन्नाम्नाऽऽख्यातिमागतम् ।
सर्वपापहरं नृणां कामदं मोक्षसाधनं ॥ १६ ॥
न जानंति जना मूढा मोहिता देवमायया ।
अनेकसिद्धिमापन्नाः सुखेन भुवि मानवाः ।
ज्ञात्वा तीर्थवरं लोके मूढानां गतिदायकम् ॥ १७ ॥
इति श्रीस्कान्दे उत्तररहस्ये सह्याद्रिखण्डे तीर्थमहिमवर्णनं नाम पंचमोऽध्यायः ॥ ५ ॥

अथ षष्ठोऽध्यायः ।

स्कन्द उवाच । यत्रासीद्व्रतः पूर्वमाराध्य जगतां पतिः ।
गुहामाश्रित्य महति दैत्ये पापदगामिनि ॥ १ ॥
स्नानं कृत्वा त्रिवारं वै गुहां विश्य महामतिः ।
जजाप परमं जाप्यं धृत्वा निरशनं व्रतं ॥ २ ॥
मृत्युंजयं समाराध्य लेभे वरमनुत्तमम् ।
विमानं कामदं दिव्यं देवैः परिदुरासदम् ॥ ३ ॥
तदाप्रभृति तत्तीर्थं सौभनाम्ना प्रथां गतम् ।
तीर्थप्रस्त्रवणं पुण्यं सर्वयज्ञफलप्रदम् ॥ ४ ॥

षड्वारवेदाध्ययनाद्यत्फलं प्राप्यते नरैः ।
तत्फलं समवाप्नोति तीर्थे स्नात्वा ह्यनुत्तमे ॥ ५ ॥
क्षयार्तोऽधिपतिः पूर्वं तपस्तेपे समाहितः ।
आग्नेय्यां गिरिराजस्य दिशि सोमोदके शुभे ॥ ६ ॥
तीर्थस्यास्य प्रभावस्तु चोक्ता वै राजलक्षणः ।
तदाप्रभृति तत्तीर्थं ख्यातं चंद्रोदयं भुवि ॥ ७ ॥
रोगिणः परिमुच्यंते तीर्थोदकनिषेवणात् ।
गिरेश्चोत्तरदिग्भागे तीर्थं कामप्रपूरणम् ॥ ८ ॥
भाति सौभाग्यतिलकं पार्वत्या वरदानतः ।
ऋषिकन्या पुरा चैका समाराध्य शिवां रमौ ॥ ९ ॥
पार्वत्यनुग्रहात्सद्यः सख्यं प्राप्तं तया सह ।
मन्दिरे पर्वतवरे दिव्यभोगपराऽभवत् ॥ १० ॥
पुरा ह्यप्सरसां श्रेष्ठा शर्मिष्ठा नाम सुंदरी ।
रूपौदार्यगुणाढ्या सा लास्यहास्यवती शुभा ॥ ११ ॥
शालां प्रासाद्य यत्नतः कामयंती न चापरम् ।
तदा तदप्सरं रूपं दृष्ट्वा संमोहिता द्विजाः ॥ १२ ॥
अवगम्य द्विजगणा औवं चापि महाऋषिं ।
तदौर्वास्तपसां राशिर्दृष्ट्वा स्वस्यावहेलनम् ॥ १३ ॥
शशाप परमक्रुद्धः शर्मिष्ठां देवसम्मताम् ।
कुलटे निर्घृणे हंजे कस्माद्दूषितवत्यपि ॥ १४ ॥
आश्रमं मे मुनिवरै ऋषिपुत्रैरलंकृतं ।
इतोपसर्प दुःशीले तपःक्षयकरे परे ॥ १५ ॥
मर्त्यलोके तनुं प्राप्य निंद्यं वपुरवाप्नुहि ।
शापं श्रुत्वा ऋषेः सद्यो निपतत्तु धरातले ॥ १६ ॥
दैवयोगेन वै प्राप्ता तीर्थे कामप्रपूरणे ।
निंद्यं वपुः समासाद्य चिरं रोगेण चित्रिता ॥ १७ ॥

स्नानं करोति दुर्गन्धिक्षालनाय दिनोदये ।
एवं दशाब्दपर्यंतं स्थिता कन्दफलाशना ॥ १८ ॥
तीर्थोदकप्रभावेन जाता दिव्यस्वरूपिणी ।
तस्मिन्तीर्थे वसन्सिद्धो दृष्ट्वा साऽप्सरसा तदा ॥ १९ ॥
इदानीं देवतां प्राप्य तनुः कस्मात्समाश्रिता ।
अप्सरा उवाच । और्वसा येन संप्राप्ता तनुर्निन्द्या महामुने ॥२०॥
शर्मिष्ठानामाप्सराऽहं देवलोकनिवासिनी ।
सौष्ठवस्य निदानं वै न जाने दैन्यमाश्रिता ॥ २१ ॥
शर्मिष्ठावचनं श्रुत्वा योगी ध्यानेन चाखिलम् ।
कारणं सौष्ठवस्यापि ज्ञात्वा विस्मितमानसः ॥ २२ ॥
निवेदयत्तु सर्वेषां तीर्थस्य महिमा शुभम् ।
एतास्मिन्नन्तरे तत्र विमानं कामगं शुभम् ॥ २३ ॥
ह्यागतं देवलोकाद्वै नेतुं तामप्सरां शुभाम् ।
सिद्धेन सा ह्यनुज्ञाता याता स्वर्गमनुत्तमम् ॥ २४ ॥
तदाप्रभृति तत्तीर्थं तन्नाम्ना ख्यातिमागतम् ।
इति श्रीस्कान्दे उत्तररहस्ये सनत्कुमारसंहितायां सह्याद्रिखण्डे
तीर्थमहिमानं नाम षष्ठोऽध्यायः ॥ ६ ॥

अथ सप्तमोऽध्यायः ।

स्कन्द उवाच ।
अद्रिजानि सुतीर्थानि सन्त्यन्यानि द्विजोत्तमाः ।
तेषु च प्रवरं तीर्थं मूलगंगाभिधं महत् ॥ १ ॥
ईशान्यां चन्द्रचूडात्तु लोकोपकरणोद्यतम् ।
निर्गतं हि जटाशंभोर्देवैः सर्वैस्तु सेवितम् ॥ २ ॥

यत्र देवगणाः सर्वे ऋषयः शंसितव्रताः ।
अरुणोदयवेलायां स्नानं कुर्वन्ति नित्यशः ॥ ३ ॥
सर्वान्कामानवाप्नोति लोकोऽयं नात्र संशयः ।
रुजार्दिता नराः सर्वे पापोपहतवर्ष्मणः ॥ ४ ॥
मासमेकं तु तत्स्नानान्मुच्यंते रोगसंचयैः ।
वन्ध्यस्त्रिषवणस्नायी त्रिरात्रनियतो व्रती ॥ ५ ॥
वीरसूर्जायते साध्वी सतीनां तु वरा परा ।
दरिद्रो धनमाप्नोति विद्यां वै ब्राह्मणो लभेत् ॥ ६ ॥
क्षत्रियो राज्यमाप्नोति राजा साम्राज्यमाप्नुयात् ।
पुरा शकुन्तला साध्वी स्नाता सा सोभवे स्थिता ॥ ७ ॥
शाकुन्तलं नाम सुतं सुषुवे चक्रवर्तिनम् ।
लेभे कामांश्चापि महान् स्थलस्थाश्च जलौकसः ॥ ८ ॥
खगा मृगादिका यांति सिद्धपीठनिवासिनः ।
किं पुनर्मानवाः सर्वे गच्छन्ति शिवसान्निधिम् ॥ ९ ॥
मूलगंगाम्भसि स्नात्वा नत्वा देवगणान् नरः ।
चन्द्रचूडं सकृद् दृष्ट्वा शिवेन सह मोदते ॥ १० ॥
मासक्षणयुताः पूर्णालब्धकामाश्च मानवाः ।
स्नात्वा यत्नात् सिद्धपीठे यतवाग्यतमानसाः ॥ ११ ॥
समभ्यर्च्य मृडानीशं वाञ्छितं लभते पदम् ।
वाञ्छन्ति पितरो लोके मूलगंगोदकं शुभं ॥ १२ ॥
तिलमिश्रेण तोयेन तर्पयित्वा प्रयत्नतः ।
संतुष्टाः पितरस्तेन सायुज्यां गतिमाप्नुयुः ॥ १३ ॥

शिवनिकेतनदर्शनलालसाः
सकलकल्मषबीजनिवाहकाः ।
अभिविशन्ति हि सिद्धपरं पदं
सकलसम्पदयुतं सदैव हि ॥ १४ ॥

अन्यतीर्थवरा गंगा पापनाशाय निर्मिता ।
प्रदक्षिणीकृत्य गिरेस्तीर्थे संगत्य सर्वतः ॥ १५ ॥
पापौघनाशनार्थाय ईशान्ये परिकल्पिता ।
सिद्धधारेति वै ख्याता याता सा लवणोदधिम् ॥ १६ ॥
सिद्धधाराजलं पीत्वा वीरो भवति मानवः ।
इति श्रीस्कान्दे उत्तररहस्ये सनत्कुमारसंहितायां सह्याद्रिखण्डे चन्द्रचूडाख्याने तीर्थमहिमानं नाम सप्तमोऽध्यायः ॥ ७ ॥

अथ अष्टमोऽध्यायः ।

स्कन्द उवाच । पश्चिमे मालती नाम नदी तापससेविता ।
कर्मनिष्ठैर्द्विजवरैरग्निहोत्रपरायणैः ॥ १ ॥
श्रेयस्कामैस्तथा चान्यैर्नियमव्रतधारिभिः ।
तस्यास्तीर्थं विलभते मन्दाकिन्याः सुरैर्यथा ॥ २ ॥
मालतीजलसंलीनमस्तकाहस्करा इव ।
शोभमाना विजृंभंते सर्वे विगतमत्सराः ॥ ३ ॥
यस्यां नाम नरा नित्यं स्नानं कृत्वा तु धूर्जटिं ।
अवलोक्य पदं यांति योगिनां च दुरासदम् ॥ ४ ॥
इदं तीर्थवरं लोके शिवेन परिनिर्मितम् ।
पावनं सर्वलोकानां पापौघैर्दूषितात्मनाम् ॥ ५ ॥
ऋषय ऊचुः । चन्द्रचूडं सकृद् दृष्ट्वा नत्वा भावेन दूरतः
मुच्यते क्षुद्रपापेभ्यो नरो नास्त्यत्र संशयः ॥ ६ ॥
नरः प्रदक्षिणां कृत्वा शिवमद्रिस्वरूपिणम् ।
मुच्यते सर्वदुरितैर्मानवो भुवि सर्वदा ॥ ७ ॥
कुशावत्यां कृतस्नातो नरो नियतवाक् शुचिः ।
अगस्त्यशिवपूजां च देवदेवं वृषध्वजम् ॥ ८ ॥

वाजिमेधसहस्रस्य गतिं याति न संशयः ।
पंचक्रोशात्मकं लिंगं चन्द्रचूडाभिधं महत् ॥ ९ ॥
न जानाति नरो मर्त्ये भागधेयवशं गतः ।
सकृत्प्रदक्षिणां कृत्वा नरो याति शिवालयम् ॥ १० ॥
क्षेत्रवासी नरो लोके रुद्रएव न संशयः ।
संन्यस्य सर्वकर्माणि क्षेत्रवासपरायणः ॥ ११ ॥
नरो न निरयं याति वसनात्पर्वतोत्तमे ।
नित्यं स्नात्वा सिद्धपीठे दृष्ट्वा वै पार्वतीपतिं ॥ १२ ॥
दैहिकैर्न स युज्येत नरो गच्छेत्परां गतिम् ।
इमां श्रुत्वा सुमहतीं कथां दिव्यां पुरातनीम् ॥ १३ ॥
चक्रुर्वै मुनयो वासं पर्वतस्य समन्ततः ।
इतीदं शृणुयान्नित्यं पुराख्यानमनुत्तमम् ॥ १४ ॥
लभते वाञ्छितां सिद्धिं पुत्रपौत्रादिकं नरः ।
अंते शिवपदं याति चन्द्रचूडप्रसादतः ॥ १५ ॥

इति श्रीस्कान्दे उत्तररहस्ये सनत्कुमारसंहितायां सह्याद्रिखंडे चन्द्रचूडमाहात्म्ये पर्वतोपाख्यानं नाम अष्टमोऽध्यायः॥ ८ ॥

॥ ॐ नमो भगवते वासुदेवाय ॥

अथ नागाह्वयमाहात्म्यं प्रारभ्यते ।

प्रथमोऽध्यायः ।

शौनक उवाच । सूत सर्वज्ञ शास्त्रज्ञ ज्ञानार्णवमहोदय ।
नागाह्वयपुराख्यानं वद कारुण्यसागर ॥ १ ॥
कथं नागाह्वयं नाम प्राप्तं क्षेत्रस्य वै मुने ।
समासाद्वद तत्सर्वं चास्माकं करुणाकर ॥ २ ॥
सूत उवाच । शृणुध्वमृषयः सर्वे नागाह्वयकथानकम् ।
आसीद् भार्गवमेदिन्यां पुरी नागाह्वया शुभा ॥ ३ ॥
अनेकवसुसंयुक्ता जनैः सर्वैः समन्विता ।
अघाशीनामनद्याश्च सागरस्य समीपतः ॥ ४ ॥
यत्र तिष्ठति देवेशः शंकरो लोकशंकरः ।
पार्वत्या सह देवेशः सर्पनागसमन्वितः ॥ ५ ॥
नागानामभयं दत्त्वा तेषां प्रीत्या च संस्थितः ।
शौनक उवाच । नागानां किं भयं चासीत् कथं च तन्निवारितम् ६ ।
एतत् सर्वं समाचक्ष्व क्षेत्रमाहात्म्यमेव च ।
सूत उवाच । पुरा नागास्तपस्तेपुः पुरे नागाह्वये मुने ॥ ७ ॥
सह्याद्रेः पश्चिमे देशे जामदग्न्येन निर्मिते ।
अनेकद्विजसंघातैर्वेदघोषैश्च घोषिते ॥ ८ ॥
अग्निहोत्रादिनिरतैश्चतुराश्रमिभिर्वृते ।
स्वधर्मनिरते देशे नाम कोंकणसंज्ञिते ॥ ९ ॥
तपतां तत्र नागानां दिव्यवर्षशतं गतम् ।
ततः प्रसन्नो भगवान् रामो भार्गवपूजितः ॥ १० ॥

क्षत्रियांतकर: शूरो भजतां कामधेनुका ।
व्रीयतां वर इत्युक्ते रामेण फणिनां गणः ॥ ११ ॥
उवाच भार्गवं रामं प्रणिपत्य द्विजोत्तम ।
वैनतेयभयं ब्रह्मन्निवारय जगत्प्रभो ॥ १२ ॥
इति नागवचः श्रुत्वा जगाद ह्यभयं[1] तदा ।
भवतां भयनाशाय क्षेत्रस्य रक्षणाय च ॥ १३ ॥
आनयामि शिवं देवं पार्वत्या सह शंकरम् ।
इत्युदीर्य नागगणांस्ततश्चान्तरधीयत ॥ १४ ॥
कैलासमगमद्धीमान् रामो भार्गवपुंगवः ।
ददर्श तत्र देवेशमुमया सह त्र्यंबकम् ॥ १५ ॥
योगसिद्धासने दिव्ये संस्थितं ज्ञानमुद्रया ।
नारदादिमुनींद्रैश्च[2] सिद्धैः सह विभूषितम् ॥ १६ ॥
दृष्ट्वा प्रोवाच तं ब्रह्मन् तारकाद्यसुरान्तकम् ।
शिवोऽपि भार्गवं रामं ददर्शामिततेजसम्[3] ॥ १७ ॥
आसनात्सहसोत्थाय कृतो[4] वै प्राञ्जलिः स्थितः ।
प्रत्युद्ययौ प्रहर्षेण रामपादाभिवंदनम् ॥ १८ ॥
आसनं[5] च ततो दत्त्वा पूजयामास भक्तितः ।
शिवस्तं प्राह भगवान् सादर मुनिपुंगवम् ॥ १९ ॥
किमागमनकार्यं ते कथ्यतां करवाण्यलम् ।
इत्युदीरितमाकर्ण्य रामः शंकरमब्रवीत् ॥ २० ॥
राम उवाच । शिव शंकर लोकेश नीलकंठ महाबल ।
एहि मत्क्षेत्ररक्षार्थं तत्रैव वसतिं कुरु ॥ २१ ॥

---

१ दश्रुणुउत्तमेति चं. को. पु. पा. २ नारदादिमुनिभिश्चेति चं. गो. को. पु. पा. ३ ददर्शसूर्यदीप्तिमान इति च. को. गो. सि. मु. चि. पा. ४ सामिद्धि-सहोमयाइति को. सि. न. उ. क. चि. पु. पा. ५ कृत्वासने सनिर्येति मु. च. को. पु. पा.

अघाशीनामनद्याश्च तीरे सहगणोत्तमे ।
नागानां वसतिर्यत्र मया पूर्वं हि कल्पितम् ॥ २२ ॥
तेन नागाऽह्वयं नाम ग्रामः परमशोभनः ।
इति रामवचः श्रुत्वा शंकरो लोकशंकरः ॥ २३ ॥
करिष्येऽहं तथैवोक्त्वं रामो दिशयतु सादरम् ।
ययौ क्षेत्रं महापुण्यं गोमन्ताद्दक्षिणे स्थितम् ॥ २४ ॥
यत्र नागास्तपस्तेपुस्तत्र गत्वा सहोमया ।
नागानामन्ततः स्थित्वा तानुवाच महाप्रभुः ॥ २५ ॥
शंकर उवाच । नागाः शृणुत मे वाक्यं भवतां च शुभावहम् ।
वरं वृणुत भद्रं वो रामेण प्रेषितोस्म्यहम् ॥ २६ ॥
इति तद्वचनं श्रुत्वा नागा हर्षसमन्विताः ।
प्रफुल्लनयनाः सर्वे प्रोचुः प्रांजलयस्तदा ॥ २७ ॥
नागा ऊचुः । भगवन् देवदेवेश वैनतेयभयार्दिताः ।
त्वामद्य शरणं याता रामसंस्थापिता वयम् ॥ २८ ॥
अन्तर्भूमिस्थिता नित्यं रामसंस्मरणाद्विभो ।
सूत उवाच । एतस्मिन्नन्तरे ब्रह्मन् वैनतेयो भयंकरः ॥ २९ ॥
बुभुक्षितश्च तान्नागान् भोक्तुमाविशयत भृशम् ।
वैनतेयभयान्नागाः शंभुं शरणमाययुः ॥ ३० ॥
शिवस्यांगे स्थिताः सर्वे भूषणैस्तनुभूषिताः ।
अथाऽऽह भगवान् रुद्रो गरुडं शंसितव्रतम् ॥ ३१ ॥
मम देहगतान्नागान् त्वं न भक्षितुमर्हसि ।
इति शम्भोर्वचः श्रुत्वा ययौ रामकृतं स्मरन् ॥ ३२ ॥
रामक्षेत्रं विहायाथ वैनतेयः स्थलान्तरम् ।
ततःप्रभृति लोकेषु स रुद्रो नागभूषणः ॥ ३३ ॥

---

१ शभादिशयतु सादरमिति को. न. पु. पा. २ ततोतेवेण्यास्तेनागाइति चं. को. न. मु. पु. पा. ३ संस्थितापुराइति चं. न. पु. पा.

बभूव लोकविख्यातः सर्वलोकेषु पूजितः ।
तदा सर्वे जनपदा ब्राह्मणाद्याः-सहस्रशः ॥ ३४ ॥
तत्रागत्य शिवं प्रोचुर्दण्डवत् पतिता भुवि ।
नीलकण्ठं महादेवं नागभूषणभूषितम् ॥ ३५ ॥
नमो नमस्ते देवेश सर्वलोकभयावह ।
इति प्रार्थितमाकर्ण्य भक्तानामभयंकरः ॥ ३६ ॥
प्रसन्नः सुमुखो भूत्वा प्राह नागाव्हयान् द्विजान् ।
इदं क्षेत्रं महापुण्यं सर्वसंपद्विधायकम् ॥ ३७ ॥
नागाव्हयं श्रियोपेतं स्थितोस्मिन्[1] रामनिर्मिते ।
इयं भगवती देवी भवतां च वरप्रदा ॥ ३८ ॥
नागोपहारबलिना पूजिता सुखदायिनी ।
स्थिता परमकल्याणी पूजयध्वमतन्द्रिताः ॥ ३९ ॥
सर्वभूतवशं कर्तु भूतनाथोऽत्र तिष्ठति ।
इति तेषां वरं दत्त्वा तत्रैवान्तर्दधौ हरः ॥ ४० ॥
नागाव्हये महाक्षेत्रे भूम्यामर्थः स्थिता विभो ।

इति श्रीस्कान्दे उत्तररहस्ये सह्याद्रिखण्डे सूतशौनकसंवादे नागाव्हयमाहात्म्ये नागभयदूरीकरणं नाम प्रथमोऽध्यायः ॥ १ ॥

अथ द्वितीयोऽध्यायः

सूत उवाच । अथान्यदपि ते वच्मि नागक्षेत्रमहोदयम् ।
देवैश्चैवानिरुद्धश्च[2] ह्यासीच्छान्तो दयापरः ॥ १ ॥
तत्र कश्चिद् द्विजवरः शांतो नाम महामुनिः ।
वेदाध्ययनसम्पन्नः पुराणश्रवणे रतः ॥ २ ॥

---

१ स्थितोस्मिरामनिर्मिताः रामनिर्मिते रामसुन इति न. को. ख. ड. च. चि. पु. पा. २ देवश्चोवानिरुद्धश्चशान्ति दव्यासद्भवमिति पु. पाठः ।

रामध्यानपरो नित्यं भगवत्यंतिके ततः ।
श्रीसूक्तैः शान्तिपाठैश्च सदा कुर्वन्समाहितः ॥ ३ ॥
ततो भगवती देवी प्रसन्नाऽभून्महामुने ।
तस्य कामवरं दातुं कन्यारूपेण संस्थिता ॥ ४ ॥
सखीद्वयसमायुक्ता चामरव्यजनादिभिः ।
स्तूयमाना देवगणैर्नागकन्याभिरर्चिता ॥ ५ ॥
तदग्रे संस्थिता बाला सर्वाभरणभूषिता ।
नागनूपुरशब्देन चलन्ती समुपागता ॥ ६ ॥
तां दृष्ट्वा सहसोत्तस्थौ ननाम चरणाब्जयोः ।
तुष्टाव परया भक्त्या शान्तिसूक्तेन भूयसा ॥ ७ ॥
यां सदा सर्वभूतानि स्थावराणि चराणि च ।
सायं प्रातर्नमस्यंन्ति सा मां सन्ध्याऽभिरक्षतु ॥ ८ ॥
क्षीरेण स्नापिते देवि चन्दनेनाऽनुलेपिते ।
बिल्वपत्रार्चिते देवि दुर्गेऽहं शरणं गतः ॥ ९ ॥
नमो भगवति शान्ते सर्वमंगलदायिनि ।
नागपीठे स्थिते भद्रे त्राह्यस्मान् कुलदैवते ॥ १० ॥
ततोऽग्निं च प्रतिष्ठाप्य जुहोमि सोममंजसा ।
देवाय दीर्यते[1] रात्रीन् जुहोमि जातवेदसे ॥ ११ ॥
स नो दुर्गाणि विश्वानि प्रतिपालय मे स्वयम् ।
दुरितानि च सर्वाणि यथाऽग्निं संस्थितैर्नृभिः ॥ १२ ॥
रक्ष त्वमनुबन्धूनां[2] त्वद्भक्तिनिरतात्मनाम् ।
इति स्तुत्वा नमस्कृत्वा श्रीसूक्तानि जपन् पुनः ॥ १३ ॥
तत्रैवं जपतः साधोः शान्तो नाम महामुनिः ।
प्रसन्ना वरदा देवी वचनं चेदमब्रवीत् ॥ १४ ॥

---

१ देवाय दहते रात्रीन् इति को. सि. न. चं. पु. पा.
२ रक्षत्वनुदिबंधुनावेवमनवः इति सि. न. को. पु. पा.

देव्युवाच । सन्तानार्थं त्वया भद्र धनार्थं च द्विजोत्तम ।
तपस्तप्तं मम प्रीत्यै तत्रेदं कारणं शृणु ॥ १५ ॥
अग्रे सृष्टं जगत् सर्वं त्रैलोक्यं सचराचरम् ।
सोऽनिरुद्धो जगत्स्रष्टा शान्तादेव्यास्समप्रभुः ॥ १६ ॥
स ते हृत्कमलेऽध्यास्ते तमाराधय सुव्रत ।
भक्त्या सम्पूजितो देवो भुक्तिं मुक्तिं प्रदास्यति ॥ १७ ॥
इत्युक्त्वा तं भगवती वल्मीकान्तरधीयत ।
द्विजो भगवतीवाक्यं हृदि कृत्वा दृढं तथा ॥ १८ ॥
भजन्तद्यज्ञपुरुषं शान्तादेव्याः पतिं प्रभुम् ।
हृत्पद्मकर्णिकायां च तत्राष्टदलसंयुते ॥ १९ ॥
नवशक्तिर्मध्यगताऽनन्तपीठे स्थितो हरिम् ।
भक्त्या विरक्तज्ञानेन योगयुक्तमचेतसाम् ॥ २० ॥
प्रपश्यत्पुरुषं दिव्यं नारायणमनामयम् ।
पीताम्बरधरं देवं रत्नाभरणभूषितम् ॥ २१ ॥
शंखचक्रगदापद्मैः शोभितं च चतुर्भुजम् ।
श्रीवत्सवक्षसं भ्रान्तं कौस्तुभं वनमालिनम् ॥ २२ ॥
प्रसन्नवदनांभोजं पद्मपत्रनिभेक्षणम् ।
लक्ष्मीःकराभ्यामाश्लिष्टं योगिध्यायांघ्रिपंकजम् ॥ २३ ॥
तद्ध्याने निष्ठया भक्त्या मुनिः सानन्दनिर्भरः ।
ततश्चान्तर्हितो देवो बहिः स्थितश्च तमब्रवीत् ॥ २४ ॥

---

१ अग्रेसृष्टिंकृतायेन ब्रह्माण्डंचविनिर्मितमिति सि. को. न. चं. पु. पा. २ सहसममभुरिति न. चं. को. पु. पा. ३ तस्माराधय सुव्रतेति को. न. पु. पा. ४ सूर्यहुताशानां मंडलात्रिल येस्थितमिति. न. गो. क. को. सि. पु. पा. ५ काचि दामत्रिभूषितमिति मु. न. को. पु. पा. ६ पत्ररुणेक्षणमिति को. न. सि. क. चि. पु. ७ वृक्तयाभक्तया इति न. को. मु. सि. पु. पा.

वरं वरय भद्रं ते ददामि तव वांच्छितम् ।
इति देववचः श्रुत्वा स शान्तो मुनिरब्रवीत् ॥ २५ ॥
देवदेव जगन्नाथ भक्ताऽनुग्रहकारक ।
अत्रैव स्थीयतां नित्यं सह शान्त्या वरप्रद ॥ २६ ॥
मद्वंशप्रभवैः सर्वैरेतत्क्षेत्रनिवासिभिः ।
पूज्योऽभीष्टप्रदो नित्यं भवतां विभवैः स्वकैः ॥ २७ ॥
त्वत्प्रसादेन सर्वेऽपि भुक्तिमुक्तिसुखान्विताः ।
भविष्यन्ति यथा देव तथा देयो वरो मम ॥ २८ ॥
इति विप्रवचः श्रुत्वा तमाह भगवान् हरिः ।
श्रीभगवानुवाच। स्थितोस्मिभवतांक्षेत्रेस्मरतांमुक्तिसिद्धये[1] ॥ २९ ॥
इयं च देवी शान्तिर्वा ह्यस्तु सौभाग्यदायिनी ।
स्थितः संरक्षणार्थाय क्षेत्रस्थानां शिवाय च[2] ॥ ३० ॥
सोमश्चापि शुभं छत्रं सुवर्णकलशान्वितम् ।
नानारत्नमयं दंडं तत्राविष्कंतरिक्षगं ॥ ३१ ॥
पूज्यः पराहुतीभिश्च प्रार्थिते च वरप्रद ।
भजतां च मनोऽभीष्टं भविष्यति शुभाशुभम् ॥ ३२ ॥
त्वं चास्य क्षेत्रमुख्येन ग्रामादिपुरुषो भव ।
इत्युक्त्वा चाभयं दत्त्वा तत्रैवान्तर्दधे हरिः ॥ ३३ ॥
ततः प्रभृति तत्क्षेत्रे षडिष्टानि भवन्ति हि ।
विष्णुर्मुक्तिप्रदस्तत्र शान्ता सौभाग्यदायिनी ॥ ३४ ॥
शिवः संरक्षणार्थाय कार्ये भगवती तथा ।
विघ्ननाशाय वै तत्र विघ्नराजस्तु तिष्ठति ॥ ३५ ॥
भूतबाधाविनाशार्थं भूतनाथोऽत्र तिष्ठति ।
विष्ण्वाद्याः सम्मुखास्तेषां ये नराः सम्मुखस्थिताः ॥३६॥

---

१ स्थितोस्मिभवतत् क्षेत्रेति मु. को. न. सि. पु. पा. २ स्थिता संरक्षणार्थाय शिवाभ्यामति– सोमश्चाविशुभंछत्रमिति सि. चं. को. न. मु. पु. पा.

विमुखा विमुखानां तु नेतरेषां कदाचन ।
सूत उवाच । एतत्सर्वं भृगुश्रेष्ठ रामेण परिपालितम् ॥३७॥
इत्येतत् कथितं सर्वं क्षेत्रमाहात्म्यमुत्तमम् ।
धन्यं यशस्यमायुष्यं सुखकीर्तिविवर्द्धनम् ॥ ३८ ॥
शृणुयाच्छ्रावयेन्मर्त्यो भुक्तिं मुक्तिं च विन्दति ।

इति श्रीस्कांदे उत्तररहस्ये सह्याद्रिखण्डे नागाह्वयमाहात्म्ये सूतशौनकसंवादे शान्तादुर्गाप्रादुर्भावो नाम द्वितीयोऽध्यायः ॥ २ ॥

॥ ॐ नमो भगवते वासुदेवाय ॥

अथ वरुणापुरमाहात्म्यम् ।

प्रथमोऽध्यायः ।

शौनक उवाच । भगवन् सूत सर्वज्ञ ह्यस्मद्भाग्यमहोदय ।
वरुणापुरमाहात्म्यं विस्तराद्वदनो वद ॥ १ ॥
सूत उवाच । वरुणस्य पुरी रम्या नानारत्नसमन्विता ।
तद्वै क्षेत्रस्य माहात्म्यं शृणु[1] शौनक सादरम् ॥ २ ॥
तत्र सर्वे जनपदा नित्यं धर्मपरायणाः ।
राममाराधयन्सर्वे वेदतत्त्वार्थकोविदाः ॥ ३ ॥
ज्योतिष्टोमेन विधिना सर्वलोकहिताय च ।
रामः प्रत्यक्षरामेति देवो यत्राक्षिगोचरः ॥ ४ ॥
तस्मिन्यज्ञसमाम्नाये तृप्ता देवा महर्षयः ।
तथा[2] रामस्तु सन्तुष्टो वरुणं चेदमब्रवीत् ॥ ५ ॥
जलाधिप महाबाहो कुरुष्वात्र ममालयम् ।
दिव्यै[3]र्मुनिगणैः सेव्यं निर्मितं रत्नसंचयैः ॥ ६ ॥
इति राम[4]वचः श्रुत्वा तथेत्युक्त्वा महोदधिः ।
कारयामास वरुणो यथैव भवनं स्वकम् ॥ ७ ॥
रामाय भार्गवेंद्राय निवेद्य प्रांजलिः पुरा ।
स्थित्वा संप्रार्थयामास पश्येदं भार्गव प्रभो ॥ ८ ॥

---

१ शृणुभार्गवनन्दनेति मु. न. सि. पु. पा. २ यथारामास्त्वंति न. को. सि. क. पु. पा. ३ दिव्यंमुनिगणै.—गणा.—गण शोभ्यमिति मु. न. सि. को. क. चं. गो. चि. पु. पा. ४ इतिरामोवचोदेवस्तथैवामिसादरामिति गो. क. न. पु. पा.

अथाह भार्गवो रामो वरुणं प्रीतिसंयुतम् ।

श्रीराम उवाच । मनोहरं कृतं भद्र वरुणेदं सुखप्रदम् ॥ ९ ॥

रत्नकांचनसंयुक्तं प्रियं स्वभवनं यथा ।

त्वन्नामवाचकं क्षेत्रं वरुणापुरमित्यथ ॥ १० ॥

तदाप्रभृति तत्क्षेत्रं वरुणापुरसंज्ञकम् ।

बभूव लोके विख्यातं धर्मसम्पत्समृद्धिमत् ॥ ११ ॥

वेदा यज्ञाश्च दानानि सदैवातिथिपूजनम् ।

तोयस्रावि शुभं छत्रं सुवर्णकलशान्वितम् ॥ १२ ॥

नानारत्नमयं दिव्यं तत्र विप्रांतरिक्षगम् ।

तत्रस्थानां द्विजेन्द्राणां वरं दत्त्वा ययौ हरिः ॥ १३ ॥

जामदग्न्यो भृगुश्रेष्ठः स्मृतो यस्य इति प्रभुः ।

कदाचिन्माधवे मासि तत्र चासीन्महोत्सवः ॥ १४ ॥

नवम्यां भृगुवारे तु सर्वलोकसमन्वितः ।

रामोत्सवे तु सम्प्राप्ते तत्रे[2] सप्तदिनात्मके ॥ १५ ॥

केचिद् गर्जन्ति देवेशं रामं यज्ञपतिं प्रभुम् ।

दानानि विविधान्येव कुर्वन्ति हि तथाऽपरे[1] ॥ १६ ॥

ब्राह्मणाद् भोजयंत्यन्ये रसैः षड्भिः समन्वितैः ।

केचिन् गायन्ति नृत्यन्ति रामगाथां पुनः पुनः ॥ १७ ॥

[3]तदा कश्चिन्महादैत्यः सन्मुखो यो महाबलः ।

पीडे[4]यामास तान् लोकान् वरुणापुरवासिनः ॥ १८ ॥

दैत्यपीडां ततो दृष्ट्वा रामं शरणमाययुः ।

स्मरन्तो रामरामेति ध्यायन्तश्चरणाम्बुजम् ॥ १९ ॥

हे राम जगतामीश जामदग्न्य महाप्रभो ।

दुष्टक्षत्रियसंहार भक्तानुग्रहकारक ॥ २० ॥

---

१ तथादति गु. न. सि. पु. पा. २ रात्रे सप्तदिनात्मकेति को. क. सी. मु.पा.
३ कदाकश्चिदिति सि. न. पा. ४ कारयामासेति मु. न. क. गो. पु. पा.

देवदेव जगन्नाथ सर्वलोकभयापह ।
वयं त्वां शरणं याता त्वदीया रक्षितास्त्वया ॥ २१ ॥
त्राहि त्राहि भृगुश्रेष्ठ त्वद्दर्शनमभीप्सवः ।
इति तेषां वचः श्रुत्वा रामः प्रत्यक्षमागमत् ॥ २२ ॥
तं दृष्ट्वा सहसोत्तस्थुः सर्वे प्रांजलयोऽभवन् ।
स्तुतिमारेभिरे सर्वे वरुणापुरवासिनः ॥ २३ ॥
नमो नमस्ते भृगुवर्य देव नमो नमस्ते द्विजपेन्द्रसूर्य ।
नमो नमस्तेऽखिलदावदाह नमो नमस्तेऽखिलकामदोह ॥ २४॥
नमो नमः कारणपूरुषाय स्वभक्तसंसारतरोः कुठार ।
स्वक्षेत्ररक्षाधृतचापबाण स्वकीयदुःखाब्धिविशोषणेह ॥ २५ ॥
इति स्तुतोऽथ भगवान् रामः परपुरंजयः ।
गम्भीरश्लक्ष्णया वाचा तानुवाच द्विजोत्तमान् ॥ २६ ॥
श्रीराम उवाच । विप्राः शृणुत मे वाक्यं सर्वेषां वः सुखावहम् ।
दैत्यदानवघाताय देवी संस्थापिता मया ॥ २७ ॥
सर्वलक्षणसंपन्ना मायाव्च्छक्तिपूजिता ।
रत्ननूपुरपादाभ्यां चलंती लोकपावनी ॥ २८ ॥
वाला कन्याकुमारी च यमुना मनमोहिनी ।
वृद्धा च शासनी वृद्धा सर्वकार्यार्थदायिनी ॥ २९ ॥
प्रातःसंगवमध्यान्हे ह्यपराण्हे तथैव च ।
सायं प्रदोषरात्रौ च ह्यर्धरात्रौ तथाऽपरा ॥ ३० ॥
नवरूपसमायुक्ता नवनामान्तिका भुवि ।
आदिशक्तिर्महामाया मूलप्रकृतिरीश्वरी ॥ ३१ ॥
गन्धद्वारां दुराधर्षां नित्यपुष्टां करीषिणीम् ।
श्रीदेवी सर्वभूतानामिति वेदविदो विदुः ॥ ३२ ॥
भविष्याणि च नामानि कथयामि द्विजोत्तम ।
दुर्गेति भद्रकालीति विजया वैष्णवीति च ॥ ३३ ॥

कुमुदा दण्डिका कृष्णा माधवी कन्यकेति च ।
माया नारायणी शान्ता शारदा ह्यंबिकेति च ॥ ३४ ॥
कात्यायनी बालदुर्गा महायोगिन्यधीश्वरी ।
योगनिद्रा महालक्ष्मीः कालरात्रिश्च मोहिनी ॥ ३५ ॥
सर्वदेवनमस्कुर्या[1] तामिहोपह्वये श्रियम् ।
इत्यर्च्य भारती नित्यं चतुर्विंशतिनामभिः ॥ ३६ ॥
सर्वकामप्रदा तेषामभीष्टफलदायिनी ।
सेव्या भगवती देवी वारुणे भवनोत्तमे ॥ ३७ ॥
मया प्रस्थापिता[2] चास्ति पुरेदं विदितं मम ।
सर्वविघ्नप्रशमनीं तां भजध्वं द्विजोत्तमाः ॥ ३८ ॥
तोयस्राावि शुभं छत्रं सुवर्णकलशान्वितम् ।
नानारत्नमयं दण्डं तत्राविष्टांऽन्तरिक्षगा ॥ ३९ ॥
पूजोपहारनुतिभिः प्रार्थिताऽऽस्ते वरप्रदा ।
भवतां च मनोभीष्टं वादिष्यति शुभाशुभम् ॥ ४० ॥
इत्युक्त्वा स्वजनं रामस्ततो गोमान्तकं ययौ ॥

इति श्रीस्कान्दे उत्तररहस्ये सह्याद्रिखण्डे सूतशौनकसंवादे वरुणापुरमाहात्म्ये देवीस्थापनं नाम प्रथमोऽध्यायः ॥ १ ॥

अथ द्वितीयोऽध्यायः

सूत उवाच । अथ रामाज्ञया सर्वे वरुणापुरवासिनः ।
महालसां तथा देवीं स्तुत्वा नत्वाऽथ योषितम् ॥ १ ॥

---

१ नमस्कार्याइति मु. न. गो. पु. पा. २ मयाप्रस्थापितचास्थीति न. गो. सि. पु. पा.

पूजयित्वा यथान्यायं[1] सर्वे तां शरणं ययुः ।
कृताञ्जलिपुटा भूत्वा स्वानुभूतं निवेदयन् ॥ २ ॥
नमो देवि जगद्धात्रि सृष्टिस्थित्यन्तकारिणि ।
त्वामद्य शरणं याताश्चण्डासुरभयार्दिताः ॥ ३ ॥
रक्ष रक्ष महादेवि दुष्टदैत्यवधं कुरु ।
एवं स्तुत्वा तदा देवी सन्तुष्टवचनाऽब्रवीत् ॥ ४ ॥
मा भैष्ट विप्रास्तं दैत्यं घातयिष्ये न संशयः ।
इत्युक्त्वा खड्गमादाय हंतुं चण्डासुरं ययौ ॥ ५ ॥
तेन सार्कं महद्युद्धं कृत्वा घोरतरं[2] तदा ।
शिरो जहार दैत्यस्य हत्वाऽसुरचमूं तथा ॥ ६ ॥
तच्छिरं वामहस्तेन गृहीत्वा साऽऽलयं ययौ ।
अथ देवगणाः सर्वे सिद्धचारणगुह्यकाः ॥ ७ ॥
मुमुचुः कुसुमासारं शंसतः कर्म तत्तदा ।
जगुर्गन्धर्वपतयस्तुष्टुवुर्मुनयो मुदा ॥ ८ ॥
महामाये महालक्ष्मि महायोगिन्यधीश्वरि ।
जयेति विजयेत्येवं सर्वलोकनमस्कृते ॥ ९ ॥
स्तुते सम्पूजिते देवि सर्वलोकफलप्रदे ।
बभूव लोकविख्यातं सर्वमंगलदायिनि ॥ १० ॥
तदा सर्वे जनपदा वरुणापुरमागताः ।
उत्सवं कारयामासुर्महाफलसमृद्धये ॥ ११ ॥
माघे मासि सिते पक्षे षष्ठ्यां भक्तिसमन्विताः ।
येऽर्चयन्ति नरा भक्त्या देवीं त्रिभुवनेश्वरीम् ॥ १२ ॥

---

१ न्यायमिति पु. उ. को. पु. पा. २ कृत्वाघोर ततोद्यति मु. को. गो. सि. पु. पा.

मनोरथं प्राप्नुवन्ति सर्वे लोका न संशयः ।
यस्यां तिथौ हतो दैत्यः सा तिथिस्तत्प्रियाऽभवत् ॥ १३ ॥

इति श्रीस्कान्दे उत्तररहस्ये सह्याद्रिखण्डे सूतशौनकसंवादे वरुणापुरमाहात्म्ये महालसाप्रभावकथनं नाम द्वितीयोऽध्यायः ॥ २ ॥

---

१ सषष्ठितत्प्रियाभवेदिति न. गो. सि. चं. को. क. पु. पा.

॥ ॐ नमो भगवते वासुदेवाय ॥

अथ कामाक्षीमाहात्म्यम् ।

प्रथमोऽध्यायः ।

देवर्षेर्नारदाच्छ्रुत्वा माहात्म्यानि बहून्यपि ।
अंबरीषो नृपश्रेष्ठः पुनः पप्रच्छ तं मुनिम् ॥ १ ॥

अंबरीष उवाच । कस्य देवस्य का शक्तिर्महिषासुरमर्दिनी ।
कुतो रैक्षेत्रं कामाक्षी काऽभूत् तद्वदस्व मे ॥ २ ॥
आकर्ण्य बहुशश्चापि त्वन्मुखात् सत्कथामृतम् ।
न तृप्तिर्लभते चातो मम नारद पृच्छतः ॥ ३ ॥
इत्याकर्ण्य वचस्तस्य ह्यम्बरीषस्य भूपतेः ।
कथां रैक्षेत्रकामाक्ष्या व्याहर्तुमुपचक्रमे ॥ ४ ॥

नारद उवाच । क्षीराब्धेः पश्चिमे तीरे रैग्रामे सर्वसंयुते ।
विप्रक्षत्रियविट्शूद्रैश्चातुर्वर्ण्यसमन्विते ॥ ५ ॥
स्वधर्मनिरतैर्विप्रैः शान्तैर्दान्तैस्तपोधनैः ।
पतिव्रताभिः सौभाग्यवनिताभिः सहार्भकैः ॥ ६ ॥
राज्ञां च दिव्यवीर्येण क्षत्रियोऽसौ सदा मुदा ।
पण्यदक्षैर्महावैश्यैः शूद्रैः सेवानुतत्परैः ॥ ७ ॥
ब्रह्मचर्यरतैस्तत्र गृहिभिर्धर्मतत्परैः ।
वानप्रस्थैर्भिक्षुकैश्च स्वस्वधर्मानुकूलकैः ॥ ८ ॥

---

१ शूद्रैश्च स्वसेवतेनरैः इति मु. को. चं. पु. पा. २ धर्मसूत्रैः इति गो. मु. क. को. न. पु. पा. ३ कैश्चसन्दुल्धिरुणसते रुपासते इति को. कं. सि न. पु. पा.

नारिकेरैस्तथा पूगैः कदलीभिर्विराजितम् ।
आम्रैर्बिल्वैश्च गन्धैश्च पनसैरुपशोभितैः ॥ ९ ॥
चम्पकैः खदिरैश्चैव पिप्पलैः किंशुकैर्वटैः ।
नारिंगैर्मातुलिंगैश्च जम्बूभिः परिशोभितैः ॥ १० ॥
दाडिमैर्यावनालैश्च वेणुस्तम्भसमोत्तमैः ।
जातिभिर्जलजोत्फुल्लवल्लीस्थभ्रमरैस्तथा ॥ ११ ॥
सुगन्धपुष्पनिर्युक्तैर्निनदैः कोकिलादिभिः ।
सच्छदैर्भाषितालोककुसुमैः सुमनोद्भवैः ॥ १२ ॥
समुद्रोर्मिभिरुत्तुंगैस्तत्तीरस्थनिकेतनैः ।
प्रासादैः कुड्यसोपानैर्महाध्वनिसमाकुलम् ॥ १३ ॥
यथा चैत्ररथो रम्यस्तथा तद्द्वीपशोभितम् ।
तत्र वासं प्रकुरुते हरिर्विष्णुर्जगत्पतिः ॥ १४ ॥
तत्रेश्वरेति नाम्ना वै भवानीरमणो हरः ।
नारायणेति नाम्नाऽस्ति कमलावल्लभो हरिः ॥ १५ ॥
भक्तसंरक्षणार्थाय वसेते तत्र तावुभौ ।
भैरवः पुरुषश्चैव ह्युभौ दूतौ महाबलौ ॥ १६ ॥
तस्मिन्ग्रामे द्विजश्रेष्ठो ह्यासीदग्निमुखाभिधः ।
ऋग्यजुःसामवेदानां पारगोऽथर्वणादिकं ॥ १७ ॥

---

१ सपनैर्महाध्वानीति न. को. क. सि. पु. पा. २ यथाचैत्ररथंरम्यं तथैवंतद्विशोभते इति को. गो. न. सि. क. पु. पा. ३ नत्रासांचाकुदेवो हरिविष्णुजगत्पतिरिति मु. को. क. सि. पु. पा. ४ शर्योश्वरेतिनाम्नाज्ञा इति न. को. क. सि. पु. पा. ५ भक्तसंरक्षणायैववर्तेते तत्रताउभौ इति न. सि. क. पु. पा.

षडंगज्ञोऽर्थशास्त्रज्ञो मीमांसाज्ञोऽर्थवादिन: ।
बहुश्रुतैः पुराणानां साक्षात् सूर्य इवापरः ॥ १८ ॥
गार्हस्थ्यधर्मनिरत: सकुटुंबो महातपा: ।
निर्वैर: सत्यसंपन्नस्तस्य पुत्रो गुणाकर: ॥ १९ ॥
बालिशः पितृभक्तश्च कृतमौंजीविधिस्तदा ।
स विप्रोऽग्निमुखो नित्यमुञ्छवृत्तिपरायणः ॥ २० ॥
तयोर्रतिशयान्नित्यं पूजार्चां प्रकरोति हि ।
वैष्णवैः सूक्तपाठैश्च पावमानेन सूक्तिभि: ॥ २१ ॥
सहस्रनामगीताभिर्नारायणमतोषयन् ।
तया विष्णू रमाधीश: साक्षात्कारोऽभवत्तत: ॥ २२ ॥
तस्य पुत्र: कदा काले समित्कुशसमृद्धये ।
गतोऽरण्यं समीपस्थं नालभत्तत्र योजितम् ॥ २३ ॥
पितुराज्ञाप्रमाणत्वाद्ययौ घोरे महावने ।
सिंहव्याघ्रवृकरकपिदंष्ट्रमृगाकुले ॥ २४ ॥
संचारं तत्र कृत्वा स भीतो भीत: शनैः शनैः ।
यावदागच्छति गत: पंथा: सन्मंत्रपाठक: ॥ २५ ॥
तावद् दृष्टो महाघोरो दैत्यो महिपवंशज: ।
कानीनो महिषाख्यस्य किमसौ प्रतिमाहिष: ॥ २६ ॥
वर्तुलस्ताम्रनयन ऊर्ध्वकेशो भयंकर: ।
लम्बजिह्वो महाक्रूरो दीर्घदन्तो महाबल: ॥ २७ ॥

---

१ मीमासस्त्वत्वशारदाइति न. गो. क. सि. पु. पा. २ बहुतपुराणश्चेति गो. को. सि. पु. पा. ३ तयेावीष्णीशयो नित्यमिति सि. गो. क. न. पु. पा. ४ सिंहव्याघ्रमकरकदष्टमगाकुलेति न. क. सि. को. मु. पु. पा. ५ वर्तलाताम्रनयनमिति न. गो. क. पा. ६ बहुजिह्वोमहाक्रुद्धा– द्धो– धे- इति वा न. को. सि. मु. पृ. पा. ७ अस्तिदन्तेति सी. को. क. पा.

दृष्ट्वा विप्रसुतं बालं नाम्नैव हि गुणाकरम् ।
गर्गरं शब्दमकरोद् व्याप्तभूतं दिगन्तरम् ॥ २८ ॥
तेन शब्देन महता कम्पिता सकला मही ।
स बालो भयभीतश्च सम्मुखोन्मुखभास्करम् ॥ २९ ॥
अतीव तेन संक्रुद्धो दैत्यो बालमुपागमत् ।
करालवदनो धावन्नुपधाव्य वदन्महत् ॥ ३० ॥
अतीव भीतो बालोऽसौ मूर्च्छां प्राप तत्क्षणात् ।
तमभक्षत्तदाश्लेषो वक्रेणामिषगन्धिना ॥ ३१ ॥
अत्यजत् समिधादर्भान् गृहस्यैवांतिके स वै ।
तस्यासीज्जनको वीरो नागतः किं ममात्मजः ॥ ३२ ॥
इति चिंत्य मुहुः स्वांते मृग्यमाणो वनं गतः ।
यत्रास्ति दैत्यो बालोऽसौ दृष्ट्वा पप्रच्छ तं द्विजः ॥ ३३ ॥
इतस्ततः केन कृताः समिधश्च कुशा अपि ।
त्वया दृष्टोऽस्ति वा पुत्रो मम नाम्ना गुणाकरः ॥ ३४ ॥
इति श्रुत्वा वचस्तस्य दैत्यः प्राह द्विजंप्रति ।
मयैव भक्षितः पुत्रस्तर्व भो द्विजसत्तम ॥ ३५ ॥
इदानीं भक्षयामि त्वमिति श्रुत्वाऽग्निवक्रकः ।
अधावद् भयभीतः सन् क्रंदनो ह्यतिदुःखितः ॥ ३६ ॥

---

१ घघरमिति सि. न. गो. च. को. पाठः २ व्याप्तस्वभूदिगन्तरमितिक. को. च. व. मु. पु. पा. ३ सन्मुखोचेमुकुचभास्करमिति क. न. को. गो. सि. मु. पु. पा. ४ मूर्छांपापततक्षिणात्—तक्षिकान्—तक्षिणः इति वा पु. पा. ५ तस्यासैाइति क. को. चं. मु. न. पु. पा. ६ सामिधश्चेति मु. पा. ७ माहविजातममिति मु. न. को. क. पु. पा. ८ तपभोइति न. गो. सि. पु. पा. ९ कन्दमोदि दुःखितः इति मु. सी. क. पु. पा.

पृष्ठतश्च महादैत्यो भक्षणार्थं कृतोद्यमः ।
सविप्रराजःपठमानमन्त्रोनानाप्रयोगैर्विनिवारयासुरम्[१]।३७।
स्मृत्वाहरिंसोभयभीतचित्तःसमागमद्विष्णुहरान्तिकेद्राक् ।

इति श्रीस्कान्दे उत्तररहस्ये सह्याद्रिखण्डे सह्याचलोपाख्याने नारदांबरीषसंवादे कामाक्षीमाहात्म्यं नाम प्रथमोऽध्यायः॥१॥

अथ द्वितीयोऽध्यायः ।

नारद उवाच । दुःखितो भयभीतः सन् चकितश्च द्विजोत्तमः ।
हरिहरान्तिके गत्वा तूष्णीं तस्थौ तदेकधृक् ॥ १ ॥
तं दृष्ट्वा सात्विकं विप्रं स्वभक्तः सर्वदा स्थितम् ।
जातं तु म्लानवक्त्रं तत् कमलापार्वतीपती ॥ २ ॥
हरिहरावूचतुः । किं विषण्णोसि विप्रेंद्र भक्तराजोऽस्तु ते शिवं ।
सांप्रतं किमभूत्तत्र तद्वदस्व सविस्तरम् ॥ ३ ॥
इति तद्वचनं श्रुत्वा तौ प्राहाग्निमुखो द्विजः ।
अग्निमुख उ० । भवत्कृपातिवृद्धोहमेतावत्समयावधि ॥४॥
न दृष्टवान् शुभं क्वापि सोहं[२] मद्विमुखं गतः ।
मत्पुत्रः समिधाद्यर्थं प्रेषितो धर्मसिद्धये ॥ ५ ॥
सोद्य[३] माहिषदैत्येन भक्षितोऽस्ति हि मे प्रभो ।
मां[४] भक्षितुं समायातस्तं दृष्ट्वा निसृतो मया ॥ ६ ॥

---

१ प्रयोगैर्निवारयदैत्यं–यैदत्य–दत्तमिति मु. गो. सि. न. को. च. क. पु. पा. २ सोहमद्यामुखंगतः इति न. गो. को. क. पु. ३ सोघमाहिषवश्येन दैत्येनगिलितास्तिहीति को. चं. मु. पा. ४ माचमक्षितुभयातौनिवृत्त संशया–कचिदिति मु. गो. न. सी. को. क. पु. पा.

तस्मात् पुत्रस्य जीवार्थं दैत्यस्य वधकांक्षया ।
कर्मधर्मस्य[1] रक्षार्थमुपायः क्रियतां तु वाम् ॥ ७ ॥
हरिहरावूचतुः । अधूतस्य विशुद्ध्यर्थं करटस्य विपं प्रति ।
गच्छाशु निर्विकल्पस्त्वमंग ते सुत निर्ज्वरः ॥ ८ ॥

कामाक्षिका यत्र महाद्भिताऽस्ति
श्रीविष्णुरुद्रादिकृतश्च वासः ।
सा बुद्धिमाया महिषमारणार्थं
गत्वाऽऽशु तां प्रार्थय सर्वभूताम् ॥ ९ ॥

अस्मन्नाम्ना तु कुशलं पृष्ट्वा तस्य द्विजोत्तम ।
सह देव्या तया प्रीत्या समागच्छेष्टसिद्धये ॥ १० ॥
इति तद्वचनं श्रुत्वा ताभ्यामाश्वासितो द्विजः ।
तुष्टावाभयभीष्टार्थं वाणीभिः सोऽग्निवक्त्रकः ॥ ११ ॥
अग्निमुख उवाच । नमो नमो ब्रह्मसुरेन्द्रवन्द्य
नारायणायेत्यखिलेश्वराय ।
रामेश्वरायापि[2] नमोऽस्तु तस्मै ।
यः सर्वभक्ताऽभयतः प्रभो ते ॥ १२ ॥
कैटभं डिंडिशं[3] वाणं शकटं योवधीद्धरिः ।
अन्धकं त्रिपुरं रुद्रं ताभ्यां भूयो नमो नमः ॥ १३ ॥
कमलापार्वतीशाभ्यां हरये शम्भवे नमः ।
विष्णवे शिवरूपाय युवाभ्यां परमेश्वरौ ॥ १४ ॥
नारद उवाच । इति[4] तौ च स्तुतिं स्तुत्वा स्मृत्वा नारायणं परम् ।
रमानाथं कुलाधीशं ययौ कामाक्षिकास्थलम् ॥ १५ ॥
तस्या निकेतनं गत्वा[5] तां दृष्ट्वा जगदम्बिकाम् ।
सर्वं चाकथयत्तस्यै तुष्टाव च सुरेश्वरीं ॥ १६ ॥

---

१ सर्वधर्मस्यरक्षार्थेति मु. गो. सि. पु. पा. २ रापेश्वरायेति मु. गो. सी. न.क. को. पु. पा. ३ डिब्कमिति मु. गो. न. पु. पा. ४ इतितोस्तूष्णीत्यष्णीशौ स्मृत्वनारायणं परामिति मु. को. न. गो. क. पु. पा. ५ कृत्वाइति सि. चं. गो. क. पु. पा.

नमः कामाक्षिकायै ते भक्तानामभयप्रदे ।
हितं कुरु मम स्तुत्यै सर्वदेवाभिवन्दिते ॥ १७ ॥
कामाक्ष्युवाच । गच्छात्र आशु रैग्रामं तं हनिष्यामि माहिषम् ।
तव पुत्रं प्रदास्यामि मा भैष्टं द्विजसत्तम ॥ १८ ॥
इति चाऽऽभाष्य तत्काले सह तेन द्विजन्मना ।
[२]गच्छाऽऽगच्छामि मे तत्र पर्वते यत्र तावुभौ ॥ १९ ॥
तच्छ्रुत्वा सकलो लोक [३]उपर्युपरि संस्थितः ।
तदा वै ह्यागतो राजन्नंबरीषः सकौतुकम् ॥ २० ॥
तदाऽभवत्पुष्पवृष्टिर्वाद्यादिनिनदो ह्यभूत् ।
जगुर्भक्ताः प्रीतये तद्गुणार्थं तस्मै देवी चाययौ काउराख्यात्॥२१॥
कुत्रचिच्छीघ्रगा देवी क्वचिन्मंथरगाऽभवत् ।
एतादृशं हि तत्कर्म भक्तप्रीतिविवर्धनम् ॥ २२ ॥
यत्र यत्राभवर्चिता तत्र तत्र स्थिताऽभवत् ।
अपीडयच्च तत्पादौ भक्त्या सोभिमुखो द्विजः ॥ २३ ॥
ततः सा पठनामानं ग्रामं प्राप्ता महेश्वरी ।
सत्कृत्वा भैरवाख्यो हि तस्थौ तत्र दिनैककम् ॥ २४ ॥
द्वितीये सह चैश्वर्यं भैरवः प्रोक्तुमुद्यतः ।
तं प्रत्याह जगन्माता कामाक्षी भक्तपालिका ॥ २५ ॥
कामाक्ष्युवाच । स्वग्रामे तिष्ठ भद्रं ते भैरवोत्तम सन्मते ।
गच्छामि परदेशे ह तत्र किंचित्प्रयोजनम् ॥ २६ ॥
तच्छ्रुत्वा भैरवः प्राह भवती यत्र वर्तते ।
तत्राहं विषये ग्रामे सत्यमेवाप्युदीरितम् ॥ २७ ॥

---

१ तस्यामीमाभीतीभवसत्त्रमइति सी. न. को. पु. पा. २ ऐच्छादागंतुमै-त्रववर्तितेयत्रेति न. सि. गो. क. पु. पा. ३ उपरिपर्यसंस्थितइति को. क. न. गो. मु. पु. पा.

विज्ञाय तस्य तद्भावं कामाक्षी सर्वबोधिनी ।
भैरवाग्निमुखाभ्यां हि स हरयान्तिकेऽगमत् ॥ २८ ॥
कामाक्ष्युवाच । गच्छाग्निमुखतो देवी ह्यागतासीति कथ्य च ।
ज्ञापयित्वाऽखिलं ताभ्यां मा गच्छस्व विलंबिताम् ॥ २९ ॥
ततस्तदाज्ञया विप्रो गत्वा नारायणेश्वरौ ।
आगता सा जगन्माता इत्येवं कथयत्तदा ॥ ३० ॥
तदा तु लोकशैव्यैश्च सह तौ प्रीतिभावतः ।
प्रवेशाय च रैक्षेत्रे ह्यागतस्तत्समीपतः ॥ ३१ ॥
सा सत्कृता हरिहरद्विजभैरवाख्या
वाद्यैश्च गायनमहोत्सवितैः समेता ।
सर्वैः स्तुता जयजयेति च पूर्णकामा
कामाक्षिका प्रयत रैनगरं गताऽभूत् ॥ ३२ ॥
इति श्रीस्कान्दे उत्तररहस्ये सह्याद्रिखण्डे सह्याचलोपाख्याने नारदांबरीषसंवादे कामाक्षीमाहात्म्ये द्वितीयोऽध्यायः ॥ २ ॥

अथ तृतीयोऽध्यायः ।

नारद उवाच । यदा प्रविष्टा कामाक्षी तत्रैव नगरे शुभे ।
सानन्दोभूज्जनः सर्वो तत्रत्यः संप्रहर्षितः ॥ १ ॥
रामेश्वरस्य पार्श्वे तु स्थित्वा कामाक्षिकाम्बिका ।
तामूचे हरिगौरीशः प्रसन्नां सुमुखीं शिवाम् ॥ २ ॥
हरिहरावूचतुः । विश्रभ्य दिनमेकं हि देवि शक्रादिवन्दिते ।
ततस्तं महिषं हन्तुमुद्योगो विहितस्तव ॥ ३ ॥
नारद उवाच । इति सम्प्रोचुस्ते देवाः श्रुतं तद्दैत्य सर्वशः ।
श्रुत्वा परस्परं लोका मनस्यैवं विचिन्तयन् ॥ ४ ॥

महिषोन्मत्ततां दृष्ट्वा सा दुर्गा बलवर्द्धिनी ।
योद्धुं मया महादैत्याः सहायबलवर्द्धनाः ॥ ५ ॥
इति संचिंत्य मनसि दैत्यान् पातालवासिनः ।
आहूय मण्डलं चक्रे नानाशस्त्रास्त्रधारिणाम् ॥ ६ ॥
ततो द्वितीयदिवसे सा माता जगदम्बिका ।
हरिणा च हरेणापि भैरवेण द्विजेन च ॥ ७ ॥
समन्विता गणैः सर्वैर्भूतानां षष्टिसम्मितैः ।
सार्द्धकोटित्रयैर्भूतैस्तीक्ष्णैर्मुखकरालकैः ॥ ८ ॥
नानावादित्रनिर्घोषैः स्तुतिभिः सत्यभाषितैः ।
अर्थवादिद्विजश्रेष्ठैर्गीयमाना महाबलम् ॥ ९ ॥
जगाम वनसंस्थं तं दैत्यं हन्तुं कृतोद्यमा ।
तां दृष्ट्वा महिषो दैत्यो धावन्नागच्छदम्बिकां ॥ १० ॥
कामाक्ष्या बलवर्धिन्या हन्तुं तत्सैन्यनिष्ठया ।
ततोऽसौ भयभीतः सन् जगाम शरणं शिवाम् ॥ ११ ॥
रक्ष रक्ष कृपानेत्रे[1] दासोऽहं तव ह्यम्बिके ।
प्राप्तोद्य शरणं त्वाऽहमुपेक्षां न कुरुष्व मे ॥ १२ ॥
नारद उवाच । तेनोक्तमिति यद्वाक्यं तच्छ्रुतं हरिपूर्वकैः ।
ऊचुस्तं माहिषं शीघ्रं देह्यग्न्याख्यमुखात्मजम् ॥ १३ ॥
कामाक्ष्युवाच । एह्यग्निमुखविप्रस्य[2] सुतं बालं यथागतम् ।
पाताले गम्यतां शीघ्रं यदि जीवितुमिच्छसि ॥ १४ ॥
तस्य त्वं शरणं प्राप्ता[3] नोचेत्किन्न[4] वधं तव ।
तच्छ्रुत्वा महिषो दैत्यो ह्युदीर्याग्निमुखात्मजम् ॥ १५ ॥

---

१ कृपापात्रेइति सि. गो. पु. पा. २ गत्वाग्निमुखविप्रस्यगन्तव्यद्रग्रसातत्रमिति मु. को. सि. पु. पा. ३ माता— प्राप्तमिति गो. न. क. को. पु. पा. ४ चोचेकुरुवर्धनमिति सि. गो. को. मु. पु. पा.

इदाम्यग्निमुखाख्याय विप्रराज्ञाय ह्यम्बिके ।
गच्छामीत्यति दुःखेन गतः पातालमन्दिरम् ॥ १६ ॥
ततः स विप्रतनयो हास्य[1]युक्तैर्मुखैः सुखैः ।
कामाक्षीभक्ति[2]तो मेद्य हरिरुद्रगुरूंस्तथा ॥ १७ ॥
ततस्तु ह्यग्निवक्राद्याः स्तुतिं कर्तुं प्रचक्रमुः ।
कामाक्षिका जगन्माता हर्षोत्फुल्लविलो[3]चना ॥ १८ ॥
नमः कामाक्षिके तुभ्यं भक्तानां भयनाशिनि ।
सर्वकल्याणदे देवि शर्वेन्द्रादिकवन्दिते ॥ १९॥
नमो देव्यै नमो शौर्व्यै वैष्णव्यै ते नमो नमः ।
हितायै हितकारिण्यै नमो देवि शुभप्रदे ॥ २० ॥
शुभायै शुभरूपिण्यै शुभे शक्त्यै [4]नमो नमः ।
शूलादिधारके पुष्टे शुभदे बलवर्द्धिनि ॥ २१ ॥
भक्तसंकटघोरघ्ने देवि भूयो नमोऽस्तु ते ।
इति स्तुताग्निवक्राद्यैः सुप्रसन्ना सुरेश्वरी ॥ २२ ॥
शिवमस्तु सदाकाल इत्याह च पुनः पुनः ।
तदा विष्णुशिवाद्यैश्च सहिता रैपुरेऽगमत् ॥ २३ ॥
तदष्टकेतने दिव्ये तस्थौ देवी च भैरवः ।
तस्य देवालये रम्ये या घंटापट्टघट्टिते ॥ २४ ॥
तस्य गर्जनमात्रेण सर्वसंकटनाशनम् ।
कामाक्ष्युवाच । मद्भक्तानां यदा काले संकटं जायते महत् ॥२५॥
चोरप्रेतपिशाचादि भयं कुर्याद्विदारणम् ।
घंटावादनमात्रेण भैरवस्य महौजसः ॥ २६ ॥
सान्निध्यं जायते तत्र सर्वसंकटमुक्तये ।
गणाः षष्टिसहस्रं च भूतसार्धत्रिकोटयः ॥ २७ ॥

---

१ हासेति गो. को. पु. पा. २ भक्तितो नेमेद्दति मु. सि. न. पु. पा.
३ विलोचनैरिति को. न. पाठः ४ नयोदेवीशुभमदेति क्वचित्पाठः ।

आयान्ति तत्र नित्यं[1] च भयनाशश्च जायते ।
तत्रैकं वर्तते कुण्डं सत्यार्थप्रतिपादकम् ॥ २८ ॥
तस्योर्ध्वे पट्टघंटा च सर्वसंकटनाशिनी ।
तच्छ्रुत्वाऽग्निमुखो विप्रो भूयो भूयः प्रणम्य ताम् ॥ २९ ॥
जगाम सहपुत्रेण निर्भयः सुप्रसन्नधीः ।
नारद उवाच । ततः सहेशानरमापतिभ्यां
स्वसेवकाभ्यां स्वगणैश्च देवी ।
तस्थौ च रैग्राम इयं सदैवं
कामाक्षिका भक्तवरप्रदात्री ॥ ३० ॥
इति श्रीस्कान्दे उत्तररहस्ये सह्याद्रिखण्डे सह्याचलोपाख्याने कामाक्षीमाहात्म्ये महिषसैन्यादिवधो नाम तृतीयोऽध्यायः ॥३॥

अथ चतुर्थोऽध्यायः ।

अंबरीष उवाच । कथं देवी जगन्माता महिषासुरमर्दिनी ।
अभूत् कामाक्षिका नाम्ना तद्वदस्व सविस्तरम् ॥ १ ॥
नारद उवाच । अभवन्माहिषो नाम पुरा काले महासुरः ।
शक्रादीनमरान् जित्वा स्वयं जातः पुरंदरः ॥ २ ॥
हृताधिकारास्त्रिदशा ब्रह्माणं शरणं ययुः ।
तैः सार्धं परमेष्ठी च शिवहर्यन्तिके ययौ ॥ ३ ॥
ताभ्यां चाकथयत्सर्वं महिषासुरचेष्टितम् ।
शरणं हि युवां सार्धं देवैरागतोस्म्यहम् ॥ ४ ॥
तदा तौ प्राहतुस्तं च शक्रादीन् विबुधोत्तमान् ।
स्तुहि स्तुहि च तां देवीं मोहिनीं वैष्णवीं शुभाम् ॥ ५ ॥

---

१ नित्यर्थमिति क. को. मु. गो. पु. पा.

ब्रह्मोवाच । नमो देव्यै शिवायै ते वैष्णव्यै ते नमो नमः ।
अवाच्यायै ह्यनन्तायै सुरेश्वर्यै नमो नमः ॥ ६ ॥
महामाहेश्वरी या सा तस्मै देव्यै नमो नमः ।
इति स्तुता तदा देवी देवैर्ब्रह्मपुरःसरैः ॥ ७ ॥
अंबरीष उवाच । वैष्णवी का भवानी का कस्य देवस्य साम्बिका ।
शक्तिः सर्वेश्वरी देवी यथा तद्वक्तुमर्हसि ॥ ८ ॥
नारद उवाच । विष्णोः शिवस्य चान्येषां ब्रह्मादीनां पृथक् पृथक् ।
बलाज्जातशरीरा सा तच्छस्त्राभरणान्विता ॥ ९ ॥
ततोऽभूत्प्रकटा देवी सहस्त्रार्कसमप्रभा ।
सर्वेष्टफलदा सर्वा सर्वचेतोविमोहिनी ॥ १० ॥
सुमुखी च विशेषा किं बहुसर्वांगसुन्दरी ।
अतिसुंदरनेत्राभ्यां कामाक्षीति च विश्रुता ॥ ११ ॥
सिंहारूढा महावीर्या सुवस्त्रा पीवरस्तनी ।
घंटाहस्ता दिव्यरूपा त्रिशूलायुधभूषिता ॥ १२ ॥
सर्वदेवैः समायुक्ता जगाम महिषासुरम् ।
रथस्थैर्बहुभिर्दैत्यैर्महावीर्यैर्महाबलैः[1] ॥ १३ ॥
महिषेण समं दैत्यं बिभ्रतं दीर्घशृंगकैः ।
हुंकारैर्गां[2] कम्पयंती जघान स्वस्य शूलतः ॥ १४ ॥
देवा दुंदुभयो नेदुर्ननृतुश्चाप्सरोगणाः ।
जगुर्गंधर्वपतयः[3] पुष्पवृष्टिः पपात च ॥ १५ ॥
नमो नमोऽस्तु ते देव्यै कामाक्ष्यै भयनाशिनि ।
इति ब्रह्मादयो देवा भूयतां तुष्टुवुः पुनः ॥ १६ ॥

---

१ महाबलमिति गो. न. सि. पु. पा. २ रकुरैमकम्पयन्तिगामिति सि. न. गो. क. पु. पा. ३ जगुगंध–गध–र्वे–बगन्धवाति–याश्वसिति न. गो. का. चं. को. पु. पा.

इति देव्याः समाख्यानं तुभ्यं राजेन्द्र पृच्छते ।
कामाक्षिकामाहात्म्यं हि सर्वपापप्रणाशनम् ॥ १७ ॥
अम्बरीष उवाच । माहात्म्यं जगदंबायाः किमिदं कौतुकं शृणु ।
यथा पूर्वं तथैवैतद्रैक्षेत्रे किं कथानकम् ॥ १८ ॥
तथा ब्रह्मादिवक्रात्थदेवौ हरिहरावुभौ ।
सैव कामाक्षिका देवी महिषो महिषासुरः ॥ १९ ॥
नारद उवाच । य इदं पठते पुण्यं शृणुते वा नराधिप ।
रैक्षेत्रगायाः कामाक्ष्या माहात्म्यं पापनाशनम् ॥ २० ॥
संवत्सरकृतात्पापान्मुच्यते नात्र संशयः ।
मनोरथाः प्रसित्स्यन्ति प्राप्नोति परमां गतिम् ॥ २१ ॥
आराधयेद्धि यो नित्यमिमां भक्त्येष्टदायिनीम् ।
कामाक्षीमेकभक्तिः सन् स लभेद्वाञ्छितं फलम् ॥ २२ ॥
धर्मार्थकाममोक्षांश्च शीघ्रं चास्याः प्रसादतः ।
शान्तं दान्तं सुखं वित्तं सौभाग्यं लभते नरः ॥ २३ ॥
पुत्रपौत्रप्रजाकीर्तीः पशुं स्वर्गपरं पदम् ।
अस्याः प्रसादतोऽलभ्यं नास्ति किंचिन्महामते ॥ २४ ॥
रैक्षेत्रं परमं पुण्यमिदं कामाक्षिकाऽऽलयम् ।
संघा यत्राम्बिकाविष्णुपुरुषेश्वरभैरवाः ॥ २५ ॥
अन्यत्र वर्षतः पुण्यं कृत्वा यल्लभते फलम् ।
तदत्र मासमात्रेण नात्र कार्या विचारणा ॥ २६ ॥
यो नरः कार्तिके मासि शुक्लद्वादशिकानिशि ।
नारायणोत्सवं कुर्याद्रैक्षेत्रे भक्तसत्तम ॥ २७ ॥
यो नरोऽप्यथ कृष्णायां चतुर्दश्यां प्रसन्नधीः ।
शिवरात्र्यामीश्वरस्य महोत्साहं करोति च ॥ २८॥
यो नरश्चाश्विने शुक्ले नवरात्रेऽम्बिकोत्सवम् ।
कामाक्ष्या उत्सवं कुर्यात्तस्य पुण्यफलं शृणु ॥ २९ ॥

धनं धान्यं पशून्पुत्रं दीर्घमायुर्भवेच्च सः ।
भुंक्त्वेऽह सकलान् भोगान् याति विष्णोः परम्पदम् ॥३०॥
नारद उवाच । इति ते कथितं राजन् रैकामाक्षीकथाफलम् ।
पठतः शृण्वतश्चापि सर्वाभीष्टप्रदायकम् ॥ ३१ ॥

इति श्रीस्कान्दे उत्तररहस्ये सह्याद्रिखण्डे सह्याचलोपाख्याने कामाक्षीमाहात्म्ये चतुर्थोऽध्यायः ॥ ४ ॥

॥ ॐ नमो भगवते वासुदेवाय ॥

अथ मांगीशमाहात्म्यम् ।

प्रथमोऽध्यायः ।

सूत उवाच । इत्थं निशम्य शितिकंठसुतातपवित्रा
मानंदकाननकथामथ सोप्यऽगस्त्यः ।
नत्वाऽथ षण्मुखपदं परमादरात्तं
प्रष्टुं प्रचक्रम इदं स्वमनीषितं यत् ॥ १ ॥
अगस्त्य उवाच । षडानन महाप्राज्ञ सर्वशास्त्र[1]विशारद ।
विश्वेश्वरकथां रम्यां ब्रूहि सर्वाघनाशिनीम् ॥ २ ॥
स्कंद उवाच । शृणु ब्रह्मन् कथां रम्यां विश्वे[2]श्वरकथान्वि[3]ताम् ।
सूतः प्रो[4]वाच यां साक्षाच्छृण्वतो मुनिसत्तमान् ॥ ३ ॥
देवर्षिर्नारदो ब्रह्मन्पर्यटन् भुवनत्रयम् ।
केनचित्त्वथ कालेन महादेवनिकेतनम् ॥ ४ ॥
कैलासमगमद्धीमान् द्रष्टुं सर्वेश्वरं प्रभुम् ।
ददर्शा[5]ऽप्यथ तं देवं सर्वज्ञं त्रिपुरान्तकम् ॥ ५ ॥
तत्र[6] सिंहासने दिव्ये पार्वत्या सह संस्थितम् ।
स्तुतं गन्धर्वसंघैश्च गी[7]तं ब्रह्मर्षिभिः स्वयम् ॥ ६ ॥
सनकाद्यैर्योगिसिद्धैः[8] सेवितं भक्तकामदम् ।
नीलकंठं पंचवक्त्रं शुद्धस्फटिकसन्निभम् ॥ ७ ॥

---

१ विषाविशाद्वदेति यचितपुस्त० २ महादेव मि. यं. पु. पा. ३ कथाश्रितामिति य. पु. पा. ४. भोवाचयां सुतस्साक्षादियं मु. को. पु. पा. ५ ददर्शांव्यथतमिति यं. पु. पा. ६ तस्मिन्सींव्हानेति यं. पु. पा. ७ नुतमिति यं. मु. पु. पा. ८ योगिभिश्चेति व. क्वचित्पाठः ।

तं शम्भुं नारदः प्राह तोषयित्वा स सामभिः ।
वचनैर्विविधैः श्लक्ष्णैः प्रणिपत्य पुनः पुनः ॥ ८ ॥
नारद उवाच । भगवन्त्वामहं प्रष्टुमिच्छाम्येकं वदस्व मे ।
केन केनावतीर्णोसि रूपेण त्वं महीतले ॥ ९ ॥
यानि ते क्षेत्रमुख्यानि लिंगान्यायतनानि च ।
तथैव दिव्यलिंगानि दर्शनात् पुण्यदान्यलम् ॥ १० ॥
तत्सर्वं तु त्वमेवाद्यं वेत्सि नान्यस्तु कश्चन ।
अतो वयं च जानीमः श्रुत्वा त्वन्मुखपंकजात् ॥ ११ ॥
अतः कथय नो देव कथां कलिमलापहाम् ।
सर्वपापहरां पुण्यां सर्वसंपत्प्रदायिनीम् ॥ १२ ॥
स्कंद उवाच । इत्थं तद् विष्णुभक्तस्य मुनेर्वाक्यं निशम्य च ।
शंकरः प्रहसन्नाह देवर्षिं नारदोत्तमम् ॥ १३ ॥
महादेव उवाच । साधु पृष्टं महाभाग लोकानां हितकाम्यया ।
भगवद्भक्तियुक्तानां किमज्ञानं भवादृशाम् ॥ १४ ॥
जंगमस्थावराणां च सिद्धानामपि योगिनाम् ।
दिवौकसां खेचराणां जलस्थलनभौकसाम् ॥ १५ ॥
आत्माऽसौ भगवान्विष्णुः परमात्मा सनातनः ।
स ते हृत्कमलेऽध्यास्ते सर्वज्ञोसि ततो भवान् ॥ १६ ॥
अथापि वत्स यन्मां त्वं पृष्टवानसि सत्कथाम् ।
तत्तेऽहं संप्रवक्ष्यामि लोकनिर्वाणहेतवे ॥ १७ ॥
कथयिष्ये शुभां रम्यां कथां पापप्रणाशिनीम् ।
यामहं प्रोक्तवान् स्कंद ह्यात्मजाय पुरा मुने ॥ १८ ॥

---

१ आगतोहंवदस्वमे इति यं पु. पा. २ महेश्वरेति यं. पु. ३ वाद्यावेत्सीति यं. पु. ४ किंचनेति यं. मु. पु. पा. ५ आगस्तेतंश्रीमहादेवउवाचेति यं. पु. पा. ६ दशामि मु. पु. पा. ७ कथामि य. पु. पा. ८ स्ववृत्तांताश्रितांद्विजेति यं. मु. चे. गो. पु. पा. ९ मोवाचयामहंस्कंदं पृच्छंतं तत्वहेतवेति यं. पु. पा.

कैलासशिखरे रम्ये पार्वत्या द्यूतमारभे ।
मया दत्तो जयस्तस्यै कौतुकाय च नारद ॥ १९ ॥
तदा द्यूते जितो वत्स पार्वत्याऽहं मुनीश्वर ।
बहुधा विप्रलब्धोऽपि निष्ठुरैर्वाग्विजृंभितैः ॥ २० ॥
पार्वत्या भाषितोहं वै निर्वेदं परमं गतः ।
तत् स्थानं त्यक्तुमिच्छा मे जाता निर्वेदनो मुने ॥ २१ ॥
तस्मात् स्त्रीसहवासी च दुःखमाप्नोत्यसंशयः ।
स्त्रीणां खलानां संसर्गाद्भवेयुर्दुःखहेतवः ॥ २२ ॥
वनितासहवासेन भवेद्दुःखस्य भाजनः ।
योषित्संगवशादेव सर्वे नष्टास्तु जंतवः ॥ २३ ॥
इंद्रोपेंद्रसुरज्येष्ठाश्चंद्रादित्यादयो बहु ।
तस्माद् बुद्धिमता नार्यो दूरतः परिवर्जयेत् ॥ २४ ॥
द्यूते मद्ये स्त्रियां धूर्ते मूर्खे च कितवे तथा ।
विश्वासो नैव कर्तव्यो य इच्छेच्छुभमात्मनः ॥ २५ ॥
यथा वन्हिशिखा दीप्ता विषं वा स्वल्पमात्रकम् ।
प्रमादादप्रमादाद्वा दहत्येव कुलं सकृत् ॥ २६ ॥
इति संचिन्त्य मनसा सर्वसंगविवर्जितः ।
तदाऽहं पार्वतीं त्यक्त्वा जगाम तपसे वनम् ॥ २७ ॥

इति श्रीस्कंदपुराणे उत्तररहस्ये सह्याद्रिखण्डे शंकरनारदसंवादे मांगीशमाहात्म्ये प्रथमोऽध्यायः ॥ १ ॥

---

१ किलस्वयभिति यं. पु. पा. २ तयाबहुविमलब्धो. यं. पु. पा. ३ द्यूते मद्येस्त्रियांचैवेति यं. पु. पा. ४ स्वल्पेति यं. पु. पा. ५ चास्वल्प-मात्कृतमिति गो. चं. मु. पु. पा. ६ स्पृष्टंयदहतेनरः इति गु. को. सि. का. पु. पा.

अथ द्वितीयोऽध्यायः ।

अगस्त्य उवाच । हरनंदन मे ब्रूहि कथां वैश्वेश्वरीं पुनः ।
न तृप्तिमधिगच्छामि श्रुत्वा त्वन्मुखपंकजात् ॥ १ ॥
क्व गतः स च सर्वात्मा तपस्तप्तुं वदस्व तत् ।
अकामेन कथं तप्तं तपः संसारतारकम् ॥ २ ॥
अनुजादनुजा दैत्या आदितेया दिवौकसः ।
यत्पदाम्भोजभजनान्निस्तरन्ति भवार्णवम् ॥ ३ ॥
अकामाश्च सकामाश्च ध्यात्वा यच्चरणाम्बुजम् ।
अभीप्सितं फलं सद्यो लभन्ते नाऽत्र संशयः ॥ ४ ॥
पूर्णकामः कथं देवस्तपसे धृतमानसः ।
एतद्विस्तरतो ब्रूहि मह्यं शिवविचेष्टितम् ॥ ५ ॥
सर्वज्ञसूनुस्तच्छ्रुत्वा प्रोवाच जपतां वरं ।
अगस्त्यं सुमहात्मानं लोपामुद्रापतिं मुनिं ॥ ६ ॥
स्कंद उवाच । तस्मात्स्थानाद्विनिर्गत्य कृष्णावेण्योश्च संगमे ।
तपश्चकार [1]सुमहत् संगमेश्वरनामतः ॥ ७ ॥
तत्रस्थान् प्राणिनः सर्वान् तारयन्[2]वै स्वदर्शनात् ।
कंचित्कालं स्थितस्तत्र विचार्य वंशभू[4]तिभृत् ॥ ८ ॥
कस्मिंश्चित्समये पूर्वं जामदग्न्यो महामनाः।
ब्राह्मणेभ्यो ददौ भूमिं द्रव्यरत्नादिकं च यत् ॥ ९ ॥
ततः स चिन्तयामास मम वासः कुतो भवेत् ।
तदानीमेव निश्चित्य सामुद्रं स्थलमुत्तमम् ॥ १० ॥

---

१ श्चकारत्सुमहसंगेश्वरं—श्वराः इति चं. सि. को. पु. पा. २ भगवान्निति यं. पु. पा. ३ तारयत्स्वदर्शनादिति यं. पु. पा. ४ विचार्यैवंभूतियः इति यं. पु. पा.

विचार्यैवं जगामाऽऽशु पारावारस्य सन्निधिम् ।
त्रेताद्वापरयोस्सन्धौ समुद्रस्योदरे स्थिताम् ॥ ११ ॥
भूमिं ययाचे वासाय पारावारं स्वयं हरिः ।[1]
अकूपारेण नो दत्ता तदा क्रुद्धः स्वयं हरिः ॥ १२ ॥
शरं धनुषि सन्धाय शासनार्थं समुद्यतः ।
उत्ससर्ज तदा भीत्या समुद्रः परतो गतः ॥ १३ ॥
तत्र रामः स वसति लोकानुग्रहहेतवे ।[2]
गंतव्यं हि मयाऽप्यद्य स्वगणैः सह तत्र वै ॥ १४ ॥[3]
इति निश्चित्य स ययौ सागरान्तिकमीश्वरः ।
हिमाचलसुताजानिर्वासं चक्रे महामतिः ॥ १५ ॥

अगस्त्य उवाच । गते सदाशिवे शंभौ गणैःसह षडानन ।
किञ्चकाराथ सा गौरी कथयस्व तपोधन ॥ १६ ॥

स्कंद उवाच । सा निर्वेदं परं प्राप्ता विललाप सखीसमम् ।
ज्ञात्वा स्वपूर्ववृत्तांतं स्वपितृगृहसम्भवम् ॥ १७ ॥

हे नीलकंठ वृषभध्वज कामशत्रो
हे कांत हे दशभुजाद्यसरिच्छिरेश ।
हे पञ्चवक्त्र मम भाग्यनिधे मुरारे
मामुद्धरोद्धर कृपां कुरु कामतप्ताम् ॥ १८ ॥

अहो कष्टतरं लोके स्त्रीणां जन्म जुगुप्सितम् ।
प्राप्तो मया यद्भगवान्प्राप्तो यो योगिभिर्ध्रुवम् ॥ १९ ॥
यदर्थं तु तपस्तप्तं दुर्भगेन धनेच्छया ।
दुःप्राप्यं तत्समादाय यथा मूढो हि नाशयेत् ॥ २० ॥[4]

---

१ ययाचेखनिवेशायचार्णवंसस्वयं हरीति यं. पु. पा. २ लोकानां ग्रहहेतवेति यं. पु. ३ तत्रापिहिमयाद्यद्यगन्तव्यन्तुगणैसहेति यं. पु. पा. ४ यथानाशतिमूढधी इति यं. गो. च. पु. पा.

तथैव तन्मया कृत्यं कृतं योषित्स्वभावतः ।
येन भर्तुर्वियोगो मे जातोद्य बहुदुःखदः ॥ २१ ॥
अनृतं साहसं माया काठिन्यमतिलोभता ।
स्त्रीणां देहेन[1] चोत्पन्ना ह्येते दोषाः स्वभावतः[2] ॥ २२ ॥
इति सा बहुजल्पन्ती सखीभ्यां विनिवारिता ।
निनिन्द्य[3] चात्मनो रूपं विश्वेशेन विना सती ॥ २३ ॥
ऊचतुस्तां तदा सख्यौ वयस्यौ ते महाप्रभे[4] ।
आदौ यत्नः प्रकर्तव्यः स्वकार्यस्य च सिद्धये ॥ २४ ॥
यथा चैकेन चक्रेण रथस्य न गतिर्भवेत् ।
तथा पुरुषयत्नेन विना दैवं न सिध्यति ॥ २५ ॥
यत्नो दैवमिदं द्वैतं स्वकार्यकरणे[5] क्षमम् ।
इति संदर्शितः पन्था मुनिभिस्तत्त्वदर्शिभिः[6] ॥ २६ ॥
इदं[7] विलपनं देवि न युक्तं ते वरानने ।
पतिव्रतासु धीरेषु सत्यवादिषु सूरिषु ॥ २७ ॥
न शोको विद्यते गौरि गुणवत्सु पतिव्रते ।
त्वया चैवंविधं कार्यं सदाशिवगवेषणम् ॥ २८ ॥
येनासौ लभते भर्ता दुःप्राप्यस्तु त्वदन्यतः ।
सदाशिवो महादेवः पतिः शोध्यस्त्वया शिवे ॥ २९ ॥

इति श्रीस्कांदे उत्तररहस्ये सह्याद्रिखण्डे स्कंदागस्त्यसंवादे मांगीशमाहात्म्ये शंकरतपःप्रशंसाकथनं नाम द्वितीयोऽध्यायः ॥२॥

---

१ स्त्रीणान्देहेनप्राप्तव्या इति यं. सि. चि. पु. २ ममादतेति यं. पु. पा. ३ विनिन्द्यचामनोरूपमि यं. पु. पा. ४ महामतेति यं. पु. पा. ५ स्वकार्यस्यच सिद्धये इति यं. पु. पा. ६ सखीभ्यान्तत्वदर्शिमीति यं. गो. मु. चं. पु. पा. ७ अविळाप्यमिदमिति यं. पु. पा.

अथ तृतीयोऽध्यायः ।

सूत उवाच । इति प्रचोदिता ताभ्यां सखीभ्यां पार्वती तदा ।
गमनाय मतिं चक्रे सह ताभ्यां द्विजोत्तम ॥ १ ॥
भगवानपि विश्वेशश्चम्पावत्यां समाययौ ।
तत्र कंचित्स्थितः कालं तपस्तप्तुं महेश्वरः ॥ २ ॥
तपस्तप्त्वाथ विपुलं लिंगं कृत्वा स्वनामकम् ।
रामेश्वरेति नाम्ना वै प्रार्थितो न्यवसन्मुने ॥ ३ ॥
लिंगस्य दक्षिणे भागे स्वयमेव शिवः स्थितः ।
जीवपापहरः साक्षान्नाम्ना हरिहरेश्वरः ॥ ४ ॥
तिर्यग्योनिगतानां तु मुक्तिदः स सुरेश्वरः ।
बहुकालं तत्र वसन् जनोद्धाराय शंकरः ॥ ५ ॥
ब्रह्मा विष्णुश्च रुद्रश्च सर्वे देवाः सवासवाः।
गायत्री चैव सावित्री रुद्राण्यश्चामलप्रभा ॥ ६ ॥
ऋषयोऽप्यथ वै सिद्धाः सनकाद्याश्च योगिनः ।
निवासं चक्रिरे तत्र नाम्ना हरिहरे पुरे ॥ ७ ॥
तस्मिन्नायतनं विष्णोर्बभूव मुनिसत्तम ।
तत्पुरात् स विनिष्क्रम्य ह्यागतः शशिभूषणः ॥ ८ ॥
गोमान्तकगिरिं[2] प्राप्तस्तत्रस्थान्मुक्तिहेतवे ।
तत्र विष्णुः स्वयं तस्थौ जरासंधभयार्दितः ॥ ९ ॥
तत्र स्थितः स भगवान् पार्वत्या[3] रहितो मुने ।
गोमान्तकेश इति वै नाम्ना लोकेषु विश्रुतः ॥ १० ॥

---

१ दक्षिणाशांततःमापइति यं. गो. को. पु. पा. २ ततोगोमांतकगिरिं मासस्सभगवान्हरःइति यं. मु. का. पु. पा. ३ पार्वत्यागमशकरेति यं. पु. पा.

अत्राऽसौ वसते ब्रह्मा लोकानां हितकाम्यया ।
तत्र गोमान्तके शैले सागरस्यान्तिके प्रभुः ॥ ११ ॥
[1]स्थितस्तत्र जनानां च मुदा मुक्तिप्रदः सदा ।
शक्रो देवाश्च ऋषयः सिद्धाश्च कपिलादयः ॥ १२ ॥
तस्य लिंगस्य पूर्वे तु संस्थितास्तत्कृपेच्छया ।
तस्य पश्चिमभागे तु यमेश इति कीर्तितः ॥ १३ ॥
उत्तरे वसतिं चक्रू ऋषयो ब्रह्मवादिनः ।
दक्षिणे वसतिं चक्रुर्भैरवाद्याश्च तद्गणाः ॥ १४ ॥
[2]सह्यपादसमुद्भूताः पंच नद्यः समाययुः ।
सागरेणाथ संगम्य लोकं संतारयंति हि ॥ १५ ॥
तासां तीरे तु तपसा मुनयः शुद्धचेतसाः ।
शिवं तोषयितुं वृत्ता बहुकालं च संस्थिताः ॥ १६ ॥
तपः कर्तुं प्रवृत्तास्ते मिताहारा जितेन्द्रियाः ।
आसन्नकोटिवर्षाणि तपोमध्ये गतानि च ॥ १७ ॥
तदा देवाधिपः शंभुर्दयालुः शुद्धधीर्विभुः ।
तेषां प्रत्यक्षतां यातस्तेजोरूपेण शंकरः ॥ १८ ॥
तेजःपुंजे ददृशिरे मुनयो रूपमद्भुतम् ।
पंचवक्त्रं दशभुजं त्रिनेत्रं वृषभस्थितम् ॥ १९ ॥
गंगाधरं देववरं सर्वाभरणभूषितम् ।
नीलग्रीवं चंद्रभूषं नागयज्ञोपवीतिनम् ॥ २० ॥
व्याघ्रचर्मधरं चैव वरेण्यमभयप्रदम् ।
कमंडल्वक्षसूत्राभ्यां संयुतं शूलपाणिनम् ॥ २१ ॥
ज्वलत्पिंगजटाभारं सर्वज्ञं भूतिसंयुतम् ।
इंद्रादिदेवतावृन्दैः स्तुतं हरिसमन्वितम् ॥ २२ ॥

---

1 स्थितवानूवृत्रहापुराइति यं. मु. पु. पा. २ विंध्यपादसमुद्भूता इ. यं. पु. पा.

लिंगरूपिणमीशानं परात्परतरं हरम् ।
तं दृष्ट्वा मुनयोऽत्यन्तमापदं प्रापुरंजसा ॥ २३ ॥
तस्य लिंगस्य माहात्म्यं मया वक्तुं न शक्यते ।
स्मरणाद्यस्य लिंगस्य गोसहस्रफलं लभेत् ॥ २४ ॥
एवंविधं स्वरूपं तु दृष्ट्वा ते मुनयस्तदा ।
पंचनद्यां ततः स्नात्वा पूजयामासुरीश्वरम् ॥२५ ॥
पंचनद्यां नरः स्नात्वा सप्तकोटेश्वरं शिवम् ।
सम्पूज्य विधिवद्देवं स सर्वेप्सितभाग्भवेत् ॥ २६ ॥
सप्तकोटेश्वरं लिंगं पूजयित्वा यथाविधि ।
ये पश्यन्ति नरास्ते वै मुक्तिभाजो न संशयः ॥ २७ ॥
सप्तकोटेश्वरो देवो दृष्टश्चेद्भुवि मानवैः ।
धन्यास्ते त्रिषु लोकेषु तेषां मुक्तिः करे स्थिता ॥ २८ ॥
सप्तकोटेश्वरं नाथं ये पश्यन्ति नरोत्तमाः ।
न तेषां दुर्लभा मुक्तिरैश्वर्यं चापि लभ्यते ॥ २९ ॥
सर्वानुग्रहको रुद्रस्तस्मिन् लिंगे व्यवस्थितः ।
न तत् शैलमयं लिंगं न तद्धैमं च राजसम् ॥ ३० ॥
न तद्रत्नमयं किन्तु सर्वतेजोमयं परम् ।
दृष्ट्वाऽद्भुतं तदा लिंगं सर्वे ते मुनिसत्तमाः ॥ ३१ ॥
स्तुतिमारेभिरे कर्तुं तत्तेजोहतकल्मषाः ।

ऋषय ऊचुः । विश्वेश विश्वनिलयस्थितिजन्महेतो
विश्वैकवंद्य शिव शाश्वत विश्वरूप ।
विध्वस्तकाम भवभीतिनिवर्तकेश
श्रीमन्महेश करुणाकर पुण्यमूर्ते ॥ ३२ ॥
शम्भो शशांककृतशेखर शांतमूर्ते
गंगाधरामरवरार्चितपादपद्म ।
नागेन्द्रभूषण नगेन्द्रनिकेतनेश
भक्तार्तिहन् सुरगुरो गिरिजाविहार ॥ ३३॥

श्रीविश्वनाथ करुणाकर शूलपाणे
भूतेश गर्भभुवन श्रुतिगीतकीर्ते ।
मायाविबोध मदनांतक विश्वमूर्ते
गौरीश गोद्विजसुरार्तिहरावतार ॥ ३४ ॥
एवं संबोध्य गिरिशं सर्वदुःखनिवारणम् ।
नमस्कर्तुं प्रवृत्तास्ते मुनयो वीतकल्मषाः ॥ ३५ ॥
नमस्ते विश्वरूपाय नमस्ते शूलपाणये ।
नमस्ते रुद्ररूपाय नमस्ते ब्रह्मरूपिणे ॥ ३६ ॥
श्मशानवासिने तुभ्यं दुःखहंत्रे नमो नमः ।
नमस्ते विष्णुरूपाय नमस्ते ब्रह्मरूपिणे ॥ ३७ ॥
नमः पाशुपतास्त्राय निशाकरकरार्चिषे ।
नमो नमस्ते देवेश त्राहि नः शरणागतान् ॥ ३८ ॥
इति श्रुत्वा स्तुतिं देवो ह्यव्ययः शोकनाशनः ।
मेघनिर्घोषगम्भीरमिदं वाक्यमुवाच तान् ॥ ३९ ॥
श्रीमहादेव उवाच । प्रीयतामृषयः सर्वे वरं चेतोभिवाञ्छितम् ।
तं प्रयच्छामि सकलं प्रसन्नो भवतामहम् ॥ ४० ॥
इति श्रुत्वा वचस्तस्य मुनयो ब्रह्मवित्तमाः ।
ऊचुः परमकल्याणं प्रसन्नं पार्वतीपतिं ॥ ४१ ॥
ऋषय ऊचुः । यदि देव वरो देयस्त्वयाऽस्माकं महेश्वर ।
यावत्कालं तपस्तप्तं त्वत्प्रसादाय शंकर ॥ ४२ ॥
वर्षाणि सप्तकोटीनि ह्यस्माभिस्तु महेश्वर ।
तेन नाम्नाऽत्र सन्तिष्ठ तेजोरूपेण वै प्रभो ॥ ४३ ॥
इत्येतन्मुनयः प्रोचुर्लोकेशं भवनाशनम् ।
तत्र स्थितः स भगवान् ऋषिवाक्यानुगौरवात् ॥ ४४ ॥

---

1 सप्तकोटिवर्षाणीहास्याभिःसुरेश्वरेति .यं. पु. पाठः

तदाप्रभृति तत्तीरे सप्तकोटीशनामतः ।
तेजोरूपेण लिंगेन तस्थौ स ऋषिवाक्यतः ॥ ४५ ॥
सह्याचलस्य मध्ये तु सिद्धास्ते कलशोद्भव ।
सगणा वसतिं चक्रुः शिवध्यानपरायणाः ।
नारायणश्च तत्रैत्य न्यवसन् पक्षिवाहनः ।
बलदेवेन सहितो युक्तः परमयार्थिया ॥ ४६ ॥
इति श्रीस्कान्दे उत्तररहस्ये सह्याद्रिखण्डे स्कंदागस्त्यसंवादे मांगीशमाहात्म्ये सप्तकोटिशाख्यानं नाम तृतीयोऽध्यायः ॥ ३ ॥

अथ चतुर्थोऽध्यायः ।

स्कंद उवाच । अथान्यदपि ते वच्मि विश्वेशस्य कथानकम् ।
यस्य श्रवणतः पुंसां भक्तिरव्यभिचारिणी ॥१॥
भवत्येव महादेवे ब्रह्मविष्णुस्वरूपिणि ।
यानि रूपाणि दध्रे स भक्तानां हितकाम्यया ॥ २ ॥
तानि वेद स सर्वात्मा नान्यस्तद्वेद कश्चन ।
यस्य कृपावलोकेन[1] मोक्षलक्ष्मीरदूरतः ॥ ३ ॥
स वै विश्वेश्वरः साक्षाज्जलरूपी सदाशिवः ।
अघोशी[2] नाम गंगायाः सागरस्य च संगमे ॥ ४ ॥
निवासमगमत् पूर्वं भक्तानुग्रहकाम्यया ।
अन्तर्जले निवसति मांगीशइति नामतः ॥ ५ ॥
अगस्त्य उवाच । कथं स भगवान् रुद्रो नदीसागरसंगमे ।
कस्य भक्तस्य किं कार्यं कृतवान् स[3] सदाशिवः ॥ ६ ॥
स्कंद उवाच । गोमन्ताद्दक्षिणे भागे सागरस्य समीपतः ।
अघाशी नाम गंगाऽऽस्ते महाकल्मषनाशिनी ॥ ७ ॥

---

१ यस्यकृपावलोकनेनेति यं. पु. पा. २ अघाशीर्षायागंगायासागरस्येति यं. पु. पा. ३ भगवानशिवेति यं. पु. पा.

सह्यपादात्समुद्भूता तापत्रयनिवारिणी ।
तस्या नद्यास्तटे रम्ये नगरी लोकविश्रुता ॥ ८ ॥
कुशस्थलीति नाम्ना वै जनोद्धारकरी वरा ।
स्थली द्विजन्मनां पुण्या क्षेत्रभूमिर्महामुने ॥ ९ ॥
द्वारावतीसमानाऽऽस्ते शम्भोः प्रियतमा मता ।
पूगनारिंगवृक्षैश्च सफलैर्नारिकेरकैः ॥ १० ॥
बकुलैश्चम्पकैश्चैव दाडिमैश्चबकैस्तथा ।
ताम्बूलदलवल्लीभिः शोभमाना समन्ततः ॥ ११ ॥
अशोकस्तवकैर्हृद्यैर्जंबीरैः पाटलादिभिः ।
कीचकैः शालतालैश्च तमालैरसनार्जुनैः ॥ १२ ॥
पनसैर्भूर्जपत्रैश्च खर्जूरैर्बदरादिभिः ।
संयुता पादपैर्नीपैः कदलीस्तंभशोभिता ॥ १३ ॥
नानापुष्पलताकीर्णा नानातोयसमन्विता ।
यस्यां वसन्ति विप्राश्च षट्कर्मनिरताः सदा ॥ १४ ॥
यस्यां वासाऽन्यास्तिष्ठन्ति यक्षराट्सदृशाः स्त्रियः ।
यस्यां वसन्ति ये लोकास्ते गन्धर्वोपमाः शुभाः ॥ १५ ॥
यस्यां वसन्ति कामिन्यो हावभावसमन्विताः ।
देवस्त्रीरूपधारिण्यः संस्थिता लोकमोहिनी ॥ १६ ॥
तस्यामुवास विप्रस्तु लोमशो नाम नामतः ।
रुद्राध्ययनसंपन्नः शिवमंत्रार्थकोविदः ॥ १७ ॥
अग्निहोत्रपरो नित्यं गुरुशुश्रूषणे रतः ।
कदाचिद्राहुपर्वेषु रात्रौ स्नानार्थमागतः ॥ १८ ॥
स तु तत्संगमे लोका लोकद्वयजिगीषवः ।
केचित्तु चक्रुर्जपं तत्र होमं चक्रुस्तथाऽपरे ॥ १९ ॥

---

१ कुरुक्षेत्रसमामुनेइति यं. पु. पा. २ यस्यांवैआगता विप्रा इति यं. पु. पा. ३ केचित्कृत्वाजयास्तत्रहोमंचकारतदापरेति यं. पु. पा.

सोऽपि विद्वान् स्थले गत्वा शिवविद्यां जजाप सः ।
नद्यां स्नानार्थमगमदुदकांतरसंस्थितः ॥ २० ॥
पूर्ववैरानुबंधेन कश्चिद् ग्राहस्तदाऽऽगतः ।
तं धृत्वा चरणे तत्र समाकृष्य बलान्वितः ॥ २१ ॥
लोमशो भयसंत्रस्तो हाहेति प्रवदन्मुहुः ।
तन्मोक्तुमसमर्थस्तु तदा सस्मार शंकरम् ।
देवाधीशं भोगिभूषमुच्चैः संबोधयद् द्विजः ॥ २२ ॥

लोमश उवाच । शम्भो शशांककृतशेखर पुण्यमूर्ते
गौरीश गोमतिनिवेश हुताशनेत्र ।
गंगाधराऽन्धकविदारण शुद्धमूर्ते
भूतेश भूधरनिवास सदा नमस्ते ॥ २३ ॥
विश्वेश वंद्य सकलार्तिहरावतार
कर्पूरगौर करुणाकर शूलपाणे ।
त्रायस्व मे वृषभवाहन कामशत्रो
संसारतारणपरायण नीलकण्ठ ॥ २४ ॥

नमस्ते देवदेवेश[1] गणानां पतये नमः ।
मृडाय चण्डिकेशाय नमः कैलासवासिने ॥ २५ ॥
नमः कैवल्यनाथाय नमस्ते द्वादशात्मने ।
नमो विषमनेत्राय नमस्त्रैलोक्यवन्दित ॥ २६ ॥
त्राहि मां गिरिजानाथ ग्राहग्रस्तं वृषाकपे ।
वसिष्ठो वामदेवश्च भगवान् रक्षितस्त्वया ॥ २७ ॥
अन्येभ्यो बहुविघ्नेभ्यो रक्षितास्ते सदाशिव ।
त्वद्ध्याननिरतानां तु न पश्यति च भास्करिः ॥ २८ ॥
यतस्त्वं रक्षिता देव तस्मान्मां रक्ष शंकर ।
[2]इति श्रुत्वा सकरुणं वचो ब्राह्मणभाषितम् ॥ २९ ॥

---

१ नमस्तेदेवदेवायेति यं. पु. पा. २ इतिश्रुत्वातुकरुणंब्राह्मणस्योदितमिति यं. पु. पा.

तत्क्षणादेव तत्तोये प्रादुरासीन्महाद्युतिः ।
धनुर्बाणधरो विप्रस्त्रिशूलपरशू दधन् ॥ ३० ॥
भित्त्वा शूलेन तं ग्राहं मोचयामास लोमशम् ।
तस्मान्मुक्तः स भगवान् ब्राह्मणो भयविव्हलः ॥ ३१ ॥
ददर्श भगवन्तं तं मृतं ग्राहं तथान्तिके ।
ततोवाच द्विजो रुद्रं दण्डवत् पतितो भुवि ॥ ३२ ॥
धन्योऽहं कृतकृत्योऽहं पूतोऽहं वृषभध्वज ।
यत्त्वं दृष्टोसि भगवन्नदृश्यो ह्यकृतात्मनाम् ॥ ३३ ॥
न वै मृत्युरयं ग्राहो ह्युपकारी ममाद्य वै ।
मोचयैनं महाभाग त्वं त्रिशूलविदारितम् ॥ ३४ ॥
किं वा तप्तं तपोनेन तत्तपः फलितं विभो ।
अद्यैव कृतकृत्योऽसौ तव संदर्शनेन ह ॥ ३५ ॥
मयाप्याचरितं भद्रं किं न जानेऽन्यज्जन्मनि ।
त्वां हित्वा तु जगन्नाथ योऽन्यदेवमुपासते ॥ ३६ ॥
हित्वा करस्थितं रत्नं काचं गृण्हाति मूढधीः ।
एवमेवानुमानं स्यात् त्वद्भक्ता ह्यकुतोभयाः ॥ ३७ ॥
तेषां भक्तिश्च लक्ष्मीश्च न दूरे विद्यते क्वचित् ।
तेनाऽभिहितमाकर्ण्य भगवान् भूतभावनः ॥ ३८ ॥
प्राह प्रसादसुमुखस्तं द्विजं शंसितव्रतम् ।
श्रीमहादेव उ०। सत्यमुक्तं त्वया विप्र नाऽन्यथा यत्त्वयोदितं ३९॥
मद्भक्तिनिरता मर्त्या विष्णुभक्तिरताश्च ये ।
ते न पश्यन्ति लोकेऽस्मिन् एषां पाता महेश्वरः ॥ ४० ॥
मम विष्णोश्चांतरं ये प्रपश्यन्ति नराऽधमाः ।
पतन्ति नरके घोरे यावदाभूतसंप्लवम् ॥ ४१ ॥
मद्भक्तिनिरता ये तु वैष्णवास्ते प्रकीर्तिताः ।
विष्णुभक्तिरताश्चैव ते शैवास्तु न संशयः॥ ४२ ॥

वैष्णवानां गुरुरहं मोचिता भवसागरात् ।
प्रसन्नोहं द्विजश्रेष्ठ वरं वरय सुव्रत ॥ ४३ ॥
मयि प्रसन्ने दुःप्रापं नराणां नैव विद्यते ।
त्रिषु लोकेषु विप्राग्र्य यदिष्टं तद्वृणु द्विज ॥ ४४ ॥
स्कंद उवाच । इति रुद्रवचः श्रुत्वा लोमशो द्विजसत्तमः ।
उवाच जगतामीशं प्रणिपत्य पुनः पुनः ॥ ४५ ॥
लोमश उवाच । भक्तिर्मे देवदेवेश त्वदंघ्र्योर्नितरां भवेत् ।
किमन्येन वरेणात्र ह्येतावद्धि वृतं मया ॥ ४६ ॥
अन्ये वराः सुलभ्यास्तु भक्त्या त्वत्पदपंकजे ।
अत्रैव वासः कर्तव्यो भक्तकामाप्तये सदा ॥ ४७ ॥
श्रीमहादेव उवाच । गोमंतकाद्रौ लिंगानि संति विप्र सहस्रशः ।
अंशेन वसतिस्तेषु सर्वत्र वसतिर्मम ॥ ४८ ॥
अघाशीनद्यां विप्रेन्द्र मम स्थानं कलौ युगे ।
यत्र मां संस्मरिष्यन्ति जना विघ्नतिरस्कृताः ॥ ४९ ॥
तेषां दुःखानि सर्वाणि नाशयिष्ये न संशयः ।
गच्छ ब्राह्मण भद्रं ते भुंक्ष्व भोगान्यथेप्सितान् ॥ ५० ॥
अन्ते यास्यसि मामेव न मे भक्तः प्रणश्यति ।
इत्युक्त्वा देवदेवोपि तेजोरूपी निरंजनः ॥ ५१ ॥
पश्यतस्तस्य विप्रर्षेरन्तर्धानमगाच्छिवः ।
ग्राहोपि शिवसालोक्यमगमत्परमद्युतिः ॥ ५२ ॥
इदं पवित्रमाख्यानं मया ते कथितं मुने ।
इति श्रीस्कान्दे उत्तररहस्ये सह्याद्रिखण्डे मांगीशमाहात्म्ये स्कंदागस्त्यसंवादे ग्राहवधो नाम चतुर्थोऽध्यायः ॥ ४ ॥

---

१ गोमांतकाद्रौलिंगाणिसन्तिसहस्रशाणिचेति यं. पु. पा.

अथ पंचमोऽध्यायः ।

स्कन्द उवाच । एवं बहुगते काले ह्यन्वेषणपरा सती ।
बभ्राम पृथिवीं सर्वां सशैलवनकाननाम्[1] ॥ १ ॥
यत्र गच्छति सा देवी तत्र न प्राप शंकरम् ।
अंशेनावस्थिता तत्र निर्वेदं परमं गता ॥ २ ॥
स्त्रीरूपं सा बभाराथ सुन्दरं देवमोहनम् ।
वीणामादाय गायन्ती चचार वसुधातले ॥ ३ ॥
शिव शंकर सर्वात्मन् नीलकंठ नमोऽस्तु ते ।
भक्तप्रियोसि देवेश मामनाथामुपेक्षसे ॥ ४ ॥
त्वया त्यक्ता न जीवामि तरुं त्यक्त्वा लता इव ।
किं न स्मरसि कल्याणं मदर्थे यत् कृतं त्वया ॥ ५ ॥
दक्षः प्रजापतिः पूर्वं त्वया दग्धः सयज्ञकः ।
तदा मया पिता चासौ न स्मृतस्त्वद्वियोगतः ॥ ६ ॥
पतिं त्वामपहायाथ नान्यं वरमहं वृणे ।
इत्युक्त्वा सा तदा गौरी शंकरार्थे परिभ्रमत् ॥ ७ ॥
क्लेशयुक्ता तदा गौरी वीणया शंकरं जगौ ।
देवदेवेश[2] देवेश वाक्यानीत्येवमादरात् ॥ ८ ॥
एवं दैववशादेव प्राप्ता पश्चिमदिक्पथम् ।
अघाशिनीनदीतीरे विचचार तदा शिवः ॥ ९ ॥

---

१ वनपत्तनामिति यं. को. गो. चें. का. पु. पा. २ देवदेवेशदेवेशेत्युज्जगौसततादरादिति यं. पु. पा.

तपसाऽऽराधयामास देवेशममितमद्युतिम् ।
ततः स भगवान् रुद्रस्तपसा तुष्टमानसः ॥ १० ॥
व्याघ्ररूपं समासाद्य जगाम च तपोवनम् ।
यावत्सा स्नातुमायाता प्रत्यक्षः समजायत ॥ ११ ॥
दंष्ट्राकरालवदनः संकुर्वन् घुर्घुरध्वनिम् ।
मार्गमासाद्य तरसा तिष्ठन्नुग्रमुखस्तदा ॥ १२ ॥
लांगूलमुद्यम्य सुतीक्ष्णदंष्ट्रः कालातिवेगः कवलीकृतांगः ।
नखैर्विभिंदन्नवनिं तथोग्रैर्यथा महाकालवपुर्धराधरः ॥१३॥
त्रासयामास तान् सर्वान् तपोवननिवासिनः ।
अद्यापि विद्यते तत्र[1] व्याघ्रेशो भगवान् हरः ॥ १४ ॥
पीडितान् प्राणिनो दृष्ट्वा सा गौरी विव्हलाऽभवत् ।
भयाद्विव्हलिता चोमा मांगीशेति च संजगौ ॥ १५ ॥
पार्वत्युवाच । पंचवक्त्र महादेव त्राहि मां शरणागताम् ।
त्राहि मां हि गिरीश त्वमित्युक्त्वा विव्हलाऽभवत् ॥ १६॥
विव्हलत्वे[2] तया ह्युक्तं मांगीशेति पदद्वयम् ।
तच्छ्रुत्वा स महादेवः परमां करुणां गतः ॥ १७ ॥
व्याघ्ररूपं समुत्सृज्य दध्रे रूपं वृषाकपिः ।
सिद्धैर्विद्याधरैर्यक्षैर्दक्षकन्याभिरावृतम् ॥ १८ ॥
गन्धर्वैर्गीयमानं तदिंद्रादिभिरभिष्टुतम् ।
पंचवक्त्रं त्रिनयनं कन्दर्पेण विराजितम् ॥ १९ ॥
नन्द्यादिगणमुख्यैश्च पूज्यमानं सुचामरैः ।
स्कन्द उवाच । दृष्ट्वा सा पार्वती देवी तत्तेजःपुलकोद्गमौ[3] ॥२०॥
उवाच देवी कल्याणी गुप्तास्मि तव किंकरी ।
पार्वत्युवाच । दृष्टोसि भगवान् साक्षात् तपःपारे प्रतिष्ठितः ॥२१॥

---

१ काश्यामिति मु. को. चें. पु. पा. २ विव्हलत्वेतदोवाचमांगीशंसा-द्विजोत्तमेति यं. पु. पा. ३ द्रमाद्यति यं. पु. पा.

गृण्हन्ति वेदास्ते रूपं ह्यप्राप्यं मनसा सह ।
मन्यवे ते नमस्कुर्या येन दग्धो मनोभवः ॥ २२ ॥
नमो विषमनेत्राय येन भिन्नो महासुरः ।
नमोऽस्तु शूलहस्ताय येन भिन्नो गजासुरः ॥ २३ ॥
प्रसीदेश प्रसीदेश संसारार्णवतारक ।
कुरु मा बुद्धिवैक्लव्यं मा मे संगोऽस्तु कर्मणि ॥ २४ ॥
त्वदन्यत्र मतिर्मे मा भूयाज्जन्मनि जन्मनि ।
इति प्रसादितो देव्या भगवान् कमलेक्षणः ॥ २५ ॥
उवाच श्लक्ष्णया वाचा प्रहसन् वरदः शिवः ।
श्रीमहादेव उवाच । परीक्षितासि भो देवि बहुवारं मयाऽनघे ।
स्त्रीषु नैव हि विश्वासो वन्हौ राजकुले तथा ॥ २६ ॥
इदानीं ते प्रसन्नोऽस्मि न त्यक्ष्यामि कदाचन ।
एहि सार्धं मया गौरि भुंक्ष्व भोगान्यथेप्सितान् ॥ २७ ॥
स्कन्द उवाच । इत्युक्ता सा तदा देवी शङ्करेण महात्मना ।
उवाच सा महादेवं स्थीयतामत्र शङ्कर ॥ २८ ॥
मांगीशनाम्ना भगवंस्तिष्ठ चात्र महामते ।
इदं ते नाम भगवन्ये गृण्हन्ति मनीषिणः ॥ २९ ॥
तेषां दुःखानि सर्वाणि नाशयाशु महेश्वर ।
इति तस्या वचः श्रुत्वा वरपन्नगभूषणः ॥ ३० ॥
तत्रैव वसतिं चक्रे देव्या सह जगत्पतिः ।
मांगीशनाम्ना इति वै पूर्वोद्दिष्टो जगत्पतिः ॥ ३१ ॥
अघाशीनद्यास्तीरे वै स्वगणैः परिवारितः ।
संस्थितो भगवान् रुद्रो लोकानां हितकाम्यया ॥ ३२ ॥
स्कन्द उवाच । मांगीशनामकं देवं यस्तूच्चरति मानवः ।
गन्धैर्धूपैश्च नैवेद्यैर्वस्त्रैश्च विविधैस्तथा ॥ ३३ ॥

कोमलैर्बिल्वपत्रैश्च पुष्पैर्नानाविधैरपि ।
शुद्धाक्षतैश्चाभिषिक्तैर्विविधैः स्तवनैरपि ॥ ३४ ॥
साऽष्टांगैश्च नमस्कारैस्तथा प्रार्थनया मुने ।
एवं सम्पूजितो भक्त्या भगवान् शङ्करस्तदा ॥ ३५ ॥
तुष्टो महेश्वरस्तस्य पुत्रपौत्रान् प्रदास्यति ।
अन्ते तस्य पदं स्मृत्वा स गच्छेच्छाश्वतं पदं ॥ ३६ ॥

इति श्रीस्कान्दे उत्तररहस्ये सह्याद्रिखण्डे मांगीशमाहात्म्ये अगस्त्यस्कंदसंवादे व्याघ्ररूपधारणं नाम पंचमोऽध्यायः ॥ ५ ॥

अथ षष्ठोऽध्यायः ।

स्कन्द उवाच । घटोद्भव शृणुष्वेदं मांगीशस्य कथानकम् ।
यच्छ्रुत्वा मनुजाः सर्वे कृतकृत्या भवन्ति हि ॥ १ ॥
अघाशीवारिकलशैरष्टोत्तरशतेन च ।
संस्नापयति देवेशं सोऽमृतत्वाय कल्पते ॥ २ ॥
नारिकेलोद्भवैस्तोयैः प्रत्यहं यो वैहेश्वरः ।
यः स्नापयति भूतेशमपुत्रः पुत्रवान् भवेत् ॥ ३ ॥
तत्वद्यास्तोयमादाय पितॄन् तर्पयति द्विजः ।
प्रत्यहं तिलसंयुक्तं मोदन्ते दिवि देववत् ॥ ४ ॥
मांगीशसन्निधौ विप्र गोदानं यः प्रयच्छति ।
गोरोमसंख्यावर्षाणि मोदते शिवमन्दिरे ॥ ५ ॥
स्नानं गंगासमं यस्या अघाश्याः पावनं परम् ।
यदि लभ्येत हि कलौ बहुतीर्थैः किमल्पकैः ॥ ६ ॥
अत्यल्पमात्रमपि यद् व्रतं भवति चाक्षयम् ।
यत्र मांगीश्वरो देवो यत्र सा जगदम्बिका ॥ ७ ॥

---

१ भवेन्नरइति मु. गो. सि. चं. पु. पा.

यत्राघाशी नंदी तत्र मुक्तिरेव न संशयः ।
स्मृतं मांगीशपादाब्जं श्रुता मांगीशसत्कथा ॥ ८ ॥
स्तुतं मांगीशसन्नाम जन्मभाजो न ते नराः ।
मुने मांगीशसन्नाम यैः कर्णविषयं कृतम् ॥ ९ ॥
दुराचारा ह्यधर्मिष्ठा न ते वैवस्वतं ययुः ।
अत्रैवोदाहरंतीममितिहासं पुरातनम् ॥ १० ॥
अथ कश्चिद् द्विजो नाम कान्यकुब्जसमुद्भवः ।
देवशर्मेति विख्यातः सपत्नीकः समाययौ ॥ ११ ॥
वात्स्यः परमधर्मात्मा भक्तः शिवमुकुन्दयोः ।
तीर्थयात्रापरो नित्यं सत्यवाग्विजितेंद्रियः ॥ १२ ॥
रामेश्वराडिजगमिषुर्वाराणस्यां मुनीश्वरः ।
गच्छन् मार्गेण चायातो ह्यघाश्याः सन्निधो द्विजः ॥ १३॥
स तत्र संगमे गत्वा स्नात्वा नियतमानसः ।
तत्र गत्वा नदीतीरे तस्मिन्ग्रामे समाविशत् ॥ १४ ॥
तत्र कंचित्स्थितः कालं पौरादरसमन्वितः ।
एकदा देवशर्मा वै ह्यपश्यदद्भुतं मुने ॥ १५ ॥
मध्यान्हसमये धेनुर्नदीमध्ये विवेश ह ।
तास्मिन् जले निमज्याथोप्युन्मज्याप्यायर्यौ तदा ॥ १६॥
एवं त्रिदिनपर्यन्तं ददृशे स द्विजर्षभः ।
अन्तर्जले किमत्रास्ति लोकान् पप्रच्छ स द्विजः ॥१७॥
ते तमूचुर्न जानीमस्तत्र किं विद्यते जले ।
अन्यस्मिन् दिवसे जाते मध्यान्हे च गता पुनः ॥ १८ ॥
स गोपुच्छं प्रगृह्याथ गवा सह जगाम ह ।
जलांतरे निमज्याऽथ ददर्श शिवमव्ययम् ॥ १९ ॥

---

१ नदिकाह्रति यं. मु. न. चें. गो. पु. पा.

तेजोरूपेण लिंगेन पार्वत्या सह संस्थितम् ।
तया स्वपयसा धेन्वा स्नापितं परमेश्वरम् ॥ २० ॥
भूयो भूयो नमस्कृत्य स्तोत्रैस्तुष्टाव शंकरम् ।
देवदेव जगन्नाथ सर्वज्ञ परमेश्वर ॥ २१ ॥
गौरीश भूतनाथाद्य रक्ष मां शशिशेखर ।
श्रुत्वा स्तुतिं द्विजाग्र्यस्य प्रसन्नोभून्महेश्वरः ॥ २२ ॥
सुप्रसन्नश्च भगवानुवाच वरदोस्म्यहम् ।
वरं वरय भद्रं ते प्रयच्छामि तव द्विज ॥ २३ ॥
इति तस्य वचः श्रुत्वा देवशर्माऽब्रवीदिदम् ।
वरदो यदि देवोसि वरं देहि ममेश्वर ॥ २४ ॥
किं ते नाम च किं तीर्थं कथयस्व जगद्गुरो ।
त्वत्पादकमले भूयाद्भक्तिर्मेऽव्यभिचारिणी ॥ २५ ॥
इति तद्वचनं श्रुत्वा प्रहसन्नाह शंकरः ।
मांगीश इति मन्नाम कपिलं तीर्थमुत्तमम् ॥ २६ ॥
यतः सा कपिला धेनुर्मां स्नापयति नित्यशः ।
तस्मात्तस्याथ तज्जातं सर्वतीर्थवरं शुभम् ॥ २७ ॥
इति तस्य वचः श्रुत्वा प्रणिपत्य मुहुर्मुहुः ।
तदाप्रभृति लोकेऽस्मिन्तल्लिंगं ख्यातिमाययौ ॥ २८ ॥
इच्छया देवदेवस्य तज्जलादुद्गतं वहिः ।
पूर्वोक्तविधिना चैव यः स्नापयति शंकरम् ॥ २९ ॥
ईप्सितान् स लभेत्कामानन्ते लोकं च शाश्वतम् ।
सोऽपि वव्रे द्विजः सर्वां सन्ततिं शाश्वतीं पराम् ॥ ३० ॥
तस्मिन् स्थाने स्थितः सोऽथ बहुकालं द्विजोत्तमः ।
एवमन्येऽपि बहवो लब्धकामास्तु मानवाः ॥ ३१ ॥
मांगीशस्य प्रसादेन परां सिद्धिमुपागताः ।
तस्मादर्च्यमिदं लिंगं नियतैः प्रयतात्मभिः ॥ ३२ ॥

त्रिकालं पार्वतशिस्य नरैर्धर्मपरायणैः ।
मृदंगादीनि तूर्याणि यः प्रयच्छति शंकरम् ॥ ३३ ॥
तस्य पुण्यमनन्तं स्यात् तद्धि वेद स्वयं हरः ।
यः प्रयच्छति मांगीशं छत्रचामरपादुकाः ॥ ३४ ॥
स सुखी लभते कामानिह लोके परत्र च ।
यः प्रयच्छति देवेशं यानं शृंगारभूषितम् ॥ ३५ ॥
तस्य पुण्यमनन्तं स्यात् कैलासे वसते चिरम् ।
यश्चास्य धान्यैः कुरुते पूजनं शंकरस्य च ॥ ३६ ॥
तावद्वर्षसहस्रं तु स वसेच्छांकरे पुरे ।
एवं धूपादिदानेन तत्तत् फलमवाप्नुयात् ॥ ३७ ॥
मांगीशे पार्वतीनाथे विद्धि त्वं कलशोद्भव ।
यद्यदिच्छति तत्पुण्यमनन्तं स्यान्न संशयः ॥ ३८ ॥
अध्यायं सकलं चेमं शृणुयाद्भक्तिसंयुतम् ।
तस्य प्रसन्नो भगवान् भुक्तिं मुक्तिं च यच्छति ।
सत्यं सत्यं च सत्यं च लभतेऽभीप्सितं फलम् ॥ ३९ ॥

इति श्रीस्कान्दे उत्तररहस्ये सह्याद्रिखण्डे स्कंदागस्त्यसंवादे मांगीशमाहात्म्ये शंकरपूजनादिमाहात्म्यकथनं नाम षष्ठोऽध्यायः ॥ ६ ॥

अथ सप्तमोऽध्यायः ।

अगस्त्य उवाच । विशाख कपिला धेनुः किं वर्णा केन पालिता ।
कः स्वामी कुत्र लब्धेयं तन्मे ब्रूहि यथातथम् ॥ १ ॥
स्कन्द उवाच । पुरा समुद्रतीरे च ब्राह्मणो वेदवित्तमः ।
देवदत्त इति ख्यातो वेदवेदांगपारगः ॥ २ ॥

जितेन्द्रियो जितक्रोधः सत्यवाङ्मंत्रवित्तमः ।
फलपुष्पकुशाद्यर्थं जगाम स महद्वनम् ॥ ३ ॥
तन्मध्ये च स्थलं दृष्ट्वा सुन्दरं जलसंयुतम् ।
हरिद्भिश्च तृणैर्युक्तं नानामृगगणादिभिः ॥ ४ ॥
कीचकैश्च समाकीर्णं लतापादपसंयुतम् ।
तत् स्थलं पङ्कबहुलं पक्षिनादैर्युतं सदा ॥ ५ ॥
कपिलां पंकलग्नां च द्विजो दृष्ट्वाथ चिंतयत् ।
उपकारसमं पुण्यं श्रुतं केन महीतले ॥ ६ ॥
परोपकरणं येन कृतं तस्य च जीवितम् ।
सफलं प्रवदन्ति स्म मुनयो ब्रह्मवादिनः ॥ ७ ॥

तस्मादिमां गां कथमुद्धरिष्ये
शुभ्रां सुकर्णी बहुदुग्धयुक्ताम् ।
पीनां सुनेत्रां लघुचारुशृंगीं
पंकस्थलात्तां रमणीयपादाम् ॥ ८ ॥

इति चिंतातुरो विप्रो दृष्ट्वा शूद्रकुमारकम् ।
कथयित्वा परं धर्मं ताभ्यां पंकान्निराकृता ॥ ९ ॥
गवा सह गृहं गत्वा तामपुष्यद् द्विजोत्तमः ।
पादजं पालयामास कपिलार्थं घटोद्भव ॥ १० ॥
कस्मिंश्चित्समये धेनुर्गोपालेन समन्विता ।
वनं जगाम सहसा तृणमध्ये तदाऽचरत् ॥ ११ ॥
मध्यान्हसमये जाते तृषितः शूद्रबालकः ।
जलं तत्र विचिन्वानः कूपं दृष्ट्वा गतोन्तिके ॥ १२ ॥
उदकं विद्यते ह्यत्र दृष्टिं कूपे प्रविष्टवान् ।
तदा रत्नमयं लिंगं शूद्रजः स ददर्श ह ॥ १३ ॥
किमेतदिति संचिंत्य तत्र दृष्टिं निधाय च ।
सहसात्र परं रूपं दृष्टं तेन महत्तरम् ॥ १४ ॥

पञ्चवक्त्रं दशभुजं श्वेताङ्गं चन्द्रशेखरम् ।
नीलकण्ठं सर्पभूषं भस्मोद्धूलितविग्रहम् ॥ १५ ॥

दृष्ट्वा तन्महदाश्चर्यं दण्डवत् प्रणनाम च ।
स्वामिन्मयि दयासिन्धो कृपां कुरु महामते १६ ॥

स्तुत्वा च विविधैस्तोत्रैः प्रणनाम पुनः पुनः ।
कृताञ्जलिपुटो भूत्वा तन्मयस्तत्त्वदयेक्षणः ॥ १७ ॥

स्कन्द उवाच । तदा विश्वेश्वरः शम्भुः स्तुतिं श्रुत्वाऽथ तस्य वै ।
प्रसन्नः पादजं प्राह यत्ते मनसि वाञ्छितम् ॥ १८ ॥

वरं वरय भो पुत्र सन्तुष्टोस्मि महामते ।
चतुर्थस्तु तदोवाच यदि दास्यसि मे वरम् ॥ १९ ॥

तर्हि स्त्रीपुत्रमित्राणां संगमो न सुखाय मे ।
भवेत्तथा कुरु विभो त्वामहं शरणं गतः ॥ २० ॥

त्वत्पादभजने भक्तिस्त्वत्पादनिकटे स्थितिः ।
त्वत्पादपूजनं देहि त्वत्पादस्य विचिन्तनम् ॥ २१ ॥

इत्युक्तवन्तं तं पुत्रं भगवान् स शिवस्तदा ।
तथेत्युक्त्वाऽथ तत्कूपान्निर्जगाम हरस्तदा ॥ २२ ॥

तयोस्त्वनुग्रहं कृत्वा नदीसागरसंगमे ।
जगाम सहसा रुद्रस्तत्रैवांतरधीयत ॥ २३ ॥

तद् दृष्ट्वा कपिला धेनुर्जलमध्ये निरंतरम् ।
मध्यान्हे पयसा गत्वा स्नापयामास तं शिवम् ॥ २४ ॥

देवशर्माऽथ तद् दृष्ट्वा महदाश्चर्यवानभूत् ।
धेनोः पुच्छं प्रगृह्याथ जलमध्ये जगाम ह ॥ २५ ॥

शिवं स्तुत्वा नमस्कृत्य कृतकृत्योऽभवत्तदा ।
एतत्ते कथितं सर्वं कपिलायाः-कथानकम् ॥ २६ ॥

शृण्वतां सर्वपापघ्नं भुक्तिमुक्तिफलप्रदम् ।
तस्य श्रवणमात्रेण तुष्यते भगवान् हरः ॥ २७ ॥
इति श्रीस्कान्दे उत्तररहस्ये सह्याद्रिखण्डे स्कन्दागस्त्यसंवादे मांगीशमाहात्म्ये कपिलामाहात्म्यं नाम सप्तमोऽध्यायः ॥ ७ ॥

अथ अष्टमोऽध्यायः ।

अगस्त्य उवाच । कथं जातमिदं नाम ह्यघाशी चेति विश्रुतं ।
कस्याहो छिन्नमनया पातकं च षडानन ॥ १ ॥
एतन्मे देवदेवस्य कुमाराऽनन्तविक्रम ।
वद सर्वं यथा तत्त्वं कुशलो ह्यसि भाषणे ॥ २ ॥
स्कन्द उवाच । घटजन्म ह्यहं वक्ष्ये यन्मां पृच्छसि चानघ ।
अघाशी चेति यन्नाम तया जातं घटोद्भव ॥ ३ ॥
अत्राप्युदाहरन्तीममितिहासं पुरातनम् ।
केरलो नाम देशोऽस्ति तद्देशो वैश्यपुत्रकः ॥[1] ४ ॥
भद्रसेन इति ख्यातः सोऽधर्मनिरतः सदा ।
अधर्मेणार्जितं वित्तं न च धर्मं चकार सः ॥ ५ ॥
तस्यासीत्स्त्री महाभागा सती सर्वगुणान्विता ।
पतिशुश्रूषणपरा ब्राह्मण्या[2] प्रियवादिनी ॥ ६ ॥
नालोकयति द्वेष्टारं नाऽसती स्त्री समागता ।
सूर्यार्चनरता नित्यं देवताभक्तितत्परा ॥ ७ ॥
तयाऽसौ शिक्षितो भर्ता स्वामिन्देवार्चनं कुरु ।
नित्यं स्नानं तथा दानं कर्तव्यं भूसुरार्चनं ॥ ८ ॥

---

१ केराळोनामदेशोस्ति तत्रदेशोद्भवोवणिक इति यं. पु. पाठः २ ब्राम्हणीप्रियवादिनी यं. मुं. पु. पा.

प्रदक्षिणान्नमस्कारान् देवताध्यानमेव च ।
इत्येवं शिक्षितस्तस्या अवज्ञां च चकार सः ॥ ९ ॥

तेन शोकेन संतप्ता मृता लोकान्तरं गता ।
पातिव्रत्येन धर्मेण परं पदमवाप सा ॥ १० ॥

सोपि वैश्यो ह्यतिस्त्रैणो मत्तो द्रव्यमदेन हि
दिनंप्रति सुरापाने ह्यकार्यकरणे स्थितः ॥ ११ ॥

आसक्तः परदारेषु भद्रसेनोतिमूढधीः ।
पण्यांगनारतो दुष्टः पापात्मा वेदनिन्दकः ॥ १२ ॥

प्रीणयामास वित्तेन पार्थिवान्नहि भूसुरान् ।
एवं क्रमेण तद्वित्तं व्ययीभूतमधर्मतः ॥ १३ ॥

वित्ते संक्षीयमाणे तु द्रव्यचौर्यं चकार सः ।
ताडितो राजभृत्यैश्च ततोऽरण्यं समाविशत् ॥ १४ ॥

तत्रापि स मृगान्दुष्टो ह्याजघान समागतान् ।
कदाचिद्वनमध्ये तं कृष्णसर्पो ददंश ह ॥ १५ ॥

तदानीं यमदूतैः स ताड्यमानोऽति दारुणम् ।
पाशैः कण्ठे सुबध्वा तु ततो निन्युर्यमालयम् ॥ १६ ॥

यमोपि यातनां चक्रे द्रष्टुं श्रोतुं स चाक्षमः ।
परस्त्रीनखदातारं हस्तच्छेदं चकार सः ॥ १७ ॥

परयोषिन्मुखाम्भोजं चुम्बतश्चास्य वै मुखे ।
विष्ठा प्रक्षीयतां नित्यमिति दूतान्निवेदयत् ॥ १८ ॥

देवद्रव्यापहर्तारं द्विजदेवाऽग्निनिन्दकम् ।
करपत्रं गृहीत्वा तु हस्तच्छेदं दुरात्मनः ॥ १९ ॥

---

१ देवनेमदिरापानेति मु. गो. को. चि. पु. पा.

इत्यादि बहुदुःखानि नरके बुभुजे वणिक्।
ततः प्राप्तो मृत्युलोकं राक्षसीं तनुमाश्रितः ॥ २० ॥
भ्रमतेऽसौ दिवारात्रमाहाराकांक्षया मुने।
न किञ्चित् प्राप चाहारं पिशाचः पापपूरुषः ॥ २१[1] ॥
कदाचिद् वटवृक्षस्य मूलेऽतिष्ठत्स राक्षसः।
तत्र तद्वृक्षमूले स नाविन्दद्भक्षणाय च ॥ २२ ॥
तदा कश्चिद् द्विजः स्नात्वा चायाति शिवसन्निधौ।
शिवशर्मेति विख्यातः सत्यवाग्विजितेंद्रियः ॥ २३ ॥
कौंडिन्यगोत्रजोत्पन्नः शंकरध्यानतत्परः।
तदा कश्चिद् द्विजः स्नात्वा जगाम शिवमंदिरम्॥ २४ ॥
जपन् स्तोत्राणि विष्णोश्च शंकरस्य तथैव च।
राक्षसश्चागतस्तूर्णं भक्षितुं ब्राह्मणं तदा ॥ २५ ॥
औ[2]क्षिषे च जलेनाशु तुलसीमिश्रितेन तम्।
तत्संसर्गात्पिशाचोऽसौ तत्क्षणाज्ज्ञानमाप्तवान्॥ २६ ॥
तदैव क्रूरतां त्यक्त्वा ववन्दे चरणौ मुनेः।
द्विजः सोपि तमालोक्य विस्मयं परमं ययौ ॥ २७ ॥
शिवशर्मोवाच। तमुवाच ततः सोऽथ कुतस्त्वं कोऽसि तद्वद।
केन कर्मविपाकेन जातस्त्वं ब्रह्मराक्षसः ॥ २८ ॥
इति पृष्टो ह्यकथयत्स्ववृत्तांतं पुराभवम्।
राक्षस उ०। पुनरूचे द्विजं रक्षः क्व गच्छसि महामुने ॥ २९ ॥
स प्रोवाच द्विजस्तं हि राक्षसं पापरूपिणम्।
शिवशर्मोवाच। अहं शिवस्य पूजार्थं गच्छामि सहपुष्पकः॥ ३० ॥
मांगीश इति नाम्नाऽत्र विद्यतेऽसौ स्वयं शिवः।
इत्याख्यातं स्ववृत्तांतं शिवस्य द्विजसूनुना ॥ ३१ ॥

---

१ इत्येवबहुदुःखानीति यं. पु. पा. २ समपिमेगमत्तम इति मुं. गो. चें. को. पु. पा. ३ असिषेइति मु. गो. पु. पा.

राक्षस उ० । देहश्चायं मया प्राप्त एनसासञ्चितेन हि ।
मयाऽपि नय विप्रस्त्वं तारकोऽसि स्वयं हरः ॥ ३२ ॥

तस्येदं[1] वचनं श्रुत्वा स्नानार्थमाह्वयद् द्विजः ।
अघाशीमगमद्रक्षो ब्राह्मणेन प्रचोदितं ॥ ३३ ॥

यावत्स्नानं चकाराथ कपिले शिवसन्निधौ ।
तावद्विमानं ददृशे शिवदूतैरधिष्ठितम् ॥ ३४ ॥

तस्मिन् विमानरत्ने स उपविष्टस्तदा वणिक् ।
तामसं[2] तत् स्वरूपं तु हित्वा विस्मयकारकम् ॥ ३५ ॥

स तस्मिंश्चोपविष्टस्तु शिवदूतैश्च सेवितः ।
रुद्ररूपधरो भूत्वा कैलासमगमत्तदा ॥ ३६ ॥

अन्ये च बहवस्तत्र मानवा मुक्तकल्मषाः ।
स्वर्गलोकमितो जग्मुर्दिव्यरूपधरा मुने ॥ ३७ ॥

तदारभ्य नदी नाम ह्यघाशीति च विश्रुता ।
इत्येतत्ते मया ख्यातं यथा पृष्टं त्वयाऽनघ ॥ ३८ ॥

तस्या नद्यास्तु महिमा कलौ कोपि न मन्यते ।
यश्च कश्चित् स्वयं वेद विश्वेशानुग्रहो यदि ॥ ३९ ॥

भवेत्तर्ह्यघनाशिन्या माहात्म्यं लोकविश्रुतम् ।
अघाशीनद्या माहात्म्यं ये पठन्ति द्विजोत्तमाः ॥ ४० ॥

तेषां भवति वै पुंसां गंगास्नानसमं फलम् ।
स्नातोऽत्र यः कश्चन मर्त्यलोके जलैः पवित्रैरघनाशिनीभवैः ।
विलोकयेत्पादयुगं शिवस्य किं तीर्थवृन्दैर्बहुसेवितैश्च यत् ॥ ४१ ॥

सूत उवाच । इत्येतत् पुण्यमाख्यानं मया ते ह्यनुवर्णितम् ।
यः श्रावयेत्पठेद्वापि सद्यो मुच्येत पातकात् ॥ ४२ ॥

---

1 तस्येतिचवचःश्रुत्वेति यं. पु. पा. 2 तदसंतत्स्वरूपन्तुइति यं. पु. पा.

योऽध्यायं सकलं विप्र शृणुयाद्भक्तिसंयुतम् ।
तस्य प्रसन्नो भगवान् मुक्तिं कीर्तिं च यच्छति ॥ ४३ ॥

इति श्रीस्कान्दे उत्तररहस्ये सह्याद्रिखण्डे स्कन्दागस्त्यसंवादे मांगीशमाहात्म्ये अघनाशिनीमाहात्म्यकथनं नामाष्टमोऽध्यायः ॥ ८ ॥

अथ नवमोऽध्यायः ।

स्कन्द उवाच । गोमान्ताद्दक्षिणे भागे पारावारसमीपतः ।
स्फुरंती च पवित्राऽऽस्ते[1] नाम्ना शंखावलीति च ॥ १ ॥
अनेकवसुसम्पूर्णा स्वर्गस्यापि तिरस्करी ।
यस्यां वसन्ति विप्राग्र्या व्यग्रचित्ता न ते क्वचित् ॥ २ ॥
चातुर्वर्ण्यजनोपेता चतुराश्रमसंयुता ।
आम्रातकैश्चूतनिंबैर्नारीकेरैर्विराजिता ॥ ३ ॥
वीजिता कल्पवृक्षाणां पल्लवैश्चैव नित्यशः ।
बकुलैः कर्णिकारैश्च माधवीभिर्विराजिता ॥ ४ ॥
पयोधिवीचिकल्लोलैर्गंगाजलसमन्वितैः ।
वीज्यते सा सदात्यंतं वायुनोद्यानशालिना ॥ ५ ॥
कुशाः काशाश्च नीपाश्च निचुलाः खदिरास्तथा ।
पलाशिनो विराजन्ते यस्यामन्तरकानने ॥ ६ ॥
यत्र सन्त्यग्रजन्मानो वेदवेदांगपारगाः ।
मन्त्रौषधितपोयोगबलेन जितमृत्यवः ॥ ७ ॥
सेतवो धर्मनीरस्य हेतवो जगतामपि ।
यत्र तिष्ठन्ति कामिन्यः पातिव्रत्यपरायणाः ॥ ८ ॥

---

[1] पुण्यतीर्थी पवित्रास्ते इति मु. को. गो. चें. सि. का. पु. पा.

गृहधर्मार्णवे दक्षाः किंच दक्षसुता इमाः ।
आढ्या यत्र विराजन्ते राजराजाधिकश्रिया ॥ ९ ॥
सौधानि यत्र दृश्यन्ते सुधाधवलितान्यहो ।
हसन्तीव निशानाथं नाथितानि विभागशः ॥ १० ॥
इषुपाताऽभिधानस्य रामक्षेत्रस्य मण्डनम् ।
दण्डनं चैव मर्त्यानां चित्रगुप्तस्य मन्दिरे ॥ ११ ॥
आवलिर्यत्र शंखानां नित्यमायाति सागरात् ।
शंखावलीति विख्यातं तस्या नाम बभूव ह ॥ १२ ॥
मुने किं बहुनोक्तेन मुक्तिक्षेत्रमिदं परम् ।
मुक्तिपुर्यस्तु याः प्रोक्तास्ताभ्योऽप्यनवमा हि सा ॥ १३ ॥
यस्यामागत्य भगवान् वैकुण्ठः कमलेक्षणः ।
भक्ताऽनुग्रहको देवो विष्णुस्तस्थौ सनातनः ॥ १४ ॥
यस्य सन्दर्शनाज्जन्तुर्मुच्यते भवबन्धनात् ।
सोऽस्ति यत्र महाविष्णुः संसाराब्धेस्तु पारदः ॥ १५ ॥
दैत्यराट् निहतो येन कालकल्पोऽतिमत्सरी ।
मृडानीपतिरत्युग्रस्त्र्यम्बको यत्र कामदः ॥ १६ ॥
यत्कथाया विलोकेन मल्लोकं विशते पुमान् ।
सुराणामसुरेन्द्राणां मानवानां च योगिनाम् ॥ १७ ॥
द्वेषिणां तावकानां च फलदो निर्विकल्पकम् ।
सोऽस्ति सिद्धेश्वरो यत्र भवानीवल्लभो हरः ॥ १८ ॥
भवान्या कान्तया सार्धं कांक्षितार्थप्रदो विभुः ।
मुनिवर्याश्रमो यत्र दर्शनात्पापनाशनः ॥ १९ ॥
बदर्याद्याश्रमा यत्र पैंग्यस्यापि विराजते ।
यस्याश्रमे महापुण्ये बदरीखण्डमण्डिते ॥ २० ॥
आसीत्परमधर्मात्मा सिद्धः कश्चन सुव्रतः ।
आराधयंश्शिवं साक्षान्मनसा ध्याननिष्ठया ॥ २१ ॥

तपस्तेपे महाभागो बदर्यां सिद्धसत्तमः ।
केनचित्त्वथ कालेन राक्षसीरूपधारिणी ॥ २२ ॥
कस्यचित्त्वथ विप्रस्य सुमुखी नाम कन्यका ।
पतिविद्वेषणकरी विट्कथानिरता सदा ॥ २३ ॥
बन्धकी संगरहिताऽसती विप्रविनिन्दका ।
तेन कर्मविपाकेन राक्षसी समजायत ॥ २४ ॥
तत्रापि वसतिं चक्रे धर्षयंती स्त्रियः सदा ।
कदाचिद्धर्षयामास स्वसमीपगताः स्त्रियः ॥ २५ ॥
व्याघ्रीभूतस्वरूपेण दुर्धर्षेण च सा तदा ।
ततस्ता भयसंविग्नाश्चक्रुः कोलाहलं भृशम् ॥ २६ ॥
तन्निनादमुपश्रुत्य सिद्धोऽतीव सुदुःखितः ।
विश्वेशं शरणं गत्वा रक्ष रक्षेति चाऽब्रवीत् ॥ २७ ॥
विश्वेशाऽमरवर्येश त्राहि मां भयविव्हलम् ।
तत्तस्य वचनं श्रुत्वा करुणं दीनवत्सलः ॥ २८ ॥
प्रादुरासीत्स भगवान् शूलपाणिः पिनाकधृक् ।
हुंकाराऽभिहता भूमौ पपात द्विजकन्यका ॥ २९ ॥
सिद्धेनाराधितो यस्मात्तस्मात्सिद्धेश ईरितः ।
तदाप्रभृति लोकेऽस्मिन्सिद्धेश इति कीर्तितः ॥ ३० ॥
निवासं रोचयामास सिद्धेशो बदरीवने ।
मुने सिद्धेशपादाब्जे रतिमुद्वहतां नृणाम् ॥ ३१ ॥
पतनं न भवाम्भोधौ कल्पानामयुतैरपि ।
पिपीलिका पतंगो वा मातंगो वा नरोऽपि वा ॥ ३२ ॥
दृष्ट्वा सिद्धेशलिंगं तु मनोरथमवाप्नुयात् ।
अध्यायं सकलं भक्त्या यः पठेत् श्रावयेन्नरः ।
सर्वपापविनिर्मुक्तः स याति परमां गतिम् ॥ ३३ ॥

इति श्रीस्कान्दे उत्तररहस्ये सह्याद्रिखण्डे स्कन्दागस्त्यसंवादे मांगीशमाहात्म्ये सिद्धेश्वरप्रादुर्भावो नाम नवमोऽध्यायः ॥ ९ ॥

अथ दशमोऽध्यायः ।

अगस्त्य उवाच । अपर्णात्त्वदयाऽज्ञैो सर्वज्ञ भगवान् प्रभो ।
श्रुत्वाऽऽख्यानमिदं ब्रह्मन् न तृप्तिरधिजायत ॥ १ ॥
यदुक्तं भवता पूर्वं वैकुण्ठः कमलेक्षणः ।
पुरीं स्थितः शंखनाम्नीं हत्वा शंखासुरं रिपुम् ॥ २ ॥
तदाद्यन्तं समाख्याहि विष्णोरतुलतेजसः ।
शंखासुरेण संग्रामः कथं जातो वदस्व मे ॥ ३ ॥
कम्बूनामगमं चैव मृडान्याश्च कथानकम् ।
एतद्विस्तरतो ब्रूहि सर्वज्ञोसि यतो भवान् ॥ ४ ॥

इत्थं हि पाथोऽधिरिपोर्वरिष्ठं प्रश्नं निशम्याऽथ महेशसूनुः ।
ध्यात्वा परं श्रीरमणांघ्रिपद्मं कुम्भोद्भवं वाक्यमिदं बभाषे ॥ ५ ॥

स्कंद उवाच । मुनिवर्य निबोधेदं वक्ष्यमाणं विशेषतः ।
चरितं पद्मनाभस्य पद्मार्चितपदस्य च ॥ ६ ॥
पुरेऽयं धरणी साधो दैत्यैर्बहुनिपीडिता ।
आक्रान्ता दैत्यभारेण विरिंचिं शरणं ययौ ॥ ७ ॥
गोरूपमवलंब्यासौ व्यसनं सा न्यवेदयत् ।
तदुपाकर्ण्य लोकेशश्चतुर्वक्त्रः स शंकरः ॥ ८ ॥
लोकपालैः परिवृतो वन्हीन्द्रपितृनायकैः ।
निर्ऋत्यंबुपवातेशसर्वेशैरखिलैः शुभैः ॥ ९ ॥
धरण्या सहितः प्राप कूलं क्षीरनिधेरसौ ।
तत्र श्रीरमणं दृष्ट्वा शेषतल्पशयं विभुम् ॥ १० ॥
स्तोत्रैस्तुष्टाव लोकेशं रजोमूर्तिर्विशुद्धधीः ।
चतुर्निगमसारैस्तत् समाकर्ण्य च केशवः ॥ ११ ॥

वीक्ष्य सर्वान् सुरेशान् वै ब्रह्मेंद्रयक्षनायकान् ।
उवाच वचनं तेषां दुःखनाशं तदाऽकरोत् ॥ १२ ॥

श्रीभगवानुवाच । ज्ञातं वो हृद्गतं देवा महीऽयं भारपीडिता ।
यदर्थमागता यूयं तमर्थं साधयाम्यहम् ॥ १३ ॥
सम्भूयाऽहं यदोर्वंशे गृह आनकदुंदुभेः ।
भोगिनानेन शेषेण ह्यच्छल्यं चोद्धरामि वः ॥ १४ ॥
उद्धरेयं धराभारं हनिष्ये दैत्यनायकान् ।
निर्ज्वरां च करिष्ये गां हत्वा दैत्यगणान् बहून् ॥ १५ ॥
भवन्तोपि मया साकं भूर्लोकं गन्तुमर्हथ ।
ममाभीष्टस्य सिद्ध्यर्थं सम्भवन्ति सुरस्त्रियः ॥ १६॥
इति देवान् समाभाष्य तत्रैवान्तर्दधे हरिः ।
सुपर्वाणश्च ते प्राप्ताः सर्वे स्वस्वनिकेतनम् ॥ १७ ॥
अथ कालेन महता पद्मनाभः प्रतापवान् ।
वसुदेवाच्च देवक्यां जातो भोजेन्द्रबंधने ॥ १८ ॥
आराधितः कश्यपेन अदित्या पूर्वजन्मनि ।
तत्तपःफलसिद्ध्यर्थं जातोऽसौ यादवे कुले ॥ १९ ॥
वसुदेवसुतः श्रीमान् कृष्ण इत्यभिविश्रुतः ।
शेषोऽपि बलदेवोऽपि संकर्षणमुशन्ति तम् ॥ २० ॥
देवाः संजज्ञिरे सर्वे यदुवंशे महाबलाः ।
सुरांगना बभूवुश्च राजपुत्र्यो महामुने ॥ २१ ॥
विक्रम्य ता हृताः सर्वा नरकाच्च स्ववेश्मनि ।
काश्चिद् गोपेषु संजाता भगवत्प्रियकाम्यया ॥ २२ ॥
युगान्तोदैर्निपीयाऽऽस्ते स्वसृष्टपुरुशक्तिधृक् ।
शेषैः स्वल्पाल्पमतिभिर्न ज्ञातं यच्चिकीर्षितम् ॥ २३ ॥
धृत्वा कृष्णं वपुः सोऽथ भुवो भारं हरन् विभुः ।
पूतनारिष्टकंसादीन् सर्वांश्चैवाहनद्बलीन् ॥ २४ ॥

च्चिक्रीडे व्रजयोषिद्भिः क्षपानाथसहायवान् ।
क्षणदायां महासत्त्वो ह्यासींद्रासोत्सवो मुने ॥ २५ ॥
श्रुतप्रायं त्वया सर्वं मुने कृष्णविचेष्टितम् ।
अथाप्युक्तं प्रसंगेन शंखासुरनिबर्हणे ॥ २६ ॥
हत्वा कंसं गोपवेषो रंगमध्येऽतिसन्मतिः ।
मोचयामास पितरं देवकीं स्वप्रसूं हरिः ॥ २७ ॥
उग्रसेनादिकान् सर्वान् निरुध्धान् भोजवेश्मनि ।
मोचयामास निगडाद्गोपमण्डनमण्डितः ॥ २८ ॥
प्रसादयामास विभुर्वसुदेवं विनीतवत् ।
वसुदेवोऽपि तं मेने प्राकृतं स्वसुतं हरिम् ॥ २९ ॥
राज्यं दत्त्वा चोग्रसेने त्वानिनीय सुरोत्तमान् ।
शशास वसुधाचक्रं स्वयं चक्रधरो मुने ॥ ३० ॥
वसुदेवश्च तं मत्वा प्राकृतं तनयं स्वकम् ।
स चकारोपनयनादिकं च सुतयोः शुभम् ॥ ३१ ॥
उभौ तौ संस्कृतौ पुत्रौ वसुदेवेन धीमता ।
गायत्रीव्रतमास्थाय गतौ सांदीपनेर्गृहम् ॥ ३२ ॥
शुश्रूषणपरौ दान्तौ मिताहारौ बभूवतुः ।
सान्दीपनिं चार्चयन्तौ परं दैवमिवादृतौ ॥ ३३ ॥
उभौ तौ विबुधश्रेष्ठौ सर्वविद्याप्रवर्तकौ ।
चतुर्दशानां विद्यानां पारं प्राप्तौ मनीषिणौ ॥ ३४ ॥
गुरुदक्षिणयाऽऽचार्यमूचतुस्तौ महामती ।
सान्दीपनिं बभाषाते सुप्रसन्नेन चेतसा ॥ ३५ ॥
दृष्ट्वाप्युवाच परमं तयोरत्यद्भुतं द्विजः ।
गुरुश्च निष्क्रयः कार्यो विद्यानां विबुधोत्तमौ ॥ ३६ ॥
तद्याचेहं वरं वत्सौ मृतं पुत्रं प्रयच्छताम् ।
तच्छ्रुत्वा भगवानाह किमेतत्कथ्यते गुरो ॥ ३७ ॥

सुतो वः कीदृशः कस्मान्मृतस्तन्मे निवेद्यताम् ।
तदैव सोऽश्रुनेत्रोऽभूत्पत्न्या सान्दीपनिः सह ॥ ३८ ॥
उवाच शिष्यवर्यं तं स्वोदन्तं सकलं मुने ।
कृष्ण मे शृणु चाभाग्यं वक्ष्यमाणं मयाखिलम् ॥ ३९ ॥
उपरागः पुरा ह्यासीद् भास्करस्य सुतेजसः ।
भारतीयाः प्रजा आसन्प्रभासे संगतास्तु ताः ॥ ४० ॥
ससुतः सकलत्रोऽहं हतभाग्योऽपि निर्गतः ।
दृष्ट्वा जलनिधिं लोकाः कृतार्था इव मेनिरे ॥ ४१ ॥
प्लवन्तश्चार्णवे चैके मज्जन्तश्चार्णवेऽपरे ।
द्रोणिभिश्चापि बह्वीभिः क्रीडाकौतुकलालसाः ॥ ४२ ॥
तत्र मे तनयः साधुः सर्वलक्षणलक्षितः ।
स्नातुं गतोऽर्णवे मग्नो नादृश्यत ततः परम् ॥ ४३ ॥
ततो दुःखार्णवे मग्नो ह्यहं चैवाभवंस्तदा ।
शिलां बद्ध्वा तु कण्ठेऽहं मर्तुकामः सुतं ह्यनु ॥ ४४ ॥
जना मां वारयामासुर्मोचयित्वा महाशिलाम् ।
तदारभ्याहमात्मानं मेने पापिनमुच्यते ॥ ४५ ॥
तव सन्दर्शनेनाऽहं कृतार्थोऽस्मि जगत्पते ।
पुत्रं दातुं समर्थोसि गतं वैवस्वतालयम् ॥ ४६ ॥
स्कन्द उवाच । तस्य तद्वचनं श्रुत्वा शान्तयित्वा द्विजोत्तमम् ।
सस्मार दारुकं कृष्णः स रथं सायुधं मृधे ॥ ४७ ॥
स तत्स्मरणमात्रेण दारुकोऽप्याययौ क्षणात् ।
गृहीत्वा परमास्त्राणि दैत्यानां भयदान्यलम् ॥ ४८ ॥
आरुह्य स रथं कृष्णः प्रभासं साग्रजो ययौ ।
सान्दीपनेर्गुरोः पुत्रो मृतो यत्र पुरा द्विज ॥ ४९ ॥

इति श्रीस्कान्दे उत्तररहस्ये सह्याद्रिखण्डे स्कन्दागस्त्यसंवादे मांगीशमाहात्म्ये शंखावालिवर्णनं नाम दशमोऽध्यायः ॥१०॥

अथ एकादशोऽध्यायः ।

स्कन्द उ० । प्राप्तमाकर्ण्य दाशार्हं प्रांजलिः सागरोऽब्रवीत् ।
गुरुपुत्रं प्रयच्छेति तं बभाषे सुरेश्वरः ॥ १ ॥
तदाकर्ण्याप्रमेयस्य वचनं सोऽर्णवोऽब्रवीत् ।
दैत्यः पंचजनो नाम ममार्णवान्तर्जलेचरः ॥ २ ॥
जलं कल्लोलयन्नेत्र पीडयत्यनिशं हि माम् ।
तेन नीतोऽस्ति पापेन गुरुपुत्रोऽतिमन्युना ॥ ३ ॥
जहि तं युद्धशौंडीरं महाबलपराक्रमम् ।
ततस्तद्वचनं श्रुत्वा विवेशान्तर्जलं हरिः ॥ ४ ॥
पाञ्चजन्यं महासत्त्वं ददर्शामोघविक्रमः ।
स्वगोत्रैरप्यसंख्यातैर्युयुधे सोऽसुरो हरिम् ॥ ५ ॥
अद्भुतं रूपमास्थाय क्षिपन् भगवतो ह्युरः ।
तद्वंशप्रभवाः शंखा युयुधुर्मधुसूदनम् ॥ ६ ॥
तेषामापततां वेगं भगवानतिविक्रमः ।
न सेहे वारिधेस्तोये युद्धमासीत्सुभैरवम् ॥ ७ ॥
तं पाञ्चजन्यं भगवान् गदाग्रजो विदारयामास शुभैः कराग्रजैः ।
नालोकयत्तं जठरे कुमारं तदंगकं पाणितले वहन्ययौ ॥ ८ ॥
उन्ममज्जाऽथ सलिलात्कम्बुपाणिर्गदाग्रजः ।
पुनर्भूतलमायातस्तर्जयन्नसुरान् विभुः ॥ ९ ॥
यत्रोन्ममज्ज भगवान् रामक्षेत्रं तु तन्मुने ।
सह्याद्रिशिखरं रम्यं गोमन्ताचलसंज्ञकम् ॥ १० ॥
इषुपाताभिधं पुण्यं नाम्ना बदरिकाश्रमः ।
तत्प्रभृतो महाशंखाः पाञ्चजन्यकुलोद्भवाः ॥ ११ ॥

आवलीभिः समाजग्मुर्योद्धुं यदुपतिं तदा ।
श्रीभगवानुवाच। शृणुमेपरमंवाक्यंप्रीतियुक्तंविमुक्तिदम् ॥ १२ ॥
मया यः समरे क्षिप्तः पाञ्चजन्यो निपातितः ।
तदंगं च करे न्यस्तं तत्कुलं पावितं मया ॥ १३ ॥
स्वकर्मवशगः सोऽपि गुरुपुत्रो यमालयम् ।
गतः कालेन केनापि यातना मुनया पितः ॥ १४ ॥
अद्यप्रभृति भो शंखा अत्रागत्य तनुत्यजाः ।
तत्सान्निध्यं भवन्तोऽपि संयांतु मम चाज्ञया ॥ १५ ॥
ततः प्रभृति ते शंखाः पूज्यास्त्रिभुवनेऽभवन् ।
स्कंद उवाच। इति तेभ्यो वरं दत्त्वा शंखेभ्यो जगतां पति : ॥१६॥
तत्रैव स्थितवान् कृष्णः स्वांशेन मधुसूदनः ।
तदारभ्य मुने क्षेत्रं पवित्रं लोकविश्रुतम् ॥ १७ ॥
अद्यापि शंखाः संयांति त्यक्त्वा देहान् व्रजन्ति ते ।
पदं भगवतो रम्यं वैकुण्ठस्याप्यनुत्तमम् ॥ १८ ॥
तदारभ्य पुरी रम्या नाम्ना शंखावलीति सा ।
अतिपापावना जाता विष्णुपादाम्बुसेवनात् ॥ १९ ॥
यत्र लोकासुरो दैत्यो महिषासुरवंशजः ।
कोलरूपं समासाद्य त्रासयामास मानवान् ॥ २० ॥
हते गिरिजया शंखे शंखक्षेत्रेऽति पावने ।
सालोक्यमगमद्विष्णोस्तस्मिन्दैत्योपि भो मुने ॥ २१ ॥
तन्नाम्ना चाकरोत् क्षेत्रं शंखकोलमिति स्फुटम् ।
श्रीमत्परमकल्याणं क्षेत्रमेतद्धि मुक्तिदम् ॥ २२ ॥
श्रीनालमिति यत्संज्ञा श्रिया यच्चास्पदं परम् ।
तत्र श्रीः कामरूपेण स्थिता वैकुण्ठदर्शने ॥ २३ ॥
तदारभ्य भवत् क्षेत्रं श्रीनालकमलोपमम् ।
तत्संकेतगृहं लक्ष्म्याः पद्मनाभस्य चोत्तमम् ॥ २४ ॥
अतीव पुण्यं विप्रेन्द्र विद्धि मानवदुर्लभम् ।
तत्र श्रीरमणं देवं येऽर्चयन्ति मुने हरिम् ॥ २५ ॥

कोटिजन्मार्जितात्पापान्मुच्यंते पापिनोपि हि ।

अगस्त्य उ० । कथं षण्मुख तत्क्षेत्रं श्रीनालमिति कीर्तितम् ।

एतदाचक्ष्व मे साधो क्षेत्रमाहात्म्यमुत्तमम् ॥ २६ ॥

स्कन्द उवाच । पुरा सप्तर्षयस्तत्र तपस्तेपुर्महत्तरम् ।

द्रष्टुं पद्मालयाकान्तं वाञ्छितार्थप्रदं हरिम् ॥ २७ ॥

श्रीनालाख्ये महाक्षेत्रे क्षेत्रसंन्यासिनश्च ये ।

कश्यपाद्या महाभागा भगवत्यर्पिताशयाः ॥ २८ ॥

प्रभञ्जनकृताहाराः परमेण समाधिना ।

तपसाऽऽराधयामासुश्चक्रपाणिं तपोधनाः ॥ २९ ॥

एवं तु तपतां तेषां वर्षाणामयुतत्रयम् ।

गतमासीन्महाक्षेत्रे श्रीनाले चलसा मुने ॥ ३० ॥

ततः कदाचित् सन्ध्यायां कृतनित्यविधिक्रियाः।

मुनयः सत्कथां चक्रुरुपविष्टाः परस्परम् ॥ ३१ ॥

प्रादुरासीद्दिवेस्तत्र पवमानः सुगन्धिमाम् ।

आन्दोलयन्नाश्रमस्थान् पादपानृषिसेवितान् ॥ ३२ ॥

पुष्पवृष्टिः पपातोच्चैः खाद्द्युता वायुना हृता ।

आघ्राय ते महागन्धं पवित्रं वायुना हृतम् ॥ ३३ ॥

संतृप्तमनसः सर्वे ऋषयः संबभूविरे ।

तृप्तानां तपसाऽत्यन्तं मुनीनां स समीरणः ॥ ३४ ॥

नाशयामास संक्लेशं वैनतेयांगसम्भवः ।

दिशो विलोकयांचक्रुः किमेतदिति विस्मिताः ॥ ३५ ॥

ऊर्ध्वं ते ददृशुर्देवं वैनतेयकृतासनम् ।

व्यसनार्णवमग्नानां करदं वरदं मुने ॥ ३६ ॥

शंखचक्रगदापद्मैर्विभूषिततनुं हरिम् ।

पीतांबरावृतोरस्कं विरजस्कं विनाचितम् ॥ ३७ ॥

लसत्कुण्डलनिर्भीतवदनाम्बुरुहश्रियम् ।

श्रिया तुष्ट्या विभूत्या च पुष्ट्या धृत्या विभूषितम् ॥३८॥

अन्याभिर्दक्षकन्याभिर्नीराजितपदाम्बुजम् ।
जीमूतावलिवत्कान्तंकान्तकौस्तुभवक्षसम् ॥ ३९ ॥
प्रसन्नवेषं गतसर्वदोषं दैत्येंद्ररोषं कृतकृत्यशेषम् ।
पर्यंकशेषं विषमाक्षभूषं जयेति नेमुर्मुदिता मुनीन्द्राः॥४०॥
तत्र ब्रह्मात्मजैः साकं भवश्च भवनाशनः ।
पुरुहूतादयो देवाः समाजग्मुस्ततस्ततः ॥ ४१ ॥
गन्धर्वाप्सरसो यक्षाः किन्नराः सिद्धगुह्यकाः ।
ऋषयो नारदाद्याश्च सत्वरं समुपागताः ॥ ४२ ॥
स्वानुग्रहाय संप्राप्तान् विष्णुना सकलान् सुरान् ।
विधिवत् पूजयामासुः कश्यपाद्यास्तपोधनाः ॥ ४३ ॥
देवांश्च पूजयामासुर्नानाद्रव्यविभूषणैः ।
ततो वरदराट् देवो हरिर्नारायणो मुनीन् ॥ ४४ ॥
धृतनालेन हस्तेन श्रीमता चारुगन्धिना ।
पस्पर्श मुनिमुख्यांस्तान्दिव्यतेजोपलब्धये ॥ ४५ ॥
पंकजेन सुनालेन स्पृष्टास्ते दिव्यरूपिणः ।
बभूवुस्तापसाः सप्त सूर्यायुतसमप्रभाः ॥ ४६ ॥
तदाप्रभृति तत् क्षेत्रं श्रीनालमिति कीर्तितम् ।
आसीद् भार्गवमेदिन्यां विशिष्टः कलशोद्भव ॥ ४७ ॥
श्रीनालाख्ये महाक्षेत्रे स्थितो विष्णुः सनातनः ।
नाशयेत् क्षत्रिणां पुंसां महापातकसंचयम् ॥ ४८ ॥
अथोवाच हरिर्विप्रान् कश्यपाद्यांस्तपोधनान् ।
तपसा द्योतितांश्शुद्धान् साक्षात् सूर्यसमप्रभान् ॥४९॥
श्रीभगवानुवाच । वरं वृणुध्वमृषयस्तपसाऽनेन तोषिताः ।
ददाम्यहमतिप्रीत्या भवताममलात्मनाम् ॥ ५० ॥
ब्राह्मणा मत्तनुर्विप्राः प्रिया मे हृदयं गताः ।
गावो मे निलयं शश्वत् तस्माच्छ्रेष्ठो न विद्यते ॥ ५१ ॥
विद्यया तपसा योगबलेन नियमेन च ।
ममाऽपि पूज्यवत्पूज्यास्तेभ्यः किं विद्यते परम् ॥५२॥

---

१ ततः प्रबोपगते--गता--र्गताः इति मु. को. गो. चं. पु. पाठः

यैरिदं तपसा सृष्टं यद्बलेन बिभर्म्यहम् ।
यत्कोपाद् दह्यते सर्वं तेभ्यः के बलवत्तराः ॥ ५३ ॥
विनाऽपि तपसा येषां सन्तुष्टोऽहं सनातनः ।
किंपुनस्तपसा भक्त्या यमेन नियमेन च ॥ ५४ ॥
तस्माद्यत् प्रार्थनीयं स्यान्मत्तस्तत् प्रार्थ्यतां द्विजाः ।
त्वरितं संवदध्वं भो मुनयो गतकल्मषाः ॥ ५५ ॥
ऋषय ऊचुः । भवान् प्रमाणं सर्वेषां जनानां करुणानिधे ।
निगमागमसांख्यानां तद्वचः प्रतिपादकम् ॥ ५६ ॥
तर्केतिहासमीमांसायोगो ज्ञानं परं च यत् ।
त्वत्पादाब्जोदकं चेत्स्यात्सदसज्ज्ञान्यथा वृथा ॥ ५७ ॥
भवान् सत्त्वगुणाधीशः शास्त्रं तद् व्याहृतं विदुः ।
तस्माच्छास्त्रतरः किं स्यादावेद्यं शास्त्रनिर्णयैः ॥ ५८ ॥
वरदो यदि चास्माकं भगवानखिलार्थदः ।
व्याहृतं देहि भो नाथ यत्त्वां ब्रूम रमापते ॥ ५९ ॥
अस्माभिर्यत्तपस्तप्तं तत्तपः सफलं च नः ।
नातःपरतरो लाभो यत्त्वदंघ्रिनिदर्शनम् ॥ ६० ॥
भवत्पादयुगं चात्र क्षेत्रे तिष्ठतु नित्यदा ।
पूजयामः परंतत्त्वमस्माकमिति चादृताः ॥ ६१ ॥
क्षेत्रमेतत् पवित्रं स्यादद्यप्रभृति भूतिदम् ।
करेण यत्र यन्नालं पंकजं पंकजेक्षण ॥ ६२ ॥
स्पृष्ट्वा वयं वारिजेन तदर्थप्रतिपादकम् ।
भवत्वेतन्महाक्षेत्रं वरमेनं ददस्व नः ॥ ६३ ॥
स्कन्द उवाच । तत्तथेति वचस्तेषां मुनिकृत्यं जनार्दनः ।
सांनिध्यं कल्पयामास तस्मिन् क्षेत्रे श्रियः पतिः ॥ ६४ ॥
तेऽपि सप्तर्षयस्तत्र श्रीनाले संस्थिता मुने ।
तस्यैवानुग्रहादेव कलत्रैः स्वैस्तु संवृताः ॥ ६५ ॥
स्ववंशोद्धरणं कृत्वा संभूय बहुशः स्वयम् ।
आपुर्गतिमदृश्यां ते तपसे कृतनिश्चयाः ॥ ६६ ॥

इत्येतत्ते मयाऽऽख्यातं क्षेत्रमाहात्म्यमुत्तमम् ।
तस्मात् पवित्रं परमं क्षेत्राणामुत्तमं मुने ॥ ६७ ॥
इतिहासमिमं श्रुत्वा श्रद्धाभक्तिसमन्वितः ।
नरो न याति दुःप्रापं ससारं सारसंग्रही ॥ ६८ ॥

इति श्रीस्कान्दे उत्तररहस्ये सह्याद्रिखण्डे स्कन्दागस्त्यसंवादे मांगीशमाहात्म्ये शंखावल्याख्यानकथनंनामैकादशोऽध्यायः ॥ ११ ॥

अथ द्वादशोऽध्यायः ।

अगस्त्य उवाच । पार्वत्याश्चरितं स्कन्द कथयस्व ममाग्रतः ।
यस्य स्मरणतः पुंसां संभवेद्वांछितं फलम् ॥ १ ॥
स्कन्द उवाच । मांगीशाज्ञां समादाय साऽघाऽया दर्शनोत्सुका ।
सागरं द्रष्टुकामा सा शांकरी शंकरप्रिया ॥ २ ॥
सखीद्वयेन संयुक्ता विचचार सरित्तटे ।
पश्यन्ती मुनिसंघानामाश्रमांश्छ्रमदारणान् ॥ ३ ॥
वीक्ष्य सागरगां गंगामघाशीं तां सरिद्वराम् ।
स्माम भवत्रामार्धधारिणीं भयहारिणीं ॥ ४ ॥
किञ्चिदानंदसन्दोहनिमग्ना चेदमब्रवीत् ।
अहो धन्याऽस्मि लोकेऽस्मिन् पतिं प्राप्य च शंकरम् ॥ ५ ॥
वितर्कयंति मुनयो हृदये ध्याननिष्ठया ।
अहो जन्म च मे धन्यं सत्प्रिये चारुहासिनि ॥ ६ ॥
कामाऽरिः स मया सार्द्धं रमते स्वेच्छया सुखम् ।
यत्संसर्गादहं लोके कीर्तिं प्राप्ता महोत्तमाम् ॥ ७ ॥
यत्संसर्गादिमे लोकाः शर्वाणीमिति मां विदुः ।
गणाऽधिपत्यं संप्राप्ता यस्य देहार्धधारिणी ॥ ८ ॥
अहो स्त्रियां सत्पतये तप एव हि कारणम् ।
येनाहमीश्वरं प्राप्ता पत्नीभावेन शंकरम् ॥ ९ ॥

अहो यस्याः पतिः साधुर्दक्षः सर्वगुणान्वितः ।
सैव धन्यतरा लोके शंकरेण यथा त्वहं ॥ १० ॥
इत्येवं हर्षिता साध्वी क्रीडन्ती तन्नदीतटे ।
वायुना वीज्यमाना सा सागरोत्थेन सुव्रता ॥ ११ ॥
क्वचिद्ध्यानपरा लोके हृद्याधाय च शंकरम् ।
आनन्दपूरिता पश्य प्राप्ता सिद्धाश्रमं मुने ॥ १२ ॥
सिद्धेश्वरं प्रपश्याथ संतोषं परमं गता ।
सिद्धेश्वरसमीपे सा गानं चक्रेऽतिसुन्दरम् ॥ १३ ॥
पूजयित्वाऽथ सिद्धेशं नमस्कृत्वाऽतियत्नतः ।
ततः सा वहिरागत्य सखीभ्यां संयुता मुने ॥ १४ ॥
गन्तुं कृतमतिर्देवी मांगीशचरणान्तिके ।
अथैको राक्षसः कश्चित् स्थूलदेहो नगोपमः ॥ १५ ॥
प्रेताम्बरसमायुक्तो धूम्राक्षो धूलिधूसरः ।
प्रेतमालाधरो भोगी भयानकमुखो मुने ॥ १६ ॥
नीलजीमूतसंकाशः सम्भूतो बाष्कलान्वये ।
नाम्ना कालान्तको नाम त्रैलोक्ये ह्यपराजितः ॥ १७ ॥
हस्ते लांगलमादाय ययौ सिद्धाश्रमं खलः ।
कियंत्यो गा विनिहताः कियन्तो ब्राह्मणा हताः ॥ १८ ॥
उत्पाटयामास गृहांल्लांगलाग्रेण राक्षसः ।
काश्चित् स्त्रियस्तेन हता भक्षितास्तेन बालकाः ॥ १९ ॥
केचन ब्राह्मणा जग्मुः शंकरं शरणं तदा ।
रक्ष रक्षेति भाषन्तो दण्डवत् पतिता भुवि ॥ २० ॥
तान् विषण्णोन्मुखान् देवी वाक्यमूचे तदा द्विजान् ।
भो विप्रा ब्रूत वृत्तांतमित्युक्तास्तेऽपि शंकरे ॥ २१ ॥
वक्तुं नाऽवसरोऽस्माकं दुःखितांस्त्राहि भो उमे ।
दुर्गे त्राहि महाभागे वक्तुमायाति नो वचः ॥ २२ ॥
सा हि कोपं तदा कृत्वा तद्वधायाकरोन्मतिम् ।
यत्र तिष्ठति दैत्यः स तत्राऽगच्छत शाम्भवी ॥ २३ ॥

वृक्षमुत्पाट्य वेगेन विव्याध हृदये तदा ।
स गतासुः पपातोर्व्यां तद्वलीकसमन्वितः ॥ २४ ॥
नेत्रास्यनासिकाश्रोत्रैर्वमन् रक्तं महासुरः ।
निहतं राक्षसं दृष्ट्वा ब्राह्मणा हर्षनिर्भराः ॥ २५ ॥
तुष्टुवुस्तां तदा देवीं स्तोत्रवृन्दैरनेकशः ।
हर्षितास्तु महात्मानो वेदघोषैस्तथाऽपरे ॥ २६ ॥
नमो देव्यै महेशान्यै सौम्यायै सततं नमः ।
नमो जगत्प्रतिष्ठायै दिव्यायै ते नमो नमः ॥ २७ ॥
नमामि ते पदद्वंद्वं मुनिभ्रमरचुम्बितम् ।
वन्दितं लोकपालाद्यैरनेकैः सुरसत्तमैः ॥ २८ ॥
नमस्तेऽस्तु महारौद्रे दैत्यकोपमहामखे ।
निधानकल्पे कल्पेऽसि शंस नः स्वचरित्रकम् ॥ २९ ॥
काऽसि त्वं दिव्यरूपेण न जानीमो यथार्थतः ।
प्रसन्ना भव कल्याणि नमस्कुर्मो भवप्रिये ॥ ३० ॥
विजितोयं महासत्त्वो दैत्यराजोऽतिदारुणः ।
विजयाऽसि महाभागे गीर्वाणपतिवन्दिते ॥ ३१ ॥
मनोरमेण नाम्नाऽत्र विजये प्रतिकाशिता ।
तिष्ठाऽत्र त्वं महेशानि ऋषीणां भयशान्तये ॥ ३२ ॥
तानुवाच ततो देवी गम्भीरान्तःस्थिता सती ।
वरं ददामि भो विप्रा यो वो मनसि वर्तते ॥ ३३ ॥
तुष्टायां मयि विप्रेन्द्रा दुर्लभं किं जगत्त्रये ।
द्विजा ऊचुः । वयं ऋषिकुलोद्भूतास्तापसाः शरणार्थिनः ॥ ३४ ॥
तस्मात्त्वां शरणं प्राप्तानस्मान् रक्ष सदाशिवे ।
वरदाऽसि यदा देवि वरोऽस्माकं प्रदीयताम् ॥ ३५ ॥
सागरस्यान्तिके ह्येषा पुरी शंखावली शुभा ।
स्थानं ते रोचतां देवि निवासार्थं सदाऽनघे ॥ ३६ ॥
त्वया ह्यत्रैव स्थातव्यं लोकानां हितकाम्यया ।
विजयेति च दुर्गेति नाम्ना विख्यातविक्रमा ॥ ३७ ॥

अत्र दैत्यभयं नित्यं तदपाकुरु सर्वदा ।

देव्युवाच । अत्रैव निवसाम्यद्य सर्वेषां च हिताय वै ॥ ३८ ॥

विजयेति च मे नाम लोके ख्यातिं गमिष्यति ।

मम भक्तिरता यूयमृषिवर्यसुता द्विजाः ॥ ३९ ॥

भवन्तो मम सान्निध्यमचिराद्वै गमिष्यथ ।

मम ये भावनिरताः पुरुषाश्च स्त्रियोऽपि वा ॥ ४० ॥

तेषां तथाविधान् कामान् पूरयिष्ये न संशयः ।

येषां मुखे तु मे नाम विऽजयेति जयार्थदम् ॥ ४१ ॥

बन्धच्छेदं केराम्येषां बान्धवानां द्विजोत्तमाः ।

संग्रामे विजयस्थाने पर्वते राष्ट्रविप्लवे ॥ ४२ ॥

मम नाम स्मरेद्यस्तु विजयस्तस्य जायते ।

मम नामामृतं पीतं येन केनापि जन्तुना ॥ ४३ ॥

तस्याहं नाशयिष्यामि तत्क्षणात् परमापदः ।

येषां कुलेऽस्मिन मत्पूजा विवर्द्धंते च ते नराः ॥ ४४ ॥

तेषां कुले नैव वैरं दुःखं चोराग्निसम्भवम् ।

इति दत्त्वा वरान् देवी तत्रैवांतरधीयत ॥ ४५ ॥

सान्निध्यं कल्पयामास तस्मिन् सिद्धाश्रमे सती ।

तदारभ्य महागौरी तस्मिन् सिद्धाश्रमे स्थिता ॥ ४६ ॥

विजयेति परिख्याता भक्तकामार्थसिद्धये ।

य इदं शृणुयाद् देव्या ह्याख्यानं सुमनोहरम् ॥ ४७ ॥

दुर्गा ददाति सन्तुष्टा मनसा वांछितं फलम् ।

इति श्रीस्कान्दे उत्तररहस्ये सह्याद्रिखण्डे स्कन्दागस्त्यसंवादे मांगीशमाहात्म्ये विजयादुर्गाख्यानं नाम द्वादशोऽध्यायः॥१२॥

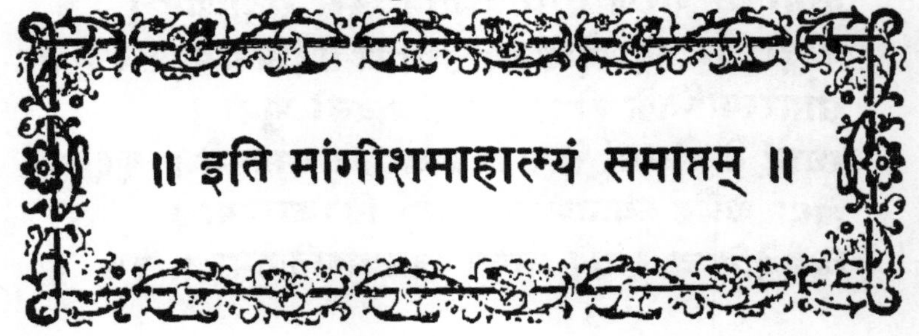

Works by the same Author.

INTRODUCÇAÕ ao ESTUDO da SCIENCIA da VIDA. 8vo. Bombay, 1868.

DENGUE, its HISTORY, SYMPTOMS, and TREATMENT; with observations on the Epidemic which prevailed in Bombay during the years 1871-72. 8vo. Bombay, 1872.

NOTES on the HISTORY and ANTIQUITIES of the ISLAND of BASSEIN. 8vo. Bombay, 1874.

MEMOIR on the HISTORY of the Tooth-relic of Ceylon. 8vo. Bombay, 1875.

MEMOIR on the HISTORY of the Tooth-relic of Ceylon; with a preliminary essay on the life and system of Gautama Buddha. Illustrated by drawings and photographs. 8vo. Bombay, 1875.

AN HISTORICAL and ARCHÆOLOGICAL SKETCH of the island of Angediva. 8vo. Bombay, 1875.

NOTES on the HISTORY and ANTIQUITIES of CHAUL and BASSEIN. Illustrated with seventeen photographs, nine lithographic plates, and a map. Royal 8vo. cloth. Bombay, 1876.

MESSRS. THACKER, VINING & Co., Bombay.

In preparation.

TRANSLATION of the Sahyâdri-Khaṇḍa, with an Introductory Essay.

THE ENGLISH and their Monuments at Goa.

THE HISTORY of the Introduction of Christianity by the Portuguese into India.

PRINTED AT THE "NIRNAYA-SAGAR" PRESS.

Lightning Source UK Ltd.
Milton Keynes UK
UKHW030650070223
416609UK00014B/3140